LE MEILLEUR DU LIVRE
LES MEILLEURS DES LIVRES

SÉLECTION DU LIVRE

PARIS - BRUXELLES - MONTRÉAL - ZURICH

PREMIÈRE ÉDITION

LES CONDENSÉS FIGURANT DANS CE VOLUME
ONT ÉTÉ RÉALISÉS PAR THE READER'S DIGEST
ET PUBLIÉS EN LANGUE FRANÇAISE AVEC L'ACCORD
DES AUTEURS ET DES ÉDITEURS DES LIVRES RESPECTIFS.

Imprimé en Allemagne *(Printed in Germany)*
ISBN 978-2-7098-2421-7

ÉDITÉ EN MAI 2012
DÉPÔT LÉGAL EN FRANCE : JUIN 2012
DÉPÔT LÉGAL EN BELGIQUE : D-2012-0621-88

297 (4-12)
021-0441-24

les livres
que nous avons choisis pour vous :

Mary Higgins Clark
Quand reviendras-tu ?

Il y a deux ans, le fils de Zan Moreland, une talentueuse décoratrice d'intérieur new-yorkaise, a été kidnappé à Central Park. Sa baby-sitter s'était endormie. Le jour même des cinq ans de Matthew, des photos sont publiées dans la presse : elles montrent Zan en train d'enlever son enfant ! La jeune femme clame haut et fort son innocence, persuadée d'être victime d'une machination. Mais qui en serait l'auteur ? Tandis que l'opinion publique se retourne contre elle et que l'étau de la police se resserre autour d'elle, Zan en vient à douter de sa propre santé mentale…

Page 9

Marc Dugain
L'Insomnie des étoiles

Automne 1945. Dans le sud de l'Allemagne vaincue, une ferme isolée attire l'attention de soldats français. Une adolescente affamée vit là seule, comme une sauvage. Les militaires découvrent près de la ferme les restes d'un corps calciné. Incapable de fournir une explication à la présence de ce cadavre, la jeune fille est mise aux arrêts. Contre l'avis de sa hiérarchie, le capitaine Louyre va s'acharner à connaître la vérité sur cette affaire mineure au regard des désastres de la guerre, car il pressent qu'elle lui révélera un secret autrement plus capital.

Page 153

Kathryn Stockett
La Couleur des sentiments

À Jackson, dans les années 1960, les femmes blanches jouent au bridge pendant que leurs domestiques noires s'occupent de la maison et des enfants. Les lois raciales font autorité. Un abîme sépare donc Aibileen et Minny de la jeune bourgeoise Skeeter, journaliste en herbe. Mais celle-ci, qui vient de terminer l'université, cherche à savoir pourquoi Constantine, qui l'a élevée avec amour, a disparu sans un mot. Alors qu'elle interroge les amies de son ancienne bonne, une brusque prise de conscience s'opère en elle. Et bientôt un projet inouï germe dans son esprit…

Page 263

Peter Mayle
Château-l'Arnaque

À Los Angeles, des voleurs dérobent chez un amateur de grands crus pour trois millions de dollars de lafite 1953, pétrus 1970, yquem 1975, margaux 1983 et autres divines bouteilles. La compagnie d'assurances fait appel à un détective privé spécialisé dans les plaisirs de la table, qui devine aussitôt que la clé de l'énigme réside en France. Paris, Bordeaux et Marseille seront les grandes étapes d'une enquête aussi aventureuse que gastronomique. Et pour pimenter l'affaire, Peter Mayle a recours à une autre spécialité française : le charme féminin.

Page 485

QUAND REVIENDRAS-TU ?

MARY HIGGINS CLARK

TRADUIT DE L'ANGLAIS PAR ANNE DAMOUR

Quand Matthew reviendra-t-il ? C'est la question lancinante que se pose avec angoisse sa mère, Alexandra « Zan » Moreland. Le petit garçon a été enlevé dans Central Park deux ans auparavant. Depuis, Zan n'a aucune nouvelle de lui. Et la voilà soudain accusée par la police du kidnapping de son propre fils. Souffre-t-elle d'un dédoublement de la personnalité ? Ou est-elle victime d'une diabolique machination ?

1

Frère Aiden O'Brien entendait toujours ses fidèles en confession dans l'église basse de Saint-François-d'Assise, située dans Manhattan, 31e Rue Ouest. À soixante-dix-huit ans, le moine franciscain appréciait cette manière d'administrer le sacrement où le pénitent était assis avec lui dans la salle de réconciliation plutôt qu'agenouillé sur le bois dur du confessionnal, derrière un grillage qui dissimulait son visage. Il savait néanmoins que cette nouvelle façon de procéder se révélait inefficace lorsque, face à lui, le pénitent hésitait à confesser ce qu'il aurait confié dans l'obscurité.

C'était le cas aujourd'hui, en cet après-midi glacé et venteux de mars.

Durant la première heure où il était resté à attendre dans la salle, seules deux femmes s'étaient présentées, deux paroissiennes âgées de plus de quatre-vingts ans, dont les péchés, si elles en avaient jamais commis, appartenaient à un lointain passé. L'une d'elles avait confessé se souvenir d'avoir menti à sa mère à l'âge de huit ans. Elle avait mangé deux biscuits et accusé son frère d'avoir chipé le second.

Tandis que frère Aiden récitait son rosaire en attendant l'heure de quitter la salle, la porte s'ouvrit et une mince jeune femme d'une trentaine d'années entra. D'un pas incertain, elle s'avança lentement vers la chaise en face de lui et s'y assit avec hésitation. Ses cheveux auburn retombaient librement sur ses épaules. Son tailleur orné d'un col de fourrure était à l'évidence coûteux, comme ses bottines de cuir à hauts talons. Des boucles d'oreilles en argent étaient ses seuls bijoux. Voyant que la jeune femme restait muette, frère Aiden dit d'un ton encourageant :

— Puis-je vous aider ?

— Je ne sais par où commencer.

La voix était basse et agréable, sans trace d'accent.

— Il n'est rien que vous puissiez me confier que je n'aie déjà entendu, dit doucement frère Aiden.

— Je… (La jeune femme se tut, puis les mots se bousculèrent :) Bénissez-moi, mon père, parce que j'ai péché. Je confesse avoir participé à un acte criminel et être complice d'un meurtre imminent. Vous l'apprendrez sans doute par les journaux. Je ne voulais pas y être mêlée, mais il est trop tard.

Avec une expression horrifiée, elle plaqua sa main sur sa bouche et se leva brusquement.

— Je n'aurais jamais dû venir ici, murmura-t-elle.

Elle tourna les talons et en un instant fut à la porte.

— Attendez, dit frère Aiden en se levant péniblement. Parlez-moi.

Elle était partie. Cette femme est-elle dérangée ? se demanda-t-il. Si ce qu'elle a dit est vrai, je suis impuissant, soupira-t-il en se laissant retomber sur son fauteuil. J'ignore qui elle est et où elle habite. Si elle a toute sa tête, elle est assez avisée pour savoir que je suis tenu par le secret de la confession.

Frère Aiden resta longuement sans bouger pendant de longues minutes, priant avec ferveur pour que la jeune femme revienne, mais elle ne réapparut pas.

Il était censé quitter la salle à 18 heures. Il était 18 h 20 quand il plaça ses deux mains sur les accoudoirs de son fauteuil et se leva lentement, grimaçant sous l'effet de la douleur aiguë qui transperçait ses genoux arthritiques. Il ouvrit la porte et vit un homme agenouillé sur un prie-Dieu devant la chapelle de saint Antoine, le visage enfoui entre ses mains. Frère Aiden hésita. Devait-il demander à ce visiteur s'il souhaitait se confesser ? Puis il se dit que la chapelle de saint Antoine était l'un des lieux de recueillement préférés des fidèles.

Frère Aiden traversa l'atrium jusqu'à la porte qui menait à la Fraternité. Il ne remarqua pas le regard brûlant de l'étranger, qui n'était plus plongé dans ses prières mais avait relevé ses lunettes noires et l'observait avec attention.

Elle était là il y a moins d'une minute. Qu'a-t-elle eu le temps de dire à ce vieux prêtre ? se demandait l'homme. Y a-t-il un risque qu'elle lui ait tout balancé ? Il remit vivement ses lunettes en place et remonta le col de son trench-coat. Il avait déjà noté le nom de frère Aiden inscrit sur la porte.

Que dois-je faire de toi, frère O'Brien ? se demanda-t-il avec colère, tandis qu'il croisait une douzaine de visiteurs qui pénétraient dans l'église. Il n'avait pas de réponse pour l'instant.

Ce qu'il ignorait, c'est que lui, l'observateur, était observé à son tour. Alvirah Meehan, l'ancienne femme de ménage âgée de soixante-dix ans devenue chroniqueuse et auteur renommé après avoir gagné quarante millions de dollars à la loterie de New York, était présente. Elle avait fait des achats et, avant de regagner son appartement de Central Park South, s'était rendue à pied à l'église. Elle venait de recevoir des droits inattendus pour son autobiographie, *Du balai aux arnaques*, et voulait mettre un cierge à saint Antoine et faire un don aux nécessiteux.

En apercevant l'homme qui paraissait en prière devant le tronc, elle avait choisi de s'arrêter devant la chapelle de Notre-Dame-de-Lourdes. Quelques minutes plus tard, elle vit son vieil ami, frère Aiden, quitter la salle de réconciliation. Elle s'apprêtait à le rattraper pour le saluer quand, à sa stupéfaction, l'homme qui semblait si profondément absorbé dans ses pensées se redressa brusquement, ses lunettes noires relevées sur le front. Il n'y avait pas de doute, il surveillait frère Aiden qui se dirigeait vers la porte de la Fraternité.

Ce qu'il veut, c'est mémoriser les traits du prêtre, pensa-t-elle en voyant l'homme remonter le col de son imperméable et rajuster ses lunettes. Elle constata qu'il était de grande taille. Son visage lui parut anguleux. Il avait des cheveux noirs sans un seul fil blanc.

Pour quel motif est-il ici ? se demanda Alvirah en regardant l'inconnu sortir d'un pas rapide par la porte la plus proche. Une chose est certaine, conclut-elle. Dès que frère Aiden a quitté la salle de réconciliation, quoi que ce type ait eu à dire à saint Antoine, il n'a pas traîné en route.

2

Nous sommes le 22 mars. S'il est encore en vie, mon Matthew a cinq ans aujourd'hui, pensa Zan Moreland en ouvrant les yeux. Refoulant ses larmes, elle consulta le réveil sur la commode. 7 h 15. Elle avait dormi presque huit heures. Grâce au somnifère, un luxe qu'elle se permettait très rarement. Mais l'approche de l'anniversaire de son petit garçon lui avait fait perdre le sommeil la semaine précédente.

Des bribes de son rêve lui revinrent. C'était toujours les mêmes images : elle était à la recherche de Matthew dans Central Park, elle l'appelait, le suppliait de répondre. Il aimait tant jouer à cache-cache. Dans son rêve, elle se persuadait qu'il n'avait pas réellement disparu. Il se cachait, tout simplement.

Si seulement j'avais annulé mon rendez-vous ce jour-là, se reprocha Zan pour la énième fois. Tiffany Shields, la baby-sitter, avait reconnu qu'elle avait orienté la poussette de Matthew de manière à le protéger du soleil et qu'elle s'était ensuite assoupie sur une couverture dans l'herbe. Elle avait aussi avoué que Matthew s'était endormi dès qu'ils avaient quitté l'appartement et qu'elle n'avait pas pris la peine de l'attacher.

La photo de Matthew avait été publiée dans la presse à travers tout le pays et sur Internet. J'ai prié pour qu'une personne solitaire l'ait enlevé puis, prise de remords, l'ait abandonné dans un lieu sûr où on le retrouverait, se rappelait Zan. Mais presque deux ans s'étaient écoulés, et il n'y avait jamais eu le moindre indice révélant l'endroit où Matthew pouvait être. Aujourd'hui, il m'a sans doute oubliée, soupira-t-elle.

Elle se redressa lentement et ramena ses longs cheveux auburn en arrière. Elle posa ses pieds sur le sol, s'étira et se mit debout, puis alla fermer la fenêtre, embrassant du regard la beauté matinale de la statue de la Liberté et de la baie de New York. C'était ce panorama qui l'avait décidée à louer l'appartement, six mois après la disparition de Matthew. Elle devait quitter l'immeuble de la 86e Rue Est où la vue de la chambre déserte de son petit garçon avec son lit et ses jouets était un supplice qui lui transperçait le cœur tous les jours.

Elle avait alors décidé de mener une vie plus ou moins normale et concentré toute son énergie sur le développement de la petite agence de décoration intérieure qu'elle avait créée à l'époque où Ted et elle s'étaient séparés. Ils avaient vécu ensemble si peu de temps, elle ne savait même pas qu'elle était enceinte quand ils s'étaient quittés.

Avant d'épouser Edward « Ted » Carpenter, elle avait été l'assistante du célèbre décorateur Bartley Longe. Elle était déjà considérée comme l'une des étoiles montantes de la profession.

Zan referma la fenêtre et se hâta vers la penderie. Elle s'enveloppa dans la vieille robe de chambre que Ted avait toujours détestée et à laquelle elle tenait comme à la prunelle de ses yeux. C'était devenu un symbole pour elle. Matthew adorait s'y blottir avec elle.

Refoulant ses larmes, elle se dirigea vers la cuisine. La machine à café était réglée sur 7 heures et la verseuse était pleine. Elle remplit une tasse et prit dans le réfrigérateur le mélange de fruits qu'elle avait achetés à l'épicerie du coin. Puis, se ravisant, elle renonça aux fruits : le café suffirait pour l'instant. En buvant son café, elle passa en revue son emploi du temps de la journée. Après un passage à son bureau, elle avait rendez-vous avec l'architecte d'un nouvel immeuble donnant sur l'Hudson pour discuter de la décoration de trois appartements modèles, un joli coup si elle obtenait le contrat.

Elle emporta son café dans la salle de bains, le posa sur la coiffeuse et ouvrit le robinet de la douche. La chaleur de l'eau soulagea un peu les contractures de ses muscles. Enveloppée dans une serviette, elle se sécha rapidement les cheveux, puis appliqua le mascara et le brillant à lèvres qui constituaient son seul maquillage. Matthew avait les yeux de Ted, d'un magnifique brun profond. Ses cheveux étaient tout blonds, avec des reflets roux. Je me demande s'ils deviendront d'un roux éclatant comme les miens quand j'étais petite. J'en avais horreur. Je disais à maman que je ressemblais à Anne, l'héroïne de *La Maison aux pignons verts* qui avait d'horribles cheveux carotte. Matthew, lui, serait très mignon en roux.

Ted avait insisté pour qu'ils dînent ensemble ce soir, en tête à tête. « Melissa comprendra sûrement, lui avait-il dit au téléphone. Je veux évoquer notre petit garçon avec la seule personne qui sait ce que je ressens le jour de son anniversaire. Je t'en prie, Zan. »

Ils devaient se retrouver au Four Seasons à 19 h 30. Habiter Battery Park City a pour inconvénient majeur la fréquence des embouteillages en direction de Midtown. Je ne veux pas être obligée de revenir me changer à la maison, songea Zan. Mon tailleur noir à col de fourrure fera l'affaire pour la journée et la soirée.

Un quart d'heure plus tard, elle était dans la rue, grande et mince jeune femme de trente-deux ans en tailleur et bottines à talons hauts, un sac élégant à l'épaule, ses cheveux auburn retombant souplement sur ses épaules. Elle héla un taxi.

PENDANT le petit déjeuner, Alvirah avait raconté à Willy l'étrange regard que ce type avait lancé à leur ami le frère Aiden au moment où il quittait la salle de réconciliation.

— J'ai rêvé de cet homme cette nuit, Willy. Et quand je rêve de quelqu'un, c'est en général l'annonce que les ennuis vont débouler.

Willy jeta un regard affectueux à la femme qui partageait sa vie depuis quarante-cinq ans. C'était un homme de haute taille, à l'épaisse chevelure blanche, et, comme le disait Alvirah, aux yeux les plus bleus qui fussent sur terre.

Selon lui, Alvirah était encore une belle femme. Il ne remarquait pas que, malgré ses efforts, il lui restait cinq ou six kilos à perdre. Et il ne remarquait pas davantage que deux semaines après sa séance de couleur chez le coiffeur, le blanc réapparaissait à la racine de ses cheveux.

— Chérie, ce type n'a peut-être pas eu tout de suite le courage d'aller se confesser. Et, en voyant frère Aiden s'en aller, il a hésité à le rattraper.

Alvirah secoua la tête.

— Il y a autre chose. (Elle se versa une deuxième tasse de thé et son expression changea.) Tu sais que c'est l'anniversaire du petit Matthew. Il aurait cinq ans aujourd'hui.

Ils restèrent silencieux pendant un instant, se rappelant que, près de deux ans auparavant, après la diffusion sur Internet d'un article qu'avait rédigé Alvirah dans le *New York Globe* sur la disparition de l'enfant, Alexandra « Zan » Moreland lui avait téléphoné. « Madame Meehan, avait-elle dit, je ne puis vous exprimer à quel point Ted et moi avons été touchés par ce que vous avez écrit. Si Matthew a été enlevé par une personne souhaitant désespérément avoir un enfant, vous avez su trouver les mots pour exprimer notre désir éperdu de le retrouver. La suggestion que vous faites de ramener en secret Matthew dans un endroit sûr afin d'éviter les caméras de sécurité pourrait tout changer. »

Alvirah avait été navrée pour elle. « La pauvre petite est elle-même enfant unique et elle a perdu ses parents dans un accident de voiture alors qu'ils venaient la chercher à l'aéroport de Rome. Puis elle s'est séparée de son mari avant de se rendre compte qu'elle était enceinte, et maintenant, son petit garçon a disparu. Elle doit en être au point où on n'a pas le courage de se lever le matin. »

Cependant, peu après, Alvirah avait lu dans le *Post* qu'en dépit de tous ses malheurs, Zan Moreland avait repris son travail dans son agence de décoration. Alvirah avait aussitôt informé Willy que leur appartement avait besoin d'être retapé. Le résultat avait été non seulement la transformation de l'appartement, mais une amitié durable avec Zan Moreland. Depuis, Zan les considérait comme sa famille d'adoption.

— As-tu dit à Zan de venir dîner avec nous ce soir? demanda Willy. J'imagine que c'est un jour douloureux pour elle.

— Je le lui ai proposé, répondit Alvirah. Mais son ex-mari veut passer la soirée avec elle, et elle ne pouvait pas refuser.

— Je pense que passer la soirée avec son ex-mari ne l'aidera en rien, dit Willy. Carpenter ne lui a jamais pardonné d'avoir laissé Matthew à la garde d'une baby-sitter aussi jeune. J'espère qu'il ne profitera pas de cette soirée pour aborder le sujet.

— Il est, ou était, le père de Matthew, dit Alvirah. (Puis elle ajouta :) Je prie seulement pour que Ted Carpenter ne boive pas trop ce soir et ne s'en prenne pas à Zan.

— Ne joue pas les oiseaux de mauvais augure, chérie, dit Willy.

— Je sais à quoi tu penses. (Alvirah réfléchit, puis mordit dans son bagel.) Mais tu sais bien que lorsque je sens les ennuis venir, ils finissent toujours par arriver. Et crois-moi, aussi improbable que cela puisse paraître, je sais que Zan va subir un nouveau coup terrible.

EDWARD CARPENTER salua sans dire un mot la réceptionniste en traversant le hall de son agence de relations publiques de la 46e Rue Ouest, au vingt-neuvième étage. Les murs étaient tapissés de photos de ses clients célèbres. Toutes lui étaient dédicacées. Il faisait en général le tour par la gauche de la vaste pièce où travaillaient ses dix assistants. Pourtant, ce matin-là, il alla directement dans son bureau.

Quand il ouvrit la porte, Rita, sa secrétaire, était tellement absorbée par ce qu'elle lisait sur Internet qu'elle ne le vit pas s'approcher. Elle regardait une photo de Matthew affichée sur son écran. En entendant Ted, elle leva la tête. Son visage s'empourpra lorsque son patron se pencha au-dessus d'elle, s'empara de la souris et éteignit l'ordinateur. D'un pas rapide, il se dirigea vers sa table de travail et retira son manteau. Mais avant de le suspendre, il s'immobilisa devant la photo encadrée de son fils, prise le jour de son troisième anniversaire. Il me ressemblait déjà, songea Ted. Avec son grand front et ses yeux bruns, il était son fils, indéniablement. Il retourna la photo d'un geste rageur. Puis il alla accrocher son manteau dans la penderie.

La veille, pendant le dîner, sa cliente la plus importante, la star du rock Melissa Knight, avait manifesté son agacement quand il lui avait annoncé qu'il ne pourrait pas l'accompagner à la réception prévue ce soir. « Tu as rencard avec ton ex », avait-elle dit d'un air à la fois inquiet et contrarié. Puis elle s'était aussitôt excusée : « Pardonne-moi, Ted. Je suis vraiment désolée. Naturellement, je sais pourquoi tu la vois ce soir. Seulement… »

Nous nous sommes séparés, Zan et moi, songea-t-il, parce qu'elle a décrété que notre mariage n'était qu'une réaction émotionnelle à la brusque disparition de ses parents. Elle ne s'était même pas rendu compte qu'elle était enceinte. Plus de cinq ans se sont écoulés. Pas de quoi inquiéter Melissa. Je ne peux envisager qu'elle se brouille avec moi, ce serait la mort de l'agence. Ses trois premiers albums se sont vendus à plus d'un million d'exemplaires chacun. Elle emmènerait tous ses amis avec elle, c'est-à-dire les plus rentables de mes clients.

Rita lui apporta timidement le courrier du matin.

— Le comptable de Melissa est parfait, lui dit-elle avec un sourire hésitant. Le chèque du mois et le règlement des notes de frais sont arrivés ce matin, comme convenu.

Ted ressentit un élan d'affection à l'égard de Rita. Elle travaillait à son côté depuis quinze ans, depuis le jour où, avec l'arrogance de ses vingt-trois ans, il avait ouvert son agence de relations publiques. Elle avait assisté au baptême de Matthew et à ses trois premiers anniversaires. Approchant la cinquantaine, sans enfant et mariée à un instituteur paisible, elle aimait l'agitation qui régnait dans l'entourage de leurs célèbres clients.

— Rita, dit Ted, c'est l'anniversaire de Matthew aujourd'hui, et je sais que vous avez prié pour qu'il nous soit rendu. Priez aujourd'hui pour que l'an prochain nous soyons tous en train de célébrer son anniversaire avec lui.

— Bien sûr, Ted, dit Rita avec ferveur. Bien sûr.

Quand elle fut sortie, Ted contempla la porte fermée pendant quelques secondes puis s'empara du téléphone avec un soupir. Il était certain que la femme de chambre de Melissa allait décrocher et prendre un message. La veille, ils avaient assisté à la première d'un film, et Melissa faisait souvent la grasse matinée le lendemain d'une soirée. Mais elle répondit à la première sonnerie.

Il s'efforça de prendre un ton enjoué :

— Bonjour, Melissa, ma princesse préférée.

— Ted. Je croyais que tu serais trop occupé par ton dîner de ce soir pour penser à m'appeler.

Elle avait son ton agacé des mauvais jours.

Il résista à la tentation de raccrocher et lui dit :

— Le dîner avec mon ex ne va pas s'éterniser plus de deux heures. C'est-à-dire que je quitterai le Four Seasons aux environs de 21 h 30. Peux-tu me trouver une petite place dans ton emploi du temps vers 21 h 45 ?

Deux minutes plus tard, assuré d'être rentré dans les bonnes grâces de Melissa, il raccrocha et se prit la tête dans les mains. Oh, mon Dieu, pensa-t-il, pourquoi faut-il que je sois obligé de la supporter ?

ZAN ouvrit la porte de son petit bureau du Design Center, deux magazines people sous le bras. L'année précédente, le jour de l'anniversaire de Matthew, tous deux avaient rappelé l'enlèvement avec force détails.

Elle alluma la lumière et contempla le décor familier de son agence, les rouleaux de tissu appuyés contre les murs blancs, les échantillons de moquette éparpillés sur le sol et les rayonnages remplis de lourds cahiers d'échantillons de tissus. Le bureau ancien avec ses trois chaises de style édouardien lui suffisait pour dessiner des plans d'aménagement intérieur ou concevoir des combinaisons de couleurs à soumettre à un client.

C'était ici, dans cette pièce, qu'elle parvenait parfois à ne pas penser à Matthew pendant quelques heures. Elle savait qu'il n'en serait rien aujourd'hui.

Le reste de l'agence comprenait une seconde pièce à l'arrière, à peine assez grande pour contenir un meuble d'ordinateur, un classeur, une table pour l'inévitable machine à café et un petit réfrigérateur. La penderie était en face des toilettes.

Elle avait résisté à la tentation de louer le local voisin quand il s'était libéré. Elle voulait limiter le plus possible ses frais généraux, de façon à pouvoir faire appel à une autre agence de détectives spécialisée dans la recherche d'enfants disparus. Elle avait dépensé sans compter pour s'offrir les services de détectives privés et de charlatans parapsychologues dont aucun n'avait découvert le moindre indice.

Elle accrocha son manteau dans la penderie, se rappelant qu'elle devait dîner avec Ted. Pourquoi tient-il à me voir ce soir ? se demanda-t-elle avec impatience. Il me reproche d'avoir laissé Tiffany Shields emmener Matthew au parc. Mais tous les reproches qu'il pouvait lui faire n'égaleraient jamais le remords et le sentiment de culpabilité qui l'accablaient.

Tentant de chasser ces pensées, elle ouvrit les magazines et les parcourut rapidement. Comme elle l'avait redouté, l'un d'eux publiait une photo de Matthew que les médias s'étaient procurée au moment de sa disparition. La légende disait : « Matthew Carpenter est-il encore vivant et en train de fêter son cinquième anniversaire ? »

L'article se terminait sur les paroles que Ted avait prononcées ce jour-là, un avertissement destiné aux parents qui confient la garde d'un enfant à une jeune fille inexpérimentée. Zan jeta les deux magazines dans la corbeille à papier. Puis elle alla résolument à son bureau et se mit au travail.

Comme tant de fois au cours des semaines précédentes, elle déroula les plans qu'elle allait soumettre à Kevin Wilson, l'architecte et copropriétaire du gratte-ciel de trente-trois étages qui donnait sur l'Hudson. S'il lui confiait la décoration des trois appartements témoins, ce serait la première fois qu'elle sortirait victorieuse d'une compétition avec Bartley Longe.

Elle ne comprenait toujours pas pourquoi Bartley, qui l'avait tant appréciée lorsqu'elle était son assistante, s'était ensuite si violemment retourné contre elle. Quand elle avait commencé à travailler pour lui, neuf ans auparavant, après avoir obtenu son diplôme du FIT, le Fashion Institute of Technology, sachant qu'elle apprendrait beaucoup auprès de lui, elle s'était accommodée de son tempérament volcanique. Divorcé, la quarantaine, Bartley était un séducteur mondain. Mais quand il avait commencé à s'intéresser à elle et qu'elle lui avait signifié qu'elle n'avait nulle envie d'une relation autre que professionnelle, il lui avait rendu la vie infernale, l'abreuvant de sarcasmes et de critiques.

Je connais sa façon de procéder, se dit-elle. Je le battrai sur son propre terrain. Et elle se concentra sur les dessins et le choix des couleurs qu'elle avait l'intention de montrer.

Elle entendit une clé tourner dans la serrure, annonçant l'arrivée de Josh. Son assistant était lui aussi diplômé du FIT. Vingt-cinq ans, intelligent, ressemblant davantage à un étudiant qu'à un designer, il était devenu une sorte de jeune frère pour elle. Josh et elle s'entendaient à merveille.

Mais en voyant son expression, Zan comprit que quelque chose le préoccupait. Sans préambule, il lui dit :

— Zan, je suis resté ici hier soir pour rattraper le retard dans la comptabilité du mois. Dis-moi, pourquoi as-tu acheté un billet d'avion à destination de Buenos Aires pour mercredi prochain ?

L'ENFANT entendit avant Glory le bruit d'une voiture qui arrivait dans l'allée. En un instant, il se laissa glisser à bas de sa chaise, à la table du petit déjeuner, et courut vers la penderie où il savait qu'il devait rester caché « comme une petite souris » jusqu'à ce que Glory vienne le chercher.

Il n'était pas inquiet. Glory lui avait expliqué qu'il s'agissait d'un jeu. Il y avait une lampe de poche sur le plancher de la penderie et un bateau en caoutchouc gonflable assez grand pour qu'il puisse s'y allonger et dormir s'il était fatigué. Il contenait des oreillers et une couverture. Quand il était caché là, Glory lui avait dit qu'il pouvait faire semblant d'être un pirate sur l'océan. Ou il pouvait regarder un de ses livres. La seule chose qu'il ne devait *jamais faire*, c'était émettre le moindre bruit.

Cela avait été pareil dans les autres maisons. Glory lui aménageait toujours un endroit où il puisse se cacher, puis y mettait tous ses jouets, trains, puzzles, livres et crayons de couleur, ainsi qu'une bouteille pour faire pipi dedans. Elle lui avait dit que, même s'il ne jouait jamais avec d'autres enfants, il saurait beaucoup plus de choses qu'aucun d'eux. « Tu lis mieux que les plus grands, Matty, lui disait-elle. Tu es très fort.

Et c'est grâce à moi que tu es aussi intelligent. Tu as vraiment de la chance. »

Au début, il n'avait pas eu l'impression d'avoir de la chance. Il rêvait qu'il était enveloppé dans une robe de chambre douillette avec maman. Au bout d'un certain temps, il avait eu du mal à se rappeler son visage, mais il se souvenait encore de ce qu'il ressentait lorsqu'elle le serrait dans ses bras. Alors il se mettait à pleurer. Peu à peu, le rêve s'en était allé. Puis un jour Glory lui avait acheté un savon et il s'était lavé les mains avant de se coucher, et le rêve était réapparu parce que ses mains sentaient la même odeur que maman. Il avait emporté le savon dans sa chambre et l'avait mis sous son oreiller. Lorsque Glory lui avait demandé pourquoi, il lui avait dit la vérité, et elle l'avait laissé faire. Ce n'était qu'en voiture qu'il voyait d'autres gens, toujours la nuit.

Il lui arrivait de se réveiller la nuit après que Glory l'avait enfermé dans sa chambre et il l'entendait parler à quelqu'un. Il se demandait qui c'était. Il n'arrivait jamais à entendre l'autre voix.

Cette fois, la porte de la penderie s'ouvrit presque aussitôt. Glory riait.

— Le propriétaire a fait venir le type du système d'alarme pour s'assurer qu'elle fonctionnait. C'est rigolo, non ?

APRÈS lui avoir fait part de la somme débitée par la compagnie aérienne sur sa carte de crédit, Josh proposa à Zan de vérifier toutes ses autres cartes. Apparurent alors sur ses autres comptes des achats de vêtements coûteux chez Bergdorf Goodman, des vêtements à sa taille dont elle ne savait rien.

— Il ne manquait plus que ça aujourd'hui, marmonna Josh.

À 11 heures précises, Zan se trouvait devant la porte entrouverte du bureau de Kevin Wilson, l'architecte. Le bureau était un espace temporaire aménagé au rez-de-chaussée du bâtiment, comme en utilisent en général les architectes pour surveiller l'avancement des travaux. Wilson lui tournait le dos, la tête penchée vers les plans étalés sur une grande table. Peut-être ceux de Bartley Longe ? Elle savait qu'il avait eu rendez-vous avant elle. Elle frappa à la porte et Wilson lui cria d'entrer sans se retourner.

Elle s'était à peine avancée dans la pièce qu'il fit pivoter son fauteuil, se leva et remonta ses lunettes sur son front. Il était plus jeune qu'elle ne s'y attendait, probablement dans les trente-cinq ans. Grand et mince, il avait davantage l'allure d'un basketteur que d'un architecte récompensé par de nombreux prix. Sa mâchoire volontaire et ses yeux bleus au regard vif dominaient dans son visage séduisant et fermement dessiné.

Il lui tendit la main.

— Heureux de faire votre connaissance, Alexandra Moreland, je vous remercie d'avoir accepté de nous présenter vos plans pour nos appartements témoins.

Zan s'efforça de sourire en lui serrant la main. Elle ne se sentait pas assez sûre d'elle pour entamer la conversation en raison de l'anniversaire de son fils, ajouté à la nouvelle que quelqu'un avait utilisé frauduleusement ses cartes de crédit. Elle espérait seulement que Wilson ne verrait dans son silence que de la timidité.

Ce qu'il fit sans doute, suggérant gentiment :

— Nous pourrions examiner ce que vous avez apporté.

Zan avala avec peine sa salive et parvint à parler d'un ton posé :

— Si vous êtes d'accord, j'aimerais que nous allions visiter ces appartements et je vous expliquerai sur place comment j'envisage l'agencement des pièces.

— Très bien.

En deux enjambées, Wilson fit le tour de son bureau et s'empara du lourd dossier qu'elle avait déposé. Ils empruntèrent le couloir jusqu'aux ascenseurs. Le hall d'entrée était dans la dernière phase de sa construction, des fils électriques pendaient du plafond et des bandes de moquette recouvraient ici et là le sol poussiéreux.

Wilson appuya sur un bouton et la porte de la cabine se referma. Zan chercha quelque chose à dire.

— Votre secrétaire a dû vous rapporter que depuis que j'ai été invitée à concourir pour l'aménagement de ces appartements, je suis venue à plusieurs reprises sur place.

— Je l'ai appris, en effet.

— Je voulais voir les pièces à diverses heures de la journée, afin d'imaginer comment des personnes différentes pourraient s'y sentir chez elles.

Ils commencèrent par l'appartement doté d'une seule chambre à coucher, avec une salle de bains et un cabinet de toilette.

— Je suppose que ce type de logement plaira à de jeunes avocats ou médecins. Et, sauf s'ils sont amoureux, la plupart voudront l'habiter seuls.

Wilson sourit. Tout devenait soudain plus facile pour Zan. Elle était en terrain connu.

— Voilà ce que j'ai imaginé, dit-elle en lui reprenant le dossier.

Elle resta presque deux heures avec Kevin Wilson à lui expliquer ses différentes solutions pour chacun des trois appartements témoins. Quand ils eurent regagné son bureau, il déposa les plans sur la table et dit :

— Vous avez fait un travail énorme pour ce projet, Zan.

— J'aimerais beaucoup que vous me confiiez cette tâche. Je sais que vous avez également consulté Bartley Longe, qui est un remarquable décorateur.

— Vous êtes beaucoup plus charitable à son égard qu'il ne l'est envers vous, fit remarquer Wilson d'un ton sec.

Zan ne put dissimuler une note d'amertume.

— Je crains d'avoir peu d'atomes crochus avec Bartley. Par ailleurs, je suis certaine que vous ne traitez pas ce concours sous le seul angle de la célébrité.

Et je sais que je finirai par coûter un tiers de moins que Bartley, se dit-elle en quittant Wilson devant l'entrée du gratte-ciel.

Frère Aiden O'Brien avait passé une nuit blanche à s'inquiéter pour la jeune femme qui lui avait avoué, dans le secret de la confession, qu'elle était complice d'un crime et dans l'incapacité de prévenir un meurtre. Il pria pour elle à la messe du matin puis, le cœur lourd, vaqua à ses obligations.

Son moral remonta au milieu de l'après-midi quand il reçut un appel de sa vieille amie Alvirah Meehan, qui l'invitait à dîner le soir même.

— Je dois célébrer la messe de 17 heures, lui dit-il, mais je serai chez vous vers 18 h 30.

Il se réjouissait à l'avance de cette occasion, même s'il savait que rien ne pourrait soulager le poids que la jeune femme avait déposé sur ses épaules.

Il trouva Alvirah devant la porte de l'ascenseur au quinzième étage. Willy l'attendait pour le débarrasser de son manteau et lui préparer sa boisson préférée, un bourbon avec des glaçons.

Il ne lui fallut pas longtemps pour s'apercevoir qu'Alvirah était moins enjouée qu'à l'habitude. Son expression dénotait une inquiétude, et il eut le sentiment qu'elle se retenait d'aborder un sujet. Il prit l'initiative :

— Alvirah, quelque chose vous tracasse. Puis-je vous aider d'une manière ou d'une autre ?

— Oh ! Aiden, vous lisez en moi comme dans un livre. Je me suis arrêtée à Saint-François hier…

— Probablement pour glisser un don dans le tronc de saint Antoine, l'interrompit Aiden en souriant.

— En effet. Mais il y avait un homme agenouillé devant le tronc, le visage caché dans ses mains, et vous savez comme il est parfois gênant de s'approcher trop près de quelqu'un.

Frère Aiden hocha la tête.

— C'était très délicat de votre part.

— Peut-être pas une si bonne idée que ça, intervint Willy. Chérie, raconte à Aiden ce que tu as vu.

— Eh bien, je me suis dirigée vers le fond de l'église, jusqu'au dernier banc, d'où je pourrais observer cet individu quand il partirait. Malheureusement, je n'ai pas pu le voir distinctement, et quand vous êtes sorti de la salle de réconciliation et que vous avez traversé l'atrium pour regagner la Fraternité, j'ai voulu vous rattraper, mais ce dévot, appelons-le comme ça, s'est alors brusquement redressé, a relevé ses lunettes et, croyez-moi, Aiden, il ne vous a pas quitté des yeux jusqu'à ce que vous ayez disparu.

— Peut-être voulait-il se confesser sans en trouver le courage, suggéra frère Aiden.

— Non, il y avait autre chose. Et j'ai été saisie d'une appréhension, dit Alvirah d'un ton ferme. Il arrive parfois qu'une personne à l'esprit dérangé en veuille à un prêtre. Si vous connaissez quelqu'un qui nourrit un grief à votre égard, soyez prudent.

Les rides qui barraient le front de frère Aiden se creusèrent. Une pensée venait de lui traverser l'esprit.

— Alvirah, vous dites que cet homme était agenouillé devant la chapelle de saint Antoine avant que je quitte la salle de réconciliation ?

— Oui. (Alvirah reposa le verre de vin qu'elle avait à la main et se pencha en avant.) Vous suspectez quelqu'un ?

— Non, répondit frère Aiden avec hésitation.

Cette jeune femme, pensa-t-il. Quelqu'un l'aurait-il suivie ou accompagnée dans l'église ?

— Aiden, y a-t-il des caméras de surveillance dans l'église ?

— Oui, sur toutes les portes d'accès.

— Bien, pourriez-vous vérifier qui est entré et sorti entre 17 h 30 et 18 h 30 ? Il y avait peu de monde à ce moment-là.

— Oui, vous pouvez compter sur moi.

— Verriez-vous un inconvénient à ce que je vienne demain matin jeter un coup d'œil à ces vidéos ? demanda Alvirah.

L'une des vidéos montrera aussi la jeune femme au moment où elle est entrée dans l'église, songea frère Aiden. Il serait intéressant de savoir si elle était suivie.

— C'est entendu, Alvirah, dit-il, je vous retrouverai demain matin à 9 heures à l'église.

Si quelqu'un avait suivi cette jeune femme et la soupçonnait d'avoir confessé ce qu'elle savait, n'était-elle pas en danger de mort ?

Il ne vint pas à l'esprit bienveillant du religieux de se soucier du risque qu'il encourait lui-même dans le cas où quelqu'un redouterait les révélations qui lui avaient été faites.

À 19 h 30, Zan se présenta à l'accueil du Four Seasons. Un coup d'œil au *gril room* lui suffit pour constater que Ted était déjà arrivé.

— Madame Moreland, quel plaisir de vous revoir, M. Carpenter vous attend, lui dit le maître d'hôtel en la conduisant à une table pour deux personnes.

Ted s'était levé à l'approche de Zan. Il se pencha pour l'embrasser sur la joue.

— Zan.

Sa voix était rauque. Son épaule frôla la sienne au moment où ils s'assirent.

— Tu n'as pas passé une trop mauvaise journée ? demanda-t-il.

Elle avait décidé de lui cacher les sommes débitées sur ses cartes de crédit. Elle savait que, si Ted était mis au courant, il proposerait de l'aider, et elle ne voulait pas s'engager dans ce genre de relation avec lui, sauf en ce qui concernait Matthew.

— Si, très mauvaise, dit-elle calmement.

La main de Ted se referma sur la sienne.

— Je n'abandonne pas l'espoir d'entendre un jour le téléphone sonner pour annoncer une bonne nouvelle.

— J'aimerais le croire, moi aussi, mais dans le meilleur des cas je crains que Matthew ne m'ait oubliée. J'ai perdu presque deux ans de sa vie. (Elle s'interrompit.) Je veux dire, *nous* avons perdu presque deux ans, rectifia-t-elle prudemment.

Elle vit un éclair de colère passer dans le regard de Ted et devina ce qu'il pensait. La baby-sitter. Il ne lui pardonnerait jamais d'avoir engagé cette jeune écervelée pour se rendre à un rendez-vous avec un client. Quand allait-il aborder le sujet ? Quand il aurait bu un verre ou deux ?

Il y avait une bouteille du vin rouge préféré de Zan sur la table. Sur un signe de Ted, le serveur remplit leurs verres. Ted leva le sien :

— À notre petit garçon.

— Je t'en prie, murmura-t-elle. Ted, je ne peux pas parler de lui. J'en suis incapable. Nous savons tous les deux ce que chacun ressent aujourd'hui.

Ted but une longue gorgée en silence. Zan l'observa en songeant que Matthew lui ressemblerait en grandissant. Il aurait les mêmes yeux bruns écartés, les mêmes traits réguliers. Zan était obligée d'admettre que, si elle refusait catégoriquement de parler de Matthew, Ted pour sa part avait besoin de partager ses souvenirs de son fils.

— Ce matin, dit-elle avec hésitation, je me suis dit qu'il serait tout ton portrait en grandissant.

— Tu as raison. Je me souviens de ce jour, quelques mois avant sa disparition, où je suis venu le chercher chez toi pour l'emmener déjeuner. Il a voulu marcher et je le tenais par la main dans la Cinquième Avenue. Il était si mignon que les gens le regardaient en souriant. J'ai croisé un de mes clients qui m'a dit en plaisantant : « Vous ne pourrez jamais renier cet enfant. »

Zan eut un sourire timide.

— Je ne pense pas que tu l'aurais jamais renié.

Comme s'il se rendait compte de l'effort qu'elle s'imposait, Ted changea de sujet :

— Comment va ton travail ? Tu étais sur les rangs pour aménager les appartements témoins de l'immeuble de Kevin Wilson.

Elle était à nouveau en terrain sûr.

— Franchement, je pense que j'ai mes chances.

Zan décrivit en détail les projets qu'elle avait soumis à Wilson et son espoir d'emporter le morceau.

— Naturellement Bartley Longe est sur le coup, lui aussi, et, d'après une remarque faite en passant par Kevin Wilson, je sais qu'il a encore médit de moi.

— Zan, ce type est nocif. Je l'ai toujours senti. Il était jaloux de moi quand nous avons commencé à sortir ensemble. Ce n'est pas seulement ton rival en affaires aujourd'hui. Tu étais sa chasse gardée autrefois, et je suis prêt à parier qu'il en pince toujours pour toi.

— Il a vingt ans de plus que moi, Ted. Si je l'intéresse, c'est parce que je n'ai pas répondu à ses avances quand il a essayé de me séduire. Le grand regret de ma vie, c'est de m'être laissé intimider alors qu'un pressentiment me disait d'aller voir mes parents à Rome. Quand j'ai fini par lui annoncer que je partais les voir, que cela lui plaise ou non, il était trop tard.

Elle n'avait rien oublié. L'arrivée à l'aéroport Da Vinci. L'espoir de voir leurs visages après le contrôle de police. La déception. L'inquiétude. L'attente après avoir récupéré ses bagages. Puis l'appel sur son portable international. Les officiels italiens lui annonçant l'accident qui avait mis fin à leur vie. L'autopsie révéla que son père avait eu un infarctus au volant.

Le brouhaha et l'agitation de l'aéroport de Rome au début de la matinée. Elle se revoyait, debout au milieu de la foule, pétrifiée, le téléphone à la main, la bouche ouverte en un cri silencieux.

— Et je t'ai appelé, dit-elle à Ted.

— Heureusement. Quand je suis arrivé à Rome, tu semblais complètement perdue.

Je le suis restée durant des mois, se rappela Zan. Ted m'a recueillie comme une enfant abandonnée, faisant preuve d'une incroyable gentillesse.

— Tu m'as alors épousée pour prendre soin de moi, et je t'ai récompensé en laissant ton fils entre les mains d'une baby-sitter inexpérimentée qui ne l'a pas empêché de disparaître.

Zan s'était entendue dire ces derniers mots avec stupéfaction.

— Zan, c'est ce que j'ai dit le jour où Matthew a disparu. Ne comprendras-tu donc jamais que j'étais complètement hors de moi ?

Et nous revoilà en train de ressasser cette histoire pour la énième fois, songea-t-elle, et personne ne sait quand nous nous arrêterons.

— Ted, quoi que tu dises, je ne cesserai jamais de m'en accuser.

Elle se rendit compte qu'elle tremblait. Le maître d'hôtel se tenait à côté de leur table. Elle avait élevé la voix et il faisait discrètement mine de n'avoir rien remarqué.

— Puis-je vous annoncer les spécialités du jour ? demanda-t-il.

— Oui, s'empressa de lui répondre Ted avant de chuchoter à l'adresse de Zan : Pour l'amour du ciel, Zan, tâche de rester calme. Pourquoi continuer à te torturer ainsi ?

Une expression de surprise apparut alors sur son visage et Zan se retourna.

Josh traversait la salle. Le visage livide, il s'arrêta à leur table.

— Zan, je quittais le bureau quand des reporters de *Tell-All Weekly* se sont présentés. Je leur ai dit que j'ignorais où tu étais. Ils m'ont raconté qu'un Anglais se trouvait dans le parc le jour de la disparition de Matthew et qu'il prenait des photos. Il a voulu les faire agrandir pour l'anniversaire de mariage de ses parents et s'est alors aperçu qu'à l'arrière-plan de deux agrandissements on voyait une femme s'emparer d'un enfant dans une poussette près d'une jeune fille endormie sur une couverture…

Zan et Ted regardèrent Josh, interdits. La gorge sèche au point d'avoir du mal à articuler, Zan dit :

— Cet homme a-t-il apporté les photos à la police ?

— Non. Il les a vendues à *Tell-All*. Zan, c'est insensé, mais ils affirment que tu es la femme qui emmène l'enfant sur la photo. Ils disent que c'est toi, sans aucun doute possible.

Tandis que les élégants clients du Four Seasons se tournaient vers la table d'où jaillissaient de soudains éclats de voix, Ted saisissait Zan par les épaules et la forçait à se lever.

— Toi ! Toi ! Misérable folle, hurla-t-il. Où est mon fils ? Que lui as-tu fait ?

3

COMME beaucoup de femmes fortes, Penny Smith Hammel se déplaçait avec une sorte de grâce naturelle. Dans sa jeunesse, en dépit de son poids, elle avait été l'une des filles les plus populaires du lycée, avec son joli visage et sa bonne humeur communicative. Dès la fin de ses études, elle s'était mariée avec Bernie Hammel, qui avait aussitôt commencé à travailler comme chauffeur de poids lourd. Satisfaits de leur sort, Bernie et Penny avaient élevé leurs trois enfants dans le milieu rural de Middletown, dans l'État de New York, à un peu plus d'une heure de Manhattan et à des années-lumière de la vie trépidante de la ville.

À cinquante-neuf ans, avec ses enfants et petits-enfants éparpillés entre Chicago et la Californie, Penny occupait agréablement son temps à garder des enfants. Le seul épisode excitant de sa paisible existence s'était produit quatre ans plus tôt quand Bernie, elle et dix collègues de Bernie avaient gagné cinq millions de dollars à la loterie. Après impôts, chacun avait touché environ trois cent mille dollars, que Bernie et Penny avaient immédiatement placés dans un fonds destiné à assurer les études de leurs petits-enfants.

À leur excitation s'était jointe la fierté d'être invités par Alvirah et Willy Meehan à participer à une réunion de leur groupe de soutien aux gagnants de la loterie. Les Meehan avaient créé ce groupe pour aider les gagnants à ne pas dilapider leurs gains en investissements inconsidérés ou en jouant au Père Noël au bénéfice de gens qui s'étaient découvert un lien de parenté avec eux. Penny et Alvirah avaient aussitôt sympathisé et se voyaient régulièrement.

L'amie d'enfance de Penny, Rebecca Schwartz, était agent immobilier. Le 22 mars, elles avaient déjeuné dans leur bistrot préféré et Rebecca avait informé son amie que la ferme située au bout de l'impasse près de chez elle avait enfin été louée. La nouvelle locataire s'y était installée le 1er du mois.

— Elle s'appelle Gloria Evans, avait confié Rebecca. La trentaine, très jolie. Une vraie blonde. Une ravissante silhouette, pas comme toi ou moi. Elle ne voulait pas s'engager pour plus de trois mois, mais je lui ai dit que Sy Owens refuserait de louer pour moins d'un an. Elle n'a pas tiqué. Elle a accepté de payer une année d'avance parce qu'elle finissait d'écrire un livre et avait besoin de solitude.

— Pas une mauvaise affaire pour Sy Owens, avait fait remarquer Penny. Je suppose qu'il loue meublé.

Rebecca rit.

— Oh ! naturellement. Comment pourrait-il faire autrement avec tout ce bric-à-brac ? Il veut vendre la maison en l'état, avec tout ce qu'elle contient. Tu te croirais aux puces !

Le lendemain, comme à son habitude, Penny prit sa voiture pour aller souhaiter la bienvenue à sa nouvelle voisine, Gloria Evans, en lui apportant une assiette de ses fameux muffins aux myrtilles. Quand elle frappa à la porte, elle dut attendre plusieurs minutes avant de voir la porte s'ouvrir prudemment. Penny ne mit pas longtemps à comprendre qu'elle n'était pas la bienvenue. Elle s'excusa.

— Oh ! mademoiselle Evans, je sais que vous êtes en train d'écrire un livre. Je voulais seulement vous accueillir dans notre petite communauté en vous offrant quelques-uns de mes célèbres muffins aux myrtilles.

— C'est très aimable de votre part. Je suis en effet venue ici pour m'isoler, répliqua Gloria Evans en tendant à regret une main vers l'assiette de muffins.

Ignorant l'affront, Penny continua :

— J'ai collé sur le fond de l'assiette un Post-it avec mon numéro de téléphone au cas où vous auriez un jour un problème urgent.

— Je vous remercie, mais ce ne sera pas nécessaire, rétorqua Gloria Evans.

Elle avait ouvert la porte plus largement et Penny aperçut derrière elle un petit camion qui traînait sur le sol.

— Oh, j'ignorais que vous aviez un enfant, s'exclama Penny. Je suis baby-sitter, si jamais vous avez besoin de le faire garder.

— Je n'ai pas d'enfant ! dit sèchement Gloria. (Puis, suivant le regard de Penny, elle se retourna et vit le jouet.) Ma sœur m'a aidée à m'installer. Ce jouet appartient à son fils.

La porte se ferma au nez de Penny. Elle hésita un instant, puis tourna les talons et se hâta vers sa voiture. J'espère que Gloria Evans n'écrit pas un manuel de bonnes manières, pensa-t-elle en refoulant son humiliation.

C'EST en écoutant le bulletin d'informations de 23 heures qu'Alvirah et Willy apprirent que Zan Moreland était peut-être l'auteur de l'enlèvement de son fils. Bouleversée, Alvirah téléphona à Zan et, sans réponse de sa part, laissa un message.

Dans la matinée, elle alla retrouver frère Aiden dans le couvent de la Fraternité qui jouxtait l'église Saint-François-d'Assise. Ils allèrent visionner les vidéos des caméras de sécurité enregistrées le lundi à partir de 17 h 30. Pendant les premières vingt minutes, rien de particulier ne retint leur attention. Entre-temps, Alvirah informa frère Aiden de la nouvelle diffusée la veille au soir par les médias.

— Aiden, déclara-t-elle, c'est tellement absurde que je me demande qui pourrait gober une chose pareille. S'ils ont vraiment ces photos, je dirais seulement que cet Anglais les a trafiquées pour obtenir de l'argent du magazine. (Soudain, elle sursauta et se pencha en avant.) Neil, pouvez-vous arrêter la vidéo ? C'est Zan. Elle est sans doute venue ici hier soir. Je sais qu'elle était bouleversée parce que c'étaient les cinq ans de Matthew.

Frère Aiden avait lui aussi reconnu la jeune femme qui portait des lunettes de soleil et de longs cheveux. C'était elle qui était entrée dans la salle de réconciliation.

Il s'efforça de parler calmement :

— Alvirah, êtes-vous sûre qu'il s'agit de votre amie Zan ?

— Bien sûr, Aiden. (Alvirah engagea Neil, l'homme à tout faire de la congrégation, à poursuivre la projection.) Je suis impatiente de repérer l'homme qui vous observait, Aiden.

Celui-ci pesa soigneusement ses mots :

— Pensez-vous qu'il puisse avoir accompagné ou suivi votre amie ?

Alvirah ne sembla pas avoir entendu la question.

— Regardez ! s'exclama-t-elle. Le voilà. (Puis elle secoua la tête :) Oh ! on ne voit pas son visage, le col de son pardessus est remonté. Il porte des lunettes noires. Tout ce qu'on aperçoit, c'est une masse de cheveux.

Pendant la demi-heure qui suivit, elle passa en revue le reste des vidéos. Ils virent distinctement sortir de l'église la femme qu'Alvirah identifiait comme étant Zan. Portant un mouchoir à sa bouche, elle se précipitait hors de l'église.

— Elle n'est pas restée cinq minutes, dit tristement Alvirah. Regardez, voilà encore cet homme, il est en train de s'en aller. Mais il ne montre rien de particulier. (Alvirah fit signe d'arrêter la projection.) Vous avez vu l'attitude bouleversée de Zan sur cette vidéo ? Est-ce que vous imaginez ce qu'elle ressent en ce moment en lisant dans la presse qu'on l'accuse d'avoir enlevé Matthew ?

C'était aussi ce que la jeune femme lui avait dit, pensa le frère Aiden. Vous le lirez dans les journaux. Avait-elle déjà tué son propre enfant, ou le pauvre petit était-il sur le point de mourir ?

Après la violente accusation de Ted, Josh avait saisi Zan par la main et l'avait entraînée à sa suite, en zigzaguant entre les tables sous le regard stupéfait des clients du Four Seasons. Ils avaient traversé à la hâte le hall d'entrée avant de se retrouver dans la rue.

— Mon Dieu ! ils ont dû me suivre, grommela-t-il en voyant les paparazzis se ruer sur eux et les flashs crépiter.

Un taxi s'arrêtait devant le restaurant. Un bras passé autour des épaules de Zan, Josh fonça et, au moment où les occupants posaient le pied sur le trottoir, s'y engouffra avec elle.

— Allez-y ! lança-t-il au chauffeur.

Josh tenait toujours Zan serrée contre lui. Il se dégagea.

— Ça va ? demanda-t-il.

— Je ne sais pas, murmura Zan. Josh, qu'est-ce que cela signifie ? Est-ce qu'ils sont devenus fous ? Comment pourrait-il exister une photo de moi en train de prendre Matthew dans sa poussette ? Pour l'amour du ciel, j'ai la preuve que j'étais dans la maison de Nina Aldrich pour discuter de la décoration avec elle.

— Zan, calme-toi, dit Josh, s'efforçant de garder un ton posé. Tu peux prouver où tu étais ce jour-là. Maintenant, que veux-tu faire ? Je crains qu'en rentrant chez toi tu ne trouves les photographes à l'affût.

— Il faut que j'aille à la maison, dit-elle d'une voix plus assurée. S'il y a des photographes, demande au taxi d'attendre et accompagne-moi jusqu'à ma porte. Josh, j'ai l'impression de vivre un cauchemar dont je ne sais comment sortir.

Lorsque le taxi s'arrêta devant l'immeuble de Zan, ils trouvèrent une armée de reporters qui les guettaient. Baissant la tête, ils ignorèrent les : « Regardez par ici, Zan », « De ce côté, Zan », jusqu'à ce qu'ils soient en sécurité à l'intérieur du hall.

Josh lui pressa la main et quand elle fut dans l'ascenseur, il s'en alla. Dehors, en le voyant seul, les journalistes commencèrent à se disperser. Ils reviendront, pensa Josh en montant dans le taxi. Si une chose est sûre, c'est qu'ils vont revenir.

À la suite de son éclat au Four Seasons, Ted Carpenter était descendu aux toilettes. Il sentit son téléphone portable vibrer dans la poche de sa veste. Sans doute Melissa. C'était elle. Il attendit la fin du message enregistré, puis écouta sa boîte vocale. « Je sais que tu ne peux pas parler en ce moment, mais je t'attends au Lola's Café à 21 h 30. »

Ted comprit qu'il s'agissait d'un ordre. L'irritation perçait dans sa voix quand elle ajouta : « Évite d'embrasser ton ex en partant. »

Je ne peux pas me montrer en train de faire la fête alors que l'on vient de découvrir que mon ex-femme a kidnappé et probablement caché mon enfant, se dit-il, atterré. Pourquoi m'inquiéter à propos de Melissa ? La vraie question est de savoir si ces photos sont des faux ou non.

Il est facile de truquer. Je suis le premier à le savoir. Combien de fois avons-nous éliminé des personnages sans importance sur nos photos ou donné à une star un corps aux formes parfaites ? L'image de Zan en train de prendre Matthew dans sa poussette provient-elle d'un photomontage ? Combien ce touriste a-t-il touché pour vendre son travail à ce torchon de *Tell-All* ?

Un homme entra dans les toilettes et jeta à Ted un regard de sympathie. Ted sortit rapidement, peu désireux d'engager la conversation. S'il apparaît que ces photos sont truquées, j'aurai l'air lamentable de m'en être pris à Zan de cette façon, se reprocha-t-il. Je suis censé m'y connaître en relations publiques, être un expert de la gestion de crise.

Il devait parler à Melissa. Il allait la retrouver au Lola's Café. S'armant de courage, il franchit la porte du hall et se trouva, comme il s'y attendait, face aux photographes. L'un d'eux lui brandit un micro sous le nez.

— S'il vous plaît, dit-il, je vais faire une déclaration, mais cessez d'abord de me bousculer.

Lorsque le calme fut revenu, il prit le micro des mains d'un journaliste et dit d'une voix ferme :

— En premier lieu, je voudrais m'excuser auprès de la mère de Matthew, mon ex-épouse, pour ma conduite inqualifiable de ce soir. Quand j'ai appris l'existence de photos la montrant en train d'enlever notre fils, j'ai littéralement perdu la tête. Un peu de réflexion m'aurait permis de comprendre que ces photos ne peuvent être que falsifiées ou truquées. (Ted fit une pause, puis ajouta :) Je suis persuadé qu'elles sont le résultat d'une machination. Maintenant, j'ai l'intention d'aller rejoindre ma cliente, la belle et talentueuse Melissa Knight, au Lola's Café. (Ted ne put dissimuler le tremblement de sa voix.) Mon fils a cinq ans aujourd'hui. Ni sa mère ni moi ne croyons qu'il est mort. Quelqu'un, peut-être une femme seule désirant désespérément un enfant, a profité de l'occasion qui se présentait pour l'enlever. Si cette personne nous regarde, je voudrais qu'elle dise à Matthew que son papa et sa maman l'aiment et qu'ils espèrent le revoir bientôt.

Ted franchit le trottoir et rejoignit Larry Post, son vieux camarade de classe et chauffeur de longue date, qui lui ouvrait la porte de la voiture.

Après le départ de Josh, Zan monta chez elle, ferma la porte à double tour et se déshabilla, s'enveloppant dans sa confortable robe de chambre. Le répondeur du téléphone clignotait. Elle débrancha la sonnerie. Puis elle s'installa dans le fauteuil de sa chambre et resta toute la nuit à contempler la photo de Matthew à la lumière d'une seule lampe.

Je suis longtemps restée dans une sorte de brouillard après la mort de mes parents, se souvint Zan. On dit maintenant que c'est moi qui ai pris Matthew dans sa poussette.

— Est-ce possible ?

Elle avait parlé tout haut.

L'énormité de la question, le simple fait qu'elle pût l'énoncer, la laissa stupéfaite. Elle se força à poursuivre logiquement :

— Mais si je l'ai pris, qu'en ai-je fait ?

Elle n'avait pas de réponse. Je n'aurais jamais pu lui faire du mal, se dit-elle. Je n'ai jamais porté la main sur lui. Ted dit-il vrai ? Est-ce que je me complais à m'apitoyer sur moi-même ? Suis-je une de ces mères au cerveau dérangé qui maltraitent leurs enfants parce qu'elles veulent être plaintes et consolées ?

Elle se laissa aller dans le fauteuil moelleux et ferma les yeux. Un néant miséricordieux la submergea tandis qu'elle murmurait le nom de son fils :

— Matthew… Matthew… Matthew…

4

Qu'est-ce que Gloria avait raconté à ce vieux prêtre ? La question le taraudait. Elle commençait à craquer, et en cet instant crucial. Alors que le dénouement approchait, que tout ce qu'il avait mis sur pied durant ces deux dernières années était sur le point de se réaliser, la voilà qui allait se confesser !

Il savait que si Gloria avait parlé dans le cadre de la confession, le prêtre serait tenu de ne rien révéler. Mais il n'était pas certain que Gloria fût catholique, et si elle avait simplement eu une petite conversation intime, le prêtre pourrait se considérer comme libre de divulguer que Zan avait un sosie, que quelqu'un usurpait son identité.

Les flics continueraient alors à enquêter et ce serait la fin…

Le vieux prêtre. Les alentours de la 31e Rue Ouest n'étaient pas très sûrs. Et de nos jours, il arrivait que des passants prennent des balles perdues. Pourquoi pas une de plus ? Il est temps pour moi d'aller me confesser, se dit-il.

Avant d'engager Gloria pour s'occuper de l'enfant, il avait appris qu'elle était une maquilleuse hors pair. Elle lui avait raconté qu'il lui arrivait de se déguiser avec des amies en telle ou telle célébrité. Elles avaient bien ri quand la page six du *Post* avait rapporté que des vedettes avaient été vues en train de dîner tranquillement dans un restaurant et de signer des autographes.

Je porte toujours la perruque qu'elle m'a donnée pour nos rendez-vous en ville, se dit-il. Avec ça, l'imperméable et des lunettes noires, même mes meilleurs amis ne me reconnaîtraient pas.

Il rit tout haut. Enfant, il aimait jouer la comédie. Son rôle de prédilection était celui de Thomas Becket dans *Meurtre dans la cathédrale*.

TED CARPENTER alluma son iPhone pendant le trajet en voiture et trouva les photos de cette femme, qui ressemblait tellement à Zan que c'était à s'y méprendre, en train de s'emparer de Matthew dans sa poussette. Encore sous le choc, il téléphona au commissariat de police de Central Park et fut mis en relation avec un inspecteur qui lui indiqua qu'il leur faudrait au moins vingt-quatre heures pour vérifier si les photos étaient truquées ou non. Si les journalistes m'interrogent, je pourrai au moins leur faire cette réponse, se dit-il.

Les journalistes devant le célèbre café étaient massés derrière des cordelières de velours. Un des videurs lui avait ouvert la portière de sa voiture et il s'était précipité tête baissée vers l'entrée.

À l'intérieur du café, il se raidit, conscient d'arriver avec une demi-heure de retard à son rendez-vous. Il s'attendait à trouver Melissa d'une humeur de chien, mais elle était installée à une grande table avec cinq des anciens musiciens du groupe dont elle avait été autrefois la chanteuse. Ted connaissait tout le monde et se félicita de la trouver ainsi entourée.

Son accueil, « Dis donc, les médias s'intéressent plus à toi qu'à moi », déclencha le rire de ses compagnons.

Ted se pencha et déposa un baiser sur ses lèvres.

— Que désirez-vous boire, monsieur Carpenter ?

Le serveur se tenait près de la table. Deux bouteilles du champagne le plus coûteux refroidissaient déjà dans un seau.

— Un Martini-gin, dit-il.

Un seul, se jura-t-il.

Il s'obligea à passer un bras amoureux autour des épaules de Melissa à l'intention des pigistes engagés par les chroniqueurs mondains. Il savait que, le lendemain, Melissa lirait avec satisfaction dans la presse : « Melissa Knight, la célèbre chanteuse, s'est remise de sa rupture avec le rocker Leif Ericson et est aujourd'hui follement amoureuse du roi des relations publiques, Ted Carpenter. On les a vus hier soir enlacés au Lola's Café. »

C'est le genre de satisfaction inepte que je suis supposé fournir à Melissa, pensa Ted. Mais j'ai besoin d'elle. J'ai besoin de son gros chèque tous les mois. Il vida son verre d'un trait.

— La même chose, monsieur Carpenter ? demanda le serveur.

— Pourquoi pas ?

À minuit, Melissa décida d'aller au Club. Traîner là-bas une fois de plus jusqu'à 4 heures du matin, Ted sentit que c'était au-dessus de ses forces. Il chercha une excuse.

— Melissa, je me sens patraque, dit-il au milieu du vacarme environnant. Je crois que j'ai attrapé un virus ou un truc de ce genre. Je ne peux pas risquer de te le refiler. Pas question que tu tombes malade.

Il vit avec soulagement le regard de compréhension qu'elle lui adressait.

— Tu ne vas pas te remettre avec ton ex, n'est-ce pas ?

— Mon ex est la dernière femme que j'ai envie de voir en ce moment, répondit-il. Depuis le temps, tu devrais savoir que je t'aime comme un fou.

Ted fit signe au serveur de mettre, comme toujours, l'addition sur le compte de son agence et le petit groupe quitta le café. Melissa lui prit la main et s'arrêta pour sourire aux photographes. Ted l'escorta jusqu'à sa limousine, la prit dans ses bras et l'embrassa longuement. De quoi alimenter les gazettes, pensa-t-il.

Au moment où sa propre voiture s'arrêtait le long du trottoir, Ted vit s'avancer vers lui un journaliste.

— Monsieur Carpenter, avez-vous vu les photos que ce touriste anglais a prises le jour où votre fils a été enlevé ? (Le journaliste lui tendit plusieurs agrandissements.) Souhaitez-vous faire des commentaires ?

Ted s'empara des clichés et se rapprocha de la lumière comme s'il voulait mieux les examiner. Puis il dit :

— Comme je l'ai déjà déclaré, je crois que ces photos se révéleront être des faux, une cruelle mystification.

Larry Post lui ouvrait la portière de sa voiture. Ted s'engouffra à l'intérieur.

En arrivant chez lui, trop choqué pour éprouver un sentiment quelconque, il se déshabilla et avala un somnifère. Sa nuit fut remplie de rêves atroces, et il se réveilla fiévreux et nauséeux, se demandant si sa grippe fictive n'était pas devenue réalité. À moins d'accuser ces maudits Martini-gin ?

À 9 HEURES le lendemain matin, Ted téléphona à son bureau et s'entretint avec Rita. Coupant court à ses commentaires indignés à propos des photos, il la pria de téléphoner à l'inspecteur Collins, qui avait été chargé de l'enquête le jour de la disparition de Matthew, et de prendre rendez-vous avec lui le lendemain.

— Je suis mal fichu, je vais rester chez moi jusqu'au début de l'après-midi, mais je passerai plus tard. Prévenez les journalistes qui appelleront que je ne ferai aucune déclaration avant que la police ait vérifié l'authenticité de ces photos.

À 15 heures, le visage blafard, il arriva à son bureau. Rita lui prépara aussitôt une tasse de thé.

— Vous auriez dû rester chez vous, Ted, dit-elle d'un ton neutre. Je vous promets de ne plus dire un mot sur le sujet, mais il y a une chose que vous ne devez pas oublier. Zan adorait Matthew. Il est impossible qu'elle lui ait fait du mal.

— Notez que vous avez dit « adorait », lui rétorqua Ted. Pour moi, c'est le passé. Maintenant où sont les épreuves de Melissa pour *Celeb' Magazine* ?

— Elles sont superbes, le rassura Rita en les sortant d'une enveloppe posée sur sa table.

Elle jeta un regard compatissant à son patron. Elle travaillait pour lui depuis si longtemps. Ted Carpenter avait aujourd'hui trente-huit ans mais paraissait beaucoup plus jeune. Elle l'avait toujours trouvé plus beau que la plupart des clients qu'il représentait. Mais en cet instant précis, il semblait anéanti.

Quand je pense à la pitié que j'ai éprouvée pour Zan pendant toutes ces années, songeait Rita. S'il s'avérait qu'elle a fait du mal à cet adorable bambin, je crois que je pourrais la tuer de mes propres mains !

ZAN cligna des yeux, les ouvrit en grand et les referma aussitôt. Pourquoi était-elle assise dans ce fauteuil ? Pourquoi tout son corps était-il si douloureux ? Elle ouvrit à nouveau les yeux, aperçut la photo de Matthew devant elle. Pourquoi ne me suis-je pas couchée hier soir ? se demanda-t-elle, s'efforçant de surmonter le battement sourd qui martelait ses tempes.

Puis elle se souvint.

Ils sont convaincus que c'est moi qui ai enlevé Matthew. Mais c'est impossible. C'est insensé. Pourquoi aurais-je commis un tel acte ? Qu'aurais-je fait de lui ?

Zan se leva brusquement et alla prendre la photo de Matthew qu'elle serra contre elle.

— Comment aurais-je pu me trouver dans le parc ? J'étais avec Nina Aldrich. Je peux le prouver.

Il était à peine 6 heures. Zan ouvrit les robinets du Jacuzzi, espérant que les remous d'eau chaude soulageraient son corps douloureux. Que dois-je faire ? se répétait-elle. L'inspecteur Collins est sûrement en possession de ces photos, désormais. Après tout, c'est lui qui a dirigé l'enquête depuis le début.

Elle ferma les robinets du Jacuzzi, vérifia la température de l'eau, puis se rappela que la veille elle avait coupé la sonnerie du téléphone. Elle retourna dans sa chambre. Le voyant du répondeur clignotait. Elle avait reçu neuf appels.

Les huit premiers provenaient de journalistes désireux de l'interviewer. Zan effaça leurs messages. Le dernier avait été laissé par Alvirah Meehan. Zan l'écouta avec reconnaissance, réconfortée de l'entendre assurer que l'homme qui prétendait détenir cette photo était certainement un escroc. « On découvrira bientôt que c'est une imposture, s'offusquait Alvirah de sa voix de stentor, mais c'est une épreuve de plus pour vous. Rappelez-moi et venez dîner ce soir. Vous savez que Willy et moi vous aimons beaucoup. »

La compagnie d'Alvirah et de Willy lui ferait du bien. Peut-être que ce soir, la situation serait clarifiée. Avec de la chance, les photos prises par cet Anglais au moment de l'enlèvement permettraient de faire avancer l'enquête.

Prête quelques minutes avant 7 heures, elle réfléchit qu'elle risquait moins de tomber sur des journalistes à une heure aussi matinale. Elle alla chercher dans un tiroir une vieille paire de lunettes de soleil à monture épaisse. Puis elle choisit un gilet en fausse fourrure dans la penderie, saisit son sac à bandoulière et prit l'ascenseur jusqu'au sous-sol. De là, elle traversa le garage et sortit dans la rue, à l'arrière de l'immeuble. Quand elle fut certaine de ne pas être suivie, elle héla un taxi.

Ce n'est qu'une fois assise sur la banquette arrière de la voiture qu'elle put réfléchir à l'autre problème : quelqu'un se servait de ses cartes de crédit pour prendre des billets d'avion et acheter des vêtements. Ces acquisitions risquaient-elles d'affecter le montant de son crédit ? Bien sûr. Et si elle travaillait pour Kevin Wilson, il ne fallait pas qu'elle se retrouve dans l'incapacité d'acheter des tissus et des meubles pour les appartements modèles.

Pourquoi s'attaquait-on à elle ?

Zan repoussa l'impression presque physique d'être prise dans un tourbillon. Elle avait la sensation de suffoquer.

La panique s'emparait d'elle à nouveau.

Non, elle ne devait pas se laisser gagner par l'affolement. Elle ferma les yeux et s'obligea à respirer profondément, régulièrement. Lorsque le taxi s'arrêta à l'intersection de la 57e Rue et de la Troisième Avenue, elle avait retrouvé un semblant de calme.

La pluie s'était mise à tomber. Des gouttes froides mouillaient ses joues. Quand elle tourna à l'angle de la rue, elle ne vit personne en train de faire le guet. Elle poussa la porte à tambour et pénétra dans le hall. Le kiosque à journaux se trouvait sur sa gauche.

— Le *Post* et le *News*, s'il vous plaît, Sam, dit-elle au vieux vendeur.

C'est sans son sourire habituel que Sam lui tendit les journaux pliés.

Elle attendit d'être seule et tranquille pour les parcourir. Alors seulement elle les posa sur son bureau et les déplia. En première page du *Post*, on la voyait penchée sur la poussette. La photo en première page du *News* la montrait en train de s'éloigner en emportant Matthew dans ses bras. Incrédule, son regard passa de l'une à l'autre. Mais ce n'est pas moi, protesta-t-elle intérieurement. C'est quelqu'un qui me ressemble qui a enlevé Matthew… Cela n'a aucun sens.

Zan tenta de se concentrer. Mais à midi, elle n'y tint plus et s'empara du téléphone.

Alvirah répondit à la deuxième sonnerie.

— Zan, je viens de voir les journaux, s'écria-t-elle en reconnaissant sa voix. J'ai failli tomber à la renverse.

— Alvirah, dit Zan, choisissant ses mots avec soin, quelqu'un veut me nuire. J'ignore qui, même si j'ai des soupçons. Ces photos sont la preuve que quelqu'un se fait passer pour moi, que quelqu'un me hait suffisamment pour avoir volé mon enfant et pour prendre maintenant mon identité.

Il y eut un silence. Puis Alvirah dit :

— Zan, je connais une bonne agence de détectives privés. Si vous n'avez pas suffisamment d'argent pour les rémunérer, je m'en chargerai. Si ces photos ont été trafiquées, nous trouverons qui est à l'origine de l'imposture. Attendez. Laissez-moi rectifier. Si vous dites que ces photos sont truquées, je vous crois sur parole, mais je pense que leur auteur est allé trop loin. Je suppose que vous avez mis un cierge à saint Antoine l'autre jour quand vous vous êtes arrêtée à Saint-François-d'Assise.

— Quand je me suis arrêtée… où ?

— Lundi après-midi entre 17 h 30 et 17 h 45. Je suis entrée dans l'église pour faire un don, et j'ai alors remarqué un type qui observait mon ami, frère Aiden, d'une façon qui m'a déplu. C'est pourquoi je suis allée visionner les vidéos des caméras de surveillance ce matin, pour vérifier s'il s'agissait de quelqu'un que frère Aiden aurait déjà vu. Avec tous les cinglés qui se baladent dans New York, un homme averti en vaut deux. Vous êtes sur la vidéo. Vous êtes restée peu de temps. J'ai pensé que vous étiez venue dire une prière pour Matthew.

Lundi après-midi, à cette heure-là, j'avais décidé de rentrer à pied à la maison, se souvint Zan. Je suis allée jusqu'à la 31e ou la 32e Rue, mais je me suis sentie fatiguée et j'ai continué en taxi. Mais je ne me suis pas arrêtée à Saint-François. Je sais que je ne m'y suis pas arrêtée.

En suis-je sûre ?

Elle se rendit compte qu'Alvirah lui demandait si elle comptait venir dîner.

— Je serai là, promit Zan, à 18 h 30.

Elle reposa le récepteur et se prit la tête entre les mains. Ai-je à nouveau des trous de mémoire ? se demanda-t-elle. Est-ce que je deviens folle ? Si je peux oublier ce que j'ai fait il y a moins de quarante-huit heures, qu'ai-je effacé d'autre de ma mémoire ?

5

AVEC sa silhouette efflanquée, son visage décharné, ses rares cheveux grisonnants et son regard mélancolique, l'inspecteur Billy Collins arriva au commissariat de Central Park en costume-cravate. Comme il affichait un naturel aimable et une attitude effacée, les gens avaient tendance, au premier abord, à le considérer comme un type ordinaire, sans originalité, voire pas très intelligent.

Beaucoup de suspects partageaient ce jugement tant il se montrait habile à les leurrer en posant des questions de routine et en faisant mine d'accepter leur version des faits. Mais la plupart d'entre eux ne mettaient pas longtemps à constater leur erreur. Billy avait un cerveau en forme de piège qui retenait des informations apparemment banales et insignifiantes, mais qu'il était capable selon les circonstances de retrouver en un clin d'œil.

Billy avait été le premier policier à arriver sur les lieux, moins de deux ans auparavant, quand un appel lancé par le 911 avait signalé la disparition d'un enfant de trois ans dans Central Park. C'était par une chaude journée de juin. Tiffany Shields, la baby-sitter, avait raconté en sanglotant qu'elle s'était endormie à côté de la poussette et qu'à son réveil Matthew avait disparu. Tandis que le parc était passé au crible et les promeneurs alentour interrogés, les parents divorcés étaient arrivés séparément. Ted Carpenter avait failli se ruer sur

Tiffany. Zan Moreland était restée étrangement calme, une réaction que Billy avait mise sur le compte du choc.

Au cours des presque deux années qui s'étaient écoulées depuis ce jour, Billy Collins avait conservé le dossier de Matthew sur son bureau. Il avait scrupuleusement vérifié les déclarations des parents concernant l'endroit où ils se trouvaient au moment où l'enfant avait disparu et, dans les deux cas, leurs explications avaient été confirmées par des témoins. Il leur avait demandé si d'éventuels ennemis auraient pu leur en vouloir au point d'enlever leur enfant. Zan Moreland avait confié avec hésitation qu'il existait une seule personne qu'elle considérait comme un ennemi. C'était Bartley Longe, un célèbre décorateur.

« Cette déclaration confirme ce que j'ai toujours pensé de Zan Moreland, avait affirmé Longe d'un ton furieux et méprisant. D'abord elle m'a pratiquement accusé d'avoir causé la mort de ses parents, sous prétexte que s'ils n'étaient pas venus la chercher en voiture à l'aéroport ce jour-là, son père aurait eu son infarctus à la maison. D'ailleurs, c'était parce que j'exigeais trop d'elle qu'elle voyait si rarement ses parents. Maintenant, elle vous raconte que j'ai enlevé son enfant ! Inspecteur, quoi qu'il soit arrivé à ce pauvre gosse, c'est le cerveau dérangé de sa mère qui en est la cause. »

Billy Collins l'avait écouté et s'était fié à son instinct. Il avait vite conclu que ni Longe ni Moreland n'étaient impliqués dans la disparition du petit garçon.

Le mercredi matin, à son arrivée au commissariat, les photos qui avaient été publiées dans *Tell-All Weekly* et sur le Net étaient étalées sur son bureau. Il y en avait six en tout ; les trois originales prises par le touriste anglais, plus les trois qu'il avait agrandies pour l'album de famille.

Billy émit un sifflement, seule réaction de sa part indiquant qu'il était stupéfait et attristé. J'ai vraiment cru cette pleureuse d'opérette, pensa-t-il en examinant les trois photos qui montraient Zan penchée sur la poussette, soulevant l'enfant endormi et s'éloignant dans l'allée. Aucune erreur possible, pensa Billy. Les longs cheveux auburn tombant droit sur ses épaules, la silhouette mince, les lunettes à la mode...

Il prit le dossier sur son bureau. En sortit les clichés qui avaient été pris par le photographe de la police quand Zan était arrivée précipitamment sur le lieu de l'enlèvement. La robe courte à fleurs et les sandales à talons hauts qu'elle portait alors étaient identiques aux vêtements de la ravisseuse.

Billy se targuait d'être un bon juge de la nature humaine. Son dépit en constatant son erreur fut vite supplanté par une question critique : qu'est-ce que Zan Moreland avait pu faire de son fils ? Quelque chose avait dû lui échapper.

Je vais commencer par la baby-sitter, décida-t-il. Je vais reprendre l'emploi du temps de Zan minute par minute et découvrir par quelle mystification elle s'en est tirée. Puis, je le jure, je l'obligerai à dire ce qu'elle a fait de ce petit bonhomme.

TIFFANY SHIELDS vivait encore chez ses parents. Elle terminait sa deuxième année au Hunter College et le jour où Matthew Carpenter avait disparu avait marqué un tournant dans sa vie. Outre le remords constant de s'être endormie alors qu'elle avait la charge de l'enfant, elle était devenue pour tous la baby-sitter négligente qui avait oublié de mettre sa ceinture à Matthew, s'était allongée sur une couverture près de la poussette et « s'était endormie comme une masse », ainsi que l'avait écrit un journaliste.

Au cours des deux années écoulées, à chaque disparition d'enfant ressortait la question : était-ce une situation à la Tiffany Shields ? Quand elle était confrontée à ces propos, Tiffany entrait en rage devant tant d'injustice.

Le souvenir de cette journée était encore présent à son esprit. Le matin, elle s'était réveillée avec un début de rhinopharyngite. Sa mère était partie travailler chez Bloomingdale's où elle était vendeuse. Son père était le gardien de l'immeuble qu'ils habitaient dans la 86e Rue Est. À midi, le téléphone avait sonné. Si seulement je n'avais pas répondu…, s'était sans cesse répété Tiffany.

Mais elle avait répondu.

Et elle avait entendu Zan Moreland lui demander : « Tiffany, pourrais-tu me dépanner ? La nouvelle nounou de Matthew était censée commencer ce matin et elle vient de téléphoner pour me prévenir qu'elle ne pourra être là qu'à partir de demain. J'ai un rendez-vous très important avec une cliente potentielle. Pourrais-tu emmener Matthew au parc pendant deux heures ? Je viens de lui donner à manger et c'est l'heure de sa sieste. Il va probablement dormir. »

J'ai dit à Zan que je me sentais fiévreuse, mais elle a tellement insisté que j'ai fini par céder. Et j'ai ruiné mon existence du même coup.

Ce mercredi-là, tandis qu'elle parcourait les journaux du matin en buvant un verre de jus d'orange, Tiffany éprouva une vive colère mêlée de soulagement. Colère parce que Zan Moreland l'avait manipulée, et soulagement à la pensée qu'elle n'était pas responsable de la disparition de l'enfant. J'ai dit à la police que j'avais pris un antiallergique, que je me sentais groggy et que je n'avais pas envie de faire du baby-sitting, se souvint-elle. Mais s'ils reviennent m'interroger, j'insisterai sur le fait que Zan Moreland savait que j'étais fatiguée. À mon arrivée chez elle, elle m'a offert un Pepsi. Elle a dit que je me sentirais mieux après l'avoir bu.

À la réflexion, pensa Tiffany, je me demande si Zan n'avait pas mis quelque chose dans ce soda pour me faire dormir. Et Matthew s'est endormi à l'instant quand je l'ai installé dans sa poussette. C'est pour cela que je n'ai pas pris soin de l'attacher…

Tiffany relut chaque mot de l'article et étudia les photos avec attention. C'est la robe que portait Zan, mais les chaussures ne sont pas tout à fait les mêmes. Par erreur, Zan avait acheté deux paires de sandales identiques et elle en avait une autre presque pareille. C'étaient des sandales beiges à talons hauts. La seule différence était que les brides des deux nouvelles paires étaient plus étroites que celles de l'autre. Elle m'a donné une des deux paires, se rappela la jeune fille. Nous les portions toutes les deux ce matin-là. Je les ai encore, ces chaussures.

Je n'en parlerai pas. À personne. Si les flics l'apprennent, ils risquent de me prendre mes sandales, et je les ai bien méritées !

Trois heures plus tard, quand elle releva les messages sur son téléphone portable après son cours d'histoire, Tiffany vit que l'un d'eux provenait de l'inspecteur Collins. Il voulait à nouveau s'entretenir avec elle.

Elle rappela Billy Collins. Moi aussi je veux vous parler, inspecteur Collins, pensa-t-elle. Et cette fois, c'est moi qui mènerai la danse !

GLORY lui mettait encore cette chose gluante sur les cheveux. Matthew en avait horreur. Ça lui brûlait la peau. Mais il savait que s'il protestait, elle répondrait : « Pardonne-moi, Matty. Ce n'est pas ma faute, je suis obligée de le faire. »

Il n'avait pas dit un mot aujourd'hui. Il savait que Glory était très en colère contre lui. Ce matin, quand on avait sonné à la porte, il s'était précipité dans la penderie. Ça lui était égal de rester là, il y avait de la place et assez de lumière pour qu'il puisse y voir. Mais il s'était soudain rappelé qu'il avait laissé son camion préféré dans l'entrée. Il avait ouvert la porte de la penderie et couru le reprendre. Il avait alors vu Glory refermer la porte d'entrée et dire au revoir à une dame. Elle s'était ensuite retournée et l'avait surpris. Elle avait eu l'air tellement furieuse qu'il avait craint qu'elle le frappe. « La prochaine fois, je t'enfermerai dans la penderie et je ne te laisserai plus jamais en sortir », avait-elle dit d'un ton méchant. Il avait eu tellement peur qu'il avait regagné en vitesse la penderie en sanglotant si fort qu'il ne pouvait plus respirer.

Plus tard, alors qu'il regardait un de ses DVD, il avait entendu Glory parler à quelqu'un au téléphone. Il s'était avancé sur la pointe des pieds et avait écouté. Il ne comprenait pas ce qu'elle disait, mais elle paraissait fâchée. Puis il l'avait entendue crier : « Je suis désolée, je suis désolée », et elle avait l'air vraiment effrayée.

À présent, il était assis avec la serviette autour de ses épaules et le truc qui dégoulinait sur son front.

— Bon, dit enfin Glory. C'est fini, tu es prêt. C'est vraiment dommage. Plus tard, je pense que tu seras un beau petit rouquin.

LES journaux du matin sous le bras, l'air particulièrement satisfait, Bartley Longe parcourut le couloir qui menait à ses bureaux du 400 Park Avenue. À cinquante-deux ans, avec ses cheveux châtains où couraient quelques fils blancs, ses yeux bleu clair et son allure autoritaire, c'était le genre d'homme capable d'intimider un maître d'hôtel ou un subordonné d'un simple regard.

Ses employés attendaient toujours avec appréhension son arrivée à 9 h 30. Quelle serait l'humeur de Bartley ? Aujourd'hui, chacun des huit salariés de l'agence avait lu ou entendu l'incroyable nouvelle. Ils se souvenaient tous du jour où elle avait fait irruption à l'agence après la mort accidentelle de ses parents et hurlé à l'intention de Bartley : « Je n'avais pas vu mon père et ma mère depuis deux ans, et maintenant, je ne les reverrai plus jamais. Vous m'avez toujours empêchée d'aller passer quelques jours avec eux sous prétexte que je devais m'occuper d'un projet ou d'un autre. Vous n'êtes qu'une brute, un égocentrique. Vous êtes un type dégueulasse. Et sachez, Bartley, que je vais ouvrir ma propre agence et vous battre sur votre propre terrain. »

Elle avait éclaté en sanglots et Elaine Ryan, la secrétaire de Bartley de longue date, l'avait gentiment raccompagnée chez elle.

Bartley ouvrait la porte de son bureau à présent. Le petit sourire qui flottait sur son visage signala à Elaine et à la réceptionniste, Phyllis Garrigan, qu'elles n'avaient pas à s'inquiéter pour l'instant.

— Je pense que vous êtes au courant pour Zan Moreland ? demanda Bartley aux deux femmes.

— Je ne crois pas un mot de cette histoire, dit Elaine Ryan d'un ton ferme.

Âgée de soixante-deux ans, avec ses cheveux bruns toujours parfaitement coiffés, ses yeux noisette dominant son visage mince, c'était la seule collaboratrice de Bartley qui avait parfois le cran de lui tenir tête.

— Peu importe ce que vous croyez, Elaine, répliqua Bartley. Les photos sont convaincantes. (Le sourire satisfait s'effaça du visage de Bartley.) C'est à la police de découvrir ce qu'elle a fait ensuite de son fils. Mais si vous voulez connaître ma théorie, je vais vous l'exposer.

Bartley Longe pointa son doigt en direction d'Elaine pour souligner ses paroles.

— Quand elle travaillait ici, combien de fois avez-vous entendu Zan se plaindre, dire qu'elle aurait aimé grandir dans une vraie maison plutôt que d'aller d'un endroit à l'autre à cause de la situation de son père ? demanda-t-il. Ma théorie est que toute la compassion que lui avait attirée la mort de ses parents était épuisée et qu'elle avait besoin d'une nouvelle tragédie dans sa vie.

— C'est absolument insensé ! se récria Elaine. Zan adorait Matthew. Ce que vous insinuez est ignoble, monsieur Longe.

Elaine vit le rouge monter au visage de Bartley Longe. On ne contredit pas son patron, pensa-t-elle.

— J'avais oublié à quel point vous êtes partiale quand il s'agit de mon ancienne assistante, dit sèchement Longe. Mais je vous parie qu'au moment où nous parlons Zan Moreland est à la recherche d'un avocat, et il aura intérêt à être bon.

Kevin Wilson fut obligé d'admettre qu'il n'arrivait pas à se concentrer sur les plans qu'il avait sous les yeux. Il était en train d'examiner les projets du paysagiste chargé de décorer le hall d'entrée du 701 Carlton Place. C'était dorénavant le nom de l'immeuble.

Le vacarme d'un chantier était plus beau à ses oreilles qu'une symphonie. Enfant, songea-t-il, je disais à mon père que je préférais aller sur un chantier qu'au zoo. Je savais déjà que je voulais être architecte.

Les dessins du paysagiste n'étaient pas au point. Il faudra qu'il reprenne tout de zéro ou j'en choisirai un autre, décida-t-il. Ce type n'a rien compris.

Il passa aux appartements témoins. La veille au soir, il avait longuement examiné les propositions de Longe et de Moreland. Les deux étaient remarquables. Mais il y avait davantage de chaleur dans le projet de Zan Moreland, une impression d'intimité dans les touches personnelles qu'elle ajoutait à ses maquettes. Et elle était trente pour cent moins cher.

Il s'avoua qu'il lui était difficile de la chasser de ses pensées. Une femme ravissante. Mince, avec ces immenses yeux noisette qui lui mangeaient le visage… Il avait été étonné par son manque d'assurance.

Après son départ hier, je l'ai regardée traverser le trottoir et héler un taxi, se rappela Wilson. Le vent soufflait fort et elle donnait une impression de fragilité, comme si une rafale pouvait l'emporter.

On frappa à la porte. Sa secrétaire, Louise Kirk, entra dans la pièce et s'approcha de son bureau.

— Laissez-moi deviner. Il est exactement 9 heures, dit-il.

— Bien sûr qu'il est 9 heures, répondit vivement Louise, une blonde énergique et corpulente de quarante-cinq ans, frisée comme un mouton. Avez-vous eu le temps de lire le journal ? demanda-t-elle.

— Non.

— Eh bien ! jetez un coup d'œil là-dessus.

Louise déposa le *New York Post* et le *Daily News* sur son bureau. Tous deux publiaient une photo de Zan Moreland en première page. L'un comme l'autre prétendaient que Zan avait enlevé son propre enfant.

Stupéfait, Wilson contempla longuement les photos.

— Saviez-vous que son enfant avait disparu ?

— Non, je n'avais pas fait le rapprochement avec elle, répondit Louise. Les journaux appelaient toujours la mère Alexandra. Qu'allez-vous faire, Kevin ? Elle va sans doute être arrêtée. Faut-il renvoyer ses dessins à son bureau ?

— Il me semble que nous n'avons pas le choix, dit doucement Wilson, avant d'ajouter : le plus drôle c'est que j'avais pratiquement décidé de lui confier le projet.

6

Le mercredi matin, après avoir célébré la messe de 7 heures, frère Aiden regarda les nouvelles sur CNN en buvant un café dans la Fraternité. Bouleversé, il vit les photos qui apportaient la preuve irréfutable qu'elle avait bel et bien enlevé le petit Matthew.

— Je confesse avoir participé à un acte criminel et être complice d'un meurtre imminent, avait-elle dit.

Cet acte criminel, était-ce le fait qu'Alexandra Moreland avait kidnappé son fils ?

Au cours de ses cinquante années passées à entendre des hommes et des femmes en confession, frère Aiden croyait connaître le catalogue complet des iniquités que l'être humain est capable de perpétrer. Des années auparavant, il avait entendu les sanglots désespérés d'une toute jeune fille qui avait donné naissance à un enfant et, craignant la colère de ses parents, l'avait laissé dans un conteneur enfermé dans un sac-poubelle.

La grâce divine avait voulu qu'un passant ait entendu ses cris et l'ait sauvé.

La situation était différente.

« Un meurtre imminent. »

Elle n'avait pas dit : « Je suis sur le point de commettre un meurtre. » Elle s'était accusée de complicité. Aujourd'hui où ces photos prouvent qu'elle a kidnappé l'enfant, la personne dont elle est complice prendra peut-être peur et renoncera à son acte. Je peux seulement prier pour qu'il en soit ainsi.

Frère Aiden consulta son agenda. Il avait plusieurs dîners prévus la semaine suivante avec de généreux donateurs qui contribuaient à l'œuvre charitable des frères et étaient devenus des amis personnels.

Il voulait vérifier l'heure à laquelle il devait rencontrer les Anderson.

Il avait rendez-vous à 18 h 30 au New York Athletic Club dans Central Park South. À peu de distance de l'endroit où habitaient Alvirah et Willy. Ça tombe bien, se dit-il. J'ai oublié mon écharpe chez eux hier soir. Je les appellerai après dîner et, s'ils sont chez eux, j'irai la récupérer.

De toute évidence, l'homme qui se présenta d'un pas hésitant à l'agence de Bartley Longe n'était pas un client potentiel. Ses cheveux blancs clairsemés étaient mal peignés, son blouson des Dallas Cowboys avait connu des jours meilleurs, ses pieds étaient chaussés de baskets élimées. Phyllis, la réceptionniste, le prit d'abord pour un coursier. Puis elle écarta cette hypothèse. L'aspect malingre de l'homme, le teint cireux de son visage ridé indiquaient qu'il était, ou avait été, gravement malade.

Elle se félicita que son patron soit en réunion et que sa porte soit fermée. Bartley Longe aurait décrété que, quel que soit l'objet de sa visite, cet homme détonnait dans ce cadre raffiné et n'avait rien à faire là. Même au bout de six ans, la généreuse Phyllis se hérissait encore devant l'attitude méprisante de Bartley à l'égard d'une personne dans le dénuement. Elle sourit au visiteur visiblement nerveux.

— Que puis-je faire pour vous, monsieur ?

— Je m'appelle Toby Grissom. Je ne veux pas vous déranger. C'est juste que je suis sans nouvelles de ma fille depuis six mois et que je ne dors plus la nuit parce que je crains qu'elle n'ait des ennuis. Elle travaillait ici, il y a environ deux ans. J'ai pensé que quelqu'un dans ce bureau saurait peut-être quelque chose.

— Elle travaillait ici ? demanda Phyllis. Quel est son nom ?

— Brittany La Monte. C'est son nom de théâtre. Elle est venue à New York il y a douze ans. Comme tous les jeunes, elle voulait être comédienne, et elle a réussi à avoir quelques petits rôles off-Broadway de temps en temps.

— Je suis désolée, monsieur Grissom, mais je suis ici depuis six ans, et je peux vous assurer que personne du nom de Brittany La Monte ne travaillait dans ce bureau il y a deux ans.

Comme s'il avait peur d'être éconduit sur-le-champ, Grissom expliqua :

— En fait, elle ne travaillait pas exactement ici. Ce que je veux dire, c'est qu'elle gagnait sa vie comme maquilleuse. Parfois, à l'occasion des cocktails que donnait M. Longe pour faire la promotion des appartements témoins qu'il décorait, il demandait à Brittany de s'occuper du maquillage des mannequins. Il lui avait même proposé d'être un des mannequins. C'est vraiment une très jolie fille.

— Oh ! c'est sans doute pourquoi je ne l'ai jamais rencontrée, dit Phyllis. Cependant, je peux interroger la secrétaire de M. Longe. Elle a une mémoire exceptionnelle. Mais elle est en réunion en ce moment et elle ne sera pas libre avant deux heures environ. Pouvez-vous repasser plus tard ? Après 15 heures, ce sera parfait.

— Merci. Vous êtes très gentille. Vous comprenez, ma fille m'écrivait régulièrement. Il y a deux ans, elle m'a dit qu'elle partait en voyage et m'a envoyé vingt-cinq mille dollars pour être sûre que j'aurais quelque chose à la banque. Sa mère est morte il y a longtemps et ma petite fille et moi sommes toujours restés très proches. Mais comme je vous l'ai dit, je n'ai plus eu de nouvelles d'elle depuis six mois, et il faut que je la voie. La dernière fois qu'elle est venue à Dallas, c'était il y a quatre ans.

— Monsieur Grissom, si nous avons une adresse où la joindre, je vous promets de vous la communiquer cet après-midi.

— Voyez-vous, mon docteur m'a donné de mauvaises nouvelles, expliqua Grissom sur le pas de la porte. C'est pourquoi je suis ici. Je n'en ai plus pour longtemps et je ne voudrais pas mourir avant d'avoir revu Glory et d'être sûr qu'elle va bien.

— Glory ? Je croyais qu'elle s'appelait Brittany.

Toby Grissom sourit.

— Son vrai nom est Margaret Grissom, le prénom de sa mère. Comme je l'ai dit, son nom de théâtre est Brittany La Monte. Mais elle était si jolie à sa naissance que j'ai dit : « Ta maman peut t'appeler Margaret, mais pour moi tu seras toujours Glory. »

À 12 H 15, quelques minutes après lui avoir parlé, Alvirah rappela Zan.

— Zan, j'ai réfléchi, dit-elle. Vous devez engager un avocat.

— Un avocat, Alvirah ! Pourquoi ?

— Parce que la police va venir frapper à votre porte. Je ne veux pas que vous répondiez aux questions sans avoir un avocat à votre côté.

Zan sentit la stupeur qui s'était emparée d'elle se transformer en un calme terrifiant.

— Alvirah, vous n'êtes pas sûre que je ne suis pas la femme qui apparaît sur ces photos, n'est-ce pas ? (Puis elle ajouta :) Vous n'êtes pas obligée de répondre. Je comprends votre inquiétude. Avez-vous un avocat à me recommander ?

— Oui, certainement. Charley Shore est un avocat d'assises de premier plan. J'ai écrit un papier sur lui autrefois dans ma chronique, et nous sommes devenus bons amis.

Un avocat d'assises, pensa Zan amèrement. Bien sûr. J'ai enlevé Matthew, j'ai commis un crime.

Ai-je vraiment enlevé Matthew ?

Où l'aurais-je emmené dans ce cas ? À qui l'aurais-je confié ?

— Zan, vous êtes toujours là ?

— Oui, Alvirah. Pouvez-vous me donner le numéro de téléphone de cet avocat ?

— Bien sûr. Mais attendez quelques minutes avant de l'appeler. Je voudrais d'abord le contacter. À ce soir.

Zan raccrocha lentement. Un avocat va me coûter de l'argent, pensa-t-elle, de l'argent que je pourrais utiliser pour engager un nouveau détective.

Kevin Wilson.

Au souvenir de l'architecte, elle eut un sursaut. Il allait voir les photos et croire qu'elle avait enlevé son enfant. Il allait s'attendre qu'elle soit arrêtée. Et choisir Bartley. Je dois lui parler ! se dit-elle.

Elle rédigea une note pour Josh et quitta en toute hâte son bureau.

ELLE poussa la porte à tambour et fut aussitôt happée par le vacarme qui régnait dans le hall.

La porte du bureau provisoire de Kevin Wilson était entrouverte. Elle frappa et entra sans attendre de réponse. Une jeune femme blonde était assise à une table derrière le bureau de Wilson. À son expression stupéfaite quand elle se retourna et la vit, Zan comprit qu'elle avait lu les journaux.

Malgré tout, elle se présenta :

— Je suis Alexandra Moreland. J'ai rencontré M. Wilson hier. Est-ce qu'il est là ?

— Je suis sa secrétaire, Louise Kirk. Il est dans les parages mais…

Feignant d'ignorer la nervosité que trahissait l'attitude de la femme, Zan l'interrompit :

— C'est un immeuble magnifique qu'apprécieront sûrement les gens qui auront la chance de l'occuper. J'espère vraiment participer à ce programme.

Elle s'étonna de pouvoir afficher une telle détermination. Elle devait absolument obtenir ce contrat, se dit-elle en fixant la secrétaire.

— Madame Moreland, dit Louise Kirk avec hésitation, il n'est pas nécessaire que vous attendiez Kevin – je veux dire M. Wilson. En arrivant ce matin, il m'a demandé de vous retourner vos plans et votre proposition. Vous pouvez les prendre tout de suite si vous le désirez, sinon je vous les ferai porter, bien entendu.

Zan ne regarda pas le paquet posé en évidence sur la table.

— Où se trouve M. Wilson ?

— Madame Moreland, il n'a pas…

Il est dans un des appartements témoins, pensa Zan. J'en suis sûre. Elle contourna le bureau et saisit son dossier.

— Merci, dit-elle.

Dans le hall, elle se dirigea vers les ascenseurs.

Kevin Wilson n'était pas dans le premier appartement ni dans le deuxième. Elle le trouva dans le plus grand appartement. Sur ce qui devait être le comptoir de la cuisine étaient étalés des croquis et des échantillons de tissus. Sans doute le projet de Bartley Longe.

Zan s'approcha de Wilson et posa son dossier sur le comptoir. Sans prendre la peine de le saluer, elle commença :

— Je vais vous dire ce que j'en pense. Si vous choisissez Bartley Longe, vous aurez un appartement superbe, mais peu confortable. (Elle souleva un dessin.) Superbe, fit-elle. Mais regardez la causeuse. Elle est trop basse. Et les tentures. Elles sont magnifiques, mais si peu modernes. Riche ou pas, quand vous rentrez à la maison, vous avez envie d'être chez vous, pas dans un musée.

Elle se rendit compte que, dans son désir de le convaincre, elle lui avait saisi le bras.

— Je regrette de m'être imposée ainsi, dit-elle, mais je devais vous expliquer mon point de vue.

— C'est ce que vous avez fait, avez-vous terminé ? demanda doucement Kevin Wilson.

— Oui, j'ai fini. Vous savez probablement qu'on vient de publier dans la presse des photos qui me montrent prétendument en train d'enlever l'enfant que je désespère de retrouver depuis presque deux ans. Répondez seulement à une question : si ces photos n'existaient pas, à qui auriez-vous confié ce job, à Bartley Longe ou à moi ?

Kevin Wilson regarda longuement Zan avant de répondre :

— J'étais plutôt tenté de vous le confier.

— Dans ce cas, je vous demande, je vous supplie, d'attendre avant de prendre votre décision. Je vais réussir à prouver que je ne suis pas la femme que l'on voit sur ces photos. Si vous choisissez Bartley parce que vous préférez ses projets, monsieur Wilson, je m'incline. Mais si vous aviez l'intention de me confier ce projet parce que mes propositions vous plaisaient davantage, je vous implore de me laisser démontrer mon innocence. Je vous implore d'attendre avant d'annoncer votre décision.

Zan se sentit soudain vidée de toute énergie. Elle désigna le paquet qui contenait ses dessins et ses échantillons sur le comptoir.

— Acceptez-vous de les examiner à nouveau ?

— Oui.

— Merci.

Sans regarder Kevin Wilson, elle quitta les lieux.

Billy Collins avait pour adjointe l'inspectrice Jennifer Dean, une belle Afro-Américaine, du même âge que lui, qu'il avait connue à l'académie de police, où ils s'étaient liés d'amitié.

Ils rencontrèrent ensemble Tiffany Shields au Hunter College pendant la pause du déjeuner. Tiffany s'était convaincue que Zan Moreland les avait délibérément drogués, Matthew et elle.

— Elle a insisté pour que je boive du Pepsi ce jour-là, leur confia-t-elle avec une grimace. Je me sentais mal fichue. Je n'avais pas envie de faire du baby-sitting. Elle m'a fait prendre un cachet. J'ai pensé que c'était du Tylenol pour le rhume, mais j'estime à présent que c'était le genre de médicament qui vous fait dormir. Et laissez-moi vous dire autre chose. Matthew dormait comme une masse. Je suis prête à parier qu'elle l'avait drogué, lui aussi.

Les inspecteurs échangèrent un regard.

— Tiffany, ce n'est pas ce que vous m'avez dit au moment de la disparition de Matthew. Vous n'avez jamais évoqué cette histoire de somnifère auparavant, lui rappela calmement Jennifer Dean.

— J'étais hystérique. J'avais tellement peur. Tous ces gens, tous ces photographes autour de moi, puis Zan et M. Carpenter qui arrivaient, et je savais qu'ils allaient m'accuser.

Le parc avait été particulièrement fréquenté ce jour-là à cause de la chaleur, pensa Billy Collins. Si Zan avait choisi le bon moment pour prendre Matthew dans sa poussette, personne n'y aurait rien trouvé d'étrange. Même si Matthew s'était réveillé, il n'aurait pas pleuré.

Tiffany se leva.

— Je dois aller à mon cours. Je ne peux pas être en retard.

— Personne n'a envie que vous soyez en retard, Tiffany, dit Billy en se levant du banc où il était assis avec Jennifer.

— Inspecteur Collins, ces photos prouvent que Zan Moreland a enlevé Matthew et m'a fait jouer le rôle du bouc émissaire. Vous ne pouvez pas savoir à quel point j'ai été malheureuse durant ces deux années. Vous n'avez qu'à écouter l'appel que j'ai lancé à la police le jour même. On peut encore le trouver sur Internet. En tout cas, j'espère que cette salope de mère passera le reste de sa vie en tôle. Et que je serai témoin à son procès. Je l'ai bien mérité.

Tiffany avait littéralement craché ces derniers mots.

7

Il avait conçu le plan de A à Z. Et le dénouement approchait. Il était temps. Gloria devenait trop nerveuse. Et il avait eu tort de lui dire qu'il serait nécessaire de tuer Zan et de maquiller sa mort en suicide. Gloria avait accepté dc faire équipe avec lui uniquement pour l'argent. Elle ne comprenait pas qu'il ne suffisait pas de livrer Alexandra Moreland, tel un pantin, à la vindicte publique.

Quand il avait téléphoné à Gloria, la veille au soir, il lui avait annoncé son intention de retourner bientôt avec elle à l'église, sans lui dire pourquoi. Elle avait commencé par protester, mais il l'avait forcée à se taire. Il ne lui avait pas dit qu'il avait décidé de se débarrasser du vieux prêtre et qu'il fallait qu'on la prenne pour Zan sur les vidéos des caméras de surveillance. Le suicide de Zan serait plausible.

Son plan était le suivant : le même jour, Gloria abandonnerait Matthew dans un lieu public. Il imaginait déjà les titres des médias : L'ENFANT DISPARU RETROUVÉ QUELQUES HEURES APRÈS LE SUICIDE DE SA MÈRE.

Pourquoi ces photos prises par un touriste faisaient-elles surface maintenant ? Cela ne pouvait tomber plus mal. Sauf s'il était capable d'en tirer profit. Actuellement, les policiers se demandaient sans doute si elle n'avait pas mis fin aux jours de son enfant.

Mais s'ils découvraient un seul détail qui clochait sur ces photos, son plan s'écroulerait.

Allaient-ils interroger à nouveau la baby-sitter ?

Sans aucun doute.

Allaient-ils interroger Nina Aldrich ? Sans aucun doute.

Mais Nina Aldrich avait eu une bonne raison de rester vague sur l'heure précise du rendez-vous presque deux ans auparavant, et cette raison existait toujours.

Les deux principales menaces pour lui restaient d'abord Gloria, puis les photos prises par le touriste.

Il devait absolument contacter Gloria. Il avait acheté deux téléphones portables à cartes prépayées, un pour elle et l'autre pour lui-même. Il ferma la porte de son bureau et composa le numéro de Gloria. Elle répondit dès la première sonnerie. Au ton furieux de sa voix, il comprit que la conversation serait houleuse.

— Toute l'histoire est diffusée sur Internet. Les photos sont partout.

— Le gosse était-il près de toi quand tu regardais ton ordinateur ?

— Il est déjà couché. Il ne se sentait pas bien. Il a vomi à deux reprises.

— Il va tomber malade ? Il est hors de question qu'il voie un médecin.

— Il n'est pas vraiment malade. Cette existence de dingue commence à être difficile à supporter pour lui. Et pour moi aussi. Tu avais dit un an au maximum, et cela en fait presque deux.

— C'est bientôt la fin. Ces photos de toi dans le parc vont hâter la conclusion. Mais tu dois les examiner attentivement. Te creuser les méninges. Chercher s'il existe quoi que ce soit qui pourrait indiquer aux flics que la femme n'est pas Zan.

— Tu m'as payée pour la suivre, l'étudier sur les photos, apprendre à marcher et à parler comme elle. Je suis une bonne comédienne et c'est faire l'actrice qui m'intéresse, pas garder un petit bonhomme et l'empêcher de voir sa mère.

— Autre chose, Gloria. Qu'as-tu dit exactement à ce prêtre ?

— Je lui ai dit que j'étais complice d'un acte criminel, qu'un meurtre allait bientôt avoir lieu et que je ne pouvais pas l'empêcher.

— Tu lui as dit ça ?

La voix de son interlocuteur était blanche.

— Je lui ai dit ça, exactement. Mais je l'ai dit dans le secret du confessionnal. Si tu ne sais pas ce que cela signifie, renseigne-toi. Et je vais être franche. Une semaine de plus, et je me tire d'ici. Tu ferais mieux d'avoir deux cent mille dollars en liquide à me donner. Parce que si tu ne les as pas, je vais trouver les flics et je leur dirai tout ce que je sais à ton sujet, je déposerai comme témoin à charge. Et tu sais quoi ? Je deviendrai une héroïne. Je signerai un contrat d'un million de dollars pour écrire un livre. J'ai tout prévu.

Il n'eut pas le temps de répondre. La femme que Matthew connaissait uniquement sous le nom de Glory avait refermé son portable.

APRÈS avoir quitté Kevin Wilson, Zan regagna directement son bureau. Josh l'attendait, très inquiet.

— Zan, comment vas-tu parvenir à prouver ton innocence ? demanda-t-il d'une voix frémissante.

Il désigna la première page des deux journaux posés sur son bureau.

— Ce n'est pas moi qui suis sur ces photos, Josh, protesta Zan. Cette femme me ressemble, mais ce n'est pas moi.

Elle sentit soudain sa bouche se dessécher. Josh était un ami autant qu'un assistant, se dit-elle.

— Zan, un avocat du nom de Charles Shore a téléphoné. Il a dit qu'il était recommandé par Alvirah. Je vais le rappeler. Tu as besoin d'être assistée sans tarder.

— Assistée pour me protéger de qui ? demanda Zan. De la police ? De Ted ?

— De toi-même, répliqua Josh, les larmes aux yeux. Quand j'ai commencé à travailler avec toi, après la disparition de Matthew, tu m'as parlé de ces accès d'amnésie dont tu avais souffert après la mort de tes parents. (Il fit le tour du bureau et posa affectueusement les mains sur ses épaules.) Zan, tu m'es très chère. Tu es la grande sœur que je n'ai pas eue. Mais tu as besoin d'aide. Tu dois préparer ta défense avant que la police commence à t'interroger.

Zan repoussa ses mains et s'écarta.

— Tu es gentil, Josh, mais il faut que tu comprennes. Je peux prouver que j'étais avec Nina Aldrich quand Matthew a été enlevé. C'est peut-être insensé, mais je ne suis pas la femme qui apparaît sur ces photos.

— Laisse-moi appeler tout de suite cet avocat, Zan.

Pendant que Josh composait le numéro, Zan resta les deux mains posées à plat sur son bureau. Elle sentait monter la panique. Dans le lointain, elle entendit Josh crier son nom, mais elle n'eut plus la force de lui répondre.

Elle flottait dans un brouillard. Des gens se pressaient autour d'elle, criaient son nom, elle entendait la sirène d'une ambulance. Elle s'entendait appeler Matthew. Quelqu'un lui faisait une piqûre dans le bras.

Quand elle se réveilla, elle était au service des urgences d'un hôpital. Josh et un homme aux cheveux gris avec des lunettes cerclées de métal étaient assis à côté d'elle dans un box isolé par des rideaux.

— Je suis Charley Shore, dit l'homme. Je suis l'ami d'Alvirah, et votre avocat si vous désirez que je vous défende.

Zan fit un effort pour concentrer son regard sur lui.

— C'est Josh qui vous a appelé, dit-elle lentement.

— Oui. N'essayez pas de parler maintenant. Nous aurons tout le temps demain. Par mesure de précaution, le médecin préférerait que vous passiez la nuit ici.

— Non, non. Ça ira très bien. (Zan se sentait l'esprit plus clair. Elle devait quitter l'hôpital dès maintenant.) Je rentre à la maison. Mais d'abord, j'ai promis à Alvirah et Willy de dîner chez eux ce soir. (Le fil des événements lui revenait peu à peu en mémoire.) Je me suis évanouie, n'est-ce pas ? Et on m'a emmenée dans une ambulance ?

— Oui.

Josh posa sa main sur la sienne.

— Y avait-il des journalistes quand on m'a emmenée en ambulance ?

— Oui, Zan, reconnut Josh.

— J'ai eu une nouvelle perte de conscience. (Elle serra ses bras autour d'elle.) Tout ira bien. Si vous voulez bien tous les deux attendre à l'extérieur, je vais m'habiller.

— Bien sûr.

Charles Shore et Josh se levèrent immédiatement.

— Nous discuterons en allant chez Alvirah et Willy, lui dit Shore.

Le mercredi après-midi, Penny Hammel téléphona à son amie Rebecca Schwartz et l'invita à dîner.

— J'ai préparé un rôti de bœuf braisé pour Bernie, expliqua-t-elle. Il devait rentrer aujourd'hui mais figure-toi que son maudit camion est tombé en panne en Pennsylvanie. Quoi qu'il en soit, je n'ai pas envie de dîner seule.

À 18 h 15, les deux amies étaient en train de savourer des *manhattans* dans le séjour-cuisine de Penny. Les effluves alléchants qui émanaient du four combinés à la chaleur de la cheminée emplissaient les deux femmes d'une agréable sensation de bien-être.

— Oh ! j'ai une histoire à te raconter à propos de la nouvelle locataire de la ferme de Sy Owens, dit Penny.

— Penny, cette femme a dit clairement qu'elle se retirait là pour finir son livre. Tu n'es pas allée la déranger, j'espère ?

— Je lui ai juste apporté six de mes muffins aux myrtilles en guise de bienvenue, mais cette femme a été très désagréable. J'ai commencé par lui dire que je ne voulais pas l'interrompre dans son travail mais que je pensais lui faire plaisir en lui apportant des muffins, et que j'avais inscrit mon numéro de téléphone sur un Post-it collé au dos de l'assiette. Moi, si je m'installais dans un endroit où je ne connais personne, je serais contente de pouvoir appeler quelqu'un en cas d'urgence.

— C'était très gentil de ta part, reconnut Rebecca. Tu es le genre de personne que tout le monde aimerait avoir pour amie. Mais je n'y retournerais pas si j'étais à ta place. C'est une vraie sauvage, cette bonne femme.

Penny pouffa.

— Tu sais, j'ai failli lui demander de me rendre mes muffins. En tout cas, j'ai vu un jouet, un petit camion, dans le couloir et je lui ai dit que j'aimais bien garder les enfants. Elle m'a dit que le camion appartenait au fils de sa sœur. Sa sœur était venue l'aider à emménager et l'avait oublié.

— C'est bizarre, dit Rebecca d'un air pensif. Quand je lui ai remis les clés, elle m'a dit qu'elle arriverait tard dans la soirée. Je suis passée dans le coin le lendemain matin et j'ai vu sa voiture sous le porche. Il n'y en avait pas d'autre. La sœur et son gosse sont sans doute arrivés plus tard.

— À moins qu'il n'y ait pas de sœur et qu'elle aime jouer aux petites voitures, dit Penny en riant. (Elle se leva, s'empara du shaker et répartit le reste du cocktail dans leurs deux verres.) Le dîner est prêt. Mais avant de nous mettre à table, j'aimerais regarder les informations de 18 h 30. Je voudrais savoir s'ils ont arrêté cette cinglée qui a enlevé son propre enfant.

Comme elles s'y attendaient, les photos prises dans Central Park faisaient l'ouverture des nouvelles.

— Je me demande ce qu'elle a fait de lui, pauvre gamin, soupira Penny en attaquant une tranche de rôti.

— Alexandra Moreland ne serait pas la première mère à tuer son enfant, dit Rebecca d'un air sombre. Tu crois qu'elle est assez folle pour commettre un acte pareil ?

Penny ne répondit pas. Quelque chose dans ces photos la troublait. Quoi ? se demanda-t-elle. Mais la séquence sur la disparition de l'enfant se terminait et elle éteignit la télévision en haussant les épaules. Pendant le reste du dîner, les deux amies bavardèrent de choses et d'autres, et Penny relégua dans son subconscient ce qui l'avait intriguée sur les photos.

La réunion à laquelle assistait Bartley Longe quand Toby Grissom s'était présenté pour demander des nouvelles de sa fille dura toute la matinée. Puis Bartley demanda qu'on lui fasse livrer un repas depuis un restaurant voisin.

Sa secrétaire, Elaine, et la réceptionniste, Phyllis, partagèrent comme d'habitude leurs salades basses calories dans la kitchenette au fond du couloir. Elaine avait l'air épuisé. Elle déclara que Bartley était d'une humeur de chien et que ça n'annonçait rien de bon.

— Et tu sais quoi ? Il a laissé la télévision allumée toute la matinée. Le son était coupé, mais à la minute où les photos de Zan sont apparues, elles ont capté toute son attention.

— Tu crois que c'est ça qui l'a mis de mauvais poil ? demanda Phyllis. Je pensais qu'il serait ravi d'apprendre que Zan mentait.

— Tu n'imagines pas à quel point il la déteste, à quel point il se réjouit de la voir prise dans ce piège. En fait, c'est quand Scott a insinué que ces photos pouvaient être truquées que Bartley est devenu fou. N'oublie pas que Zan vient de soumissionner contre lui pour le projet de Kevin Wilson. Si elle parvient d'une manière ou d'une autre à prouver que ces photos sont des faux et qu'elle obtient ce contrat, ce sera un coup terrible pour lui.

Phyllis consulta sa montre.

— Je ferais mieux de retourner à l'accueil. Mais d'abord, j'ai une question. Tu te souviens d'une dénommée Brittany La Monte ?

Elaine termina lentement son soda.

— Brittany La Monte ? Oh ! bien sûr. Elle a commencé par venir maquiller les mannequins que Bartley engageait pour servir cocktails et canapés aux réceptions qu'il organisait pour la promotion de ses appartements témoins. Entre nous soit dit, je crois que Bartley avait le béguin pour elle. J'ai toujours pensé qu'il la voyait en dehors du boulot. Nous n'avons plus refait ce genre d'appartement depuis au moins un an, et il n'a jamais utilisé ses services pour d'autres réceptions. J'imagine qu'il l'a laissée tomber comme les autres.

— Le père de Brittany, Toby Grissom, est à sa recherche, il s'est présenté à l'agence ce matin, expliqua Phyllis. Le pauvre vieux semblait inquiet. La dernière carte postale qu'il a reçue d'elle, de Manhattan, date de six mois. Il est convaincu qu'elle a des ennuis. Il doit revenir après 15 heures. J'ai pensé que Bartley serait en route pour Litchfield à ce moment-là. Que vais-je dire à Grissom ?

— Tout simplement qu'elle a travaillé pour nous en free-lance il y a quelques années et que nous ne savons ni ce qu'elle fait ni où elle habite aujourd'hui, dit Elaine. C'est la vérité.

À 15 HEURES, quand Toby Grissom sonna timidement à la porte, Bartley Longe était encore enfermé dans son bureau.

— M. Longe est retenu à une réunion, dit Phyllis, mais sa secrétaire, Elaine Ryan, se fera un plaisir de vous recevoir.

— Je n'ai pas demandé à parler à la secrétaire de Bartley Longe. Je vais m'asseoir dans cette belle salle et attendre ce monsieur aussi longtemps qu'il le faudra, dit Grissom, manifestement déterminé.

Son regard trahissait pourtant une lassitude extrême. Phyllis décrocha le téléphone.

— M. Grissom est là, dit-elle à Elaine. Je lui ai expliqué que M. Longe était en réunion, mais il a l'intention d'attendre le temps qu'il faudra.

Elaine saisit l'avertissement contenu dans la voix de la réceptionniste. Le père de Brittany La Monte ne partirait pas avant d'avoir vu Bartley.

— Je vais voir ce que je peux faire, dit-elle à Phyllis.

Elaine se leva et frappa à la porte de Bartley. Sans attendre, elle entra dans le bureau.

La télévision était toujours en marche, sans le son. Le plateau-repas était repoussé sur le côté. Il se tourna vers Elaine, l'air étonné et contrarié.

— Je ne crois pas vous avoir appelée.

La journée avait été longue.

— Personne ne m'a appelée, en effet, monsieur Longe, dit Elaine sèchement. Il y a un homme à la réception qui insiste pour vous voir. Je suppose qu'il va attendre jusqu'à la fin des temps. Il s'appelle Toby Grissom et c'est le père de Brittany La Monte. Je suis sûre que son nom ne vous est pas inconnu.

Bartley Longe se renfonça dans son fauteuil, une expression perplexe sur le visage.

— Je me souviens de cette jeune femme, bien sûr, dit-il enfin. Elle voulait devenir actrice et je l'avais même présentée à quelques personnes susceptibles de l'aider. Mais autant qu'il m'en souvienne, la dernière fois que nous avons eu besoin de mannequins, elle n'était pas disponible.

Ni Elaine ni Bartley Longe n'avaient entendu Toby Grissom traverser le bureau d'Elaine. Il surgit dans l'encadrement de la porte.

— Ne racontez pas de bobards, monsieur Longe, lança-t-il d'une voix où perçait la colère. Vous avez raconté à Brittany que vous feriez d'elle une star. Vous l'avez souvent invitée en week-end dans votre luxueuse maison de Litchfield. Où est-elle maintenant ? Qu'avez-vous fait de ma petite fille ? Je veux la vérité, et si je ne l'obtiens pas, j'irai directement trouver la police.

Il était 19 h 30 quand Zan, contre l'avis des médecins, monta dans un taxi en compagnie de Charley Shore avec l'intention de se rendre chez Alvirah et Willy. Je suis content qu'elle aille chez Alvirah et Willy, pensa Charley. Elle a confiance en eux. Peut-être même leur dira-t-elle où se trouve son fils.

Quand Alvirah lui avait téléphoné au début de l'après-midi au sujet d'Alexandra Moreland, elle s'était montrée directe :

— Vous devez l'aider, Charley. En voyant ces photos, j'ai cru que le ciel me tombait sur la tête. Je doute qu'elles soient falsifiées. Mais il n'y a rien de feint dans les souffrances de cette femme et dans ses efforts pour retrouver son fils. Si elle l'a kidnappé, elle n'en a plus le souvenir. Les gens peuvent-ils devenir de vrais zombies à la suite d'une dépression ?

— Oui, ce n'est pas fréquent, mais cela arrive.

À présent, dans le taxi, Charley se demandait si Alvirah n'avait pas vu juste dans son diagnostic. Il regarda Zan. Vous pouvez compter sur moi, lui promit-il en silence. Je vais vous aider. Je fais ce métier depuis quarante ans et je vous assurerai la meilleure défense possible. Vous ne simuliez pas une perte de mémoire. J'en donnerais ma tête à couper.

Une fois à destination, il demanda au chauffeur de l'attendre et décida d'accompagner Zan jusque chez les Meehan. Il monta avec elle dans l'ascenseur. Alvirah attendait dans le couloir quand ils arrivèrent au quinzième étage. Sans dire un mot, elle prit Zan dans ses bras et regarda Charley.

— Vous pouvez y aller, Charley, lui dit-elle. Zan a surtout besoin de se détendre, maintenant.

— Vous avez raison et je suis sûr que vous saurez prendre soin d'elle, répondit-il avec un sourire en reprenant l'ascenseur.

Enveloppée dans une couverture, un oreiller calé sous sa tête, Zan savourait son thé agrémenté d'une cuillerée de miel et d'un clou de girofle. Elle avait l'impression de sortir d'un tunnel. C'est la seule image qui lui vint à l'esprit pour expliquer à Alvirah et à Willy sa perte de connaissance.

— En voyant ces photos, je n'en ai pas cru mes yeux. Car je peux démontrer que je me trouvais avec Nina Aldrich pendant que Matthew était dans le parc. Mais pourquoi quelqu'un se donnerait-il la peine de me ressembler à ce point ? C'est une farce. C'est du cirque. Rien d'autre. Mais je sais que tout s'arrangera quand j'aurai parlé à Nina Aldrich. Je m'apprêtais à y aller aujourd'hui quand je me suis évanouie.

— Il n'est pas surprenant que vous vous soyez évanouie avec tout ce qui vous arrive, Zan. Qu'avez-vous mangé aujourd'hui ? demanda Alvirah.

— Pas grand-chose. J'ai juste pris une tasse de café ce matin, et je n'ai pas déjeuné avant de retourner au bureau. C'est ensuite que je me suis évanouie. (Zan finit son thé.) Alvirah, Willy, vous croyez tous les deux que c'est moi qui figure sur ces photos. Je l'ai perçu dans votre voix cet après-midi. Puis, quand Josh m'a dit que j'avais besoin d'un avocat, j'ai compris que lui aussi en était convaincu.

La réaction d'Alvirah fut chaleureuse mais évasive :

— Zan, si vous affirmez que ce n'est pas vous qui figurez sur ces photos, Charley devra d'abord engager un expert pour démontrer qu'elles sont truquées. Par ailleurs, l'heure à laquelle vous avez rencontré Nina Aldrich pour la décoration de sa maison devrait vous innocenter. Charley fera les vérifications nécessaires pour accréditer cette preuve. (Alvirah se leva.) Croyez-moi, nous ne négligerons aucun indice pour découvrir la vérité et retrouver Matthew. Mais avant tout, sachez que vous allez être attaquée de toutes parts et que vous devrez être forte. Je veux dire forte physiquement. Le dîner sera simple. Chili con carne, salade et petits pains chauds italiens.

Zan tenta de sourire.

— Vous me mettez l'eau à la bouche.

Et c'était délicieux, en effet, reconnut-elle en savourant le repas accompagné d'un verre de vin rouge.

Ils renoncèrent au dessert et ne prirent qu'un simple cappuccino. Quand Zan fut sur le point de partir, Willy alla discrètement commander une voiture pour la reconduire à Battery Park City.

Il regagnait la table quand le téléphone sonna. C'était frère Aiden.

— Je suis dans la rue, annonça-t-il. Si vous n'y voyez pas d'inconvénient, j'aimerais récupérer mon écharpe.

— Oh ! vous tombez à pic, lui assura Alvirah. Je comptais justement vous présenter quelqu'un.

Zan avalait les dernières gouttes de son café.

— Je préfère ne rencontrer personne, dit-elle au moment où Alvirah raccrochait. S'il vous plaît, laissez-moi partir avant !

— Zan, ce n'est pas quelqu'un d'ordinaire, plaida Alvirah. Je n'ai rien dit, mais j'espérais que vous seriez encore là lorsque frère Aiden passerait nous voir. C'est un vieil ami. Je ne veux pas vous forcer, mais j'aimerais beaucoup que vous fassiez sa connaissance. Il officie à Saint-François-d'Assise et je crois qu'il pourrait vous apporter un réel réconfort.

— Alvirah, je n'ai pas trop l'esprit à la religion en ce moment, dit Zan, et j'aimerais autant m'éclipser rapidement.

— Zan, j'ai commandé une voiture. Je vous raccompagne chez vous. Tout est arrangé, dit Willy.

La sonnerie de l'Interphone retentit. C'était le portier qui annonçait frère O'Brien. Alvirah se hâta d'ouvrir et, un instant plus tard, l'ascenseur s'arrêtait à leur étage.

Tout sourire, le religieux embrassa Alvirah, serra la main de Willy puis se tourna vers leur jeune invitée.

Le sourire s'effaça de son visage.

Sainte Mère de Dieu, pensa-t-il.

8

DURANT le court trajet en voiture qui les amenait de Hunter College à la maison des Aldrich dans la 69e Rue Est, les inspecteurs Billy Collins et Jennifer Dean convinrent que jamais ils n'auraient imaginé Zan Moreland capable d'avoir enlevé son propre fils. Billy s'arrêta devant la superbe résidence en double file et posa sa carte de police en évidence sur le pare-brise.

— Il faut l'admettre, dit Jennifer. Nous pensions avoir tout compris. Mère au travail, baby-sitter irresponsable. Prédateur saisissant l'occasion de s'emparer d'un enfant. (À la vue des rafales de vent et de la pluie qui cinglait les vitres de la voiture, Jennifer releva le col de son manteau.) Nous avons tous cru cette histoire à vous briser le cœur. Si ces photos ne sont pas truquées, elles démontrent qu'Alexandra Moreland n'a pas pu rester tout ce temps avec Nina Aldrich. En revanche, si Aldrich peut témoigner qu'elle était avec Zan, alors les photos sont probablement truquées.

— Je te parie qu'elles ne le sont pas, dit Billy, et qu'Aldrich ne m'a pas dit la vérité quand j'ai parlé avec elle. Mais pourquoi aurait-elle menti ? (Sans attendre de réponse, il ajouta :) Bon, allons-y.

Une femme d'origine latino-américaine, la soixantaine, leur ouvrit la porte. Elle portait un uniforme noir. Son visage ridé trahissait une lassitude qui se reflétait dans ses yeux aux paupières lourdes.

Billy lui présenta leurs cartes.

— Je m'appelle Maria Garcia. Je suis la gouvernante de Mme Aldrich. Elle vous attend. Puis-je prendre vos manteaux ?

Maria Garcia alla suspendre leurs vêtements dans la penderie et les conduisit dans une vaste pièce. Des canapés recouverts de cuir souple brun foncé étaient regroupés autour d'un écran plat de télévision. Les murs étaient occupés par des bibliothèques qui s'élevaient jusqu'au plafond. Tous les livres étaient parfaitement alignés sur les rayons. On ne plaisante pas avec la lecture, ici, songea Billy. Les murs étaient d'un beige soutenu assorti aux motifs brun clair de la moquette. Ce n'est pas mon goût, décréta Bill. La déco a sans doute coûté une fortune, mais une petite touche de couleur ne ferait pas de mal à l'ensemble.

Nina Aldrich les fit attendre une demi-heure. Quand la dame de soixante-trois ans entra d'un pas olympien dans la pièce, avec ses cheveux gris ondulés, ses traits patriciens, son teint sans défaut, vêtue d'un caftan noir, parée de bijoux en argent, elle arborait l'expression glaciale d'un monarque accueillant un visiteur importun.

Collins ne fut pas impressionné pour autant. Elle cherche à nous mettre mal à l'aise, pensa-t-il. Très bien, ma p'tite dame, allons-y.

— Bonjour, madame Aldrich. C'est très aimable à vous de nous recevoir aussi rapidement, car nous nous doutons bien que vous avez un emploi du temps très chargé.

En voyant ses lèvres se pincer, il comprit qu'elle avait saisi l'allusion. Sans y être invités, Jennifer et lui se rassirent. Après un instant d'hésitation, Nina Aldrich choisit un siège derrière l'étroit bureau ancien qui leur faisait face.

Jennifer Dean posa la première question :

— Madame Aldrich, lorsque nous vous avons interrogée après l'enlèvement de Matthew Carpenter, vous avez déclaré que vous aviez effectivement rendez-vous ce jour-là avec Alexandra Moreland, et qu'elle se trouvait avec vous quand je lui ai appris la disparition de son fils.

— Oui, il était environ 15 heures.

— Comment a-t-elle réagi à cet appel ?

— Rétrospectivement, après avoir vu ces photos, je peux vous dire que c'est une comédienne accomplie. Comme je vous l'ai dit à notre première rencontre, elle est devenue blanche comme un linge et s'est levée précipitamment. J'ai voulu appeler un taxi, mais elle s'est élancée hors de la maison et a couru comme une folle jusqu'au parc. Elle a laissé ici tous ses dossiers, ses échantillons de tissus et de moquette, les photos de meubles anciens et de lampes.

— Je vois. La baby-sitter a emmené Matthew au parc entre midi trente et midi quarante. D'après mes notes, votre rendez-vous avec elle était fixé à 13 heures, continua Jennifer.

— C'est exact. Elle m'avait appelée sur mon portable pour me prévenir qu'elle aurait quelques minutes de retard à cause de la baby-sitter.

— Vous étiez ici ?

— Non. J'étais dans mon ancien appartement de Beekman Place.

Billy Collins s'efforça de dissimuler son excitation.

— Madame Aldrich, je ne crois pas que vous m'ayez précisé ce point lorsque nous vous avons interrogée. Vous nous avez dit que vous aviez rendez-vous avec Mme Moreland dans cette maison.

— C'est la vérité. Je lui ai dit que je ne voyais pas d'inconvénient à ce qu'elle ait un peu de retard, mais au bout d'une heure, je l'ai rappelée. Or elle était déjà ici.

— Madame Aldrich, vous dites maintenant que, lorsque Alexandra Moreland vous a parlé à 14 heures passées, vous ne l'aviez toujours pas vue ? insista Billy.

— C'est exactement ce que je dis. Laissez-moi vous expliquer. Zan Moreland avait une clé de cette maison. Elle y était déjà venue pour mettre au point ses projets d'aménagement. Elle croyait que nous devions nous rencontrer sur place. Il s'est donc passé plus d'une heure et demie avant que nous parvenions à nous joindre. Elle s'est excusée de son erreur et a proposé de venir me retrouver à Beekman Place, mais je devais prendre un cocktail avec des amis au Carlyle vers 17 heures et je lui ai dit que je préférais la rejoindre ici. Franchement, je commençais à être exaspérée.

— Si vous deviez discuter de la décoration de cette maison, pourquoi l'auriez-vous rencontrée dans votre autre résidence ? demanda Billy.

— Mme Moreland avait pris une quantité de photos de toutes les pièces. Nous n'avions pas d'autres meubles ici qu'une table de bridge et quelques chaises. J'ai préféré être mieux installée pour discuter.

— Je comprends. Donc vous êtes arrivée ici peu de temps avant que je lui téléphone ? demanda Jennifer.

— Un peu plus d'une demi-heure avant.

— Quelle a été l'attitude de Mme Moreland lorsque vous êtes arrivée ?

— Elle était nerveuse, s'est confondue en excuses.

— Je vois. Quelles sont les dimensions de cette maison, madame Aldrich ?

— Elle a cinq étages et treize mètres de profondeur, ce qui en fait l'une des plus grandes maisons de ville de ce quartier. Le dernier étage est à présent une terrasse arborée couverte. Nous avons onze pièces.

Nina Aldrich prenait un plaisir visible à vanter sa demeure.

— Et le sous-sol ? demanda Billy.

— Il comporte une seconde cuisine, une cave à vins, et encore une grande pièce. Il y a aussi une réserve.

— Bien. (Billy regarda Jennifer et ils se levèrent.) Vous nous avez dit que Mme Moreland possédait une clé de la maison. Y est-elle revenue après la disparition de Matthew ?

— Je ne l'ai jamais revue. Je sais qu'elle est passée à un moment donné récupérer son porte-documents, ses échantillons et le reste. Franchement, je ne me souviens pas qu'elle ait rapporté la clé.

— Vous n'avez pas chargé Mme Moreland de la décoration intérieure ?

— J'ai estimé qu'elle ne serait pas en état sur le plan émotionnel de mener à bien un tel projet. Je ne pouvais courir le risque qu'elle sombre dans la dépression et me laisse en plan.

— Puis-je vous demander qui a décoré cette maison ?

— Bartley Longe. Peut-être en avez-vous entendu parler. Il est extrêmement brillant.

— Ce qui m'intéresserait, c'est de savoir à partir de quel moment il est intervenu.

Le cerveau de Billy tournait à plein régime. Cette maison était vide le jour de la disparition de Matthew. Zan Moreland y avait accès. Était-il possible qu'elle ait amené son enfant ici et l'ait caché dans l'une des pièces ou au sous-sol ? Personne n'aurait eu l'idée de le chercher là. Elle aurait pu ensuite revenir au milieu de la nuit et l'emmener ailleurs, vivant ou mort.

— Oh ! Bartley a pris les choses en main très rapidement. Et maintenant, inspecteur Collins, si vous n'y voyez pas d'inconvénient…

Billy l'interrompit :

— Nous avons fini, madame Aldrich.

— Maria va vous raccompagner.

La gouvernante les précéda dans le couloir et sortit leurs manteaux de la penderie. Sous son air impassible, elle bouillait de colère en son for intérieur. Bien sûr que Bartley Longe avait pris aussitôt la suite de cette gentille jeune femme, se dit-elle. Sa Majesté avait eu une aventure avec lui et laissé cette pauvre Mme Moreland faire tous ces plans pour rien.

— Inspecteur Collins…, commença Maria Garcia.

Elle se tut. Elle avait été sur le point de dire qu'elle se trouvait dans la pièce quand Mme Aldrich avait donné rendez-vous à Alexandra Moreland ici, et non à Beekman Place. Mais que pouvait valoir sa parole contre celle de sa patronne ? soupira-t-elle. Et quelle importance, en fin de compte ? Elle avait vu les photos dans le journal. Il n'y avait aucun doute. Mme Moreland avait enlevé son propre enfant.

— Vous vouliez me dire quelque chose ? demanda Billy Collins.

— Oh ! non, non ! Je voulais seulement vous souhaiter une bonne journée à tous les deux.

Il appela Gloria à minuit. Sa voix paraissait lasse et indifférente quand elle répondit :

— Qu'est-ce que tu veux ?

Il prit soin de garder un ton mesuré et amical :

— Gloria, je sais combien toute cette histoire a été pénible pour toi. J'ai réfléchi. Je vais te donner plus que les deux cent mille dollars dont nous étions convenus. Tu auras le triple : six cent mille dollars en liquide, dès la fin de la semaine prochaine.

Son exclamation de surprise le ravit. Était-elle à ce point stupide pour tomber dans le panneau ?

— Je ne te demanderai qu'une seule chose encore, c'est de te montrer une dernière fois dans cette église franciscaine vers 16 h 45. Je te dirai à quelle date exactement.

— Tu n'as donc pas suffisamment torturé la mère de Matthew ? Pourquoi faut-il que tu la tues ?

Pas pour la même raison que celle qui va me forcer à te supprimer, pensa-t-il. Tu en sais trop.

— Je n'ai pas l'intention de la tuer, Gloria. C'était seulement un mouvement d'humeur.

— Je ne te crois pas. Je sais à quel point tu la hais.

Une colère mêlée de frayeur perçait dans sa voix.

— Gloria, qu'est-ce qu'on disait au début de cette conversation ? Rappelle-toi. Je vais te refiler six cent mille dollars en liquide que tu pourras mettre dans un coffre à la banque et qui te permettront de vivre tranquillement et de faire la seule chose dont tu crèves d'envie, monter sur une scène à Broadway ou tourner dans un film. Accorde-moi encore une semaine. Je veux que tu retournes dans cette église, je te dirai comment t'habiller. Dès l'instant où tu quitteras les lieux, tout sera fini. Nous nous retrouverons quelque part dans les environs et je te donnerai cinq mille dollars. C'est le maximum que tu peux avoir sur toi au cas où tu serais fouillée à l'aéroport.

— Et ensuite ?

— Tu regagneras Middletown. Tu attendras jusqu'à 21 heures ou 22 heures, puis tu abandonneras Matthew dans un grand magasin ou un centre commercial. Après ça, tu prendras un avion pour la Californie ou le Texas, et tu démarreras une nouvelle vie.

— Mais comment vais-je toucher le reste de l'argent ? demanda-t-elle, presque convaincue.

Le problème ne se posera pas, pensa-t-il.

— Je te l'adresserai où tu voudras.

— Mais comment être sûre que le paquet arrivera et, s'il arrive, qu'il ne sera pas bourré de vieux journaux ?

Tendant la main vers le double scotch auquel il s'était promis de ne toucher qu'après lui avoir parlé, il répondit :

— Dans ce cas, Gloria, tu pourras toujours revenir au plan B. Te trouver un avocat, puis aller trouver la police. Entre-temps, on aura retrouvé Matthew en pleine santé, et il saura seulement que Glory a bien pris soin de lui.

— D'accord, je regrette de m'être énervée. C'est simplement que la femme qui habite à côté s'est pointée ce matin avec ses foutus muffins. Je sais qu'elle venait juste fouiner pour voir qui j'étais.

Il parvint à garder son calme :

— Tu ne m'en as pas parlé. Est-ce qu'elle a vu Matthew ?

— Non, mais elle a aperçu un de ses jouets, un camion. Je lui ai dit que ma sœur m'avait aidée à emménager et que c'était le camion de son petit garçon.

— C'est bien.

Il se sentit tout à coup baigné de sueur. Dorénavant, le temps lui était mesuré. Il parvint avec peine à garder un ton rassurant :

— Écoute, Gloria, tu t'inquiètes pour rien. Compte le peu de jours qui restent.

WILLY allait raccompagner Zan chez elle en taxi. Il proposa à frère Aiden de le déposer en chemin, mais ce dernier refusa :

— Non, allez-y. Je vais rester un peu avec Alvirah.

En lui disant bonsoir, frère Aiden regarda Zan dans les yeux et dit : « Je prierai pour vous », avant de lui prendre la main et de la serrer.

— Priez pour que mon petit garçon soit sain et sauf, répondit Zan. Ne vous donnez pas la peine de prier pour moi, mon père. Dieu a oublié que j'existais.

Frère Aiden ne chercha pas à lui répondre. Il s'écarta pour la laisser sortir.

— Je ne vais pas m'attarder plus de cinq minutes, Alvirah, promit-il après que la porte se fut refermée sur Zan et Willy. J'ai compris que cette jeune femme ne souhaitait pas ma compagnie.

— Oh ! Aiden, soupira Alvirah. Je donnerais cher pour croire que ce n'est pas Zan qui a enlevé Matthew, mais c'est elle. Personne ne peut en douter.

— Pensez-vous que l'enfant soit en vie ? demanda frère Aiden.

— Je ne l'imagine pas plus s'attaquant à son fils que moi en train de planter un couteau dans le cœur de Willy. Pourtant, à supposer qu'elle ait abandonné Matthew quelque part sans savoir où, je suis convaincue que, dans son esprit, l'enfant a disparu.

Dans son esprit, l'enfant a disparu. Frère Aiden méditait encore cette pensée lorsque, quelques minutes plus tard, le portier héla un taxi à son intention dans la rue. Cette jeune femme souffre-t-elle vraiment de schizophrénie ou, comme on dit aujourd'hui, de troubles dissociatifs de l'identité ? Et dans ce cas, était-ce l'amie d'Alvirah, la personnalité réelle, qui a tenté de s'exprimer quand elle s'est précipitée dans la salle de réconciliation ?

Le taxi attendait. Se raidissant contre la douleur qui irradiait dans ses genoux au moment où il s'installait sur la banquette arrière, frère Aiden réfléchit. Elle m'a demandé de prier pour son enfant, se rappela-t-il. Mais si un meurtre est sur le point d'être commis, je Vous supplie, mon Dieu, d'intervenir et de l'arrêter.

Ce que le vieux religieux ignorait, c'était qu'il n'y avait pas un, mais trois meurtres en préparation. Et que le sien était le premier sur la liste.

9

Le jeudi matin, Josh était déjà à l'agence quand Zan arriva à 8 heures. À son expression, elle comprit aussitôt qu'il s'était produit un autre incident. Trop hébétée pour ressentir autre chose que de la résignation, elle se contenta de lui demander :

— Que se passe-t-il ?

— Zan, comment as-tu pu commander tissus, meubles et tentures murales pour ces appartements avant d'avoir le feu vert ?

— Tu plaisantes ? se récria Zan.

— J'aimerais bien. Mais tu l'as fait ! Tu as absolument *tout* commandé. Nous avons déjà les bons de livraison pour les tissus. Sans parler du coût, où allons-nous stocker tout ça ?

— Ils n'auraient jamais commencé les livraisons sans avoir reçu une avance, dit-elle.

— J'ai appelé la fabrique de tissus Wallington. Tu leur as proposé par écrit de ne pas verser les dix pour cent d'acompte habituels en déclarant que tu paierais la totalité dès que tu aurais reçu le contrat signé par Kevin Wilson. Tu prétends qu'il est déjà signé, et que le chèque doit arriver dans les prochains jours.

Josh saisit une feuille de papier sur son bureau.

— Je leur ai demandé de me faxer une copie de ta lettre. La voilà. Elle porte notre en-tête et c'est ta signature.

— Je n'ai ni écrit ni signé cette lettre, protesta Zan. Je jure que je n'ai rien commandé pour la décoration de ces appartements. Et je ne suis pas folle. (Sur le visage de Josh, elle vit l'incrédulité se mêler à l'inquiétude.) Josh, je comprendrais que tu démissionnes. Si nos fournisseurs nous poursuivent et qu'un scandale éclate, je ne veux pas que tu y sois mêlé. Prends tes affaires et quitte l'agence.

Le voyant figé sur place, elle ajouta avec amertume :

— Avoue-le. Tu crois que j'ai kidnappé mon propre fils et que j'ai perdu la tête. Qui sait, peut-être vais-je t'assommer quand tu auras le dos tourné ?

— Zan, rétorqua Josh, je t'aime comme une sœur. Je ne vais pas te quitter, et je ferai tout pour t'aider.

La sonnerie du téléphone retentit, aiguë, insistante. Josh décrocha, écouta et dit :

— Je lui transmettrai le message.

Quand il eut raccroché, il annonça :

— C'était l'inspecteur Collins. Il voudrait que tu te rendes dès que possible au commissariat de Central Park avec ton avocat.

Je me suis évanouie hier, pensa Zan. Je ne peux pas, je ne veux pas recommencer aujourd'hui.

La veille au soir, après que Willy l'eut raccompagnée, elle était restée étendue sur son lit, en proie à un désespoir profond, muet, avec une seule lampe allumée près de la photo de Matthew. Le regard compatissant du religieux, l'ami d'Alvirah, lui revenait à l'esprit. J'ai eu l'impression qu'il me bénissait. Peut-être voulait-il simplement m'aider à affronter la vérité ?

Pendant toute la nuit, Zan avait veillé, sans quitter des yeux la photo de Matthew. Aux premières lueurs du jour, elle avait murmuré : « Mon tout-petit, je ne crois plus que tu sois en vie. Je me suis fait des illusions. Tu es mort, et c'est fini pour moi aussi. Il y a un flacon de somnifères dans ce tiroir qui va nous réunir. Le temps est venu. »

Envahie par un sentiment de soulagement et d'épuisement, elle avait fermé les yeux. C'est alors qu'elle avait entendu la voix de Matthew l'appeler : « Maman, maman. » Elle avait bondi hors du lit en hurlant : « Matthew ! Matthew ! » Et à cet instant, elle avait su avec une certitude absolue que son petit garçon était toujours vivant.

Matthew est en vie, pensa-t-elle farouchement tandis que Josh parlait à Charley Shore. Après avoir raccroché, il dit :

— M. Shore passera te prendre à 10 h 30.

Zan hocha la tête.

— Tu as dit que j'avais sans doute payé des acomptes pour les fournitures sur mon compte épargne. Peux-tu consulter mon solde sur l'ordinateur ? Combien reste-t-il ?

— Deux cent trente-trois dollars et onze cents.

— Mon compte a été piraté, dit-elle fermement.

La sonnerie de l'Interphone retentit. Josh répondit. C'était le concierge de l'immeuble.

— Une livraison pour vous. C'est encombrant et sacrément lourd.

Quelques minutes plus tard, vingt longs rouleaux de tissu envahissaient la pièce. Zan et Josh durent repousser le bureau sur le côté et empiler les chaises pour leur faire de la place. Josh ouvrit le bordereau attaché à l'un des rouleaux et le lut à haute voix :

— Cent mètres de tissu à cent vingt-cinq dollars le mètre. Accord préalable, achat non remboursable. Paiement sous dix jours. Total : treize mille huit cent soixante-quatorze dollars.

Il regarda Zan.

— Nous avons quarante mille dollars à la banque et seize mille dollars de factures en attente de règlement. Nous devons payer le loyer la semaine prochaine et le remboursement du prêt bancaire contracté pour créer la société, sans compter nos salaires.

Le téléphone sonna à nouveau. Cette fois, Josh laissa Zan répondre. C'était Ted. D'une voix amère et furieuse, il gronda :

— Zan, j'ai rendez-vous dans un instant avec l'inspecteur Collins. Je vais exiger qu'on t'arrête sur-le-champ.

TOBY GRISSOM poussa la porte du commissariat du treizième district de Manhattan et s'approcha du sergent à l'accueil.

— Je m'appelle Toby Grissom, commença-t-il. Ma fille a disparu, et je soupçonne un de ces pontes de la décoration d'y être pour quelque chose.

Le sergent le regarda :

— Quel âge a votre fille ?

— Elle a eu trente ans le mois dernier.

Le sergent dissimula son soulagement. Au moins ne s'agissait-il pas d'une de ces adolescentes en fugue qui tombaient entre les griffes d'un proxénète.

— Monsieur Grissom, si vous voulez bien vous asseoir, je vais demander à l'un de nos inspecteurs d'enregistrer votre déclaration.

Quinze minutes plus tard, un homme d'une trentaine d'années, à la carrure imposante et aux cheveux blonds clairsemés, s'approcha calmement de Toby.

— Monsieur Grissom, je suis l'inspecteur Wally Johnson. Désolé de vous avoir fait attendre. Si vous voulez bien me suivre dans mon bureau.

Toby se leva docilement. L'inspecteur le conduisit dans une vaste salle encombrée. La plupart des bureaux étaient inoccupés, mais les dossiers éparpillés sur chacun d'eux suggéraient que les affaires en cours étaient activement suivies.

— J'ai de la chance, dit Johnson en arrivant à son bureau et en approchant une chaise. On m'a attribué une place près de la fenêtre avec vue sur la rue – qui vaut ce qu'elle vaut, mais c'est un des endroits les plus tranquilles de tout le commissariat.

Avec un aplomb qui le surprit, Toby l'interrompit :

— Inspecteur Johnson, peu m'importe l'emplacement de votre bureau. Je suis ici parce que ma fille a disparu, et je pense qu'il lui est arrivé quelque chose ou qu'elle est mêlée à une affaire louche.

— Pouvez-vous m'expliquer ce que vous entendez par là ?

— Le vrai nom de ma fille est Margaret Grissom, commença Toby. Je l'ai toujours appelée Glory parce que c'était un bébé magnifique. Elle a quitté le Texas quand elle avait dix-huit ans pour venir à New York. Elle voulait être comédienne. Elle avait eu le prix de la meilleure actrice à son lycée.

Seigneur, pensa Johnson, combien de ces gamines qualifiées de meilleure actrice au lycée se précipitent à New York ?

— Vous dites qu'elle est venue s'installer à New York il y a douze ans. Combien de fois l'avez-vous vue depuis ?

— Cinq fois. Réglé comme du papier à musique. Glory passait toujours Noël avec moi une année sur deux. Sauf la dernière fois. Il y aura deux ans en juin prochain, elle a téléphoné pour dire qu'elle ne viendrait pas à Noël. Elle a dit qu'elle avait un nouveau job dont elle ne pouvait pas parler, mais qu'elle serait très bien payée. Quand je lui ai demandé si elle était entretenue par quelqu'un, elle a dit : « Non, papa, non, je te le promets. »

Et il l'a crue ! pensa Johnson, apitoyé.

— Elle a dit qu'elle avait reçu une avance pour ce job et qu'elle m'en donnerait la plus grande partie. Vingt-cinq mille dollars. Elle voulait être certaine que je ne manquerais de rien, parce qu'elle resterait longtemps sans me donner de nouvelles. J'ai pensé qu'elle travaillait peut-être pour la CIA ou quelque chose de ce genre.

Ou, plus vraisemblablement, Margaret-Glory s'était trouvé un milliardaire, pensa encore Johnson.

— La dernière fois que j'ai eu de ses nouvelles, c'était il y a six mois. J'ai reçu une carte postale postée de Manhattan où elle disait que son travail allait durer plus longtemps que prévu, qu'elle s'inquiétait pour moi et que je lui manquais, continua Grissom. C'est pourquoi je me suis décidé à venir à New York. Mon médecin m'a donné de mauvaises nouvelles de ma santé mais, surtout, j'ai le pressentiment que quelqu'un retient Glory prisonnière. Je suis allé voir les filles avec lesquelles elle partageait un appartement et elles m'ont dit que ce grand décorateur lui faisait croire qu'il la présenterait à des gens de théâtre et qu'il ferait d'elle une star. Il l'a emmenée dans sa maison du Connecticut en week-end pour qu'elle y rencontre des gens importants.

— Qui est ce décorateur, monsieur Grissom ?

— Bartley Longe. Il a des bureaux luxueux sur Park Avenue.

— Lui avez-vous parlé ?

— Il m'a dit qu'il l'avait engagée de temps en temps, quand il faisait la promotion de ses appartements, et qu'il l'avait présentée à des personnalités du théâtre. Mais toutes lui avaient dit que Glory n'avait pas le talent nécessaire et que ce n'était pas la peine de harceler tout le monde avec elle. D'après ce qu'il dit, ça s'est arrêté là.

Et c'est probablement la vérité, estima Wally Johnson. Le type lui promet la lune, a une petite aventure, se lasse de la fille et lui dit de ne pas revenir chez lui le week-end suivant.

— Monsieur Grissom, je vais mener une enquête, mais je crains qu'elle ne donne pas grand-chose.

Wally Johnson se traita intérieurement de faux jeton : je ferais mieux de dire à ce pauvre vieux que sa fille est sans doute une prostituée qui vit à la colle avec un mac, et qu'elle a intérêt à garder profil bas. Néanmoins, il continua son interrogatoire de routine. Taille, poids, couleur des yeux, couleur des cheveux.

— Tous ces renseignements se trouvent dans le press-book de Glory, dit Toby Grissom.

Il plongea la main dans l'enveloppe qu'il serrait contre lui et en sortit une demi-douzaine de photos grand format.

Wally Johnson parcourut rapidement les photos.

— Elle est vraiment très jolie, dit-il, sincère.

— Oui, je sais. Je l'ai toujours préférée avec les cheveux longs, mais elle disait qu'il est plus facile avec des cheveux courts de porter une perruque, comme ça on peut prendre l'apparence de n'importe qui.

— Monsieur Grissom, pouvez-vous me laisser le montage qui la montre dans différentes poses ? Il pourrait nous être utile.

— Bien sûr.

Toby Grissom se leva.

— Je retourne dans le Texas. Je dois continuer mes séances de chimiothérapie. Vous irez parler à ce Bartley Longe ?

— Oui, comptez sur moi. Et si nous avons du nouveau, nous reprendrons contact avec vous, je vous le promets.

Wally Johnson glissa le photomontage de Margaret-Glory sous la pendule de son bureau. Je vais passer un coup de fil à ce Bartley Longe, se dit-il, puis je classerai la photo de Glory à la place qui est la sienne, dans le dossier des affaires sans suite.

LE jeudi, à 9 heures du matin, Ted Carpenter était assis à une table de réunion dans un petit bureau du commissariat de Central Park, en face de Billy Collins et de Jennifer Dean.

Billy le remercia de sa visite.

— J'espère que vous vous sentez mieux, monsieur Carpenter. Lorsque votre secrétaire a téléphoné hier pour prendre rendez-vous, elle nous a dit que vous étiez souffrant.

— Je l'étais et je le suis toujours, répondit Ted. Mais pas uniquement sur le plan physique. Me rendre compte que mon ex-femme est coupable d'avoir enlevé mon fils a failli me rendre fou. Je me suis trompé en accusant la baby-sitter de s'être endormie. Aujourd'hui, je commence à me demander si elle n'était pas de mèche avec mon ex-femme. Je sais que Zan donnait régulièrement à Tiffany des vêtements qu'elle ne portait plus.

Billy Collins et Jennifer Dean avaient appris à ne jamais manifester leur surprise quoi qu'ils entendent. Mais chacun devina les pensées de l'autre. Voilà un angle qu'ils n'avaient jamais envisagé. Et, s'il contenait une part de vérité, quelle raison Tiffany Shields avait-elle de s'en prendre à Zan au point d'insinuer qu'ils avaient été drogués, Matthew et elle ?

Billy choisit de ne pas suivre cette piste.

— Monsieur Carpenter, combien de temps êtes-vous resté marié avec Mme Moreland ?

— Six mois. Où voulez-vous en venir ?

— À sa santé mentale. À l'époque de la disparition de Matthew, elle nous a dit qu'après la mort de ses parents vous étiez allé la rejoindre à Rome et que vous l'aviez aidée à organiser les funérailles, expédier leurs effets personnels, régler les formalités qui suivent un décès. Elle nous a précisé qu'elle vous en était très reconnaissante.

— Reconnaissante ! C'est une façon de parler. Elle ne voulait pas que je quitte la pièce. Elle avait des crises de larmes, tombait dans les pommes. Elle s'accusait d'être restée trop longtemps sans rendre visite à ses parents. Elle accusait Bartley Longe d'avoir refusé de lui accorder des vacances. Elle accusait les embarras de la circulation à Rome d'avoir provoqué la crise cardiaque de son père.

— Mais, en dépit de cette lourde charge émotionnelle, vous n'avez pas hésité à l'épouser ? demanda calmement Jennifer Dean. N'auriez-vous pas pu l'aider sans l'épouser ?

— Quand vous voyez quelqu'un enfermé dans une voiture en flammes, est-ce que vous composez le 911 au lieu de lui porter secours ? Zan avait besoin d'un foyer. C'est ce que je lui ai donné.

— Mais elle vous a très vite quitté.

Ted se raidit.

— Je ne suis pas venu ici pour discuter de la durée de mon mariage avec la femme qui a enlevé mon fils. Zan a estimé qu'elle avait profité de mes sentiments pour elle et elle a préféré partir. Ce n'est qu'après son départ qu'elle a découvert qu'elle était enceinte.

— Comment avez-vous réagi ?

— J'ai été agréablement surpris. Je m'étais rendu compte qu'il n'y avait rien de solide entre nous, mais je lui ai promis de l'aider à vivre confortablement et à élever notre enfant. Elle m'a confié qu'elle avait l'intention de créer sa propre agence de décoration. Ce que j'ai très bien compris, mais Zan était obnubilée par son désir de surpasser Bartley Longe. Je peux vous assurer que le temps qu'elle a passé pour décrocher ce contrat avec Nina Aldrich était hors de proportion.

Le visage de Ted Carpenter devint écarlate. Puis, serrant les poings, il reprit d'une voix forte :

— Je vais vous dire ce qui est arrivé le jour où mon fils a été enlevé. Zan s'est rendu compte que Matthew allait être un poids pour elle. Elle était trop occupée pour rester à la maison avec son enfant. Zan n'avait, et n'a toujours, qu'un seul but : devenir une décoratrice renommée. Rien d'autre !

— Vous dites que votre femme s'est débarrassée de votre enfant parce qu'il la gênait dans sa carrière ?

— Exactement. (Ted se leva.) Je n'ai rien d'autre à ajouter sinon ceci : je veux savoir pourquoi Alexandra Moreland n'a pas été arrêtée. Les chefs d'accusation que vous devez retenir contre elle sont l'enlèvement et le meurtre de Matthew. Qu'attendez-vous ?

Au moment de s'en aller, incapable de retenir ses larmes, Ted Carpenter répéta :

— Qu'attendez-vous ?

Ce n'était pas seulement son arthrite aux genoux qui avait maintenu frère Aiden éveillé pendant une bonne partie de la nuit de mercredi. C'était le visage de cette femme venue se confesser à lui l'autre jour, cette femme dont il connaissait maintenant le nom : Alexandra Moreland.

Par quelle ironie du sort l'avait-il rencontrée chez Alvirah et Willy ? Il revécut chaque seconde de ces quelques instants passés avec elle. Il était manifeste que Zan, comme l'appelait Alvirah, souffrait. L'expression de son regard était celle d'une âme en proie aux supplices de l'enfer. Mais je ne peux rien révéler, se dit-il, même pour l'aider… Il ne lui restait qu'à prier pour que la vérité éclate d'une manière ou d'une autre et permette de sauver l'enfant, s'il n'était pas trop tard.

La lassitude finit par l'emporter et ses yeux se fermèrent. Il se réveilla avant le lever du jour et le visage de Zan Moreland emplit son esprit à nouveau. Mais il y avait autre chose. Quelque chose lui était venu en rêve. Un détail troublant. Le contact de ses mains.

Mais pourquoi ? Qu'y avait-il de particulier ?

Alors qu'elle chargeait le lave-vaisselle, Penny vit le facteur déposer le courrier dans la boîte aux lettres au bout de l'allée. Elle sortit de la maison. Quelques enveloppes contenaient des sollicitations provenant de diverses œuvres caritatives. La dernière amena un sourire sur le visage de Penny. C'était une lettre d'Alvirah Meehan. Penny l'ouvrit rapidement. Une invitation à la réunion semestrielle du groupe de soutien aux gagnants de la loterie qui se tiendrait la semaine suivante dans l'appartement d'Alvirah et Willy Meehan. Alvirah avait ajouté un mot personnel sur l'invitation : « Chère Penny, nous comptons sur vous et Bernie. Votre présence est toujours la bienvenue. »

Nous y serons, se réjouit Penny. J'aimerais beaucoup avoir l'opinion d'Alvirah sur cette Alexandra Moreland. Je sais qu'Alvirah et elle sont amies.

Mais son sentiment de satisfaction s'évanouit. Quelque chose la tracassait au sujet de cette peste de Gloria Evans, la locataire de la ferme d'Owens. Cette femme était censée écrire un livre, mais même les écrivains en quête de tranquillité ne vous claquent pas la porte au nez. Il y avait décidément quelque chose qui la troublait chez cette femme. Elle ne s'est pas seulement montrée désagréable, se dit-elle. Elle était visiblement nerveuse en venant m'ouvrir la porte. Je me demande si elle n'est pas impliquée dans un truc illégal, trafic de drogue ou je ne sais quoi. Une voiture pourrait s'engager la nuit dans cette voie sans issue sans que personne s'en aperçoive. La ferme de Sy Owens est complètement isolée.

J'irais volontiers faire un tour dans le coin, songea Penny. Avec le risque que Gloria Evans regarde par la fenêtre et me voie passer et repasser devant la maison. Mon manège lui mettrait la puce à l'oreille. Puis elle s'esclaffa.

— Bon sang ! s'exclama-t-elle. J'ai trouvé ce qui me tarabuste au sujet de cette bonne femme. Elle me rappelle Alexandra Moreland. C'est cocasse, non ? Quand je vais raconter à Alvirah que je suis la reine du suspense, elle va bien rire !

CHARLEY SHORE ne put dissimuler son étonnement quand Josh lui ouvrit la porte de l'agence Moreland et qu'il vit les rouleaux de moquette qui occupaient la moitié du bureau.

— C'est un malentendu avec l'un de nos fournisseurs, voulut expliquer Josh.

— Pas du tout, le corrigea Zan. Quelqu'un passe des commandes pour un contrat que nous n'avons pas encore signé et cette même personne a piraté mon compte bancaire.

Elle a perdu la tête, pensa Shore, se gardant de montrer autre chose que de l'inquiétude.

— Comment ont été passées ces commandes ? demanda-t-il.

— Montre la lettre à Charley, Josh, dit Zan.

Josh lui obéit. L'avocat la lut attentivement.

— Est-ce votre signature, Zan ?

— Elle lui ressemble, mais je n'ai pas signé cette lettre. D'ailleurs, j'aimerais l'apporter au commissariat. Quelqu'un usurpe mon identité et essaie de ruiner ma vie et mon travail, et c'est ce même individu qui a enlevé mon fils.

Charles Robert Shore était un pénaliste renommé. La liste des décisions de justice favorables à ses clients était impressionnante. Pourtant, il regretta pendant une fraction de seconde d'avoir cédé à son affection pour Alvirah Meehan et accepté de défendre son amie qui était manifestement psychotique.

Choisissant ses mots avec soin, il affirma :

— Zan, faites-moi confiance. Nous devons en discuter sérieusement avant d'en parler aux inspecteurs et de décider à quel moment. (Il consulta sa montre.) Il nous faut partir maintenant. Une voiture nous attend en bas.

10

KEVIN WILSON louait un appartement dans TriBeCa, un quartier situé en bas de Greenwich Village et jadis occupé par de vieilles usines et des imprimeries poussiéreuses. C'était un vaste espace comprenant une cuisine et un bar, un séjour et une bibliothèque. La chambre à coucher était relativement petite, car le propriétaire avait déplacé la cloison pour aménager une salle de gymnastique. Une pièce d'angle faisait office de bureau. Partout, les baies vitrées laissaient entrer le soleil du matin au soir.

Kevin se réveilla à 6 heures, comme à son habitude. Céréales, jus d'orange, café, un coup d'œil à la première page du *Wall Street Journal* et du *Post*, puis une heure d'exercice dans la salle de gymnastique. Il regarda les informations du matin, tomba sur l'émission *Today*, où un expert judiciaire donnait son avis sur l'arrestation imminente d'Alexandra Moreland.

Si ces photos prises dans Central Park ne sont pas truquées, c'est le signe qu'elle ne tourne pas rond, reconnut Kevin avec regret.

Il prit sa douche et s'habilla, incapable d'effacer le visage de Zan de son esprit. Il y avait quelque chose d'infiniment triste dans ses grands yeux expressifs. Et ses longs cheveux avaient la couleur auburn des érables japonais. J'ignorais que j'avais une âme de poète, pensa-t-il en quittant l'appartement.

— Vous avez vu *Today* ce matin, Kevin, quand ils ont parlé de Zan Moreland ? demanda Louise Kirk avec curiosité en arrivant à 8 h 45. Chacun peut constater que cette pauvre fille est folle.

— Louise, la « pauvre fille », comme vous appelez Alexandra Moreland, est une décoratrice d'intérieur de grand talent et une personne très attachante. Pourrions-nous nous abstenir de porter des jugements et abandonner le sujet ?

Louise Kirk comprit le message.

— Bien sûr, monsieur Wilson, répondit-elle.

— Louise, pouvez-vous laisser tomber votre « monsieur Wilson » ? Nous allons faire un tour d'inspection de l'immeuble. Prenez votre carnet.

À 10 heures, Kevin signalait à Louise des défauts de jointage dans certaines cabines de douche lorsque son portable sonna. Ne voulant pas être interrompu, il passa l'appareil à Louise.

Elle écouta puis répondit :

— Je regrette, M. Wilson n'est pas disponible pour l'instant mais je lui transmettrai votre message. (Elle coupa la communication et lui rendit le téléphone.) C'était Bartley Longe. Il voudrait vous inviter à déjeuner aujourd'hui. Que dois-je lui dire ?

— Dites-lui que ce n'est pas possible pour le moment.

Longe jubile à la pensée qu'il va l'emporter, songea-t-il, s'avouant à regret que c'était probable. Il fallait terminer les appartements témoins. Si Zan Moreland était arrêtée, il lui serait impossible de superviser le chantier.

À 10 h 45, Louise et lui étaient de retour dans le bureau quand l'un des ouvriers se présenta.

— Dans quel appartement voulez-vous qu'on dépose les rouleaux de tissu et tout le reste, monsieur ?

— De quoi parlez-vous avec vos rouleaux de tissu et le reste ?

L'ouvrier, un homme d'une soixantaine d'années, parut décontenancé par la question.

— Je parle de tout ce que le décorateur a commandé pour les appartements témoins.

Louise répondit à la place de Kevin :

— Dites aux livreurs qu'ils peuvent tout remporter. Pas une seule commande n'a été validée par M. Wilson.

Kevin s'entendit avec stupéfaction rectifier :

— Non. Mettez tout dans le plus grand appartement. (Il se tourna vers Louise.) Si nous refusons les livraisons, nous allons nous retrouver mêlés à l'affaire Moreland. Les fournisseurs feront un scandale auprès des médias. Je ne veux pas que cette histoire rejaillisse sur l'image de l'immeuble.

QUAND il quitta le commissariat, Ted Carpenter se fraya un passage à travers les journalistes massés devant le bâtiment. Avant d'atteindre sa voiture, il s'arrêta et saisit l'un des micros qui lui étaient tendus.

— Pendant presque deux ans, dit il, en dépit de son instabilité émotionnelle, j'ai voulu croire que mon ex-femme, Alexandra Moreland, n'était en rien responsable de la disparition de mon fils. Ces photos sont la preuve irréfutable que je me trompais. Mon seul souhait désormais est qu'elle soit obligée de dire la vérité et que, par la grâce de Dieu, Matthew soit encore en vie.

Les yeux pleins de larmes, il monta dans la voiture et enfouit son visage dans ses mains.

Son chauffeur, Larry Post, démarra sans attendre. Quand ils eurent dépassé le commissariat, il demanda :

— Voulez-vous rentrer chez vous, Ted ?

— Oui.

Je n'ai pas le courage d'aller au bureau, songea-t-il. Je serais incapable de parler. Qu'est-ce qui m'a pris d'aller dîner avec cette sangsue de Melissa et sa bande de parasites hier soir, le jour de l'anniversaire de Matthew ?

Larry jeta un bref regard dans le rétroviseur et remarqua l'expression hagarde de son patron. Ted était malade d'inquiétude. Sa rencontre avec cette Moreland avait ruiné sa vie.

Avec sa peau tannée et sa calvitie naissante, Larry paraissait plus âgé que ses trente-huit ans. Son corps puissamment musclé était le résultat d'un rigoureux entraînement quotidien. Il avait commencé à l'âge de vingt ans pendant qu'il purgeait une peine de quinze ans de prison pour avoir tué un dealer. À sa sortie, dans l'impossibilité de trouver du boulot à Milwaukee, il avait appelé Ted, son camarade de lycée, l'implorant de lui venir en aide. Ted l'avait fait venir à New York. Aujourd'hui, Larry était son homme à tout faire. Il faisait la cuisine quand Ted restait le soir chez lui, lui servait de chauffeur et s'occupait de l'entretien général de l'immeuble que Ted avait acheté sur un coup de tête trois ans plus tôt.

Le téléphone de Ted sonna. Comme il s'y attendait, c'était Melissa. Elle attaqua aussitôt :

— Je n'ai pas apprécié que tu aies prétendu te sentir trop mal pour m'accompagner au club l'autre soir. J'ai remarqué que tu as pu te présenter au commissariat de police à la première heure ce matin.

Ted attendit un peu avant de pouvoir répondre d'un ton posé :

— Melissa chérie, la police voulait s'entretenir avec moi. Je suis encore mal fichu. Je vais rentrer à la maison et rester près du téléphone. Mon ex a rendez-vous avec la police dans moins d'une heure. Avec un peu de chance, ils vont l'arrêter et peut-être la faire parler. Je suis sûr que tu comprends ce que je ressens en ce moment.

— Écoute, j'ai imaginé un supercoup de pub. Tu convoques les médias et tu leur donnes rendez-vous à ton bureau à 15 heures. Je serai auprès de toi et j'annoncerai que j'offre une prime de cinq millions de dollars à la personne qui retrouvera ton gosse en vie.

— Melissa, tu as perdu la tête ?

En entendant Ted élever la voix, Larry regarda dans le rétroviseur.

Melissa laissa éclater sa colère :

— Ne t'avise pas de me parler sur ce ton. J'essaie de t'aider, un point c'est tout !

— Melissa, ton offre ressemblera à un mauvais coup de pub et nuira à ta carrière. On te comparera à O.J. Simpson promettant une récompense pour retrouver le meurtrier de sa femme et son amant. Ajoute à cela les centaines de gens qui prétendront avoir vu un enfant ressemblant en tout point à Matthew.

— Écoute, insista Melissa, supposons que le gosse soit en vie quelque part sous la garde de quelqu'un. Ne crois-tu pas que cette personne sauterait sur l'occasion de gagner cinq millions de dollars ?

— Elle devrait attendre longtemps en prison avant de pouvoir dépenser cet argent.

— Tu sais combien je gagne. Je peux me permettre de débourser ces cinq millions et j'y gagnerai la réputation d'une sainte. Angelina

Jolie et Oprah récoltent une publicité monstre grâce à leurs bonnes actions envers les enfants. Pourquoi pas moi ? Donc, sois à 15 heures à ton bureau et prépare une déclaration.

Sans ajouter un mot, Melissa raccrocha.

Ted renversa la tête en arrière et ferma les yeux. Il devait réfléchir, ne pas s'affoler. Analyser les conséquences si Melissa mettait son plan à exécution.

Il appuya sur la touche « rappel » de son téléphone. Comme il s'y attendait, Melissa ne décrocha pas. Il tomba sur le répondeur. Au signal sonore, il prit une profonde inspiration.

« Chérie, dit-il d'un ton enjôleur, tu sais que je t'aime et que je consacre chaque minute de mon temps à faire de toi la star numéro un que tu mérites d'être. Mais je veux aussi que le public connaisse ton caractère attentionné et généreux. J'ai une idée qui aura un effet durable. Nous organiserons demain cette conférence de presse. Tu annonceras à cette occasion que tu fais un don de cinq millions de dollars à la Fondation pour les enfants disparus. Penses-y, chérie, et rappelle-moi. »

Ted coupa son portable.

En arrivant chez lui, il fut pris de violents vomissements. Un peu plus tard, grelottant, secoué de frissons, il alla dans sa chambre, se déshabilla et se glissa dans son lit.

Il passa les quatre heures qui suivirent à somnoler.

À 15 heures, le téléphone sonna à nouveau.

C'était l'inspecteur Collins.

ZAN gardait le souvenir de la bienveillance que lui avaient manifestée les inspecteurs Billy Collins et Jennifer Dean le jour où Matthew avait disparu. Stimulée par la certitude d'avoir entendu la voix de Matthew ce matin, Zan prit le bras de Charley Shore et suivit les inspecteurs Collins et Dean dans la salle d'interrogatoire.

Charley Shore s'assit à côté d'elle, Billy Collins et Jennifer Dean se placèrent en face d'eux. Charley Shore passa naturellement son bras par-dessus le dossier de la chaise de Zan, montrant ainsi qu'il était là pour la protéger.

Collins lui tendit les photos grand format d'une femme prenant Matthew endormi dans sa poussette à Central Park.

— Madame Moreland, est-ce vous qui êtes sur ces photos ?

— Non, ce n'est pas moi, dit Zan d'une voix ferme.

Il lui en tendit une autre.

— Madame Moreland, est-ce vous sur cette photo-ci ?

Zan la regarda.

— Oui, elle a probablement été prise lorsque je suis arrivée à Central Park après avoir reçu votre appel.

— Voyez-vous une différence entre les deux femmes qui sont sur ces photos ?

— Oui. La femme qui prend Matthew dans sa poussette est un imposteur. La photo où j'arrive dans le parc est authentique. Vous êtes parfaitement au courant. J'étais chez une cliente, Nina Aldrich.

— Vous ne nous avez pas dit qu'au lieu de rencontrer Mme Aldrich dans son appartement de Beekman Place où elle vous a attendue pendant plus d'une heure, vous vous trouviez seule dans sa maison de la 69e Rue Est, dit Jennifer Dean d'un ton accusateur.

— J'y étais parce c'est là qu'elle m'avait priée de la retrouver. Je n'étais pas surprise de son retard. Nina Aldrich était systématiquement en retard à nos rendez-vous.

— Mme Aldrich affirme qu'elle vous a donné rendez-vous à Beekman Place, dit l'inspecteur Dean.

— C'est faux. Elle m'a demandé de la rejoindre dans sa maison, s'emporta Zan.

— Nous ne cherchons pas à vous prendre en défaut, dit Collins d'une voix conciliante. Combien cette maison comporte-t-elle de pièces ?

Pourquoi s'intéressaient-ils autant au plan de la maison ? Zan repassa dans son esprit la disposition des lieux.

— C'est une grande maison, dit-elle. Cinq étages. Il y a onze pièces en tout, une cave à vins, et une seconde cuisine ainsi qu'une réserve au sous-sol.

— Je vois. Donc, vous vous êtes rendue sur place pour rencontrer Nina Aldrich et vous ne vous êtes pas étonnée de ne pas l'y trouver ? demanda Collins.

— Je vous l'ai dit. Elle était toujours en retard.

— Le fait que la baby-sitter se soit sentie souffrante ne vous a pas suffisamment inquiétée pour que vous repoussiez votre rendez-vous ? demanda Dean.

— Non.

Zan avait l'impression de s'enfoncer dans un marécage et que chacune de ses réponses sonnait faux.

— Nina Aldrich aurait été furieuse.

— Et quand vous l'attendiez, vous n'avez pas pensé à l'appeler pour lui demander si vous ne vous étiez pas trompée de lieu de rendez-vous ?

— Il n'est pas facile de dire aux personnes comme Nina Aldrich qu'elles ont peut-être fait une erreur.

— Vous avez donc patienté pendant une heure ou plus avant qu'elle finisse par vous téléphoner ?

— J'ai passé en revue mes croquis, les photos des meubles anciens que j'avais l'intention de lui montrer. Je n'ai pas vu le temps passer.

— Vous aviez une clé de la maison, n'est-ce pas ?

— Bien sûr. Je devais concevoir toute la décoration intérieure. J'ai fait de fréquents allers-retours pendant plusieurs semaines.

— Vous connaissiez parfaitement la maison, dans ce cas ?

— C'est évident, dit sèchement Zan.

— Y compris le sous-sol avec sa deuxième cuisine, sa cave à vins et la réserve. Aviez-vous l'intention d'aménager aussi la réserve ?

— Cet endroit est vaste et sombre, presque inaccessible. J'ai proposé d'y installer un bon éclairage et des rayonnages pour y entreposer des affaires comme les vêtements de ski des petits-enfants du mari de Mme Aldrich.

— L'endroit rêvé pour y cacher quelque chose – ou quelqu'un –, ne pensez-vous pas ? demanda Jennifer Dean.

— Ne répondez pas à cette question, Zan, ordonna Charley Shore.

Billy Collins ne parut pas s'en offusquer.

— Madame Moreland, quand avez-vous rendu ses clés à Mme Aldrich ?

— Environ deux semaines après la disparition de Matthew. Au moment où elle m'a écrit qu'elle pensait que je serais sans doute trop perturbée par la disparition de mon fils pour surveiller le chantier.

— Pendant ces deux semaines, espériez-vous encore qu'elle vous chargerait du projet ?

— Absolument.

— Donc, vous êtes venue plusieurs fois dans cette maison vide après la disparition de votre fils ?

— Oui.

— Veniez-vous pour y voir Matthew ?

Zan bondit de sa chaise.

— Vous êtes fou ? s'écria-t-elle. Vous êtes en train d'insinuer que j'ai enlevé mon fils et que je l'ai caché dans la réserve ?

— Asseyez-vous, Zan, dit Charley Shore d'un ton ferme.

— Madame Moreland, vous l'avez dit et répété, c'est une grande maison. Pourquoi dites-vous que nous vous soupçonnons de l'avoir caché dans la réserve ?

— Parce que c'est vous qui le sous-entendez ! cria Zan. Vous insinuez que j'ai enlevé mon enfant, que je l'ai caché dans cette maison. Pourquoi perdez-vous ainsi votre temps ? Pourquoi ne cherchez-vous pas qui a trafiqué ces photos ? Vous ne comprenez donc pas que c'est la clé pour retrouver mon fils ?

L'inspecteur Dean répliqua sèchement :

— Madame Moreland, nos techniciens ont étudié ces photos avec le plus grand soin. Elles n'ont pas été « trafiquées », comme vous le dites.

Malgré ses efforts, Zan ne put retenir ses sanglots.

— Alors quelqu'un se fait passer pour moi. Pour quelle raison ? s'exclama-t-elle. Pourquoi ne m'écoutez-vous pas ? Bartley Longe me hait. Il m'accuse de lui avoir pris des clients quand j'ai ouvert mon agence. Et c'est un homme à femmes. Il m'avait fait des avances à l'époque où je travaillais pour lui. Il ne supporte pas qu'on le repousse. C'est aussi pour ça qu'il me déteste.

Ni Collins ni Dean ne manifestèrent la moindre émotion.

— Madame Moreland, combien de fois avez-vous souffert d'évanouissements et de pertes de mémoire après la mort de vos parents ? demanda Collins.

On sentait à nouveau de la compassion dans sa voix.

Zan essuya ses larmes. Lui, au moins, ne se montrait pas ouvertement hostile.

— J'ai vécu dans une sorte de brouillard pendant six mois. Lorsque j'ai commencé à retrouver mes esprits, je me suis rendu compte que j'avais été terriblement injuste envers Ted. Il avait supporté mes crises de larmes, mon apathie. Il restait auprès de moi le soir alors qu'il aurait dû assister à des événements organisés pour ses clients et à des premières.

— Quelle a été la réaction de votre mari quand vous vous êtes décidée à lui annoncer que vous vouliez divorcer ?

— Il devait se rendre en Californie pour la première du nouveau film de Marisa Young. Il avait prévu d'engager une garde-malade pour rester avec moi. C'est alors que je lui ai dit que je ne le remercierais jamais assez, mais que je ne voulais plus être un tel fardeau pour lui, qu'il m'avait épousée par pure générosité, mais que je pouvais me débrouiller seule dorénavant et lui rendre sa liberté. Je lui ai dit que j'avais décidé de partir. Il s'est montré compréhensif au point de m'aider à m'installer.

Au moins s'abstiennent-ils de m'accuser quand ils me posent des questions sur Ted, pensa-t-elle.

— À quel moment avez-vous réalisé que vous étiez enceinte de Matthew ?

— Quelques mois après avoir quitté Ted.

— Quelle a été votre réaction alors ? demanda Jennifer Dean.

— J'ai été d'abord stupéfaite, ensuite très heureuse.

— Même avec un emprunt sur les bras ? demanda Collins.

— Je savais que ce serait difficile, mais cela m'était égal. J'ai mis Ted au courant, naturellement, en ajoutant qu'il ne devait pas se sentir responsable sur le plan financier.

— Pourquoi pas ? Son agence de relations publiques était très prospère, fit remarquer Dean. Avez-vous été jusqu'à lui déclarer que vous ne teniez pas à ce qu'il s'occupe de votre enfant ?

— *Notre* enfant, corrigea Zan. Ted a insisté pour payer la nounou en attendant que mon affaire démarre, et il a placé dans un fonds destiné à Matthew le montant de la pension qu'il aurait versée en temps normal pour subvenir à ses besoins.

— Vous embellissez la réalité, madame Moreland, dit Jennifer Dean d'un ton moqueur. N'est-il pas vrai que le père de Matthew s'inquiétait parce que vous le laissiez toute la journée avec sa nounou ?

— C'est un mensonge ! s'écria Zan. Matthew était toute ma vie. Vous pouvez consulter mes agendas depuis sa naissance jusqu'à sa disparition. Je suis restée presque tous les soirs avec mon fils. Je l'aimais trop pour avoir envie de sortir.

— Vous *l'aimiez* ? Vous croyez donc qu'il est mort ?

— Il n'est pas mort. Il m'a parlé ce matin.

Les inspecteurs ne purent dissimuler leur stupéfaction.

— Il vous a parlé ce matin ? s'exclama Billy Collins.

— Je veux dire que tôt ce matin j'ai entendu sa voix…

Visiblement déconcerté, Charley Shore l'interrompit :

— Cet interrogatoire est terminé, Zan. Allons-nous-en.

— Non, je vais vous expliquer. Frère Aiden s'est montré très bon envers moi hier soir chez Alvirah et Willy Meehan. Je sais que même eux sont persuadés que c'est moi qui figure sur les photos. Mais frère Aiden m'a donné un sentiment de paix qui ne m'a pas quittée pendant toute la nuit. Et quand je me suis réveillée ce matin, j'ai entendu la voix de Matthew aussi clairement que s'il avait été dans la pièce et j'ai compris qu'il était toujours vivant.

En se levant, Zan repoussa sa chaise si brusquement qu'elle se renversa.

— Il est vivant ! cria-t-elle. Pourquoi me torturez-vous ? Pourquoi ne recherchez-vous pas mon petit garçon ? Pourquoi n'admettez-vous pas que c'est une autre que moi qui figure sur ces photos ? Vous me croyez folle. C'est vous qui êtes aveugles et stupides.

Elle se tourna vers Charley Shore.

— Suis-je en état d'arrestation ? Sinon, fichons le camp d'ici.

Lorsque Alvirah avait voulu joindre Zan à son bureau, Josh lui avait appris que Charley Shore l'avait emmenée au commissariat pour un interrogatoire. Ensuite, il lui avait parlé du billet pour Buenos Aires et des commandes passées auprès de leurs fournisseurs.

Le cœur lourd, Alvirah rapporta sa conversation à Willy quand il revint de sa marche matinale dans Central Park.

— Oh, Willy, je suis complètement désemparée, soupira-t-elle.

— Peut-être se croit-elle piégée et s'apprête-t-elle à prendre la fuite, dit Willy. Si elle a réellement enlevé Matthew, il est possible qu'elle l'ait confié à un ami en Amérique du Sud.

— Mais, Willy, cela revient à dire que Zan est une manipulatrice. Je ne le crois pas. Je pense plutôt qu'elle souffre d'amnésie, ou d'un dédoublement de la personnalité. Se pourrait-il qu'une autre Zan ait enlevé Matthew ? Dans ce cas, tu as raison, peut-être va-t-elle le rejoindre en Amérique du Sud.

— Pour moi, cette histoire de dédoublement de personnalité est de la bouillie pour les chats, ma chérie, dit Willy. Je ferais tout pour

Zan, mais je pense sincèrement qu'elle souffre de maladie mentale. (Il s'était installé dans son fauteuil club avec les journaux du matin.) Alvirah, je crois que Zan va être arrêtée.

— Oh ! Willy, ce serait horrible. La laisseront-ils en liberté sous caution ?

— Je n'en sais rien. Ils ne vont pas apprécier cette histoire de billet pour l'Amérique du Sud. Ce serait une raison suffisante pour l'incarcérer.

Le téléphone sonna. C'était Penny Hammel qui les prévenait que Bernie et elle assisteraient avec plaisir à la réunion du groupe de soutien aux gagnants de la loterie le mardi après-midi.

Préoccupée par Zan, Alvirah aurait volontiers reporté cette réunion à plus tard, mais la voix enjouée de Penny lui remonta le moral.

— Avez-vous résolu quelque affaire criminelle récemment, Alvirah ? demanda Penny.

— Pas une seule.

— Vous avez vu ce reportage à la télévision sur cette femme qui a kidnappé son propre enfant ? Je suis restée scotchée devant le poste.

Alvirah n'avait aucune envie d'entamer une discussion sur Zan Moreland avec la bavarde invétérée qu'était Penny, ni de lui dire qu'elle connaissait la jeune femme.

— C'est une histoire navrante, dit-elle prudemment.

— C'est aussi mon avis. À propos, j'en aurai une drôle à vous raconter quand nous nous verrons la semaine prochaine. J'ai cru, au début, que j'étais tombée sur une affaire de drogue ou un truc glauque de ce genre, puis je me suis rendu compte que je me montais la tête pour rien. Bref, je pense que je n'écrirai jamais comme vous un livre sur la manière de résoudre une énigme. En tout cas, je me demande ce que vous penserez de mon histoire de crime qui n'a pas été commis. Ma meilleure amie, Rebecca Schwartz, est agent immobilier...

Alvirah savait qu'elle ne pourrait interrompre Penny sans avoir l'air grossier. Le téléphone à la main, elle traversa le séjour jusqu'au fauteuil où Willy était occupé à faire les mots croisés du jour et lui tapa sur l'épaule.

Quand il leva les yeux, elle articula en silence :

— Penny Hammel.

Willy hocha la tête, se dirigea vers la porte d'entrée et sortit dans le couloir.

— Je disais donc que Rebecca a loué une maison à une jeune femme, et je vous dirai pourquoi j'ai trouvé qu'il y avait quelque chose de bizarre chez elle.

Willy sonna à la porte, gardant son doigt appuyé assez longtemps pour être sûr que Penny l'entendrait.

— Oh ! Penny, je suis désolée de vous interrompre mais on sonne et Willy n'est pas là pour ouvrir. Je suis impatiente de vous voir mardi prochain. Au revoir, ma chère.

— J'ai horreur de mentir, dit Alvirah à Willy, et d'ailleurs, j'ai dit la vérité, tu n'étais pas dans l'appartement. Tu étais dehors dans le couloir.

— Alvirah, dit Willy en souriant, je l'ai souvent dit, tu es la meilleure quand il s'agit de plaider ta cause.

11

À 11 HEURES, Toby Grissom paya sa note au Cheap & Cozy Motel dans le Lower East Side de Manhattan et partit à pied en direction de la 42ᵉ Rue où il prendrait un bus pour l'aéroport de La Guardia. Son avion n'était qu'à 17 heures, mais il devait rendre sa chambre.

Il faisait froid, mais la journée était claire et ensoleillée. Un temps qu'il affectionnait pour faire ses longues marches. Naturellement, ce n'était plus pareil depuis qu'il suivait ses séances de chimio. Elles le mettaient vraiment à plat et il se demandait s'il était nécessaire de continuer ce traitement. Le médecin pourrait peut-être me prescrire des pilules ou je ne sais quoi pour m'empêcher d'être aussi fatigué, se dit-il en avançant avec peine le long de l'Avenue B.

Il avait toujours sur lui la carte postale que Glory lui avait écrite six mois plus tôt. Il la gardait pliée dans son portefeuille, car il se sentait plus proche d'elle ainsi. Mais, depuis qu'il séjournait à New York, il avait l'intuition grandissante qu'il lui était arrivé quelque chose. Ce type, Bartley Longe, ne lui inspirait pas confiance. D'accord, il portait des fringues dont n'importe quel crétin pouvait voir qu'elles coûtaient une fortune, mais il vous regardait comme si vous étiez de la boue sur ses chaussures.

Toby prit conscience qu'il avait du mal à respirer. Il marchait au bord du trottoir. Lentement, il fendit le flot de piétons qui arrivaient en sens inverse et se dirigea vers l'immeuble le plus proche. S'appuyant au mur, il laissa tomber son sac et en sortit son inhalateur. Il s'administra la dose nécessaire, respira profondément, puis reprit sa marche. Je sais que Glory a des ennuis et que c'est la faute de ce Longe, se dit-il. Je ne suis pas né d'hier. Je sais pourquoi Longe a attiré Glory dans sa maison de campagne. Il ne l'a pas amenée là-bas pour jouer aux dominos. Il a abusé d'elle.

Il était à deux rues du commissariat du treizième district où il avait la veille rencontré l'inspecteur Johnson. Une idée lui traversa l'esprit. Johnson n'avait pas demandé à voir la carte postale de Glory. Elle était rédigée en caractères d'imprimerie, songea-t-il, et j'ai pensé que Glory n'avait pas eu assez de place pour écrire avec ses grandes lettres ornées, pleines de boucles. Mais si ce n'était pas elle qui avait envoyé cette carte ? Si quelqu'un s'était dit que je commençais à m'inquiéter à son sujet et avait voulu me dissuader de la chercher ? Cette personne sait peut-être que je n'en ai plus pour très longtemps.

Je vais aller revoir l'inspecteur Johnson, et je vais lui demander de faire relever les empreintes digitales sur la carte. Puis j'exigerai qu'il se rende sans tarder chez M. Bartley Longe. L'inspecteur Johnson ne croit quand même pas que je vais tomber dans le panneau ? Tout ce qu'il a sans doute l'intention de faire, c'est d'appeler Longe, de s'excuser de le déranger, de lui raconter qu'un vieux schnock est venu le voir et qu'il est obligé de s'exécuter.

Tant pis si je rate mon avion, pensa Toby en tournant à l'angle de la rue et en se dirigeant vers le commissariat du treizième district.

— MADAME Moreland, vous n'êtes pas en état d'arrestation, du moins pas pour l'instant, dit Billy Collins en voyant Zan se diriger vers la porte. Mais je vous conseille de rester.

Zan regarda Charley Shore qui hocha la tête. Elle se rassit et dit :

— J'aimerais m'entretenir en privé avec mon avocat.

Collins et Dean se levèrent d'un même mouvement.

— Nous allons prendre un café, dit Collins.

À la seconde où la porte se refermait sur eux, Zan se planta en face de Charley Shore.

— Pourquoi les laissez-vous porter ces accusations contre moi ? demanda-t-elle. Pourquoi ne prenez-vous pas ma défense ?

— Je comprends ce que vous ressentez, Zan, dit Charley Shore. Mais je dois procéder ainsi. J'ai besoin de connaître tous les moyens qu'ils vont utiliser pour monter l'accusation contre vous. Si je ne les laisse pas poser ces questions, nous ne pourrons pas commencer à construire notre défense.

— Vous croyez qu'ils vont m'arrêter ?

— Oui. Je suis désolé de vous le dire, mais je pense qu'ils vont délivrer un mandat d'arrêt contre vous. Mon souci est de savoir quels chefs d'accusation ils vont retenir. Entrave à la justice. Faux témoignage. Privation de ses droits parentaux infligée à votre mari. J'ignore s'ils iront jusqu'à vous accuser de kidnapping puisque vous êtes la mère, mais ils le pourraient. Vous venez de leur dire que Matthew vous avait parlé aujourd'hui.

— Ils ont compris ce que je voulais dire.

— Vous croyez qu'ils ont compris. Ils peuvent avoir cru que vous parliez au téléphone avec Matthew. (Voyant l'expression stupéfaite de Zan, Charley ajouta :) Zan, nous devons prévoir le pire scénario. Et j'ai besoin que vous me fassiez confiance.

Quand les inspecteurs revinrent dans la pièce, Collins suggéra :

— Parlons de Tiffany Shields, madame Moreland. Combien de fois a-t-elle gardé Matthew ?

C'était une question inattendue, mais il était facile d'y répondre.

— Pas très souvent, juste de manière occasionnelle.

— Vous étiez satisfaite de Tiffany ? demanda Jennifer Dean.

— Bien sûr. Elle était très attachée à Matthew. Il m'arrivait même de lui demander de me tenir compagnie lorsque j'emmenais Matthew au parc pendant le week-end.

— L'appréciiez-vous au point de lui faire des cadeaux ?

— Je n'appellerais pas cela des cadeaux. Tiffany a plus ou moins ma taille et, lorsque je voyais dans mon placard une veste ou un chemisier que je n'avais pas portés depuis un certain temps, je les lui donnais.

— Estimiez-vous qu'elle était prudente ?

— Je ne lui aurais jamais confié mon enfant si je n'en avais pas été convaincue.

— Vous saviez que Tiffany avait un rhume, qu'elle ne se sentait pas bien et n'avait pas envie de faire du baby-sitting ce jour-là, objecta l'inspecteur Dean. N'aviez-vous personne d'autre dans votre entourage à qui vous adresser ?

— Personne qui habite suffisamment près pour venir chez moi sur-le-champ. En outre, presque toutes mes amies travaillent. Il faut que vous sachiez que j'étais plutôt stressée. On ne peut pas téléphoner à quelqu'un comme Nina Aldrich pour décommander un rendez-vous à la dernière minute.

Zan ne pouvait empêcher sa voix de trembler. Pourquoi lui posaient-ils toutes ces questions ?

— Donc Tiffany a accepté, à regret, de vous dépanner et elle est venue chez vous ? dit Jennifer Dean d'un ton froid.

— Oui.

— Où était Matthew ?

— Il dormait dans sa poussette. Il avait fait très chaud pendant la nuit et j'avais laissé sa fenêtre ouverte. À 5 heures du matin, le tintamarre des camions-poubelles l'avait réveillé. Je lui ai donné son déjeuner plus tôt que d'habitude et, parce que Tiffany devait venir le chercher, je l'ai installé dans sa poussette. Il s'est endormi immédiatement.

— À quelle heure Tiffany est-elle arrivée chez vous ?

— Vers midi et demi.

— Il dormait donc quand Tiffany est venue le chercher, et il était toujours endormi quand quelqu'un l'a sorti de sa poussette environ une heure et demie plus tard. (Le sarcasme était perceptible dans le ton de Jennifer.) Mais vous n'avez pas pris la peine d'attacher sa ceinture, n'est-ce pas ?

— J'avais l'intention de le faire au moment où Tiffany est arrivée.

— Vous étiez trop pressée pour vous assurer vous-même que votre enfant était en sécurité dans sa poussette ?

Zan crut qu'elle allait se mettre à hurler. Cette femme déforme tout ce que je lui dis, pensa-t-elle. Mais elle sentit à nouveau la ferme pression de la main de Charley Shore sur son épaule et comprit sa mise en garde.

— Ne lui avez-vous pas aussi offert un Pepsi ? demanda Collins.

— Si. Elle avait soif.

— Qu'y avait-il d'autre dans le Pepsi ? voulut savoir Dean.

— Rien du tout. Où voulez-vous en venir ?

— Avez-vous donné autre chose à Tiffany Shields ? Elle pense que vous avez versé dans le soda quelque chose pour lui faire perdre conscience. Et que vous lui avez donné un sédatif en guise de cachet contre le rhume.

— Vous avez perdu la tête ! s'écria Zan.

— Absolument pas, répliqua Dean d'un ton cassant. Vous vous décrivez comme une femme très attentionnée, madame Moreland, mais n'est-il pas vrai que cet enfant était un obstacle à votre précieuse carrière ? Ce petit trésor tombé du ciel commençait à être difficile à supporter, et vous saviez que vous aviez un moyen idéal d'y remédier. (Elle se leva et pointa un doigt vers Zan.) Vous vous êtes rendue délibérément dans la nouvelle maison de Nina Aldrich alors qu'elle vous attendait à son appartement de Beekman Place. Vous êtes allée dans cette maison avec tous vos dessins et vos tissus, que vous avez laissés sur place. Puis vous êtes partie à pied jusqu'au parc, sachant que Tiffany ne mettrait pas longtemps à s'endormir. Une opportunité s'offrait et vous l'avez saisie. Vous avez pris votre enfant, l'avez ramené dans cette grande maison vide et caché dans la réserve derrière la cave à vins. La question qui se pose maintenant est : que lui avez-vous fait, madame Moreland ?

— Objection ! s'écria Charley Shore en forçant Zan à se mettre debout. En avez-vous fini avec nous ?

Billy Collins sourit d'un air indulgent.

— Oui, maître. Mais nous voulons les noms et adresses des deux personnes que vous avez mentionnées, Mme Meehan et le religieux. Et laissez-moi vous faire une suggestion. Si Mme Moreland entend à nouveau la voix de son fils, elle devrait lui dire – ainsi qu'à la personne qui le cache – qu'il est temps de rentrer à la maison.

À MIDDLETOWN, les affaires dans l'immobilier, comme presque partout ailleurs dans le pays, avaient été désastreuses depuis des mois. Assise dans son bureau, Rebecca Schwartz broyait du noir en contemplant la rue. Les vitrines étaient remplies de photos de propriétés à vendre.

Rebecca était une virtuose dans l'art de décrire les logements disponibles. La plus petite baraque style Cape Cod devenait, dans ses prospectus, « douillette, chaleureuse et pleine de charme ». Mais malgré son talent unique pour faire apparaître les vertus secrètes de demeures qui nécessitaient d'importants travaux, les jours n'étaient pas roses pour Rebecca.

Aujourd'hui, prête à passer une nouvelle journée sans voir un seul client, elle songea que ce n'était pas uniquement une question d'argent. C'est aussi que j'aime vendre des maisons, se dit-elle. J'aime voir l'excitation des nouveaux propriétaires le jour où ils emménagent. Même s'ils ont beaucoup de travaux à faire, c'est un nouveau chapitre de leur existence qui s'ouvre.

Rebecca était tellement perdue dans ses pensées qu'elle sursauta quand le téléphone sonna.

— Immobilier Schwartz, Rebecca à l'appareil, dit-elle.

— Madame Schwartz, ici Bill Reese.

Bill Reese, se souvint Rebecca, tandis qu'une soudaine bouffée d'espoir l'envahissait. Il était venu à deux reprises l'année précédente pour visiter la ferme Owens mais n'avait pas donné suite.

— Monsieur Reese, ça me fait plaisir de vous entendre.

— Est-ce que la propriété d'Owens a été vendue ?

— Non, pas encore. (Rebecca lui servit immédiatement l'habituel jargon immobilier :) Nous avons plusieurs personnes qui sont sérieusement intéressées, dont une est prête à faire une offre.

Reese éclata de rire.

— Allons, madame Schwartz. Sur votre honneur de scoute, combien d'acheteurs potentiels sont prêts à signer à l'heure qu'il est ?

Rebecca ne put s'empêcher de rire avec lui. Elle se représenta Reese. Un homme charmant, intelligent, un peu enveloppé, la quarantaine, père de deux enfants. Comptable, il vivait et travaillait à Manhattan, mais il avait passé sa jeunesse dans une ferme et lui avait confié qu'il regrettait ce genre de vie. « J'aime jardiner. Et j'aimerais qu'en week-end, mes gosses puissent s'amuser avec des chevaux, comme moi à leur âge. »

— Il n'y a aucune offre pour la ferme Owens, admit-elle, mais croyez-moi, ce marché déprimé ne durera pas éternellement, et quelqu'un un jour ou l'autre va se rendre compte que huit hectares d'excellente terre plus une maison fondamentalement saine sont un bon investissement.

— Madame, je pense que vous avez raison. Et puis Theresa et les enfants en sont tombés amoureux. Écoutez, nous allons venir faire un tour dimanche, et si la maison correspond bien à notre souvenir à tous, nous conclurons l'affaire.

— Une locataire l'occupe en ce moment, dit Rebecca. Le bail est d'un an et elle a payé la totalité d'avance. Mais peu importe, le contrat stipule qu'à condition de prévenir la veille nous pouvons faire visiter la maison, et si elle est vendue, la locataire devra libérer les lieux dans un délai de trente jours. Naturellement, elle sera remboursée au prorata des journées de non-occupation.

— C'est parfait, dit Reese. Si nous nous décidons, je voudrais en disposer dès le premier mai pour pouvoir faire des plantations. Disons qu'on se retrouve dimanche prochain vers 13 heures à votre bureau ?

— C'est noté, répondit Rebecca, aux anges.

Pourtant son enthousiasme faiblit dès qu'elle eut raccroché. La pensée de téléphoner à Gloria Evans pour lui annoncer qu'elle devrait peut-être quitter la maison ne la réjouissait guère.

Gloria Evans décrocha à la première sonnerie.

— Allô ? dit-elle d'un ton où perçait l'agacement.

Rebecca lui expliqua la situation.

— Ce dimanche qui vient ? s'écria Gloria. Vous voulez que des gens viennent me déranger ce dimanche-ci ?

Rebecca perçut une note d'anxiété dans sa voix.

— Madame Evans, je peux vous montrer au moins une demi-douzaine de très jolies maisons plus modernes, et vous pourrez faire des économies en louant au mois.

— À quelle heure ces gens doivent-ils débarquer ? demanda Gloria.

— Un peu après 13 heures.

— Je vois. Quand j'ai accepté de payer un an de loyer pour trois petits mois d'utilisation, vous auriez pu me prévenir que des gens allaient entrer et sortir comme dans un moulin.

— Madame Evans, c'était clairement indiqué dans le bail que vous avez signé.

— Je vous ai posé la question. Vous m'avez répondu que personne ne s'intéresserait à cette maison pendant le temps où je l'occuperais. Vous avez dit que le marché serait gelé jusqu'au début du mois de juin au moins.

— C'est ce que je pensais vraiment. Mais…

Rebecca se rendit compte qu'elle parlait dans le vide. Gloria Evans avait raccroché.

L'INSPECTEUR Wally Johnson examina la carte postale fripée que Toby Grissom lui avait tendue.

— Qu'est-ce qui vous fait supposer que votre fille n'a pas écrit cette carte ? demanda-t-il.

— C'est à cause des caractères d'imprimerie. Je me suis dit qu'elle ne l'avait peut-être pas écrite, que quelqu'un s'en était peut-être pris à elle et avait ensuite essayé de faire croire qu'elle était encore en vie. Ce n'est qu'aujourd'hui que je me suis dit qu'elle n'avait peut-être pas envoyé cette carte.

— Vous dites l'avoir reçue il y a six mois, fit remarquer Johnson.

— Ouais. C'est ça. Vous devriez peut-être y rechercher des empreintes digitales.

— Combien de personnes ont eu cette carte en main, monsieur Grissom ?

— Eu en main ? Je n'en sais rien. Je l'ai montrée à des amis au Texas, et aussi aux filles avec lesquelles habitait Glory à Manhattan.

— Monsieur Grissom, je peux vous prédire dès à présent que nous ne pourrons jamais savoir si c'est votre fille ou quelqu'un d'autre qui a envoyé la carte, car il nous sera impossible d'éliminer les autres empreintes. Vos amis, les colocataires de Glory. Et avant, il y a eu les employés de la poste et le facteur.

Toby aperçut le photomontage de Glory sur le coin du bureau de Johnson. Il le montra du doigt. Puis, d'une voix pleine d'amertume, il demanda :

— Avez-vous fini par appeler ce Bartley Longe ?

— J'ai eu d'autres affaires urgentes à régler hier soir, monsieur Grissom, mais je vous assure que c'est ma priorité.

— Pas la peine de m'assurer quoi que ce soit, inspecteur Johnson. Je ne partirai pas d'ici avant que vous n'ayez décroché ce téléphone et pris rendez-vous avec lui. Si je dois rater mon avion, je m'en fiche. Je ne quitterai pas ce commissariat avant de vous avoir vu prendre rendez-vous avec Longe, et n'y allez pas la tête basse en vous excusant de le déranger parce que le père de la gamine est un emmerdeur patenté.

Le malheureux, pensa Wally Johnson. Je n'ai pas le courage de lui dire que sa fille est sans doute aujourd'hui une prostituée de luxe maquée avec un gros richard. Johnson décrocha le téléphone. Quand la réceptionniste répondit, il se présenta.

— Monsieur Longe est-il là ? demanda-t-il. Je dois lui parler de toute urgence.

— Je ne suis pas sûre qu'il soit encore dans son bureau, commença la réceptionniste. Mais je peux prendre un message.

Si elle n'en est pas sûre, cela signifie qu'il est là, se dit Johnson.

— Je n'ai pas l'intention de laisser de message, répondit-il fermement. Vous savez aussi bien que moi que Bartley Longe est là. Je peux me trouver chez vous dans une vingtaine de minutes. Il est essentiel que je le voie tout de suite. Le père de Brittany La Monte est dans mon bureau et il cherche à savoir ce qu'est devenue sa fille.

— Si vous voulez bien patienter… (Après une courte pause, la réceptionniste dit :) Si vous pouvez venir maintenant, M. Longe vous attendra.

— JE serai absent pendant une heure environ, dit Kevin Wilson à Louise Kirk.

Ce matin, il y avait eu deux livraisons supplémentaires. Des rouleaux de revêtements muraux et des cartons de luminaires.

Louise hésita puis se lança :

— Kevin, je sais que je me mêle de ce qui ne me regarde pas, mais je suis sûre que vous vous rendez au bureau de Zan Moreland. Croyez-moi, je vous en supplie, ne vous laissez pas embobiner par cette femme. Elle est très séduisante, personne ne vous dira le contraire, mais je pense que c'est une malade mentale.

— Autre chose ? demanda calmement Kevin.

Elle haussa les épaules.

— Je sais que vous m'en voulez, et je vous comprends. Mais je suis votre amie et votre secrétaire, et je serais désolée de vous voir éclaboussé par cette histoire. Et une relation avec elle, de quelque nature qu'elle soit, vous causera du tort sur le plan professionnel et personnel.

— Louise, je n'ai aucune sorte de relation avec elle. Je vais vous dire où je vais. Au bureau d'Alexandra Moreland. J'ai parlé à son assistant qui m'a l'air d'un brave garçon. J'aimerais régler cette histoire avec aussi peu de tapage que possible. Très franchement, je n'aime pas

Bartley Longe. (La main sur la poignée de la porte, Kevin se retourna et ajouta :) J'ai étudié et comparé leurs deux propositions, et celle de Zan Moreland me plaît davantage. Cela ne signifie pas que je vais engager Moreland, mais je pourrais choisir son projet, utiliser ses fournitures, trouver un arrangement financier avec elle pour le travail qu'elle a accompli, et le faire exécuter par quelqu'un d'autre. Cela vous paraît-il rationnel ?

Louise Kirk ne put se retenir de lui lancer une dernière pique :

— Rationnel peut-être, mais raisonnable ?

Kevin ne savait pas à quoi s'attendre, mais il n'avait pas imaginé l'agence Moreland encombrée par des rouleaux de moquette qui s'empilaient presque jusqu'au plafond. Et il ne s'attendait pas non plus à ce que Josh Green fût si jeune. Guère plus de vingt-cinq ans, jugea-t-il, tandis qu'il lui serrait la main en se présentant. Reconnaissant le nom du fournisseur inscrit sur le papier d'emballage qui protégeait la moquette, il demanda :

— Toutes ces fournitures sont-elles destinées à mes appartements ?

— Monsieur Wilson…, commença Josh. Voici ce qui est arrivé. Un hackeur s'est apparemment introduit dans notre système informatique et a passé ces commandes. C'est la seule explication que je puisse vous donner.

— Savez-vous que nous avons eu trois livraisons ce matin au 701 Carlton Place ? demanda Kevin. (Devant l'expression stupéfaite du jeune homme, il ajouta :) J'ai l'impression que vous n'étiez pas au courant ?

— Non, en effet.

— Depuis combien de temps travaillez-vous avec Zan ?

— Presque deux ans.

— Je vois.

J'aime bien ce garçon, pensa Kevin. Il va droit au but. Quels que soient les problèmes de Zan, ses projets me conviennent tout à fait pour ces appartements. Je n'ai pas envie de traiter avec Bartley Longe et ce qu'il m'a présenté ne m'a pas plu. Et je ne peux pas demander à d'autres designers de se mettre sur les rangs. Le conseil d'administration s'arrache déjà les cheveux à cause des retards dans l'achèvement des travaux.

La porte s'ouvrit derrière eux. Il se retourna et vit Zan Moreland entrer dans le bureau, accompagnée d'un homme plus âgé, sans doute son avocat. Elle avait les yeux gonflés et le visage mouillé de larmes. Sentant sa présence déplacée, Kevin se tourna vers Josh.

— Je vais appeler Starr Carpeting, dit-il, et leur dire de faire prendre toutes ces marchandises et de les livrer à Carlton Place. Si d'autres livraisons semblables vous arrivent, envoyez-les-nous ainsi que les factures. Je resterai en contact avec vous.

Zan avait le dos tourné et il comprit qu'elle était gênée qu'il la voie pleurer. Il partit sans lui adresser la parole. Tandis qu'il attendait l'ascenseur, il s'avoua qu'il mourait d'envie de revenir sur ses pas et de la prendre dans ses bras.

Rationnel et raisonnable, pensa-t-il avec un sourire ironique, au moment où s'ouvrait la porte de l'ascenseur. Je me demande quelle sera la réaction de Louise quand elle apprendra ce que j'ai fait.

Melissa avait failli s'étrangler de fureur en entendant Ted lui suggérer de faire don à la Fondation pour les enfants disparus des cinq millions de dollars qu'elle voulait offrir en récompense à qui permettrait de retrouver Matthew.

— Il ne parle pas sérieusement, j'espère, dit-elle à Bettina, son assistante.

Bettina, toujours soignée de sa personne, le cheveu noir de jais, le regard pénétrant, avait quarante ans. Ses sentiments à l'heure actuelle oscillaient entre le mépris qu'elle partageait avec Ted à l'égard de Melissa et l'excitation de participer à la vie trépidante d'une célébrité. Elle aimait bien Ted et savait qu'il se donnait un mal fou pour assurer la promotion de Melissa.

— Je ne pense pas qu'il soit cinglé, dit-elle d'un ton conciliant. Vous y gagneriez la réputation d'une personne d'une générosité extraordinaire, ce qui serait la vérité, il faudrait même remplir ce chèque devant les caméras.

— Ce que je n'ai pas l'intention de faire, rétorqua Melissa en rejetant en arrière sa longue chevelure blonde. Je suis décidée à faire cette offre. Organisez une conférence de presse demain à 13 heures.

— Et si quelqu'un se présente avec des informations sur Matthew, vous êtes prête à lui signer un chèque de cinq millions de dollars ? demanda Bettina.

— Ne soyez pas stupide. Primo, ce pauvre gosse est sans doute mort. Secundo, si quelqu'un sait vraiment où il se trouve et qu'il ne s'est pas manifesté pendant tout ce temps, il sera considéré comme complice et ne pourra donc pas profiter de l'argent. Vous comprenez ? On me traite souvent de cruche, mais nous recevrons des centaines d'informations provenant de tous les coins du monde, et chacune mentionnera la récompense promise par Melissa Knight.

— Bon, nous avons fait sortir Alexandra Moreland de ses gonds, dit Billy Collins avec satisfaction.

Jennifer Dean et lui savouraient leurs paninis au pastrami accompagnés d'un café dans leur bistrot préféré de Columbus Avenue.

L'inspecteur Dean avala une bouchée avant de répondre.

— Cette affaire est presque trop parfaite. Tu crois que Moreland a voulu dire qu'elle avait entendu la voix de son fils en rêve, ou qu'elle lui parlait réellement au téléphone ?

— Qu'elle ait été au téléphone ou en train de rêver, elle dit que cet enfant est vivant, et je le crois aussi, dit Billy Collins fermement. La question est de savoir où il est, et si celui qui le détient va être pris de panique, avec tout ce ramdam dans la presse. Et si on essayait de joindre à nouveau Alvirah Meehan ?

Alvirah répondit en personne au téléphone.

— Venez si vous voulez, mais je ne sais pas si je pourrai vous être d'une grande utilité, dit-elle prudemment. Mon mari et moi sommes très liés à Zan depuis qu'elle a décoré notre appartement. C'est une jeune femme charmante et nous l'aimons beaucoup.

Dix minutes plus tard, ils se garaient dans l'allée semi-circulaire du 211 Central Park South.

— Sais-tu que certains de nos collègues connaissent Alvirah Meehan ? demanda Jennifer à Billy dans l'ascenseur. Elle était femme de ménage quand elle a gagné à la loterie et elle est devenue détective amateur.

— On n'a franchement pas besoin d'avoir un détective amateur dans les pattes, grommela Billy tandis qu'ils s'arrêtaient au quinzième étage.

Mais ils n'étaient pas depuis deux minutes dans l'appartement que, comme tous ceux qui rencontraient Alvirah et Willy pour la première fois, ils eurent l'impression de les connaître depuis toujours.

Ils acceptèrent le café que leur proposait Alvirah. C'était inhabituel, mais il eût été fâcheux de vexer Alvirah, qui leur avait déclaré au téléphone être une amie de Zan Moreland.

— J'ai une certaine expérience, affirma Alvirah avec énergie, mais il y a des choses qu'on ne peut simuler. La souffrance que j'ai lue dans le regard de cette femme m'a brisé le cœur.

— Avez-vous vu aujourd'hui à la télévision et dans la presse les photos montrant Zan Moreland en train de prendre Matthew dans sa poussette, madame Meehan ? demanda Jennifer Dean.

— J'ai vu les photos d'une femme ressemblant à Zan qui prenait l'enfant dans la poussette, répondit prudemment Alvirah.

— Pensez-vous qu'il s'agisse de Zan Moreland sur ces photos, madame Meehan ? demanda Billy Collins.

— Je vous en prie, appelez-moi Alvirah, comme tout le monde.

Elle cherche à gagner du temps, pensa l'inspecteur.

— Je vais vous répondre, commença Alvirah. On pourrait croire en effet qu'il s'agit de Zan. Je suis loin d'en savoir suffisamment sur le plan technique, mais il n'est pas exclu que ces photos aient été trafiquées. Ce que je sais, en revanche, c'est que Zan Moreland est dévastée par la perte de son fils. Elle était chez nous hier soir. Elle a des amis, ici comme à l'étranger, qui l'ont souvent invitée pour les vacances, mais elle est toujours restée seule chez elle. Elle ne pouvait plus supporter de sortir.

— Savez-vous dans quels pays vivent ses amis ? demanda vivement Jennifer Dean.

— Eh bien ! là où ses parents ont jadis séjourné. Je sais que l'un d'eux habite en Argentine, et un autre en France. Et n'oubliez pas que ses parents étaient en Italie quand ils ont perdu la vie dans l'accident.

Billy Collins comprit qu'ils n'apprendraient rien de plus. Elle pense qu'il s'agit bien de Zan Moreland sur les photos, se dit-il en se levant pour partir, mais elle ne l'admettra pas.

— Inspecteur, dit Alvirah, il faut que vous compreniez que si c'est effectivement Zan qui figure sur ces photos la montrant en train d'enlever son fils, elle n'était pas consciente de ce qu'elle faisait.

— Êtes-vous en train de suggérer qu'il pourrait s'agir d'un dédoublement de la personnalité ? demanda Collins.

— Je ne suggère rien, dit Alvirah. Je sais seulement que Zan ne joue pas la comédie. Dans son esprit, elle a perdu son enfant. Elle a dépensé une fortune en détectives privés et en médiums pour essayer de le retrouver. Si elle jouait la comédie, elle n'aurait pas eu besoin d'en faire autant, mais elle est sincère.

— Encore une question, madame – pardon, Alvirah. Zan Moreland a mentionné un religieux, frère Aiden O'Brien. Le connaîtriez-vous ?

— Oh ! oui, c'est un très bon ami. Zan a fait sa connaissance chez nous hier soir. Il lui a dit qu'il prierait pour elle et je crois qu'elle en a été un peu réconfortée.

— Elle ne l'avait jamais rencontré auparavant ?

— Je ne crois pas. Mais je sais qu'elle s'est arrêtée à l'église Saint-François-d'Assise lundi soir, un peu avant que j'aille moi-même y allumer un cierge. Frère O'Brien recevait les confessions ce soir-là dans l'église basse.

— Alexandra Moreland s'est-elle confessée ?

— Oh ! je n'en sais rien, et je n'ai pas posé la question, naturellement. Mais ça vous intéressera peut-être de savoir que j'y ai observé un type dont le comportement m'a semblé bizarre. Il était agenouillé devant la chapelle de saint Antoine, la tête entre les mains. Et à la minute où frère Aiden a quitté la salle de réconciliation, cet homme s'est redressé et ne l'a plus quitté des yeux jusqu'à ce qu'il ait franchi le seuil de la Fraternité.

— Mme Moreland était-elle encore dans l'église à ce moment-là ?

— Non, dit Alvirah sans hésitation. C'est par hasard que j'ai su qu'elle s'y était arrêtée. Je suis retournée à l'église hier matin et j'ai demandé à visionner les vidéos des caméras de surveillance. Je voulais repérer cet individu qui m'avait paru louche. Sur la bande, j'ai vu Zan entrer. Elle n'est restée que quelques minutes. L'homme dont j'essayais de voir le visage est parti un peu avant moi, il était impossible de le distinguer clairement au milieu de la foule qui entrait dans l'église.

— Vous êtes-vous étonnée que Mlle Moreland s'arrête dans cette église ?

— Non. L'anniversaire de Matthew tombait le lendemain. J'ai pensé qu'elle voulait mettre un cierge à saint Antoine. C'est le saint que les gens prient quand ils ont perdu quelque chose.

— En effet. Nous vous remercions de nous avoir reçus aussi

longtemps, dit Billy Collins au moment où Jennifer Dean et lui se levaient pour partir.

— Bon, nous ne sommes pas beaucoup plus avancés, fit remarquer Jennifer Dean dans l'ascenseur.

— Qui sait ? Nous avons quand même appris qu'Alexandra Moreland a des amis à l'étranger. Je veux savoir si elle s'est rendue dans un de ces pays depuis la disparition de son fils. Nous allons obtenir un mandat pour vérifier ses cartes de crédit et ses comptes bancaires. Et demain, nous irons à Saint-François-d'Assise rendre visite à frère O'Brien. Nous saurons s'il a entendu Zan Moreland en confession. Et, dans ce cas, je me demande ce qu'elle a pu lui raconter.

— Billy, tu es catholique ! protesta Jennifer Dean. Tu sais bien qu'aucun prêtre ne révélera jamais ce qui a été dit dans le secret du confessionnal.

— Non, en effet, mais quand nous interrogerons Zan Moreland à nouveau, si nous la cuisinons suffisamment, elle finira peut-être par craquer et nous faire partager ses sales petits secrets.

Matthew n'avait jamais vu Glory pleurer, pas une seule fois. Elle avait paru très en colère au téléphone, mais après avoir raccroché elle s'était mise à pleurer. Puis elle l'avait regardé et avait dit : « Matty, nous ne pouvons pas continuer à nous cacher comme ça. »

Il pensait que cela signifiait qu'ils allaient encore déménager, et il ne savait pas s'il était content ou triste. La chambre où il dormait était assez grande pour qu'il puisse mettre tous ses camions sur le plancher et les faire rouler les uns à la suite des autres, comme les gros camions qu'ils croisaient sur la route la nuit quand Glory et lui allaient s'installer dans une nouvelle maison.

Matthew aimait beaucoup dessiner. Parfois il pensait à sa maman et esquissait le visage d'une dame sur la feuille. Il n'arrivait jamais à la représenter tout à fait, mais il se souvenait toujours de ses longs cheveux et de la sensation qu'il éprouvait quand ils lui chatouillaient la joue, et il faisait de longs cheveux à la dame sur son dessin.

Glory s'essuya les joues avec le dos de sa main.

— Bon, on va juste avancer notre programme. Je vais le lui annoncer ce soir.

Elle alla à la fenêtre. Elle laissait toujours le store baissé et quand elle regardait dehors, elle le repoussait un peu sur le côté.

Elle fit un drôle de bruit comme si elle retenait sa respiration.

— Voilà l'emmerdeuse aux muffins qui revient. Qu'est-ce qu'elle cherche ? (Puis elle ajouta :) C'est à cause de toi, Matty. Monte dans ta chambre et fais attention de ne plus jamais laisser traîner un de tes camions en bas.

Matthew monta dans sa chambre, s'assit à la table, prit ses crayons et se mit à pleurer.

DÈS l'instant où Wally Johnson pénétra dans le bureau de Bartley Longe, l'homme lui inspira de l'antipathie. Son air supérieur trahissait le dédain et la condescendance. En guise d'entrée en matière, il précisa qu'il avait décalé une réunion importante et qu'il ne disposait que d'une quinzaine de minutes.

— Venons-en donc sans tarder à l'objet de ma visite, répondit Johnson. Margaret Grissom, dont le nom de scène est Brittany La Monte, a disparu. Son père est persuadé qu'il lui est arrivé quelque chose ou qu'elle a des ennuis. Son dernier travail connu est celui dont vous l'aviez chargée lors de la présentation de vos appartements témoins. Il est aussi notoire qu'elle entretenait une relation particulière avec vous et a passé de nombreux week-ends dans votre propriété de Litchfield.

— Elle a passé quelques week-ends dans ma maison de Litchfield parce qu'elle désirait être présentée à des gens de théâtre, corrigea Longe. Aucun d'eux n'a jugé que Brittany possédait cette qualité indéfinissable, cet éclat particulier qui aurait fait d'elle une star.

— Dans ces conditions, vous avez cessé de l'inviter chez vous ? demanda Johnson.

— Brittany commençait à se faire des idées. Elle a cherché à transformer notre relation informelle en mariage. J'ai été marié autrefois à une future actrice, ce qui m'a coûté une fortune. Je n'ai aucune intention de répéter cette erreur.

— Vous le lui avez donc dit. Comment l'a-t-elle pris ?

— Elle m'a fait quelques remarques particulièrement désobligeantes et elle est partie comme une furie. J'ajoute qu'elle s'est enfuie au volant de ma Mercedes décapotable. J'aurais pu porter plainte, mais elle m'a prévenu par téléphone qu'elle l'avait laissée dans le parking de mon immeuble.

Johnson vit le visage de Bartley Longe s'assombrir.

— Pouvez-vous me préciser à quelle date cet incident a eu lieu, monsieur Longe ?

— Début juin, voilà presque deux ans. C'était le premier week-end de juin, elle est partie le dimanche en fin de matinée.

— Bien. Où est situé votre appartement ?

— Au 10 Central Park West.

— Bien. Et ensuite, après ce dimanche de juin, avez-vous revu Mlle La Monte ou eu de ses nouvelles ?

— Non, jamais. Et je ne tenais ni à la revoir ni à entendre parler d'elle.

— Monsieur Longe, j'aimerais avoir une liste des invités qui ont passé des week-ends à Litchfield en même temps que Brittany La Monte.

SUR le trajet du commissariat, Wally Johnson décida de faire un détour et de s'arrêter au parking du 10 Central Park West. Il sortit de sa voiture et montra sa carte à l'employé qui s'avançait vers lui.

— Pas de parking aujourd'hui, dit-il, je veux seulement vous poser quelques questions.

Il jeta un coup d'œil au badge du jeune homme.

— Connaissez-vous M. Bartley Longe, Danny ?

Ce fut sans surprise qu'il vit s'évanouir le sourire de Danny lorsqu'il confirma qu'il connaissait en effet M. Longe.

— Avez-vous déjà vu une jeune femme avec lui, une certaine Brittany La Monte ? demanda Johnson.

— Oui, monsieur. Je ne l'ai pas vue depuis un certain temps, mais cela ne m'étonne pas.

— Pourquoi ?

— Eh bien, la dernière fois qu'elle est venue au garage, elle conduisait la décapotable de M. Longe. Elle paraissait hors d'elle. (Une grimace amusée déforma la bouche de Danny.) Elle avait emporté les perruques et postiches de M. Longe. Elle les avait mis en charpie et avait collé les mèches avec du Scotch sur le volant et le tableau de bord. Personne ne pouvait manquer de les remarquer. Puis elle a dit « Salut, les mecs », et elle s'est tirée. Est-ce que Mlle La Monte va bien, monsieur ? demanda-t-il, inquiet. Elle était toujours très gentille avec nous quand elle venait avec M. Longe.

— Je l'espère, Danny. Merci beaucoup.

À SON retour, Johnson trouva Toby Grissom installé dans son bureau.

— Qu'avez-vous découvert chez ce fumier de faux jeton ?

— J'ai découvert que votre fille et Longe avaient eu une violente querelle, qu'elle lui avait emprunté sa voiture pour venir en ville et l'avait laissée à son garage. Il prétend qu'il ne l'a jamais revue depuis. Je lui ai demandé de me communiquer la liste des gens qu'il invitait pendant les week-ends et nous essaierons de savoir si certains ont entendu parler de Brittany. J'ai aussi demandé à rencontrer les jeunes filles avec lesquelles elle logeait. Je veux savoir exactement à quelle date elle a quitté son appartement. Monsieur Grissom, je vous assure que je suivrai cette affaire jusqu'au bout. Et maintenant, laissez-moi vous faire conduire à l'aéroport et promettez-moi que vous irez voir votre médecin dès demain matin.

S'appuyant sur les bras de son fauteuil, Toby Grissom se leva.

— J'ai le sentiment que je ne reverrai plus ma fille avant de mourir. Je vous fais confiance pour tenir la promesse que vous m'avez faite, inspecteur. Et j'irai voir mon médecin demain.

Ils se serrèrent la main. Avec un sourire hésitant, Toby Grissom dit :

— Bien. Allons trouver mon escorte pour l'aéroport. Si je le demande très poliment, croyez-vous qu'ils actionneront la sirène ?

12

LE vendredi matin, une mauvaise nouvelle accueillit Ted à son bureau. Rita Moran l'attendait, l'air tendu, une expression consternée sur le visage.

— Ted, Melissa a convoqué les médias chez elle pour annoncer qu'elle offrait une récompense de cinq millions de dollars à celui qui retrouvera Matthew sain et sauf. Son assistante a appelé pour nous tenir au courant. Elle ne voulait pas vous laisser dans l'ignorance. (Sarcastique, Rita ajouta :) Bref, c'est pour vous qu'elle fait ça, Ted.

— Nom de Dieu ! hurla Ted, je lui ai dit, je l'ai implorée, je l'ai suppliée…

— Je sais, dit Rita. Mais n'oubliez pas une chose. Vous ne pouvez pas vous permettre de perdre Melissa Knight. Nous venons de recevoir un nouveau devis pour la plomberie de l'immeuble, et je vous assure qu'il y en a pour une fortune. Melissa et les amis qu'elle vous a déjà amenés nous maintiennent la tête hors de l'eau. Prenez garde à ne pas déchaîner les foudres de la dame contre vous. Ted, je suis désolée, je sais tout ce que vous avez sur les épaules. Mais je vous propose d'appeler l'ensorceleuse pour lui dire à quel point vous lui êtes reconnaissant et combien vous l'aimez.

Ce matin-là, Penny Hammel passa en voiture devant la ferme Owens, assez lentement pour voir le store bouger à l'une des fenêtres en façade. Cette bonne femme a dû entendre ma voiture bringuebaler sur la route pleine de trous, se dit-elle. Qu'est-ce que Gloria Evans cherche donc à cacher ? Pourquoi les stores sont-ils toujours baissés ? Il fait un temps magnifique ! Je parie que la plupart des écrivains ne restent pas assis devant leur ordinateur dans l'obscurité alors que le soleil brille ! Ce serait un endroit parfait pour un dealer, réfléchit-elle. Une route de campagne isolée qui se termine en cul-de-sac. Pas de voisins. Et si cette femme était déjà recherchée par la police ?

Consciente d'être dépourvue d'éléments pour étayer sa théorie, Penny dit à voix haute :

— Je vais téléphoner à Alvirah dans le courant de la journée, tout lui raconter à propos de cette Gloria Evans et lui demander conseil. Supposons qu'elle soit en fuite et qu'on offre une récompense pour la retrouver. Ce serait la cerise sur le gâteau, non ?

Frère Aiden O'Brien commença sa journée du vendredi à 7 heures en distribuant les repas sur le parvis de l'église. Comme tous les matins, il y avait plus de trois cents personnes qui patientaient dans l'attente d'un petit déjeuner. Une des bénévoles lui chuchota à l'oreille :

— Avez-vous remarqué qu'il y a beaucoup de nouveaux visages, mon père ?

Elle avait raison. Certains des anciens de la paroisse lui avaient dit qu'il leur fallait dorénavant choisir entre la nourriture et les médicaments dont ils avaient un besoin urgent.

C'était là son principal souci mais aujourd'hui, à son réveil, il avait prié pour Zan Moreland et son petit garçon. Il avait vu une telle détresse dans les yeux de la jeune femme quand il avait tenu ses mains entre les siennes. Était-il possible, comme Alvirah semblait le croire, que la jeune femme souffre du syndrome du dédoublement de la personnalité ? Dans ce cas, était-ce l'autre moi qui était venu se confesser ?

Il se souvint que les mains délicates de Zan Moreland étaient glacées quand il les avait prises dans les siennes. Ses mains. Quelque chose l'avait frappé à propos de ses mains. Quoi ? Il avait beau se creuser la cervelle, le souvenir lui échappait.

Après avoir déjeuné à la Fraternité, frère Aiden venait de regagner son bureau quand il reçut un appel de l'inspecteur Billy Collins qui désirait lui rendre visite.

— Bien sûr. Puis-je vous demander à quel sujet ?

— C'est à propos de Zan Moreland. À tout de suite, mon père.

Vingt minutes plus tard, Billy Collins et Jennifer Dean pénétraient dans son bureau. Assis en face de ses visiteurs, frère Aiden attendit que l'un d'eux engage la conversation.

Billy Collins commença :

— Mon père, Alexandra Moreland s'est bien arrêtée dans cette église lundi soir, n'est-ce pas ? demanda-t-il.

Frère Aiden pesa soigneusement ses mots :

— Alvirah Meehan l'a identifiée sur les vidéos de nos caméras de surveillance. Elle y apparaît en effet le lundi soir.

— Mme Moreland est-elle venue se confesser ?

— Inspecteur Collins, votre nom permet de penser que vous êtes irlandais, il y a donc des chances pour que vous soyez catholique, dit frère Aiden avec un sourire. Dans ce cas, vous savez sûrement que je suis lié par le secret de la confession – je ne peux rien révéler, ni qui j'y ai reçu ni ce que j'ai entendu.

— Naturellement. Mais vous avez bien rencontré Alexandra Moreland chez Alvirah Meehan l'autre soir ? demanda calmement Jennifer Dean.

— En effet, je l'ai croisée.

— Ce qu'elle vous a dit alors n'est pas couvert par le secret de la confession, n'est-ce pas ? insista Dean.

— Pas nécessairement. Elle m'a demandé de prier pour son fils.

— Elle n'a pas mentionné par hasard qu'elle venait de vider son compte en banque et d'acheter un aller simple à destination de Buenos Aires pour mercredi prochain ? demanda Billy Collins.

Frère Aiden s'efforça de dissimuler sa stupéfaction.

— Non, absolument pas. Je répète que nous avons parlé à peine quelques secondes.

— Et c'était la première fois que vous vous trouviez en face d'elle ? insinua Jennifer Dean.

— Je vous en prie, n'essayez pas de me tendre un piège, inspecteur Dean, répondit sèchement frère Aiden.

— Nous ne cherchons pas à vous tendre un piège, reprit Billy Collins. Mais si vous n'y voyez pas d'inconvénient, nous allons jeter un coup d'œil sur ces vidéos qui la montrent en train d'entrer dans l'église et d'en sortir.

— Bien sûr. Je vais demander à Neil, notre homme à tout faire, de vous les montrer.

Frère Aiden décrocha le téléphone. Billy Collins demanda :

— Alvirah Meehan croit avoir vu un homme vous observer avec beaucoup d'insistance l'autre soir. Savez-vous si quelqu'un pourrait vous en vouloir, mon père ?

— Personne, absolument personne, répondit frère Aiden avec force.

Lorsque Neil et les inspecteurs eurent quitté la pièce, frère Aiden se prit la tête dans les mains. Elle est coupable, se dit-il. Mais pourquoi était-il hanté par les mains de Zan Moreland ?

Il était attendu à la confession à 16 heures. Ensuite, j'appellerai Alvirah après 18 heures, se dit-il.

Ce qu'il ne soupçonnait pas, c'est que quelqu'un allait pénétrer dans la salle de réconciliation, non pour confesser un crime, mais avec l'intention d'en commettre un.

Le vendredi à 16 h 15, Zan appela Kevin Wilson.

— Je ne sais comment vous remercier de prendre à votre charge toutes les commandes qui ont été passées pour les appartements, dit-elle d'une voix posée, mais je ne peux l'accepter. Je suis sur le point d'être arrêtée. Je ne serai plus à même de décorer quoi que ce soit.

— Vous allez être arrêtée, Zan ?

Kevin ne put cacher sa stupéfaction.

— Oui. Je dois me rendre au commissariat à 17 heures. Josh va prévenir les fournisseurs et leur expliquer qu'ils doivent tout reprendre ; j'essaierai de trouver un arrangement avec eux.

— Écoutez-moi, Zan. Ne croyez pas que ma décision était un acte de générosité. Vos projets me plaisent et je n'aime pas ceux de Bartley Longe. C'est aussi simple. Avant votre arrivée hier, Josh m'a raconté que vous aviez travaillé ensemble sur deux projets à la fois, et que pendant que vous étiez sur l'un, il était sur l'autre. Est-ce exact ?

— Oui. Josh a beaucoup de talent.

— Très bien. Je charge l'agence Moreland de la décoration de mes appartements témoins. Que vous soyez libérée sous caution ou non, ma décision est ferme et définitive.

— Je ne sais que dire. Kevin, êtes-vous certain d'accepter que tout le monde sache qu'une femme accusée de kidnapping, voire du meurtre de son enfant, travaille pour vous ?

— Je sais que c'est irrationnel, Zan, mais je crois en votre innocence.

Zan eut un rire étranglé.

— Vous savez que vous êtes la première personne à m'exprimer sa conviction que je suis innocente ?

— Je suis heureux d'être le premier, mais je suis sûr que je ne serai pas le dernier, dit fermement Kevin. Je n'ai cessé de penser à vous. Mon Dieu, je suis désolé, Zan !

— Je sais. Kevin, mon avocat vient d'arriver. Le moment est venu. Ils vont prendre mes empreintes digitales et m'inculper. Merci encore.

Kevin raccrocha, puis se détourna pour cacher son émotion à Louise Kirk qui venait d'entrer dans son bureau.

Le vendredi après-midi, il appela Glory. Elle lui répondit sur un ton renfrogné.

— Il était temps. Parce que ton idée de prolonger de huit ou dix jours va foirer. Dimanche après-midi, l'agent immobilier va débarquer avec un type qui veut acheter la maison. Dimanche matin, tu ferais mieux de t'amener avec l'argent si tu ne veux pas que j'aille à la police réclamer la prime de cinq millions de dollars.

— Tout sera bouclé dès dimanche, Gloria. Mais si tu espères me doubler et toucher cette récompense, tu es plus stupide que je l'imaginais. Tu as kidnappé Matthew Carpenter et tu le séquestres depuis presque deux ans. Si on te trouve, tu vas en taule. Tu piges ?

— Ils font peut-être des exceptions, répliqua Gloria sur un ton de défi. Le gosse est malin. Lorsqu'ils l'auront trouvé, tu peux être certain qu'il leur dira que ce n'est pas sa maman qui l'a enlevé. Je suis sûre qu'il s'en souvient. Quand il s'est réveillé dans la voiture, je portais encore la perruque. Il s'est mis à hurler au moment où je l'ai ôtée. Il ne l'a sûrement pas oublié. Suppose qu'il leur dise que c'est Glory qui l'a pris dans sa poussette ? Génial pour moi, non ?

— Bon. Bon. Écoute-moi, il va falloir modifier notre plan. Il n'est plus question de te grimer pour ressembler à Zan et de retourner à l'église. Je me chargerai seul du problème. Fourre toutes tes affaires dans ta voiture. Je te retrouverai demain soir à l'aéroport de La Guardia. J'aurai ton argent et un billet d'avion pour que tu rentres au Texas.

— Et Matthew ?

— Fais comme d'habitude. Fourre-le dans la penderie, laisse la lumière allumée et donne-lui assez de céréales, de sandwichs et de soda pour qu'il tienne le coup. Préviens l'agent immobilier que tu pars dimanche matin et que tu lui préciseras plus tard où adresser le remboursement du trop-perçu. Tu peux être sûre qu'elle n'attendra pas longtemps pour venir inspecter la maison. Et qu'elle trouvera Matthew.

— Six cent mille dollars, cinq mille en liquide, le reste viré sur le compte bancaire de mon père au Texas. Sors ton stylo. Note le numéro de son compte.

Sa main transpirait tellement qu'il avait du mal à tenir son stylo, néanmoins il parvint à noter le numéro.

Restait la possibilité – qu'il n'avait jamais envisagée – que Matthew se souvienne que ce n'était pas sa mère qui l'avait kidnappé ce jour-là. Il était désolé, sincèrement désolé, mais il était hors de question que l'on découvre Matthew dans cette penderie. Je n'ai jamais eu l'intention de le tuer, pensa-t-il tristement. Il haussa les épaules. Le moment était venu de se rendre à l'église.

— Bénissez-moi, mon père, car j'ai péché.

À LEUR arrivée au commissariat de Central Park, Zan et Charley Shore furent introduits dans la salle d'interrogatoire où les attendaient les inspecteurs Collins et Dean.

— Madame Moreland, questionna Collins de but en blanc, pourquoi ne nous avez-vous pas dit que vous aviez l'intention de prendre l'avion pour Buenos Aires mercredi prochain ?

— Parce que je n'en ai jamais eu l'intention, répondit Zan calmement. Et, avant que vous posiez la question, je n'ai pas non plus vidé mon compte en banque. Je suis sûre que vous l'avez aussi vérifié.

— D'après vous, donc, la personne qui a enlevé votre enfant serait la même que celle qui a acheté ce billet pour l'Argentine et piraté votre compte bancaire ?

— Absolument, répondit Zan. Et au cas où vous ne le sauriez pas, cette même personne a acheté des vêtements dans les magasins où je possède un compte et commandé toutes les fournitures nécessaires à l'aménagement intérieur des appartements que j'avais le projet de réaliser. Vous m'avez fait venir ici pour m'arrêter, alors faites-le.

Ils se levèrent.

— Nous effectuerons les formalités au tribunal, dit Billy Collins. Nous allons vous y accompagner.

Ils ne mettront pas longtemps à me cataloguer comme criminelle, pensa-t-elle une heure plus tard, quand ils eurent émis le mandat d'arrêt, lui eurent attribué un numéro correspondant, eurent relevé ses empreintes digitales et pris une photo d'identité judiciaire.

On la conduisit ensuite dans une salle du tribunal devant un juge au visage sévère.

— Madame Moreland, vous êtes accusée d'enlèvement d'enfant, d'entrave à la justice et d'opposition à l'exercice de l'autorité parentale. Si vous êtes mise en liberté sous caution, vous ne pouvez cependant pas quitter le pays sans l'autorisation du tribunal. Avez-vous votre passeport sur vous ?

— Oui, Votre Honneur, répondit Charley Shore à sa place.

— Veuillez le remettre au greffier. La caution est fixée à deux cent cinquante mille dollars.

Zan tourna vers Charley un regard affolé.

— Je n'ai pas les moyens de rassembler une telle somme, Charley.

— Alvirah a donné en garantie l'acte de propriété de son appartement à un agent spécialisé chargé d'obtenir le total de la caution auprès des banques et elle vous avancera le montant de ses honoraires. Dès que je l'aurai prévenu, Willy apportera l'argent. Une fois la caution versée, vous serez libre de vous en aller.

D'un pas lourd, Zan suivit docilement un garde de la sécurité. Elle franchit une porte qui donnait sur un étroit couloir. Au bout, une cellule vide avec une cuvette de W-C et un banc. Obéissant à une légère poussée dans le dos, elle y pénétra et entendit la clé tourner dans la serrure derrière elle.

Elle resta debout sans bouger pendant presque une demi-heure, puis Charley Shore réapparut.

— Willy devrait être là dans quelques minutes. Je devine ce que vous ressentez, mais c'est à partir de maintenant que votre avocat, en l'occurrence moi, sait ce qui nous attend et commence à se bagarrer.

— C'est-à-dire plaider l'aliénation mentale ? N'est-ce pas votre intention ? Je parie que si. Au bureau, avant votre arrivée, Josh et moi avons regardé la télévision. Le présentateur de CNN interrogeait un médecin spécialiste du syndrome du dédoublement de la personnalité. Il a cité une affaire dans laquelle l'avocat de la défense avait plaidé que la « personnalité hôte » ignorait ce que faisait celle qui avait commis le crime. Vous savez ce que le juge a fait de ce raisonnement, Charley ? s'écria Zan. Il a dit : « Je ne veux pas savoir combien de personnalités possède cette femme. Elles doivent toutes obéir à la loi. »

Devant sa véhémence, Charley Shore comprit qu'il n'existait aucun moyen de la rassurer ou de la réconforter.

Gloria Evans, née Margaret Grissom, surnommée « Glory » par un père aimant, nom de théâtre Brittany La Monte, hésitait à croire que tout serait terminé dans quarante-huit heures.

Et si tout foirait ? pensait-elle. Supposons qu'ils me trouvent ? Je passerai le restant de mes jours en prison. Que représentent six cent mille dollars ? Ils ne dureront même pas deux ans. Il a dit qu'il pourrait m'introduire auprès de gens importants à Hollywood, mais à quoi ont servi ceux qu'il m'a présentés à New York ? À rien.

Et Matty ? Comment ne pas aimer ce gosse ?

Je suis franchement pas mauvaise, pensa-t-elle avec un sourire ironique en fourrant dans sa valise ses vêtements identiques à ceux de Zan. J'ai fait gaffe à tous les détails. Zan Moreland est un peu plus grande que moi. J'ai fait ajouter un centimètre aux talons de ces sandales au cas où quelqu'un me photographierait au moment où je prenais le gosse. Glory se rappela qu'elle avait cousu des épaulettes à sa robe parce que Zan Moreland avait les épaules plus larges qu'elle.

Elle parcourut du regard la chambre aux murs d'un blanc triste, le mobilier de chêne fatigué, le tapis usé jusqu'à la corde.

— Et qu'est-ce que j'en ai tiré ? demanda-t-elle à haute voix.

Deux années à déménager d'une maison à une autre. Deux années à laisser Matty enfermé dans son placard pendant qu'elle allait au supermarché ou à New York pour faire croire que Zan s'était rendue ici ou là.

Ce type serait capable de cambrioler Fort Knox, pensa-t-elle, se rappelant le jour où il lui avait donné rendez-vous à Penn Station et lui avait tendu une carte de crédit. Il avait découpé une publicité pour des vêtements en solde. « Je veux que tu achètes ces fringues, lui avait-il ordonné. Elle porte les mêmes. »

Un autre jour, il lui avait expédié par la poste un carton de vêtements identiques à ceux de Zan Moreland.

Glory avait porté un de ces tailleurs, le noir avec le col de fourrure, et s'était soigneusement maquillée quand elle avait pris la voiture le lundi pour aller à Manhattan. Il lui avait dit d'acheter des vêtements chez Bergdorf et de les faire mettre sur le compte de Zan. Elle ne savait pas exactement quels étaient ses plans, mais elle avait bien vu en le retrouvant qu'il était inquiet. Il lui avait dit : « Rentre tout de suite à Middletown. »

C'était tard dans l'après-midi du lundi. Je me suis mise en rogne, se souvint Glory. Je lui ai dit d'aller au diable et que j'irais à pied jusqu'au parking. J'aurais dû ôter ma perruque et nouer mon écharpe autour du cou pour ne pas ressembler à Zan, mais je ne l'ai pas fait. Puis, en passant devant l'église, sans réfléchir, j'y suis entrée. Je ne sais pas ce qui m'a poussée à vouloir me confesser. C'est à croire que j'avais perdu la tête ! J'aurais dû me douter qu'il me suivrait.

— Glory, est-ce que je peux entrer ?

Elle leva les yeux. Matthew se tenait sur le pas de la porte. Elle le regarda. Il avait maigri. Il n'a pas beaucoup mangé dernièrement, pensa-t-elle.

— Bien sûr. Entre, Matty.

— Est-ce qu'on va encore changer de maison ?

— J'ai une très bonne nouvelle à t'annoncer. Maman va venir te chercher dans quelques jours.

— C'est vrai ? dit-il avec enthousiasme.

— Vrai de vrai. Et les méchants qui essayaient de te voler sont tous partis. C'est merveilleux, non ?

— Maman me manque tellement, murmura-t-il.

— Je sais. Et crois-le si tu veux, tu vas me manquer, toi aussi.

— Tu pourras peut-être venir nous voir de temps en temps ?

— On verra.

Observant le regard intelligent et pénétrant de Matthew, Glory imagina soudain qu'il la verrait peut-être un jour à la télévision ou dans un film et s'écrierait : « C'est Glory, la dame qui me gardait. »

Ô mon Dieu ! pensa-t-elle avec effroi, c'est aussi ce qu'il pense. Il sait qu'il doit tout faire pour que l'on ne retrouve pas Matthew. Serait-il capable… ? Oui, il en serait capable. Je dois l'en empêcher, se dit Glory. Je vais téléphoner et essayer de toucher la récompense. Mais pour l'instant, je ne peux que lui obéir. Demain soir, j'irai le retrouver à New York, comme prévu, mais avant, je me rendrai à la police et je leur proposerai un marché. Ils pourront enregistrer l'entretien s'ils veulent la preuve que je dis la vérité.

AUJOURD'HUI comme toujours, les gens faisaient la queue devant les deux salles de réconciliation où l'on venait se confesser.

En passant devant la chapelle de saint Antoine, frère Aiden remarqua un homme à l'abondante chevelure noire vêtu d'un trench-coat. Il lui vint à l'esprit que c'était peut-être celui qu'Alvirah soupçonnait de l'avoir regardé, lui, avec un intérêt suspect. Si c'est lui, peut-être a-t-il l'intention de se débarrasser de son fardeau. Je l'espère.

Il appuya sur le bouton qui allumait la lampe verte, indiquant à la première personne dans la file qu'elle pouvait entrer.

À 17 h 55, l'homme au trench-coat s'approcha. Le col de son imperméable était relevé. Il portait de larges lunettes noires. Son épaisse chevelure noire couvrait son front et ses oreilles. Il avait les mains enfoncées dans ses poches.

Pendant un instant, frère Aiden ressentit de la peur. Ce n'était pas un pénitent qui venait vers lui, il en était certain. Mais au même moment, l'homme s'assit et, d'une voix rauque, dit :

— Pardonnez-moi, mon père, parce que j'ai péché.

Puis il fit une pause. Frère Aiden attendit.

— Je ne suis pas sûr d'obtenir votre pardon, mon père, car les crimes que je vais commettre sont infiniment plus graves que ceux que j'ai déjà commis. Je vais tuer deux femmes et un enfant. Vous connaissez l'une des victimes, Alexandra Moreland. Et en plus, je ne peux pas prendre de risque avec vous, mon père.

Frère Aiden tenta de se lever, mais il n'en eut pas le temps. L'homme avait sorti un pistolet de sa poche.

— Personne n'entendra rien, dit-il. Pas avec un silencieux et, de toute manière, ils sont tous trop occupés à prier.

Le religieux sentit une violente douleur lui déchirer la poitrine, et tout devint noir. Il eut conscience que les mains de l'homme le redressaient sur son fauteuil.

Les mains. Zan Moreland. Voilà le souvenir qu'il avait tant cherché à retrouver. Zan avait de longues mains, très belles. La femme qui s'était confessée, et qu'il avait prise pour Zan, avait des mains plus petites et des doigts courts… L'image s'effaça de son esprit, le laissant dans une obscurité silencieuse.

QUAND ils purent enfin quitter le tribunal, Willy se fraya un chemin à travers la marée d'appareils photo et de caméras et héla un taxi. Cramponnée à la main de Charley Shore, Zan courut vers le taxi. Mais elle ne put éviter les flashs et les micros brandis sous son nez.

— Une déclaration, madame Moreland ? lui cria un journaliste.

S'immobilisant brusquement, elle cria :

— Je ne suis pas la femme qui figure sur ces photos, ce n'est pas moi, ce n'est pas moi.

Quand ils arrivèrent à l'appartement, Alvirah les attendait. Des verres étaient disposés sur la table basse. Elle dit :

— Vous avez besoin d'un bon remontant. Que voulez-vous, Zan ?

— Pourquoi pas un scotch, répondit Zan avec un faible sourire tandis qu'elle ôtait son foulard et retirait sa veste. Peut-être même deux ou trois.

Alvirah la prit dans ses bras.

— En m'annonçant votre arrivée, Charley m'a dit de vous rappeler que ce n'est que la première étape d'un long processus et qu'il va se battre pied à pied pour vous défendre.

Zan avait quelque chose à dire, mais elle hésitait à le formuler. Pour gagner du temps, elle s'assit sur le canapé et regarda autour d'elle. Elle prit le verre que Willy lui avait préparé, fit lentement tinter les glaçons, et commença :

— J'ai du mal à vous parler franchement parce que j'ai l'impression de me montrer ingrate.

Elle regarda leurs visages inquiets.

— Je devine ce que vous pensez, dit-elle doucement. Vous pensez que je vais tout avouer et dire que, oui, j'ai kidnappé mon enfant et qu'il est même possible que je l'aie tué. Mais ce n'est pas ce que je vais dire. Je sais que je ne suis pas névrosée. Pas plus que je ne souffre de dédoublement de la personnalité.

Zan fixa sur Alvirah des yeux implorants.

— Alvirah, je le jure devant Dieu, je suis innocente. Vous êtes une bonne détective. J'ai lu votre livre. Vous avez résolu des énigmes très difficiles. Je voudrais que vous repreniez toute cette lamentable affaire de zéro. Que vous vous disiez : « Zan est innocente. Tout ce qu'elle m'a dit est vrai. Je dois démontrer son innocence au lieu de la plaindre. » Est-ce possible ?

Alvirah et Willy échangèrent un regard. Ils partageaient la même conviction. Depuis l'instant où ils avaient vu les photos, ils avaient rendu leur verdict. Coupable.

— Zan, commença Alvirah lentement, je suis honteuse, et vous avez raison. Je suis une assez bonne détective, mais je vous ai jugée trop rapidement. Par où dois-je commencer ?

— Je suis sûre que Bartley Longe a tout manigancé, dit vivement Zan. J'ai repoussé ses avances. Je suis partie et j'ai ouvert ma propre agence. Je lui ai pris certains de ses clients. Aujourd'hui, j'ai appris que j'avais été choisie pour l'aménagement des appartements témoins de Carlton Place.

La surprise d'Alvirah et de Willy ne lui échappa pas.

— Oui, Kevin Wilson, l'architecte, m'a engagée tout en sachant que j'allais me retrouver en prison.

— Zan, je sais ce que représente ce contrat pour vous, dit Alvirah, et vous l'avez emporté contre Bartley Longe !

Alvirah se sentit soudain effrayée à la pensée que Zan négligeait peut-être autre chose. Si une femme habilement déguisée se faisait passer pour elle, si Bartley Longe avait engagé cette femme pour kidnapper Matthew, à quoi fallait-il s'attendre maintenant ? Était-il capable de s'en prendre à l'enfant après ce nouvel affront que représentait la perte d'un prestigieux contrat ?

Sans laisser à Alvirah le temps d'exprimer sa pensée, Zan poursuivit :

— J'ai essayé de réfléchir. Pour une raison que j'ignore, Nina

Aldrich a dit aux inspecteurs que nous étions convenues que je la retrouve à son appartement de Beekman Place. C'est faux. On peut espérer que la gouvernante l'aura entendue me donner rendez-vous dans sa maison de la 69e Rue.

— Très bien, Zan, c'est peut-être une bonne piste. Je vais essayer de rencontrer cette femme. Je ne suis pas mauvaise pour mettre en confiance ce genre de personne. N'oubliez pas que j'ai été femme de ménage pendant des années.

— Et, je vous en prie, interrogez Tiffany Shields. Elle m'a demandé un Pepsi et m'a suivie quand je suis allée le chercher dans la cuisine. Elle l'a pris dans le réfrigérateur et l'a ouvert elle-même. Je n'y ai pas touché. Elle m'a demandé si j'avais un médicament contre le rhume. Je lui ai donné du Tylenol. Je ne lui ai pas donné la version du médicament contenant un sédatif, contrairement à ce qu'elle affirme aujourd'hui, je n'en ai jamais eu à la maison.

Le téléphone sonna. Willy alla répondre. Un instant plus tard, son expression changea.

— Oh, mon Dieu ! Quel hôpital ? Nous partons immédiatement. Merci, mon père.

Willy raccrocha, puis se tourna vers Alvirah et Zan qui le regardaient, interdites.

— Que se passe-t-il, Willy ? demanda Alvirah, une main pressée contre son cœur.

— Frère Aiden. Un homme à la chevelure noire abondante lui a tiré dessus dans la salle de réconciliation. Il est au New York University Hospital. Son état est critique. Il ne passera peut-être pas la nuit.

13

ALVIRAH, Willy et Zan restèrent dans la salle d'attente du service de réanimation jusqu'à 3 heures du matin. La poitrine de frère Aiden était entourée de bandages. Un respirateur artificiel lui couvrait la plus grande partie du visage. Une perfusion intraveineuse diffusait un liquide dans son bras. Mais le médecin s'était montré relativement optimiste. Par miracle, les trois balles n'avaient pas atteint le cœur. Bien que son état soit encore critique, les signes vitaux s'amélioraient.

Après avoir quitté l'hôpital, Alvirah et Willy ramenèrent Zan chez elle. Ils dormirent jusqu'à 9 heures le lendemain matin. Dès son réveil, Alvirah téléphona à l'hôpital.

— L'état de frère Aiden est stable, rapporta-t-elle.

Pendant le petit déjeuner, ils parcoururent les premières pages des journaux. Le *Post* et le *New York Daily News* publiaient une photo de Zan en première page, au moment où elle quittait le tribunal. « JE NE SUIS PAS LA FEMME QUI FIGURE SUR CES PHOTOS » faisait la une du *News*. Le *Post* titrait : « CE N'EST PAS MOI », CLAME ZAN MORELAND. Un gros plan illustrait le désespoir qui accompagnait ces mots.

Alvirah découpa la première page du *Post* et la plia en deux. Une heure plus tard, elle sonnait chez le gardien de l'ancien immeuble de Zan. Une jeune fille en robe de chambre entrouvrit la porte.

— Vous êtes sans doute Tiffany Shields, dit Alvirah en arborant son plus aimable sourire.

— Oui. Et alors ? Que désirez-vous ?

Alvirah lui tendit sa carte de visite.

— Je suis Alvirah Meehan, journaliste au *New York Globe*. J'aimerais vous interviewer dans le cadre d'un article que j'écris sur Alexandra Moreland.

Je ne mens pas, se dit Alvirah. Ma prochaine chronique sera consacrée à Zan. Tiffany se rebiffa :

— Vous voulez écrire un article sur cette idiote de baby-sitter que tout le monde a accusée de s'être endormie alors que c'était la mère du gamin qui était la ravisseuse.

— Non. Je veux écrire un papier sur une jeune fille qui était souffrante et a accepté de garder un enfant parce que sa mère avait un rendez-vous important et que la nouvelle nounou ne s'était pas présentée. Zan Moreland m'a raconté que Matthew vous était très attaché et qu'elle vous considérait comme une amie. Elle m'a dit qu'elle savait que vous étiez malade et se reprochait de vous avoir demandé de venir malgré tout ce jour-là. C'est l'histoire que je veux raconter.

Pourvu que ça marche, se dit Alvirah. Tiffany ouvrit la porte pour la laisser entrer et la conduisit dans le séjour.

Alvirah s'assit sur une chaise près du canapé où Tiffany s'était pelotonnée. Tiffany n'est qu'une gosse, se dit-elle, et je comprends qu'elle ait souffert de la pression à laquelle elle a été soumise.

— Tiffany, mon mari et moi avons connu Zan à l'époque de la

disparition de Matthew. Nous sommes vite devenus amis. Je dois vous dire que je ne l'ai jamais entendue vous accuser de ce qui est arrivé. Je ne lui parle jamais de Matthew, car je sais à quel point c'est douloureux pour elle de l'évoquer. À quoi ressemblait-il ?

— C'était un enfant adorable, répondit vivement Tiffany. Et très éveillé. Il adorait aller au zoo, il connaissait le nom de tous les animaux. Il savait compter jusqu'à vingt. À trois ans, Matthew montrait déjà un don pour le dessin.

— Zan m'a dit que vous étiez devenues de bonnes amies, et que vous admiriez sa façon de s'habiller. Ne lui arrivait-il pas de vous offrir une écharpe, des gants ou un sac qu'elle n'utilisait plus ?

— Elle était gentille avec moi.

Alvirah ouvrit son sac et en sortit la page découpée du *Post*.

— Zan a été arrêtée hier soir et inculpée d'enlèvement. Regardez son visage. On y lit une telle souffrance !

Tiffany jeta un coup d'œil sur la photo et détourna rapidement les yeux.

— Les inspecteurs ont dit à Zan que vous pensiez qu'elle vous avait droguée.

— C'est possible qu'elle l'ait fait. Ce qui expliquerait pourquoi j'avais tellement sommeil. Il y avait peut-être quelque chose dans le Pepsi et dans ce médicament contre le rhume. Je parie que c'était un sédatif.

— C'est ce que vous avez dit aux inspecteurs, mais Zan a des souvenirs très précis. Vous lui avez demandé un soda et vous l'avez suivie dans la cuisine où elle vous a ouvert la porte du réfrigérateur. Vous vous êtes servie et vous avez ouvert vous-même le Pepsi. Elle n'y a pas touché. Est-ce exact ?

— J'ai oublié.

Tiffany semblait maintenant sur la défensive.

— Et vous avez demandé à Zan si elle avait un cachet contre le rhume. Elle vous a donné du Tylenol, mais elle n'a jamais eu chez elle de Tylenol contenant un sédatif. Elle vous a donné ce médicament, car vous le lui aviez demandé.

— Je ne m'en souviens pas.

Tiffany s'était redressée dans le canapé.

Elle s'en souvient, pensa Alvirah, et Zan a raison. Tiffany cherche à réécrire l'histoire pour avoir le beau rôle.

— Tiffany, je voudrais que vous regardiez à nouveau cette photo. Ces accusations sont très graves pour Zan. Elle va comparaître devant le tribunal et vous serez appelée comme témoin. J'espère seulement que vous direz la vérité quand vous témoignerez sous serment. Je dois m'en aller maintenant. Je vous ai laissé ma carte, Tiffany. Si un souvenir vous revient, appelez-moi.

Elle était sur le pas de la porte quand Tiffany l'appela :

— Madame Meehan, ça n'a peut-être aucun rapport mais… (Elle se leva.) Je voudrais vous montrer une paire de sandales que Zan m'a données. Quand j'ai vu ces photos montrant l'enlèvement de Matthew, un détail m'a frappée. Attendez une minute.

Elle alla au bout du couloir et revint un instant plus tard avec une boîte à chaussures dans une main et un journal dans l'autre. Elle ouvrit la boîte.

— Zan avait une paire exactement semblable à ces sandales. Elle me les a données. Elle m'a dit qu'elle avait acheté par erreur une deuxième paire de la même couleur, et que, par-dessus le marché, elle en avait une autre pareille sauf qu'elle avait des brides plus larges. Elle m'a dit qu'elle avait l'impression d'avoir trois paires du même modèle.

Ne voyant pas où elle voulait en venir, Alvirah resta silencieuse.

Tiffany tendit à Alvirah le journal qu'elle tenait à la main.

— Vous voyez les chaussures que porte Zan, ou la femme qui lui ressemble, au moment où elle se penche sur la poussette ?

— Oui. Qu'ont-elles de particulier ?

— La bride est plus large que sur celles-ci.

Elle sortit une sandale de la boîte et l'éleva à la hauteur des yeux d'Alvirah.

— Oui. Elle est différente, pas de beaucoup, mais où voulez-vous en venir, Tiffany ?

— Je peux jurer que Zan portait la paire de sandales avec des brides étroites le jour où Matthew a disparu. Nous sommes sorties ensemble de la maison. Elle s'est précipitée dans un taxi et je suis partie au parc avec la poussette.

Le visage de Tiffany s'assombrit.

— Je ne l'ai pas dit à la police. J'étais tellement écœurée par la manière dont tout le monde me jugeait que j'ai accusé Zan. Mais j'ai commencé à réfléchir, hier soir, et cette histoire de chaussures ne m'a pas paru logique. Je veux dire, pourquoi Zan serait-elle rentrée chez elle ce jour-là et aurait-elle troqué ses sandales contre celles qui ont des brides plus larges ?

Son regard chercha celui d'Alvirah.

— Est-ce que ça vous paraît logique, madame Meehan ?

L'INSPECTEUR Wally Johnson entra dans le hall du petit immeuble de pierre qu'habitaient Angela Anton et Vita Kolber et appuya sur le bouton de l'Interphone étiqueté ANTON/KOLBER 3B. C'était l'appartement que Brittany La Monte avait partagé avec ses deux amies avant sa disparition.

Une voix mélodieuse lui répondit :

— Montez, je vous prie.

Il poussa la porte intérieure et monta au deuxième étage.

Une grande et svelte jeune femme lui ouvrit la porte du 3B. Une cascade de cheveux blonds lui tombait jusqu'au milieu du dos.

— Je suis Vita Kolber, dit-elle. Entrez !

La petite pièce de séjour était meublée de bric et de broc, de vieux souvenirs de famille, mais le décor était chaleureux, avec des coussins colorés sur le canapé ancien, des stores aux teintes vives devant les hautes fenêtres étroites, et des affiches d'anciennes pièces de Broadway sur les murs blancs.

Quand, à l'invitation de Vita, Johnson eut pris place sur une des chauffeuses capitonnées, Angela Anton sortit de la cuisine en portant deux tasses de cappuccino. Elle mesurait environ un mètre soixante-cinq. Elle avait les cheveux châtains avec une frange et les yeux noisette. Les deux jeunes femmes s'installèrent sur le canapé et attendirent qu'il prenne la parole. Wally avala une gorgée de café et en fit compliment à Angela.

— Comme je vous le disais dans mon message, je voudrais m'entretenir avec vous au sujet de Brittany La Monte.

— Brittany a des ennuis ? demanda Vita d'un ton inquiet. Vous comprenez, elle est partie depuis presque deux ans, et elle nous a quittées d'une façon très mystérieuse. Elle a raconté qu'on lui avait proposé un travail très bien payé qui durerait un certain temps, et qu'elle irait ensuite en Californie parce qu'elle n'avait plus envie de traîner à New York à chercher en vain un engagement à Broadway.

— Le père de Brittany s'inquiète à son sujet, comme vous le savez, dit Johnson. Il m'a dit qu'il était venu vous voir et qu'il vous avait montré la carte postale de Brittany qu'il a reçue il y a six mois, postée de Manhattan. Croyez-vous que ce soit elle qui l'ait envoyée ?

Les deux jeunes femmes se regardèrent.

— Je ne sais pas, dit lentement Angela. Brittany avait une écriture très ornée, pleine de fioritures. Ce n'est pas étonnant qu'elle ait préféré écrire en petits caractères d'imprimerie sur cette carte. Mais je ne comprends pas pourquoi elle ne nous a pas fait signe si elle était de retour à Manhattan. Nous étions très liées toutes les trois.

— Que savez-vous de Bartley Longe ? demanda l'inspecteur en reposant sa tasse de café.

Wally Johnson s'étonna de les voir éclater de rire.

— Oh ! là là, s'exclama Vita. Vous savez ce que Brittany a fait des postiches de ce type ?

— J'en ai entendu parler. Quelles étaient leurs relations ? Avait-elle une liaison avec lui, était-elle amoureuse de lui ?

Angela but une gorgée de café et finit par dire :

— Je pense que Brittany avait mésestimé ce mec. Elle a eu une aventure avec lui, mais elle allait dans sa maison de Litchfield dans le seul but de rencontrer des gens susceptibles de l'aider dans sa carrière d'actrice.

— Espérait-elle l'épouser ?

Les deux jeunes femmes s'esclaffèrent à nouveau.

— Jamais de la vie ! s'exclama Vita. Elle aurait encore préféré se marier avec un… je n'arrive pas à trouver de comparaison.

— Alors que s'est-il passé ? demanda Johnson.

— Elle s'est aperçue que les gens qu'il invitait étaient des clients potentiels, pas des gens de théâtre. Bartley Longe lui avait offert quelques bijoux. Quand il a compris qu'elle en avait assez de venir chez lui, il les a repris dans son coffret. C'est ce qui l'a mise hors d'elle. Il a refusé de les lui rendre. Alors, pendant qu'il était sous la douche, elle a ramassé tous ses postiches, lui a piqué sa bagnole et est rentrée à New York. Elle nous a dit qu'elle avait taillé en menus morceaux tous ses « paillassons », comme elle les appelait, et qu'elle avait répandu les touffes de poils dans la voiture.

— A-t-elle eu des nouvelles de Longe après ça ?

Vita ne souriait plus.

— Il lui a laissé un message. Elle nous l'a fait entendre. Il disait :

« Tu regretteras ça, Brittany. Si tu vis assez longtemps pour le regretter. »

— Il l'a menacée en des termes aussi directs ? demanda Johnson avec un vif intérêt.

— Oui. Nous étions inquiètes pour elle. J'ai enregistré le message sur une cassette. Je vous l'ai dit, je n'étais pas rassurée. Quelques jours plus tard, elle a fait ses valises et elle est partie.

Wally Johnson réfléchit un moment.

— Pourriez-vous me montrer cette cassette si vous l'avez sous la main ? demanda-t-il.

Lorsque Vita fut sortie pour aller la chercher, il se tourna vers Angela :

— Brittany était-elle une bonne actrice ?

Angela Anton contempla d'un air pensif l'affiche accrochée au mur derrière Johnson.

— Brittany n'était pas mauvaise, dit-elle. Serait-elle devenue une star ? Je ne le crois pas. Mais c'était une maquilleuse extraordinaire. Elle pouvait en un clin d'œil vous transformer en quelqu'un d'autre. Elle avait une collection de perruques incroyable. Je lui avais dit qu'elle ferait une grande carrière de maquilleuse dans le milieu du spectacle. Elle ne voulait rien entendre.

Vita Kolber était revenue les rejoindre dans le séjour.

— Voulez-vous que je vous fasse écouter la cassette, inspecteur Johnson ?

— S'il vous plaît.

Vita pressa le bouton du magnétophone. La voix puissante de Bartley Longe, pleine de rage et de menace, retentit dans la pièce :

« Tu regretteras ça, Brittany. Si tu vis assez longtemps pour le regretter. »

Ça donnait le frisson.

Penny Hammel était sûre qu'il se passait quelque chose d'anormal dans cette maison, probablement un trafic de drogue. Et il y a peut-être une récompense, se dit-elle. Vers 10 heures, elle alla chercher dans la penderie son gros blouson, son bonnet et ses gants d'hiver. Vingt minutes plus tard, elle était postée derrière un buisson touffu d'où elle avait vue sur la maison. Elle attendit presque une heure puis, les mains et les pieds gelés, décida de rentrer. C'est alors que la porte latérale de la ferme s'ouvrit et qu'elle vit sortir Gloria Evans, chargée de deux valises.

Après avoir mis les valises dans le coffre de sa voiture, Gloria Evans regagna la maison. Quand elle en ressortit, elle traînait un énorme sac-poubelle qui semblait peser très lourd. Elle entreprit de le fourrer lui aussi dans le coffre. L'œil aux aguets, Penny vit un papier s'échapper du sac et s'envoler dans la cour. Gloria Evans le regarda disparaître sans se donner la peine de le rattraper. Puis elle rentra à nouveau et ne réapparut pas pendant la demi-heure qui suivit. Trop frigorifiée pour attendre plus longtemps, Penny retourna à sa voiture. Il était presque midi et elle se rendit directement en ville. Rebecca avait laissé un mot sur la porte : « Je reviens dans un instant. »

Désappointée, Penny se remit en route dans l'intention de rentrer chez elle. Mais, cédant à une impulsion, elle décida d'aller à nouveau se poster derrière la ferme. Dépitée, elle constata que la voiture de Gloria Evans n'était plus là. Elle aperçut, accrochée dans un buisson, la feuille de papier qui s'était envolée du sac-poubelle. Dévorée de curiosité, elle courut la ramasser.

C'était une feuille de papier à dessin sur laquelle une main d'enfant avait crayonné un portrait. On distinguait le visage d'une femme avec de longs cheveux, un visage qui ressemblait un peu à celui de Gloria Evans. Sous le dessin était inscrit un mot : « Maman ».

Elle a donc un enfant, conclut Penny, et elle ne veut pas qu'on le sache. Je parie qu'elle le planque pour que son père ne le retrouve pas. Je me demande si elle s'est coupé les cheveux récemment. Pas étonnant qu'elle ait été contrariée que je voie le petit camion. Je sais ce que je vais faire. Je vais appeler Alvirah et tout lui raconter – peut-être pourra-t-elle découvrir qui est Mme Gloria Evans. Si elle cache ce gosse à son père, peut-être y aura-t-il une récompense.

Avec un sourire satisfait, Penny regagna sa voiture, serrant le dessin entre ses doigts gantés. Elle le déposa sur le siège du passager et fronça les sourcils. Quelque chose la titillait, comme une dent qui vous élance. Quoi ? Elle n'en avait pas la moindre idée. Agacée, elle démarra et s'éloigna.

L'INTENSE satisfaction qu'il aurait dû éprouver à la vue des photos de Zan s'étalant en première page des journaux à scandale n'était pas au rendez-vous.

Tirer sur le religieux l'avait perturbé. Il avait essayé de presser le pistolet contre la soutane du vieil homme, mais au dernier moment celui-ci s'était tourné sur le côté. D'après les communiqués, il était dans un état critique.

Dans un état critique, mais vivant.

Que faire maintenant ? Il avait dit à Gloria de le retrouver à La Guardia, ce soir, mais, réflexion faite, c'était une mauvaise idée. Je la crois capable de vouloir toucher une partie de la récompense, pensa-t-il. Elle est assez stupide pour vouloir conclure un marché avec les flics et les laisser la filer jusqu'à l'endroit de notre rencontre. Si elle leur donne mon nom, tout est fichu.

Je ne peux pas risquer qu'on me voie en plein jour aux alentours de la ferme. Pourtant, il faut que j'arrive là-bas avant qu'elle parte pour La Guardia. J'emporterai tous ses effets personnels et ceux de Matthew. Et quand la femme de l'agence les trouvera morts, personne ne pourra deviner que Gloria jouait le rôle de Zan.

Il avait projeté de tuer Zan et de maquiller sa mort en suicide. Mais d'une certaine manière, ce serait mieux comme ça. Elle ne se remettrait jamais de la perte de Matthew. C'était infiniment plus satisfaisant que de lui tirer une balle en plein cœur.

Il s'était bien amusé pendant toutes ces années à l'observer chez elle, à sa guise. Il l'avait maintes fois regardée dans son lit en train de sangloter pendant son sommeil, puis, à son réveil le lendemain matin, tendre la main et toucher la photo de Matthew.

Il était 11 heures. Il composa le numéro du portable de Gloria sans obtenir de réponse. Peut-être était-elle déjà en route pour New York, prête à aller trouver les flics. Cette pensée le terrifia.

Il rappela à 11 h 30, puis à midi trente. Ses mains tremblaient. Mais cette fois, elle répondit.

— Tu étais sortie ? demanda-t-il.

— Je suis allée faire des courses. À quelle heure veux-tu que nous nous retrouvions ?

— Ce soir à 23 heures.

— Pourquoi si tard ?

— Parce qu'il n'est pas nécessaire de partir plus tôt. Matthew sera profondément endormi à cette heure-là et il n'aura pas à rester seul pendant trop longtemps. J'aurai la totalité de l'argent. Faire un transfert serait trop compliqué. Tu peux prendre le risque de passer la sécurité à l'aéroport avec le paquet ou l'envoyer par colis postal à ton père. En tout cas, tu seras sûre de l'avoir.

— C'est toi qui as tué ce religieux, hein ?

— Gloria, je dois te prévenir. Si tu as toujours l'intention d'aller trouver la police et de conclure un marché avec eux, tu te fais des illusions. Je leur dirai que c'est toi qui m'as supplié de tuer ce bon vieillard parce que tu as été assez bête pour lâcher le morceau en confession. Même si tu t'arranges avec les flics, tu ne t'en tireras pas à moins de vingt ans.

— Tu ferais mieux d'avoir le fric avec toi.

Si elle avait eu l'intention de se rendre à la police, il était clair qu'elle hésitait maintenant.

— Je l'ai sous les yeux, dit-il.

— Et si Matthew raconte que c'est moi qui l'ai pris dans sa poussette ?

— J'ai pensé à ce que tu as dit. Il avait à peine trois ans. Il n'y a pas à s'inquiéter. Ils croiront qu'il confond sa mère avec quelqu'un d'autre, c'est-à-dire toi. Sais-tu qu'ils ont inculpé Zan hier soir ? Les flics ne croient pas un mot de ce qu'elle raconte.

— Tu as sans doute raison. J'ai hâte d'en finir avec cette histoire.

Tu me facilites la tâche, songea-t-il.

— Ne laisse traîner aucune des affaires que tu portais pour ressembler à Zan.

— Ne t'en fais pas. Tout est emballé. Tu as mon billet d'avion ?

— Oui. Tu feras une escale à Atlanta. N'oublie pas ta carte d'identité pour le trajet d'Atlanta au Texas. Tu es enregistrée sur le vol Continental de 10 h 30 demain matin au départ de La Guardia. Ainsi, si tu préfères envoyer l'argent à ton père par la poste, ce qui me paraît une bonne idée, tu auras le temps nécessaire. Je te retrouverai dans le parking du Holiday Inn sur Grand Central Parkway. Je t'ai réservé une chambre.

Il changea de ton, devint soudain plus affectueux :

— Tu sais, Gloria, tu es une merveilleuse actrice. Chaque fois qu'on t'a vue dehors, non seulement tu ressemblais à Zan mais tu bougeais comme elle. C'est flagrant sur les photos prises par ce touriste. Incroyable. Même la police s'y est laissée prendre.

— Ouais. Merci.

Elle raccrocha.

Elle n'ira pas trouver la police, pensa-t-il. Il prit l'un des journaux où apparaissait le visage de Zan.

— J'aimerais bien voir ta tête demain quand cette femme de l'agence et son acheteur vont trouver les corps de Brittany et de Matthew, et que tu apprendras la triste nouvelle, dit-il tout haut.

Et soudain, la solution lui apparut. Elle lui coûterait un peu cher, mais il pouvait facilement se l'offrir.

Il n'avait pas le courage de tuer l'enfant de ses propres mains.

La matinée était bien avancée lorsque Wally Johnson retourna à son bureau. Sourd aux sonneries du téléphone et aux conversations qui bourdonnaient dans la salle, il examina le montage de photos de Brittany. C'est vrai qu'elle avait une certaine ressemblance avec Zan Moreland. Angela Anton lui avait dit qu'elle était une maquilleuse hors pair. Il confronta les photos avec celle de la première page du *Post* qui montrait Alexandra Moreland sortant du tribunal. Le journal titrait Zan Moreland proteste : « Je ne suis pas la femme qui figure sur ces photos. »

Y avait-il une chance infime qu'elle eût raison ?

Wally ferma les yeux. Par ailleurs, Brittany était-elle encore vivante, ou Bartley Longe avait-il mis sa menace à exécution ?

Il saisit son téléphone portable et appela Billy Collins :

— Ici Wally Johnson. Tu es à ton bureau ? Je veux te montrer quelque chose.

— Bien sûr, passe me voir, dit Billy, contenant sa curiosité.

La veille au soir, Billy avait appris la nouvelle de la tentative d'assassinat de frère Aiden alors qu'il rentrait chez lui, à Forest Hills.

— Je regrette que cette affaire ne soit pas pour nous, mais elle a eu lieu dans un autre district, avait-il dit à sa femme la veille au soir. J'avais justement parlé à frère O'Brien dans la matinée, à propos de l'affaire Moreland. Le plus incroyable c'est que frère O'Brien savait que quelqu'un l'avait observé bizarrement.

Vendredi, Billy n'avait pas fermé l'œil de la nuit. Il se reprochait d'avoir personnellement manqué de vigilance.

Au commissariat, Jennifer Dean l'attendait à son bureau en compagnie de David Feldman, un des inspecteurs chargés de l'enquête concernant la tentative de meurtre de frère O'Brien.

Jennifer semblait calme, mais Billy la connaissait suffisamment pour voir qu'elle était nerveuse.

— Écoute ce que Dave est venu nous raconter, Billy, dit-elle. C'est plutôt explosif.

Feldman abrégea les préliminaires :

— Dès que les ambulanciers sont venus chercher le religieux pour l'emmener à l'hôpital, nous avons examiné les vidéos des caméras. Une description précise nous a été fournie par des gens qui se trouvaient dans l'église quand ils ont entendu trois détonations. Ils ont vu un homme mesurant entre un mètre quatre-vingts et un mètre quatre-vingt-cinq, avec une masse de cheveux noirs, vêtu d'un trench-coat au col relevé et portant des lunettes noires, qui sortait en courant de la salle de réconciliation. Nous n'avons eu aucun mal à le repérer sur les vidéos, pendant qu'il entrait et sortait de l'édifice. Je pense qu'il portait une perruque. Mais impossible de distinguer son visage.

— Attends la suite, Billy, dit Jennifer, sans chercher à dissimuler sa stupéfaction. Tu te rappelles qu'Alvirah Meehan nous a dit qu'elle était allée à l'église lundi soir, et qu'elle avait trouvé suspecte la façon dont cet homme s'était brusquement redressé en voyant frère Aiden sortir de la salle de réconciliation ?

Feldman lança un regard agacé à Jennifer Dean, contrarié d'avoir été interrompu.

— Nous avons examiné les bandes de lundi, dit-il. C'est le même individu que celui qui apparaît sur les vidéos d'hier soir. Impossible de le rater. Mais ce n'est pas tout, Billy. Zan Moreland se trouvait aussi dans l'église lundi soir. Il est possible que notre homme l'ait suivie. Il n'est parti qu'après avoir longuement observé frère Aiden.

— Croyez-vous que Zan Moreland ait un rapport avec cet individu ? questionna vivement Billy. À moins qu'elle soit allée se confesser et qu'il ait pris peur.

Le portable de Billy se mit à sonner. Plongé dans ses pensées, il l'ouvrit et énonça brièvement son nom. C'était Alvirah Meehan. Elle dit d'un ton triomphant :

— Il faut que je vienne vous voir sans tarder, dit-elle. J'ai quelque chose d'extrêmement important à vous dire.

— Je ne bouge pas de mon bureau, madame Meehan.

Il leva les yeux. Wally Johnson accourait en slalomant entre les rangées de bureaux.

Le samedi en fin de matinée, Kevin Wilson passa plus d'une heure dans sa salle de gymnastique. Il en profita pour regarder la télévision, zappant d'une chaîne à une autre, désireux de voir tous les extraits qui montraient Zan en train de quitter le tribunal. Sa protestation désespérée – « Je ne suis pas la femme qui figure sur ces photos » – lui transperça le cœur comme un coup de poignard.

Il fallait qu'il voie Zan aujourd'hui même. Elle lui avait donné son numéro de portable. Il le composa.

Au bout de cinq sonneries, il entendit sa voix : « Bonjour, ici Zan Moreland. Veuillez laisser votre numéro, je vous rappellerai. »

« Zan, c'est Kevin. Je n'aime pas m'imposer, mais j'ai besoin de vous rencontrer aujourd'hui. Les ouvriers doivent commencer lundi à travailler dans les appartements et il y a certaines choses que j'aimerais vérifier avec vous. »

Il prit une douche, puis enfila sa tenue préférée : un jean, une chemise de sport et un pull. Il avala un bol de céréales et un café. Assis à la petite table qui donnait sur l'Hudson, il lut le journal, prenant connaissance des chefs d'accusation retenus contre Zan : enlèvement d'enfant, entrave à l'exercice de l'autorité parentale, fausse déclaration à la police.

Il tenta d'imaginer ce que l'on devait ressentir devant un juge en entendant des accusations de ce genre proférées contre vous.

Il était presque 13 h 30. Il décida d'aller faire un tour à pied. Il allait enfiler son blouson de cuir quand le téléphone sonna.

C'était Zan.

— Je suis désolée, Kevin. J'ai laissé mon portable dans la poche de mon manteau hier soir. Voulez-vous que nous nous retrouvions à Carlton Place ?

— Non, j'ai passé la semaine sur le chantier et j'en ai assez. Vous habitez à un quart d'heure de chez moi. Puis-je vous rendre visite ?

Il y eut un moment d'hésitation, puis Zan dit :

— Oui, bien sûr, si c'est plus commode pour vous. Je vous attends.

Matthew s'efforça d'avaler une bouchée de son hot dog, puis le reposa.

— Glory, pourquoi as-tu mis toutes mes affaires dans un sac ? Est-ce qu'on va habiter dans une autre maison ?

Glory eut un sourire amer.

— Non, Matty. Je te l'ai dit, mais tu ne me crois pas. Tu vas rentrer chez toi.

Il secoua la tête, incrédule.

— Et toi, où tu vas aller ?

— Je vais d'abord retourner chez mon papa. Je ne l'ai pas vu depuis aussi longtemps que tu n'as pas revu ta maman. Bon, je ne vais pas te forcer à manger ce hot dog. Que dirais-tu d'un peu de glace ?

Matthew ne voulait pas avouer à Glory qu'il n'avait envie de rien. Elle avait mis dans le sac tous ses jouets et ses coloriages. Elle avait même pris le dessin de maman. Et aussi le savon qui sentait le parfum de maman.

Tous les jours, il essayait de se rappeler ce qu'était la vie avec maman. Ses longs cheveux qui lui chatouillaient le nez. Ce qu'il ressentait quand elle l'enveloppait dans sa robe de chambre. Tous les animaux du zoo. Il se forçait à répéter leurs noms quand il était au lit. Éléphant, gorille, lion, singe, tigre, zèbre. Il savait qu'il était en train d'en oublier certains et ça le rendait triste.

Après le déjeuner, Glory lui dit :

— Matty, tu peux regarder un film sur ton lecteur de DVD si tu veux. Je dois boucler les bagages.

Matthew monta dans sa chambre mais ne regarda pas de DVD. Il s'étendit et remonta la couverture sur lui. Il glissa machinalement sa main sous l'oreiller pour toucher le savon qui sentait comme maman, mais il n'y était pas. Il avait tellement sommeil. Il ferma les yeux et ne se rendit pas compte qu'il pleurait.

Margaret, alias Glory, alias Brittany, finit le hot dog que Matthew avait à peine entamé et s'assit l'air pensif à la table de la cuisine. Elle regarda autour d'elle.

— Cette baraque est minable, cette cuisine est minable, cette existence est minable, dit-elle à voix haute.

Elle s'en voulait de s'être mise dans cette situation. La colère l'avait envahie pendant la nuit et elle savait que cela avait un rapport avec son père.

Son cher papa n'allait pas bien. Elle le savait au plus profond d'elle-même. Elle tendit la main vers son portable, puis se ravisa. Je serai auprès de lui demain soir, se dit-elle. Je préfère lui faire une surprise.

Elle dit tout haut :

— Je vais lui faire une surprise.

Ses mots résonnèrent dans le vide.

Assise dans le bureau de Billy Collins, Alvirah lui rapportait avec force détails, ainsi qu'à sa collègue Jennifer Dean, sa rencontre avec Tiffany Shields. La boîte à chaussures contenant les sandales que lui avait données Tiffany était posée sur le bureau. Elle en avait retiré une. Ce qu'elle ignorait, c'est qu'elle l'avait placée sur le photomontage de Brittany La Monte, que Collins avait hâtivement retourné.

— Si je comprends bien, dit Billy Collins, Mme Moreland avait acheté deux paires de chaussures identiques, et elle en avait une troisième paire très semblable, à part la largeur des brides.

— C'est exactement ça, dit Alvirah. Tiffany s'en est souvenue. Zan lui a dit qu'elle les avait commandées sur Internet et qu'elle avait reçu par erreur deux paires de la même couleur. Elle en a donc donné une à Tiffany.

— Les souvenirs de Tiffany semblent assez changeants, fit remarquer Jennifer Dean. Pourquoi est-elle aussi sûre que Zan Moreland portait ce jour-là les sandales avec les brides plus étroites ?

— Elle s'en souvient parce qu'elle portait les mêmes, celles à brides étroites. Elle m'a dit s'en être rendu compte, mais elle n'était pas d'humeur à plaisanter et Zan paraissait nerveuse et pressée.

Billy et Jennifer Dean se regardèrent. Une fois de plus, ils partageaient la même pensée. Si la thèse d'Alvirah Meehan se vérifiait, l'affaire Moreland allait tomber en quenouille. Tous deux avaient été frappés par la ressemblance de Brittany La Monte avec Zan Moreland que Wally Johnson avait soulignée. En outre, Brittany, qui était une experte en maquillage, avait disparu à l'époque de l'enlèvement de Matthew Carpenter, et elle avait travaillé pour Bartley Longe. Nous l'avons écarté comme suspect, se rappela Billy. Mais à présent ? Avec ces nouveaux éléments ?

Alvirah s'apprêtait à partir.

— Monsieur Collins, hier soir, après avoir été arrêtée et placée en garde à vue, Zan Moreland m'a imploré de réexaminer toute l'affaire en faisant l'hypothèse qu'elle était innocente. (Alvirah respira profondément.) Je vous considère comme un homme honnête, désireux de protéger les innocents et de punir les coupables. Pourquoi ne pas agir comme Mme Moreland vous a prié de le faire ? Pourquoi ne pas présumer de son innocence et vous mettre à enquêter en profondeur ?

Billy Collins se leva et tendit la main à Alvirah.

— Vous avez raison, madame Meehan. Notre mission est de protéger les innocents. C'est tout ce que je suis autorisé à vous dire pour l'instant.

QUAND Zan lui ouvrit la porte à 13 h 45, Kevin la contempla longuement puis, comme si c'était la chose la plus naturelle du monde, il la prit dans ses bras. Pendant quelques secondes, ils restèrent immobiles, Zan les bras ballants, cherchant son regard.

— Alors, vous ne croyez pas que je suis folle ? dit Zan timidement.

— Non, Zan. Je vous fais confiance.

— Vous êtes la première personne qui croit en mon innocence. Mais le cauchemar continue. Regardez autour de vous.

Kevin parcourut des yeux le séjour chaleureux et raffiné, avec ses murs coquille d'œuf, son vaste canapé vert pâle, des fauteuils à rayures, et un tapis à motifs géométriques vert foncé et crème. Sur le canapé et les fauteuils étaient posés des cartons ouverts provenant de chez Bergdorf.

— Ils sont arrivés ce matin, dit Zan. Ils ont été débités sur mon compte. Ce n'est pas moi qui les ai achetés. Je n'ai rien acheté, Kevin. J'ai parlé à une vendeuse de chez Bergdorf que je connais bien. Elle dit qu'elle ne s'est pas occupée de cet achat lundi après-midi, mais qu'elle m'a reconnue et s'est sentie un peu vexée que je me sois adressée à une autre vendeuse. (Zan eut un geste de désespoir.) J'ai l'impression d'être enfermée dans un bocal. Quelqu'un marche dans mes pas, me suit comme une ombre, m'imite. Et cette personne séquestre mon enfant !

— Revenons en arrière, Zan. J'ai vu dans la presse les photos de cette femme qui vous ressemble en train de prendre votre enfant dans sa poussette.

— Elle portait la même robe que la mienne.

— C'est le point auquel je veux en venir. Quand êtes-vous sortie avec cette robe dans la rue, quand a-t-on pu vous voir la porter ?

— Quand je suis sortie dans la rue avec Tiffany. J'ai pris un taxi pour me rendre chez les Aldrich.

— Ce qui signifie que, si quelqu'un vous a vue et a voulu prendre votre apparence, il lui a fallu trouver une robe exactement semblable à la vôtre en l'espace d'une heure.

— Un des journalistes a soulevé cette question. Il a dit que c'était impossible.

— Sauf si quelqu'un vous avait vue en train de vous habiller, quelqu'un qui possédait une robe identique à celle que vous aviez choisi de porter. Zan, voyez-vous un inconvénient à ce que je jette un coup d'œil à l'appartement ?

— Non, prenez votre temps, mais pour quelle raison ?

— Comme ça.

Kevin Wilson alla dans la chambre. Le lit était garni de coussins, la photo d'un enfant souriant était posée sur la table de nuit. Une coiffeuse, un petit secrétaire et une chauffeuse meublaient la pièce.

Kevin fouillait chaque recoin du regard. Il se souvenait d'un incident survenu trois ans plus tôt à un de ses clients qui avait acheté un appartement à un couple qui venait de divorcer. En remplaçant l'installation électrique, les ouvriers avaient découvert une caméra cachée dans la chambre.

Cette pensée à l'esprit, il retourna dans le séjour.

— Zan, avez-vous un escabeau ? demanda-t-il.

— Oui, j'en ai un.

Kevin la suivit jusqu'au placard de l'entrée et prit le marchepied qu'elle lui tendait. Elle l'accompagna dans la chambre pendant qu'il faisait courir sa main le long des moulures de la corniche qui ornait les murs.

Face au lit, au-dessus de la coiffeuse, il trouva ce qu'il cherchait, l'œil minuscule d'une caméra.

14

LE *Post* et le *Times* étaient livrés tous les matins à la maison des Aldrich. Maria Garcia les plaçait dans la poche sur le côté du plateau de Nina Aldrich, qui aimait prendre son petit déjeuner au lit. Avant d'apporter le plateau à sa patronne, elle jeta un coup d'œil à la manchette et au cri de protestation de Zan Moreland : « JE NE SUIS PAS LA FEMME QUI FIGURE SUR CES PHOTOS. »

Mme Aldrich a menti à la police, pensa Maria, et je sais pourquoi. M. Aldrich n'était pas là et Bartley Longe est venu à l'improviste. Et il s'est attardé. Longtemps. Elle savait qu'elle faisait attendre cette jeune femme et elle s'en fichait pas mal.

Elle apporta le plateau. Appuyée sur ses oreillers, Mme Aldrich s'empara du *Post* et vit la première page.

— Oh, ils l'ont arrêtée ? s'exclama-t-elle. Walter va être furieux s'ils me forcent à témoigner. Mais je répéterai simplement ce que j'ai dit à la police, et ça s'arrêtera là.

Maria Garcia sortit de la chambre sans répondre. Mais à midi, elle ne put se retenir davantage.

Au commissariat, Billy Collins attendait Bartley Longe quand son téléphone sonna. Il décrocha et entendit une voix timide :

— Inspecteur Collins, c'est Maria Garcia. J'avais peur de vous appeler parce que je n'ai pas encore ma carte verte.

Maria Garcia, la femme de ménage des Aldrich, se souvint Billy. Allons bon ? Il prit un ton rassurant :

— Madame Garcia, ne vous inquiétez pas pour votre carte. Y a-t-il quelque chose de nouveau dont vous désirez me parler ?

— Oui. (Maria prit son élan, puis se mit à parler avec nervosité.) Inspecteur Collins, ce jour-là, il y a deux ans, je jure sur la tombe de ma mère que Mme Aldrich a dit à Mme Moreland de la retrouver ici, dans la maison. Je l'ai entendue et je sais pourquoi elle ment. Bartley Longe, le décorateur, était venu voir Mme Aldrich à Beekman Place. Elle savait parfaitement que Mme Moreland l'attendait.

Billy allait lui répondre quand elle poussa un cri étouffé :

— J'entends Mme Aldrich qui descend, il faut que j'y aille.

Elle raccrocha et Billy Collins était en train de méditer cette nouvelle faille dans les preuves rassemblées contre Alexandra Moreland quand il vit arriver, accompagné de son avocat, un Bartley Longe écumant de rage.

À 12 H 45, Melissa téléphona à Ted.

— Tu as lu les journaux ? Ils disent tous que j'ai fait preuve d'une formidable générosité en offrant cette récompense exceptionnelle à celui qui retrouverait ton fils.

Cédant aux instances de Rita, Ted avait appelé Melissa après sa déclaration aux médias et lui avait lâchement exprimé sa gratitude. Il se tenait dans la salle de séjour de son superbe duplex de Meatpacking où il vivait depuis huit ans. Bartley Longe et Zan Moreland, son assistante, s'étaient chargés de la décoration. C'était ainsi qu'il avait fait la connaissance de Zan.

Ces pensées lui occupaient l'esprit quand il se rappela qu'il était hors de question de vexer Melissa.

D'une voix mécanique, serrant les dents, il dit :

— Ma belle, je prédis que dans un an tu seras la plus grande star du monde, voire de l'Univers.

— Tu es gentil, répondit Melissa en riant. Cela dit, je suis d'accord avec toi.

Il fut saisi d'une envie irrépressible de rire. Et si quelqu'un retrouvait Matthew et que Melissa soit obligée de cracher les cinq millions de dollars ?

Après avoir raccroché, il ouvrit la porte-fenêtre et sortit sur la terrasse. L'air froid le saisit. Il regarda en bas.

Je me demande parfois s'il ne serait pas préférable de sauter et d'en finir avec tout ça, se dit-il.

Au moment où Willy rentrait de sa promenade dans Central Park, le téléphone sonna.

— Willy, tu ne devineras jamais ce que je viens d'apprendre, commença Alvirah. Je suis au comble de l'excitation. Retrouvons-nous au Russian Tea Room pour déjeuner.

— Je te rejoins tout de suite, promit Willy.

Il savait que s'il commençait à poser des questions, elle n'attendrait pas pour lui raconter ce qui l'excitait tant et il préférait l'entendre pendant le déjeuner.

Willy raccrocha et alla prendre sa veste et ses gants dans la penderie du couloir. Il ouvrait la porte de l'appartement quand le téléphone sonna à nouveau. Il attendit un instant, au cas où ce serait encore Alvirah. Le répondeur se mit en marche et il écouta le début du message : « Alvirah, ici Penny Hammel. J'ai essayé de vous joindre sur votre portable, mais vous ne répondez pas. Écoutez. Vous n'allez pas croire ce que je vais vous raconter. Je suis certaine de ne pas me tromper. Ce matin… »

Willy referma la porte, laissant le message de Penny se dérouler derrière lui. On verra plus tard, Penny, se dit-il en appelant l'ascenseur.

À la fin du message, Penny disait à Alvirah qu'elle était prête à parier que Matthew Carpenter était l'enfant que Gloria Evans cachait dans la ferme.

« Que dois-je faire ? demandait Penny. Prévenir la police ? Mais je préférerais vous parler auparavant parce que je n'ai absolument aucune preuve. Alvirah, rappelez-moi, je vous prie. »

— KEVIN, qu'est-ce que cela signifie ? demanda Zan. Vous dites qu'il y a dans ma chambre une caméra qui enregistre chacun de mes gestes ?

— Oui. Quelqu'un a installé cette caméra ou l'a fait installer. Voilà pourquoi votre sosie a pu porter exactement les mêmes vêtements que vous.

Le visage de Zan était blême. Elle secouait la tête en un geste de protestation :

— Ô mon Dieu ! Ted a fait appel à cet homme qu'il a connu dans sa jeunesse dans le Wisconsin, Larry Post, s'écria-t-elle. Il lui sert de chauffeur, de cuisinier et d'homme à tout faire. Il s'occupe de tout pour lui. C'est lui qui a installé l'électricité et la télévision ici, ainsi que mon système informatique au bureau. Voilà sans doute comment mes comptes ont été détournés. Et pendant tout ce temps, je n'ai cessé d'accuser Bartley Longe. C'est Ted qui a tout manigancé ! s'écria-t-elle d'une voix stridente. C'est Ted. Mais qu'a-t-il fait de mon fils ?

LARRY POST arriva à Middletown peu après 14 heures. La mission que Ted lui avait confiée n'était pas aisée.

— Je suis censé me débrouiller pour faire croire que Brittany a tué l'enfant avant de se suicider. Plus facile à dire qu'à faire, maugréa-t-il dans sa barbe.

Larry comprenait que Ted ne puisse se résoudre à tuer son propre fils, mais à ce stade, était-ce vraiment nécessaire ? Je ne suis pas un tendre, pourtant je n'aurais jamais imaginé que travailler pour Ted se terminerait de cette façon, pensa-t-il. Mais il m'a bien fait comprendre que si les flics continuaient à fouiller et découvraient les caméras dans l'appartement de Zan, elle se souviendrait que c'était moi qui avais installé l'électricité et son ordinateur.

Pendant les trois premières années, Ted s'est contenté de l'espionner pour son plaisir. Mais il est devenu jaloux de sa réussite professionnelle et il a commencé à ne plus supporter de les voir si unis, Matthew et elle. C'est à ce moment qu'il a rencontré Brittany à une fête et concocté ce plan dément.

Ted a raison. Si nous n'agissons pas maintenant, les flics vont venir frapper à ma porte sous peu. Je ne veux pas retourner en prison, plutôt crever. Et il doit me refiler l'argent qu'il a déposé dans un fonds pour Matthew. Soyons clairs, Ted a besoin de moi et j'ai besoin de lui.

Brittany sait que j'ai participé à tout depuis le début. Quand je serai près de la maison, je lui téléphonerai pour la prévenir que j'ai deux gros cartons pleins de billets, six cent mille dollars. Je dirai que Ted a voulu qu'elle sache qu'il était réglo et lui donner le temps d'envoyer l'argent au Texas. Si elle se méfie et hésite à ouvrir la porte, je lui montrerai un des cartons à la fenêtre afin qu'elle voie les billets de cent dollars rangés sur le dessus. Elle ne saura pas qu'il est rempli de vieux journaux.

Quand elle me fera entrer, je ferai ce que j'ai à faire.

BILLY COLLINS ne fut guère impressionné par le numéro de Bartley Longe.

— Monsieur Longe, dit-il, je suis heureux que vous soyez accompagné de votre avocat. Car avant d'entrer dans le vif du sujet, je vous informe que vous êtes cité à comparaître comme témoin dans l'affaire de la disparition de Brittany La Monte. Ses anciennes colocataires ont conservé une bande magnétique où on vous entend proférer des menaces.

Billy n'avait pas l'intention de dire à Longe qu'il était depuis peu soupçonné d'avoir engagé Brittany La Monte afin qu'elle se déguise en Zan Moreland et kidnappe son enfant. C'était un détail qu'il préférait garder sous le coude.

— Je n'ai jamais revu Brittany La Monte depuis qu'elle est partie de chez moi, il y a presque deux ans, au début du mois de juin, rétorqua sèchement Longe. Je n'ai proféré ces menaces, comme vous dites, que parce qu'elle avait vandalisé des biens m'appartenant.

Wally Johnson et Jennifer Dean étaient présents dans la pièce.

— Vos postiches, monsieur Longe ? demanda Johnson. Les auriez-vous par hasard remplacés par une épaisse perruque de cheveux noirs ?

— Absolument pas, protesta Longe. Soyons clairs. Je n'ai jamais revu Brittany après ce jour. Vous pouvez me soumettre au détecteur de mensonge. Je passerai le test les doigts dans le nez. (Longe se tourna vers son avocat.) J'insiste pour être soumis immédiatement au détecteur de mensonge. Je n'ai pas l'intention d'être harcelé plus longtemps par ces policiers.

Jennifer Dean n'avait encore rien dit. C'était parfois leur façon de mener un interrogatoire. Billy posait les questions, elle écoutait les réponses. Billy Collins estimait que sa collègue était parfois meilleure que n'importe quel détecteur de mensonge.

Son téléphone sonna. C'était Kevin Wilson.

Billy décrocha et écouta, le visage impassible.

— Merci, monsieur Wilson. Nous allons nous en occuper.

Il se tourna vers Bartley Longe.

— Vous pouvez partir quand vous voudrez, monsieur Longe, dit-il. Nous ne retiendrons aucune charge contre vous. Au revoir.

Billy se leva en hâte et se dirigea vers la sortie. S'efforçant de ne pas montrer leur surprise, Jennifer Dean et Wally Johnson le suivirent.

— On file chez Ted Carpenter, leur dit Billy laconiquement. À mon avis, s'il est en train de regarder son ordinateur, il saura que tout est fini pour lui.

Il fallait qu'elle entende la voix de son père. Il fallait qu'elle lui dise qu'elle rentrait à la maison. Dans la cuisine, elle prit son dernier téléphone portable prépayé et composa le numéro de son père au Texas. Un étranger répondit à son appel.

— Euh… M. Grissom est-il là ? (La panique submergea Glory. Elle sut qu'elle allait apprendre une mauvaise nouvelle.) Je suis sa fille.

— Je suis navré. Je fais partie du service médical d'urgence. Il a appelé le 911, mais il était trop tard pour le sauver. Il a eu une crise cardiaque foudroyante. Vous êtes Glory ?

— Oui, oui.

— Bien, mademoiselle, j'espère que ses derniers mots vous apporteront un peu de consolation. Il a murmuré : « Dites à ma Glory que je l'aime. »

Glory raccrocha. Je veux rentrer à la maison, pensa-t-elle. Je veux l'embrasser une dernière fois. Elle avait une réservation le lendemain matin à 10 h 30 à La Guardia, sur le vol Continental Airlines pour Atlanta. Je vais modifier la réservation, se dit-elle. J'irai directement à la maison. Il faut que je le voie. Je dois lui demander pardon. Pardon.

Elle ouvrit son ordinateur portable. Folle de chagrin et de regret, elle parcourut le site de Continental Airlines. Ses doigts coururent fébrilement sur les touches du clavier, puis elle s'interrompit. J'aurais dû m'en douter, se dit-elle. J'aurais dû m'en douter.

Il n'y avait pas de réservation au nom de Gloria Evans à 10 h 30 pour Atlanta. Il n'y avait pas de vol Continental Airlines à cette heure-là pour Atlanta.

Margaret, alias Glory, alias Brittany referma l'ordinateur. Je ne pourrai pas lui échapper, pensa-t-elle. Il me traquera avec la même haine qu'il a montrée envers Zan Moreland. Il serait là d'une minute à l'autre. Elle le savait.

Elle se tenait devant la fenêtre qui faisait face à la route. Une camionnette blanche passa lentement devant la maison. Elle retint sa respiration.

Elle n'avait pas le temps de prendre Matthew et de courir jusqu'à la voiture. Se précipitant à l'étage, elle souleva dans ses bras l'enfant qui dormait sur son lit. Elle l'emporta au rez-de-chaussée et le déposa sur le matelas pneumatique, dans la penderie.

— Tu t'en vas maintenant ? demanda Matthew d'une voix ensommeillée.

— Bientôt, Matty.

Elle n'avait pas besoin de lui recommander de rester là sans faire de bruit jusqu'à ce qu'elle revienne le chercher. Je l'ai bien habitué, le pauvre petit, pensa-t-elle.

La sonnerie de la porte d'entrée retentit à travers la maison.

Elle verrouilla la porte de la penderie et laissa la clé tomber derrière la desserte de la salle à manger avant de se diriger vers la porte.

Larry Post, tout sourire, regardait par la fenêtre de la cuisine.

— Brittany, j'ai un cadeau pour vous de la part de Ted, lui cria-t-il.

— Le déjeuner était excellent, dit Willy d'un air satisfait tout en sortant son portefeuille. Ah ! j'oubliais, au moment où je quittais l'appartement pour venir te rejoindre, Penny Hammel a appelé. Je n'ai pas répondu.

— Oh ! Willy, je n'ai pas été gentille avec elle. J'avais éteint mon portable durant la réunion avec l'inspecteur Collins, mais quand je t'ai appelé, j'ai vu qu'il y avait un message de Penny sur le répondeur et je n'ai pas pris la peine de l'écouter.

Alvirah ouvrit son téléphone et appuya sur la touche de lecture des messages. Soudain son visage pâlit.

— Willy, dit-elle d'une voix tremblante, Penny a peut-être découvert où se trouve Matthew ! Ô doux Jésus ! ça paraît possible. Mais cette femme qui ressemble à Zan est sur le point de s'en aller. Mon Dieu…

Alvirah ne termina pas sa phrase. Elle se redressa et composa le numéro du portable de Billy Collins.

Depuis qu'il avait envoyé Larry à Middletown plus d'une heure auparavant, Ted Carpenter était torturé à la pensée de ce qu'il avait mis en marche. Il savait qu'il n'avait pas le choix. Si Brittany se rendait à la police, il passerait le restant de ses jours en prison. Mais plus terrible encore serait le spectacle des joyeuses retrouvailles de Zan et de Matthew.

Mon fils, pensa-t-il. Je lui ai donné un fils et elle prétend qu'elle ignorait qu'elle était enceinte quand elle m'a largué.

— Merci beaucoup de ta bonté et au revoir, murmura-t-il pour lui-même, singeant la voix de Zan. Tu ne t'attendais pas à avoir un enfant, tu n'as donc aucune pension à me verser. Ce serait injuste.

Bien sûr que ce serait injuste, ragea Ted, car tu ne voulais pas le partager. Tu m'as dit de lui constituer un fonds. Eh bien ! ma très chère, ce fonds va servir à ce que ton petit trésor retourne au ciel aujourd'hui.

Je me demande si elle est chez elle en ce moment. Je ne l'ai pas épiée hier soir. J'étais trop crevé et inquiet.

Ted alluma son ordinateur et entra le code qui l'introduisait dans l'appartement de Zan. Son sang se glaça dans ses veines. Face à la caméra, Zan hurlait son nom.

Engourdie par le froid, Penny Hammel attendait dans le bois derrière la vieille ferme de Sy. Après avoir examiné le dessin d'enfant et acquis la certitude que Gloria Evans ressemblait à Zan Moreland, elle avait repris sa voiture, appelé Alvirah et lui avait laissé un message.

Elle était ensuite revenue, avait vu que la voiture de Gloria Evans avait réapparu, et s'était à nouveau postée dans le bois.

Si cette femme tente de fuir, je la suivrai où qu'elle aille, se dit Penny en battant la semelle et en agitant ses doigts dans ses moufles pour les réchauffer.

Elle décida de rappeler Alvirah. Elle sortit son portable de sa poche, l'ouvrit, mais n'eut pas le temps de consulter sa liste de contacts que son appareil sonnait.

Comme elle l'avait espéré, c'était Alvirah.

— Penny, où êtes-vous ?

— Je surveille cette ferme dont je vous ai parlé. Je ne veux pas laisser cette femme s'éclipser. Elle faisait ses valises, ce matin. Alvirah, je suis certaine qu'elle garde un enfant à l'intérieur de la maison. Et elle ressemble à Zan Moreland.

— Penny, soyez prudente. J'ai prévenu les inspecteurs qui suivent l'affaire. Ils ont pris contact avec la police de Middletown. Ils seront là d'une minute à l'autre. Mais vous…

— Alvirah, l'interrompit Penny, une camionnette s'approche de la maison. Elle s'arrête dans l'allée. Le conducteur en descend. Il porte un grand carton.

UNE voiture de police conduisit Billy Collins, Jennifer Dean et Wally Johnson au domicile de Ted Carpenter. Billy avait mis ses deux collègues au courant de l'appel de Kevin Wilson.

— Nous ne nous sommes jamais intéressés au père, se reprocha-t-il. Carpenter n'a jamais fait le moindre faux pas. Jamais. Il s'est montré indigné que la baby-sitter se soit endormie. Indigné que Zan Moreland ait engagé une fille aussi jeune. Indigné à nouveau devant les photos publiées dans les journaux. Il nous a roulés depuis le début.

Son téléphone sonna. C'était Alvirah qui lui transmettait le message de Penny Hammel. Billy se tourna vers Jennifer Dean :

— Que la police de Middletown se rende immédiatement à la ferme Owens sur Linden Road. Qu'ils agissent avec précaution. On nous informe que Matthew Carpenter pourrait y être détenu.

L'appartement de Ted Carpenter était situé en bas de la ville.

— Branchez la sirène, ordonna Billy au policier qui les conduisait. Il faut que ce type se sente coincé.

Tandis qu'il prononçait ces mots, il eut le sentiment qu'ils arriveraient trop tard.

À voir la foule qui se pressait autour de l'immeuble à leur arrivée, il comprit que ses craintes venaient de se confirmer. Avant même de sortir de la voiture, il sut que le corps qui gisait sur le trottoir était celui de Ted Carpenter.

AIDEZ-MOI, pria Brittany. Souriante, elle fit un signe de la main à Larry Post en passant devant la fenêtre. Elle avait encore son portable dans sa poche. Larry ouvrait le couvercle d'un grand carton. Elle vit des rangées de billets de cent dollars alignées à l'intérieur, chaque paquet entouré d'un ruban numéroté.

Je vais ouvrir la porte, réfléchit-elle. Essayer de le faire patienter. Il ne me croit pas capable d'appeler la police. J'ai une chance sur mille. Mais peut-être que…

— Salut, Larry, lui cria-t-elle à travers la porte. Je vous ouvre.

Le dos tourné, elle sortit son téléphone et composa le 911. Quand l'opérateur répondit, elle murmura :

— Un homme tente d'entrer par effraction. La ferme Owens. Dépêchez-vous, vite, dépêchez-vous.

JE vais tenter le coup, décida Penny. Si ce type embarque Gloria Evans et l'enfant dans cette camionnette, tout peut arriver.

Elle quitta son poste d'observation dans le bois, courut à travers champs et trébucha sur une grosse pierre. Instinctivement, elle se baissa pour la ramasser. Puis elle reprit sa course jusqu'à la maison et jeta un regard par la fenêtre de la cuisine. Gloria Evans se tenait dans la pièce. L'homme que Penny avait vu sortir de la camionnette chargé d'un carton était debout à un mètre d'elle, brandissant un pistolet.

— Vous arrivez trop tard, Larry, disait Brittany. J'ai déposé Matthew dans un centre commercial il y a une heure.

— Vous mentez, Brittany.

— Pourquoi mentirais-je ? N'était-ce pas le plan initial ? Que je laisse Matthew dans un endroit où on pourrait le retrouver facilement, que je rentre chez moi avec l'argent, et que tout le monde soit heureux – heureux d'en avoir fini ? Je sais que Ted a peur de me laisser ici, il croit que je pourrais lui causer des ennuis, mais si je le dénonce, j'irai aussi en prison.

— Brittany, donnez-moi la clé de l'endroit où vous cachez Matthew. Ted m'en a parlé.

Brittany vit dans son regard que Larry Post était prêt à tout. Il trouvera sans mal la penderie. Et il saura l'ouvrir même sans la clé. Comment l'arrêter avant l'arrivée de la police ?

— Je regrette, Brittany.

Larry pointa le pistolet sur elle. Son regard ne montrait aucune émotion.

PENNY n'avait pu entendre ce qui se disait dans la cuisine, mais elle comprit que l'homme qui se trouvait avec Gloria Evans s'apprêtait à la tuer. Il ne lui restait qu'une chose à faire. Elle leva le bras et, de toutes ses forces, lança la pierre en direction de la fenêtre.

Surpris par les éclats de verre qui tombaient en pluie autour de lui, Larry Post appuya sur la détente mais le coup passa au-dessus de la tête de Brittany.

Celle-ci en profita pour se jeter sur lui. Il perdit l'équilibre, trébucha et tomba, ouvrit la main pour éviter de heurter le fourneau et lâcha son arme.

À l'instant où elle se baissait pour la ramasser, Brittany entendit les voitures de la police arriver en trombe devant la maison. Dirigeant le pistolet vers Larry Post, elle dit :

— Ne bougez pas ! Je n'hésiterai pas à l'utiliser contre vous, et je sais m'y prendre. Mon père m'a souvent emmenée à la chasse, au Texas.

Sans le quitter des yeux, elle recula de quelques pas et ouvrit la porte à Penny.

— Tiens, la dame aux myrtilles, dit-elle. Soyez la bienvenue. Matthew Carpenter est caché dans la penderie au bout du couloir, et la clé est derrière la desserte de la salle à manger.

Larry Post s'était relevé. Il se rua vers la porte d'entrée, l'ouvrit brutalement et se trouva devant une mer d'uniformes bleu marine. Des policiers se précipitèrent dans la maison. Brittany La Monte était affalée sur une chaise, à la table de la cuisine. Elle tenait mollement le pistolet à la main.

— Lâchez cette arme ! Lâchez cette arme ! lui intima un policier.

Elle posa le pistolet sur la table.

— J'aurais seulement voulu avoir le courage de le retourner contre moi, dit-elle.

Penny trouva la clé et courut vers la penderie. Elle l'ouvrit doucement. Le petit garçon avait visiblement entendu le coup de feu, car il était recroquevillé dans un coin, terrifié. Avec un grand sourire, les larmes lui montant aux yeux, elle se pencha, le souleva et le tint serré contre elle.

— Il est temps de rentrer chez toi maintenant, Matthew. Maman t'a cherché partout.

BILLY COLLINS, Jennifer Dean et Wally Johnson se tenaient dans le hall d'entrée de l'immeuble qu'avait habité Ted Carpenter. Ils étaient tendus, impatients de connaître le résultat de l'appel urgent que Billy avait passé au commissariat de Middletown.

L'amie d'Alvirah Meehan avait-elle vu juste ? Se pouvait-il qu'une femme ressemblant à s'y méprendre à Zan Moreland ait caché Matthew pendant tout ce temps ? Après l'appel téléphonique de Kevin Wilson les prévenant de la présence d'une caméra dans l'appartement de Zan, où était passé Larry Post ? Ils avaient retrouvé son nom dans les dossiers du commissariat central et découvert qu'il avait purgé une peine de prison pour homicide.

Le téléphone de Billy sonna. Jennifer Dean et Wally Johnson, qui retenaient leur souffle, virent un large sourire éclairer le visage de Billy.

— Ils ont l'enfant, dit-il, et il va bien. La police de Middletown va ramener Matthew ici. Prévenons sa mère.

FRÈRE AIDEN apprit la nouvelle par le policier qui était en faction devant sa chambre à l'hôpital. Son état s'était amélioré. Il murmura une prière de remerciement. Le secret de la confession, qui l'avait obligé à taire sa conviction que Zan Moreland était elle-même une victime, ne le hanterait plus désormais. Son innocence avait été prouvée d'une autre manière. Et elle allait retrouver son enfant.

ZAN et Kevin foncèrent au commissariat de Central Park où ils retrouvèrent Alvirah et Willy. Billy Collins, Jennifer Dean et Wally Johnson les attendaient.

— Vous savez, Zan, précisa Billy, d'après ce qu'ils m'ont dit,

Matthew ne vous a pas oubliée. Mais si vous lui apportiez un jouet, un coussin ou quelque chose à quoi il était attaché, cela pourrait le réconforter après tout ce qu'il a enduré.

Depuis qu'elle était entrée dans le commissariat, après avoir embrassé et chaleureusement remercié Alvirah et Willy, Zan était restée silencieuse. Kevin Wilson, un bras protecteur passé autour de ses épaules, tenait un grand sac. Quand ils entendirent les sirènes se rapprocher, Zan plongea sa main dans le sac et en sortit une robe de chambre bleue.

Le téléphone sonna sur le bureau de Billy Collins. Il écouta en souriant.

— Venez avec moi, dit-il doucement à Zan. Ils sont en bas. Je vais le chercher.

Moins d'une minute plus tard, la porte s'ouvrit et le petit Matthew Carpenter s'immobilisa et regarda autour de lui. Zan courut vers lui et tomba à genoux. Tremblante, elle l'enveloppa dans la robe de chambre.

D'un geste hésitant, Matthew tendit la main vers la boucle de cheveux qui retombait sur le visage de sa mère et la tint contre sa joue.

— Maman, murmura-t-il, tu m'as manqué.

Épilogue : Un an plus tard

ZAN, Alvirah, Willy, Penny, Bernie, frère Aiden, Josh et Kevin Wilson regardaient avec émotion le petit Matthew, devenu un adorable rouquin, souffler les bougies de son sixième anniversaire.

— Je les ai toutes eues, annonça-t-il fièrement. D'un seul coup !

Zan ébouriffa ses cheveux.

— Bravo. Veux-tu ouvrir tes cadeaux avant que je découpe le gâteau ?

— Oui, répondit le petit garçon avec détermination.

Il s'est merveilleusement remis, pensa Alvirah. Zan l'avait emmené régulièrement voir un pédopsychiatre, et l'enfant timide que Zan avait enveloppé dans sa robe de chambre le jour où Penny l'avait retrouvé était devenu un petit bonhomme épanoui et heureux qui s'accrochait encore parfois à sa mère en disant : « Maman, ne me laisse pas. »

Zan savait qu'en grandissant Matthew commencerait à poser des questions. Il faudrait alors affronter sa tristesse et sa colère quand il apprendrait les actes commis par son père et la façon dont il était mort. Mais Kevin et elle étaient convenus de ne rien brusquer. Les choses se feraient peu à peu. Ils s'en chargeraient ensemble.

La fête avait lieu chez Zan à Battery Park City. Matthew et elle n'y resteraient plus longtemps. Kevin et elle avaient arrêté la date de leur mariage, quatre jours plus tard, date anniversaire du retour de Matthew à la maison. Frère Aiden bénirait leur union. Après le mariage, ils habiteraient l'appartement de Kevin.

Alvirah se rappela les articles qu'elle avait lus le matin dans la presse à sensation. Ils ressassaient l'histoire de l'enlèvement de Matthew, revenaient sur l'usurpation d'identité dont avait été victime Zan Moreland, le suicide de Ted Carpenter et la condamnation de Larry Post et de Margaret Grissom, alias Glory, alias Brittany La Monte. Larry Post avait été condamné à perpétuité, Brittany à vingt ans de prison.

Tandis que Matthew commençait à ouvrir ses cadeaux, Alvirah se tourna vers Penny :

— Sans vous, nous ne serions pas tous réunis aujourd'hui.

Penny sourit.

— C'est grâce à mes muffins aux myrtilles. Fouiner donne parfois des résultats. Le plus important, c'est que Matthew soit sain et sauf. La prime de Melissa Knight n'est qu'un bonus.

Elle est sincère, songea Alvirah avec indulgence. Melissa Knight avait utilisé toutes les ficelles possibles pour éviter de payer la récompense, mais elle avait fini par signer le chèque.

Alvirah observa Matthew qui déballait ses derniers cadeaux. Soudain sérieux, il mit ses bras autour du cou de Zan, écartant une mèche de cheveux qui lui effleurait la joue.

Puis il dit d'un air content :

— Maman, je voulais juste être sûr que tu étais toujours là. (Il sourit.) Maman, est-ce que nous pouvons découper le gâteau maintenant, s'il te plaît ?

« Un roman me demande beaucoup de travail. Je veille à la psychologie des personnages, à la cohérence de l'intrigue, à ce que les pièces du puzzle s'emboîtent bien. Mais mon mot préféré est "fin", je sais alors que c'est terminé et que j'ai donné le meilleur de moi. »

Mary Higgins Clark

« Je ressens un besoin impérieux d'écrire [...]. Je ne peux tout simplement pas m'en empêcher, confie Mary Higgins Clark. Eh oui, à quatre-vingt-trois ans, j'arrive toujours à sortir au moins un livre par an. Je ne suis pas près de me mettre à la retraite ! » Voilà une affirmation qui comblera les fans de la reine du suspense dont chaque roman – elle en a écrit plus d'une trentaine – se retrouve immanquablement en tête de la liste des best-sellers. Il faut dire qu'elle a un don, qui lui vient peut-être de ses ancêtres irlandais : le don de raconter des histoires. Sa passion de l'écriture remonte à l'enfance mais elle ne commence à en faire son métier qu'à l'âge de trente-cinq ans, à la suite du décès prématuré de son mari. Pour élever ses cinq enfants, elle écrit des fictions radiophoniques jusqu'au jour où, à force de travail et d'acharnement, elle parvient à publier un premier roman. Le succès est immédiat et ne se démentira pas. Où la romancière puise-t-elle son inspiration ? « Quasiment tous les matins, je scanne les journaux qui mentionnent les crimes et les tragédies qui pourraient être inclus dans mes romans. » Outre la presse, elle évoque ses peurs d'enfant, mais aussi les conversations avec son éditeur, Michael Korda. C'est d'ailleurs ce dernier qui lui a suggéré le thème de l'usurpation d'identité. « Je me suis mise à mon ordinateur et j'ai trouvé des quantités d'informations là-dessus, raconte-t-elle. Mais j'ai rapidement compris que même si ce problème est angoissant pour la victime, ce n'est pas un sujet assez captivant pour le grand public. Alors j'ai eu une idée : et si [...] le fils de l'héroïne avait été enlevé ? Et si une caméra vidéo avait enregistré par hasard le kidnapping ? Dans les affaires de disparition d'enfant, tout le monde se sent concerné, tout le monde veut savoir ce qui va se passer. »

MARC
DUGAIN
L'Insomnie

des étoiles

Officier des forces alliées déployées sur le territoire allemand, le capitaine Louyre était astronome avant la guerre. Cet homme passionné par les mystères de l'Univers et des galaxies se trouve à présent confronté à des énigmes plus insondables encore dans un coin reculé d'Allemagne : Qui est cette adolescente hagarde et vivant seule dans une ferme isolée ? Que sont devenus ses parents ? Quel épouvantable secret se cache derrière le mutisme de la jeune fille, incapable d'expliquer la présence d'un cadavre près de la ferme ? Au village, pourquoi les notables se murent-ils eux aussi dans le silence ?
Peut-être par ennui, ou à cause d'une intuition fulgurante, Louyre va mener l'enquête jusqu'à trouver la réponse à chacune de ses questions.

1

« COMMENT ai-je pu oublier, se dit Maria, c'est inadmissible. Je ne peux m'en prendre qu'à moi-même. » Elle aurait voulu se gifler. Mais le froid s'en chargeait pour elle. Le début d'automne, timide et clément, s'était effacé pour laisser place à des journées glaciales. Il lui fallait déambuler dans les bois, courbée, le nez au ras du sol. À moins de un mètre, elle n'y voyait pour ainsi dire que des ombres, des esquisses de formes surprenantes, parfois inquiétantes.

En cette fin d'automne, les couleurs s'étaient uniformisées, la nature se camouflait. Il n'avait pas plu depuis deux jours, mais la terre suintait. Maria était aux aguets. Si les branches craquaient sous ses pieds, elle pouvait les ramasser. Celles qui se contentaient de grincer étaient encore trop vertes. Les dernières feuilles accrochées aux arbres tremblaient dans la brise. Maria souffrait de toutes ses extrémités. Elle avait apprivoisé ces douleurs tenaces qui ne lui laissaient de répit que la nuit.

L'allée du bois conduisait à une plaine qui se confondait avec l'horizon. Elle fumait par endroits d'une brume légère. Là où il y a encore quelques années on trouvait des cultures ordonnées, une steppe timide recouvrait ces longues étendues sans reliefs.

Chaque fois que Maria se penchait pour faire ses fagots, un filet au goût âcre, un mélange de sang et de salive lui coulait dans la bouche. Elle se relevait brusquement pour cracher. De temps en temps, elle observait la lumière.

L'adolescente parvint à ficeler une dizaine de fagots de bonne taille avant que la nuit lui impose cette oisiveté qu'elle redoutait au point de lui donner des palpitations. Avant que l'obscurité l'enferme tout à fait, elle allumait son feu dans un poêle en fonte né avec le siècle. Elle se blottissait près de cette forme qui prenait dans la pénombre des allures magistrales, imposant aux objets de la cuisine une autorité qui ne se desserrait qu'aux premières heures de la journée. Elle dormait dans un fauteuil à oreillettes où s'asseyait autrefois son arrière-grand-mère. De sa voix Maria ne gardait aucun souvenir car la vieille femme prenait soin d'ordonner sans parler, d'un regard dur que percevaient même ceux qui lui tournaient le dos.

Maria dormait assise et se rapprochait du poêle pendant la nuit à mesure que la chaleur s'atténuait. Au petit matin, quand un premier rayon de lumière perçait le ciel, elle le ranimait avec deux grosses bûches qui se consumaient au cours de la matinée. Elle chassait les engourdissements en se rendant près des chevaux, deux grands oldenburgs efflanqués.

À l'aube, ils s'avançaient contre la barrière en quête d'une ration qui ne venait plus depuis des années. La force de l'habitude, même déçue, les rassurait. Si Maria s'approchait d'eux, ils fuyaient ses caresses et se retournaient dépités pour disparaître dans un voile gris lointain où ils vaquaient jusqu'au lendemain, sachant que personne ne viendrait les y chercher. Parfois, elle s'essayait à leur parler, pour s'assurer que sa propre voix ne s'était pas éteinte. Mais elle ne savait pas quoi leur dire et les quelques mots prononcés finissaient par mourir d'eux-mêmes. Dans son monde infini et clos, il ne restait que ces deux êtres vivants, deux égoïstes rassurants, deux crève-la-faim aux yeux exorbités. Elle ne leur gardait aucune rancune de l'avoir retirée du monde. « Il existe d'apparentes coïncidences, se disait-elle, qui ne sont que l'expression d'un ordre qui me dépasse. » D'ordinaire, lorsqu'elle saluait les chevaux, ils restaient de l'autre côté de la clôture. Mais, ce jour-là, elle se tenait entre les animaux car le plus âgé des deux souffrait au jarret d'un des postérieurs. Elle s'était baissée pour juger de la gravité de la blessure. Rassurée, elle s'était relevée alors qu'un roulement de tambour inhabituel montait dans le ciel. Les chevaux apeurés avaient fui en la bousculant. Ses grosses lunettes étaient tombées dans la boue, une boue qu'elle avait fouillée en vain. Peut-être ne voyait-elle pas assez pour les retrouver. Quelques minutes après le grand bruit, le ciel s'embrasa au loin et de sourdes détonations résonnèrent contre les murs de la ferme.

Dans le silence retrouvé, un silence étrange qui avait aspiré tous les bruits de la campagne, une menace flottait. De sa vue troublée, l'adolescente avait scruté longuement l'horizon, mais rien ne bougeait. Ce n'est qu'un peu plus tard, vers ce qui devait être la mi-journée, que l'eau s'était mise à monter dans un mouvement d'une lenteur effrayante. Affaiblie par la faim, elle s'était assise en haut de l'escalier qui menait à la grange. Elle se félicita d'avoir déménagé à l'étage de cette bâtisse, bien des semaines auparavant, les provisions de pommes de terre et d'oignons. À l'époque, elle n'avait pas pensé à l'inondation, mais à l'humidité qui change les bonnes choses en pourriture. L'eau, assez haute pour transformer la cour de la ferme et ses alentours en un immense cloaque, s'était soudain fatiguée de son ascension. Une semaine avait été nécessaire au sol pour la boire, une semaine pendant laquelle Maria s'était cloîtrée dans le grenier de la grange, sans chauffage mais au sec. Les deux pommes de terre et l'oignon qu'elle s'autorisait chaque jour, elle les avait mangés crus, provoquant des flux d'acidité qui l'empêchaient de réfléchir. Dans la torpeur délirante de la faim, elle évitait de construire ses pensées. Seule exception à ce principe d'économie, elle se forçait à compter les jours qui la séparaient de la dernière lettre de son père, et les jours de nourriture qui lui restaient. La nourriture chaude revenue, elle se souvint d'une phrase que son père répétait à qui voulait l'entendre aux beaux jours : « Leur barrage peut bien céder, nous resterons les pieds au sec. L'eau n'atteindra jamais les hauteurs de nos terres, elle les transformera en île, mais à part les deux hectares du versant ouest, on ne pâtira de rien. » Son père n'était pas contre le barrage, il contestait seulement sa position trop en aval du fleuve, exposée à la surcharge d'eau lors des grandes pluies d'automne et du printemps.

Quand elle suspecta la décrue d'être terminée, elle partit visiter le bout des terres et vérifier le bien-fondé de la prophétie de son père. Elle marcha un bon quart d'heure, avare de ses forces. Elle découvrit à perte de vue un océan couleur de plomb fondu où quelques arbres survivaient sans gloire. Des objets flottaient à demi recouverts de boue et il lui sembla que certains d'entre eux avaient pu être des formes vivantes. Une barque dérivait, freinée par un magma brun et noir. « Ils ont maintenant de bonnes raisons de ne plus m'apporter de nouvelles de mon père », se dit-elle dans un sursaut de lucidité comme si les événements venaient de s'harmoniser avec sa propre réalité. Puis elle rebroussa chemin et rentra encore plus doucement car nulle curiosité ne l'attendait cette fois.

Ni la fin de l'automne ni l'hiver ne parvinrent à départager le ciel de la terre. Le vent d'est s'installa après les premières neiges, un vent qui lui ramenait le souvenir de son père de retour des champs tout imprégné de la senteur lourde et glacée de la terre retournée.

Les lettres de son père étaient rangées par ordre d'arrivée dans un grand secrétaire bancal en bois sombre et de facture grossière. L'adolescente l'avait poussé près du poêle pour le protéger de l'humidité. Les lettres avaient été disposées sur la dernière étagère. Elle n'en avait ouvert que deux, les deux premières. Les autres étaient restées cachetées et soigneusement empilées à mesure qu'elle les recevait. Une fois ses lunettes perdues, Maria avait renoncé à lire. Profitant de ses longues journées de désœuvrement, elle avait essayé de se fabriquer une loupe avec du verre de bouteille, mais cela ne produisait qu'une déformation surréaliste des mots. « Mon père ne peut pas m'annoncer sa propre mort », s'était-elle dit pour se réconforter. Elle avait décidé de patienter jusqu'au jour où les conditions lui permettraient de se procurer de nouveaux verres épais à monture noire qui avaient fait d'elle autrefois la risée de ses camarades d'école. Parfois l'adolescente se relevait la nuit et, à la lueur d'une lampe à huile, elle s'acharnait à lire ce qui se refusait à elle. Elle était alors tentée de pleurer d'impuissance. Mais une phrase de son père lui revenait immédiatement à l'esprit : « Les pleurs sont l'incontinence des faibles », et ces paroles la dissuadaient de céder à l'abattement.

Elle se souvenait par cœur des deux premières lettres et de l'application de son père à n'y rien dire d'important. La première page commençait par une leçon de géographie ambitieuse et vague. Un point sur les conditions climatiques s'y ajoutait. Puis venaient quelques commentaires échevelés sur sa vie quotidienne, suivis de recommandations pratiques. Il lui enjoignait, si elle ne l'avait pas déjà fait, d'aller chez sa tante, en ville. La question s'était posée un moment, mais son actualité s'était érodée faute de moyens appropriés pour quitter la lande spongieuse. Maria n'avait jamais eu l'idée de rejoindre la ville car elle en avait peur depuis toujours. Elle n'imaginait pas non plus quitter la ferme. Les deux employés étaient partis les premiers. Longtemps après, dans la mesure où la notion de temps avait encore un sens, son père l'avait quittée. Une voiture était venue le chercher. Il l'avait attendue, dans son uniforme trop grand qui lui faisait tomber les épaules, alors qu'une confusion fébrile jetait de drôles d'ombres sur son visage ridé.

2

Un matin, une voiture civile pénétra dans la cour de la ferme. Son dernier virage se fit avec une lenteur étudiée. Les portes furent longues à s'ouvrir. Deux hommes qui craignaient de se mouiller les pieds en sortirent en pardessus et chapeau avec une mine sinistre que Maria observa, intriguée. Une fois déplié, le conducteur monta sur le marchepied pour examiner les lieux. Puis il tira sur les pans de son manteau en avançant vers Maria. Le second homme le rejoignit, leste et désinvolte. Ils s'immobilisèrent à distance de Maria. Le premier homme avait le visage laid, secoué de tics. Quant au second policier, ses traits étaient d'une perfection dérangeante et il avait une façon étrange de se mouvoir comme s'il cherchait à se fuir lui-même. L'homme qui se comportait en chef demanda à Maria si son père était bien parti puis, en s'avançant doucement et en fronçant les yeux, il voulut connaître son âge. Maria joua la demeurée pour gagner du temps. Trop âgée, elle devenait une proie. Trop jeune, on allait la ramasser. Alors elle fit diversion :

— Qu'est-ce que vous faites là ?

Les deux hommes ne répondirent pas et, sur un geste du premier, ils se séparèrent pour inspecter les lieux et procéder à un inventaire. La maison fut visitée sans hâte et les objets les plus importants recensés. Chaque meuble fut détaillé, évalué. Les tiroirs furent ouverts pour voir s'ils contenaient des valeurs ou des couverts en argent. Les soupières furent sorties et posées sur des tables, les nappes déployées pour mesurer l'ouvrage, les tableaux étudiés dans le reflet de la lumière pâle.

Celui qui avait le plus de valeur, un hollandais de petit maître, sans doute parce qu'il était sombre, fut jeté au sol. La jeune fille l'en releva et, sans oser le raccrocher, le posa sur le buffet. Ils en vinrent ensuite aux bêtes qui furent comptées au jugé. Les deux chevaux s'étaient approchés mais ne voyant rien de bon se profiler, ils s'étaient enfoncés dans la brume.

Il arrivait aux deux hommes de se parler en ignorant Maria. L'accent du plus gradé trahissait de fortes origines rurales qui l'aidaient à l'évidence dans son recensement. Maria aurait parié que l'autre homme était un citadin de modeste condition. Il avait l'air pressé de partir alors que son supérieur prenait son temps. L'inventaire terminé, il prit la mine satisfaite du maquignon en fin de marché, ouvrit la porte de la voiture, s'assit, sortit un chiffon de derrière son siège et héla la jeune fille.

Maria s'approcha, méfiante. Il lui désigna ses chaussures. Elle nettoya le cuir noir et quand elle crut en avoir terminé, il lui montra les semelles. Elle se sentit moins avilie par cette tâche que par le regard qu'elle sentait peser sur son cou et ses cheveux. L'autre homme était monté dans la voiture après s'être décrotté les pieds lui-même. Il avait allumé une cigarette et ne se souciait pas d'elle, impatient de repartir. Maria se releva enfin et jeta le chiffon souillé au milieu de la cour. Le symbole de son geste n'échappa pas au conducteur qui eut un sourire amer avant de refermer la porte.

Le soir alors qu'elle s'était endormie, un bruit de suspension maltraitée par des ornières la réveilla. Maria se leva et vit dans le chemin deux phares jaunes qui sautaient, éclairant alternativement la terre et le ciel. Un pressentiment diffus et violent la fit tressaillir. Elle se mit à courir jusqu'à la grange, enveloppée dans sa couverture. Elle monta l'escalier en spirale qui menait à la tour. Cette pièce minuscule avait été colonisée par les tourterelles qui venaient s'y reproduire au printemps. Trois petites fenêtres espacées s'ouvraient sur la cour. Opacifiées par la saleté et les toiles d'araignées, elles ne laissaient filtrer du monde que des formes approximatives. De là, dans le voile de ses yeux à demi morts, elle vit deux hommes sortir du véhicule. Ils allumèrent une cigarette, s'adossèrent à la carrosserie, comme s'ils se délectaient des moments à venir dans cette nuit qui leur appartenait. Les phares de la voiture éclairaient crûment la façade de la maison de maître tachée d'humidité. L'un des deux se saisit de lampes torches sur un siège et en remit une à son complice. Ils entreprirent d'inspecter les pièces, une par une. La maison examinée, ils revinrent dans la cour. Leurs paroles – plaisanteries de conquérants – résonnaient sur les murs en brique. Calme jusque-là, le cœur de Maria se mit à battre tellement fort qu'elle craignit, de manière déraisonnable, qu'ils ne l'entendissent. Elle avait reconnu la voix des deux hommes venus le matin, ces voix d'hommes de rien, gonflés par les circonstances.

— Elle ne doit pas être loin. Le poêle est encore chaud, dit le citadin. Si elle est partie dans les prés, on ne la retrouvera pas ce soir.

— Pourquoi elle serait partie dans les prés ? Elle n'a aucune raison de nous fuir, rétorqua l'autre.

Les deux hommes reprirent leurs fouilles. Au moment où ils arrivèrent dans la grange, leur tranquille assurance s'était dissipée et le chef était passablement énervé. Il se mit soudain à hurler :

— Tu ferais bien de te montrer si tu veux garder la vie sauve ! On te laisse le temps de fumer une cigarette, ensuite on met le feu !

En baissant la voix mais pas assez pour qu'elle ne l'entende pas, l'autre dit :

— Ça ne va pas ! Si on fout le feu à la grange, on ne pourra pas tout déménager tranquillement demain matin.

Surpris de sa propre bêtise, l'autre répondit :

— Je sais bien, je sais bien, c'est juste pour lui faire peur.

Maria avait envisagé un court instant de se rendre. Ces policiers ne pouvaient pas être là pour la tuer. Pour la violer, peut-être. Elle connaissait le mot, mais son contenu restait vague, elle se disait que ça ne pouvait pas être pire que de périr dans les flammes. Elle refusait de mourir, elle le devait à son père. Elle ne voulait pas qu'il revienne de toutes ses épreuves et apprenne qu'elle était morte.

Ils inspectèrent la grange. Contrariés de remuer toute cette poussière, ils criaient de plus en plus fort, mélange de vociférations et d'excitation. Maria s'accroupit le long du mur contre lequel la porte du réduit s'ouvrait. Puis elle attendit. À travers une des meurtrières, elle voyait la lune crever le ciel. La porte s'ouvrit d'un coup. L'homme, sentant une résistance, s'immobilisa puis il la poussa une seconde fois pour s'assurer qu'il y avait quelque chose derrière. Il s'avança alors, tourna la tête vers elle et aussitôt porta son doigt sur sa bouche pour lui faire signe de se taire. C'était l'homme au visage exagérément bien dessiné. Quand il fut assuré qu'elle n'allait rien dire, il recula et ferma la porte en criant :

— Pouah ! Ça pue la fiente d'oiseau là-dedans !

Mais l'autre, comme un chasseur aux aguets, n'en démordait pas.

— Je ne peux pas laisser tomber une occasion pareille.

Maria se demanda de quelle occasion il parlait. Elle avait bien pensé au viol tout à l'heure, mais était-ce cela qu'il évoquait ? Elle resta ainsi recroquevillée une bonne heure, pendant laquelle il mit sens dessus dessous tous les bâtiments pour la retrouver. Son comparse s'était retiré progressivement de la traque en fumant cigarette sur cigarette, assis sur l'aile de la voiture. Maria revint à l'idée du viol, bien décidée à ne pas se faire voler ce qu'elle n'avait pas encore offert. « Reviens dans trois mois, et on verra si tu as toujours envie de mes os, espèce de saloperie de porc », pensa-t-elle pour se donner du courage. Et elle rit silencieusement. Elle se sentit soudain légère, optimiste. Mais ces sentiments consommèrent trop d'énergie. Elle retomba ensuite dans une léthargie où la seule question était de savoir pourquoi le second homme l'avait graciée. Il la trouvait trop jeune. Ou trop laide. C'est ça, trop laide. Voilà, Dieu l'avait récompensée de sa disgrâce physique. Elle en avait la preuve. Car Il était là pour rétablir l'équilibre si souvent menacé par les hommes. Dieu ne l'avait donc pas abandonnée. Il veillait. Réconfortée par cette idée, elle s'endormit à même le sol et fut réveillée une heure plus tard par la voiture qui quittait les lieux.

Le lendemain, un petit convoi envahit la cour de la ferme. D'une automobile civile sortirent les deux hommes de la veille en uniforme de policier. Ils firent le tour des bâtiments. Maria reprit sa position dominante de la veille qui lui permettait de surveiller à la fois l'extérieur et la grange. Des meubles aux outils anciens, ils emportèrent tout, mus par une avidité qui la laissa perplexe. Le secrétaire leur parut sans doute trop hideux. Le fauteuil de l'arrière-grand-mère avec son pied coupé était peut-être trop difficile à réparer. Ils les abandonnèrent l'un et l'autre. Dans une dernière inspection méticuleuse, ils s'arrêtèrent devant le tas de pommes de terre et d'oignons mais, face à l'effort que demandait leur chargement, ils renoncèrent. Les camions remplis jusqu'au toit, les hommes entrèrent dans une discussion dont elle saisit l'essentiel.

— Qu'est-ce que ça apporte d'y foutre le feu?

Elle reconnut la voix de son sauveur.

— Ça évitera de se poser des questions le jour venu.

— Ils s'en poseront plus de voir une ferme brûlée que vidée. Brûler, c'est un acte de guerre, et Dieu merci l'ennemi est loin d'ici.

Les manutentionnaires ne disaient mot, arborant une mine ennuyée. Maria sortit de son cagibi et vint se poster de l'autre côté de la grange, celui qui donnait sur les prés, se tenant prête à sauter malgré sa hauteur. L'homme qui avait parlé le dernier l'avait sauvée une première fois et il s'apprêtait à l'épargner une seconde. Car ce qu'elle craignait dans ce brasier, c'était moins de ne pas pouvoir se loger dans des ruines fumantes que de voir ses réserves gâchées. De sa nouvelle cache, elle ne voyait pas les véhicules. Elle les entendit partir les uns après les autres sans avoir le réflexe de les compter. Alors qu'elle se croyait seule, son sauveur entra dans la grange, suivi d'un des manutentionnaires, un jeune homme assez frêle. Son bienfaiteur parlait d'un ton docte :

— Cette gamine me doit la vie. Müller voulait la violer. Je le connais, il l'aurait tuée aussi et il aurait fait disparaître son corps en foutant le feu partout. C'est un primitif. Bien sûr ça m'arrangeait. Devant la fille les jambes écartées, Müller se serait rendu compte que ça me dégoûtait. Quelles conclusions en aurait-il tirées? Je ne sais pas mais, en tout cas, il en aurait tiré profit un jour ou l'autre. Müller n'est pas le genre de type à laisser tranquille quelqu'un qui en sait trop sur lui. On a conduit ensemble des camions à gaz, ça devrait créer une fraternité. Mais non, il faut toujours être sur ses gardes avec lui, c'est un type foncièrement maléfique, ce qui est très différent d'un maléfique de circonstance.

Satisfait de son discours, il se rapprocha de l'homme et se saisit sans violence de son col de chemise. Il vint encore plus près de telle sorte qu'il ne pouvait plus échapper à la caresse de son haleine.

— Et toi, Dieter, tu n'aimerais pas qu'on dise de toi que tu as été un pillard de l'arrière?

Il attendit sa réaction et, voyant que son interlocuteur changeait de couleur sous l'effet du sang qui se retirait de son visage, il poursuivit en haussant le ton :

— Sais-tu le sort qui est réservé aux homosexuels, le sais-tu?

L'autre hocha la tête, le souffle court.

— Si tu ne veux pas l'apprendre, déshabille-toi.

Et il le poussa dans le foin, d'une pression irrésistible.

Maria aperçut un court instant le visage du jeune homme. Il avait une drôle de mollesse dans le menton. Elle s'avança pour mieux le découvrir. C'est alors qu'il la vit. Il ouvrit la bouche, et de la lave se mit subitement à courir dans les veines de Maria qui ferma les yeux. Mais rien ne sortit de cette bouche qui commençait à chercher sa respiration. Les yeux roulant dans le vague, il continua à la regarder. Il lui sembla même qu'il lui souriait par intermittence, chaque fois que leurs ébats un peu violents le lui permettaient. Maria ressentit de la compassion pour cet homme qui avait pris sa place. Elle aurait voulu le remercier. Elle se tint un moment en retrait. Mais la curiosité prit une nouvelle fois le pas sur la prudence. De cette hauteur, le dos nu et courbé du jeune homme se tenant à une poutre semblait d'une blancheur maladive. Ses reins étaient cachés par le manteau du policier qui bougeait son bassin avec régularité. Elle resta ainsi un long moment, fascinée. Alors que le mouvement s'accélérait crescendo, elle vit le policier sortir de sa poche un pistolet. Puis elle l'entendit hurler de jouissance. La détonation suivit l'extase. Le jeune homme tomba face contre terre. Un geyser pourpre lui sortait de l'arrière du crâne. Le policier recula, se rajusta, boucla sa ceinture. Puis il se mit à marcher en titubant et sortit. Il revint un peu plus tard avec un bidon d'essence qu'il égoutta sur le sol avant de le lancer violemment, furieux de son peu de contenu. Puis il craqua une allumette et s'enfuit. Le feu commença à prendre, spectaculaire mais, dès qu'il atteignit des chiffons mouillés par les gouttières du toit, il se mit à fumer.

Le policier parti, Maria descendit de sa cache, et en deux trois allers-retours à la citerne qui collectait l'eau de pluie, elle parvint à éteindre le feu complètement. Elle était à bout de souffle. Elle ne mangeait presque plus depuis deux mois déjà. Elle avait tout laissé à son père qui, avait-elle jugé, en avait bien plus besoin qu'elle. Un tourbillon suivi d'une nausée retourna son estomac vide. Elle vomit puis perdit connaissance. Quand elle se réveilla quelques heures plus tard, devant elle, allongé sur le ventre, gisait le cadavre nu du sacrifié, de l'homme élu pour prendre sa place, car c'est ainsi qu'elle le considéra dès l'instant où elle revint à elle. Épuisée, elle se contenta de recouvrir les fesses du cadavre d'un vieux chiffon graisseux qui avait servi à essuyer les jauges.

3

DEVANT la tâche qui l'attendait, Maria décida, par dérogation à la règle qu'elle s'était fixée, de doubler sa ration. Elle fit bouillir quatre pommes de terre et deux oignons. Ses agapes l'indisposèrent encore plus. Elle vomit une nouvelle fois, et se sentit dépitée de ne pas en avoir mieux profité. Puis elle s'attela à sa besogne. Elle approcha une charrette à bras du corps étendu. Son plateau était trop haut. Alors elle s'aida d'un monticule pour hisser le cadavre sur la charrette. Elle fit une pause d'une demi-heure pendant laquelle elle resta prostrée, les poumons brûlants, devant la dépouille. Elle regretta de ne pas avoir attelé un cheval pour transporter le corps. Elle décida d'enterrer le pauvre défunt le plus loin possible de la maison mais, à la première pente, la charrette s'emballa et elle ne parvint pas à la retenir. La carriole fit encore quelques mètres avant de se renverser, projetant le cadavre face contre ciel. Elle se rappela qu'elle avait demandé un jour à son père pourquoi on n'enterrait pas les bêtes mortes sur la propriété et pourquoi on faisait appel à l'équarrisseur. « Pour ne pas contaminer l'eau », avait-il répondu. Elle espéra qu'elle était assez loin pour que le puits ne soit pas infecté. Elle tira encore un peu le cadavre par les chevilles, mais les forces lui manquaient. Alors elle se résolut à creuser sa tombe sur ce versant de prairie, battu par le vent d'est. Arrivée à destination, elle s'assit et regarda attentivement ce corps qu'elle n'avait pas eu l'occasion de détailler jusqu'ici. C'était la première fois que l'anatomie d'un homme était ainsi offerte à sa vue. Des taches de son parcouraient sa peau de roux. Le sexe du jeune homme qui lui avait tant coûté pendait triste et désœuvré. Elle se dit : « Voilà bien là toute l'histoire. » Puis elle chercha le vieux linge pour l'en recouvrir. Elle retourna à la grange pour y prendre une pelle. Elle n'en trouva aucune, les rapaces les avaient toutes volées. Un sentiment de panique la saisit à l'idée qu'elle n'avait aucun outil pour mettre ce mort en terre, cette terre qui durcissait en hiver.

Elle fit une pause. Elle alluma le grand poêle et se blottit dans son fauteuil. La pénombre enveloppait la pièce, chaque meuble volé se rappelait à sa mémoire jusqu'au son familier de leurs huisseries, musique involontaire des jours perdus. Elle s'endormit jusqu'au lendemain matin. Quand sa conscience s'éveilla au monde, Maria avait oublié la mort du jeune homme. Mais peu à peu l'image de ce corps inerte se recomposa dans son esprit et, avec lui, la tâche impérative qui s'imposait à elle pour la journée. Elle se leva sans entrain, ralluma son feu, remercia son père pour cette prévoyance de toujours qui l'avait conduit à constituer des réserves de bois sec pour dix ans. Elle but un bol d'eau chaude et se mit en route. La dépouille était piquée par endroits, signe que des prédateurs venus du ciel avaient commencé leur funeste besogne. Elle se reprocha de ne pas l'avoir recouvert complètement. Une odeur âcre commençait à se dégager de la dépouille, une odeur de bête crevée qui, sans lui être familière, ne lui était pas inconnue. Le corps, pris par la raideur cadavérique, était désormais tout d'un bloc et, plus il s'éloignait de la vie, plus ses parties se solidarisaient, avant le grand plongeon vers l'incertain.

Elle s'assit près du mort, et remonta son écharpe pour se couvrir la bouche et le nez. Elle regarda attentivement son visage pour la première fois. Elle n'avait pas eu le réflexe de lui fermer les yeux et maintenant il était trop tard. On ne pouvait rien lire d'autre sur cette face crispée qu'un étonnement qui ne datait pas d'hier. « Son regard a une drôle de façon d'embrasser le ciel », se dit-elle. Puis elle s'égara un instant en conjectures ; ce regard ne fixait-il pas simplement son âme pendant la longue élévation qui la conduisait vers les cieux ? Elle n'en doutait pas, cet homme ne connaîtrait pas l'enfer. « Étrange pour un homme qui aimait les autres hommes, pensa-t-elle. Mais Dieu a Ses raisons que l'on ignore. » Elle n'avait toujours pas de solution pour l'enterrer, alors que le soleil blanchissait déjà la brume. Elle se mit soudain à craindre qu'on ne recherche le défunt, qu'on ne les trouve là, l'un et l'autre, et qu'on n'en vienne à l'accuser de l'avoir tué. Elle envisagea de le traîner jusqu'aux bois pour l'y laisser se décomposer à l'abri des regards, mais il y avait bien mille mètres et elle risquait de s'épuiser. L'idée de le brûler s'imposa soudainement. Dans la pente, assez loin des bâtiments pour que le feu ne s'y propage pas, elle réunit ce qui restait de fagots. Elle les recouvrit de bûches. L'angoisse que le corps ne brûle pas tout à fait la hantait. Sa raideur le rendit plus facile à hisser sur le bois. Elle enflamma le brasier. Il se consuma pendant deux bonnes heures. Quand il ne fut plus que cendres et fumée, elle s'approcha. Il ne restait que les os et quelques lambeaux de peau calcinée. L'odeur de chair grillée qui flottait dans l'air était insoutenable.

Au réveil du lendemain, la pluie martelait le sol avec des rebonds prodigieux. Maria décida de ne pas s'y exposer, craignant d'attraper la mort. Le jour suivant, le vent avait tourné, balayant de gros nuages qui couraient dans le ciel. Elle décida de se laver puis y renonça, considérant qu'il serait toujours temps de le faire ensuite. Elle enroula son écharpe autour de la tête et avança résolument vers le foyer qui sous l'effet de l'averse s'était transformé en une infecte pâte argentée. Les ossements avaient pris la couleur d'un vieux roulement graissé de tracteur. Ils n'avaient plus aucune cohérence. Elle rapprocha la voiture à bras sur laquelle elle avait posé une caisse. Tout en se félicitant de la force des flammes qui avaient disjoint les os, elle les entreposa un par un dans la caisse. Puis elle l'enfouit dans la partie la plus sombre de la grange, recouvrant le tout avec un tas de vieilleries qui s'étaient fondues dans le décor depuis deux siècles. Il s'ensuivit un moment d'angoisse intense, une sensation de vide vertigineuse. Elle n'avait plus de but, plus rien à faire, si ce n'est de survivre, ce qui à ses yeux d'adolescente ne demandait pas une énergie particulière.

Le facteur passa toutes les trois semaines au rythme des lettres du père de l'adolescente. À chaque visite, il s'immobilisait devant la boîte aux lettres, debout sur son vélo. Il toisait les bâtiments, tâchant d'apercevoir la jeune fille. Il repartait ensuite non sans jeter un dernier coup d'œil par-dessus l'épaule, puis il accélérait avant de disparaître.

Après l'inondation, l'eau du robinet avait coulé, saturée de boue pendant quelques jours. Maria avait préféré boire l'eau plus claire des flaques. Mais elle avait pu recommencer à faire bouillir ses deux pommes de terre et son oignon journaliers.

Dans l'inventaire des objets que les prédateurs avaient laissés, il y avait bien sûr le secrétaire et le fauteuil bancal, mais aussi un vieux gramophone à manivelle au coffrage en acajou fendu par le milieu, et une pile de microsillons. Les objets délaissés jonchaient le sol. Cassés pour le plaisir de la destruction, ils payaient pour leur manque de valeur. Elle passa les disques en revue. Les pochettes étaient illisibles, entamées par le salpêtre et les souris. Elle prit un disque, l'installa sur le gramophone, tourna la manivelle. Rien ne vint. Elle sortit alors avec l'engin à la lumière et l'ausculta, heureuse de s'être trouvé une distraction. Elle le démonta avec précaution puis le remonta avant que la nuit, si longue en cette fin d'automne, vînt une fois de plus tout interrompre. La musique allemande dominait cette petite collection. Elle reconnut Wagner, Beethoven, Bach. Une seule musique d'ailleurs, une douce mélancolie chantée dans une langue qui n'était pas la sienne, lui procura une émotion inattendue. Cette beauté frisait l'indécence, elle en avait le pressentiment. La solitude qui succéda à la partition lui parut tellement injuste qu'elle remit le morceau une dernière fois. La musique semblait très loin de sa vie et lui donnait en même temps un formidable espoir qu'un jour reviennent les temps heureux.

L'HIVER s'était présenté en avance. D'abord humide, il devint glacial dès le début décembre, accompagné des premières fièvres qui rompaient les membres et l'obligeaient à passer des journées entières devant le feu. Elle doubla ses rations quand elle sentit cette sorte d'engourdissement qui, pensa-t-elle, pourrait préfigurer la mort. Une mauvaise toux s'empara d'elle, qui l'obligea à passer Noël comme une exorcisée crachant son mal d'une voix rauque et ténébreuse. La neige qui jusqu'alors avait fouetté la campagne en rafales givrées de courte durée se mit à tomber en feuilles mortes. Les flocons lascifs se transformèrent en quelques jours en une couche épaisse que le soleil illuminait. Il s'ensuivit une longue période de froid sec entretenu par un vent slave qui faisait fumer le manteau neigeux. Elle imaginait que cette brise souvent emportée avait déjà caressé son père avant de voler jusqu'à elle. Ses bronches s'apaisèrent. Le spectre de la mort lui sembla s'éloigner d'une démarche assurée. Elle décida de manger tant que son appétit le lui permettait. Elle n'envisagea jamais de quitter la propriété. Elle se sentait investie de la mission de rendre les lieux à son père pour les reconstruire et recommencer à vivre avec lui. Elle se fit la promesse de ne jamais le quitter. Le peu qu'elle avait vu des hommes ne lui donnait aucun regret de se dévouer sans partage à celui qui, seul et sans faillir, s'était consacré à elle si simplement. Dans le désœuvrement de sa vie quotidienne, elle brassait une foule désordonnée de souvenirs. Le plus obsessionnel lui renvoyait le dernier regard de son père. Ce regard était une énigme. Mais plus terrifiant encore, ce regard semblait dire qu'il espérait ne jamais revenir. Elle ne parvenait pas non plus à oublier la froideur de leurs adieux, comme s'il était déjà dans l'au-delà. Ses recommandations s'étaient perdues dans la brise. L'adolescente aurait voulu mieux comprendre, mais quelque chose en elle le lui interdisait, une barrière infranchissable.

Ses pensées s'évanouirent avec la faim, remplacées par des hallucinations qui lui permettaient de fuir l'implacable routine. Depuis l'apparition de la neige, les jours se succédaient à l'identique, l'un chassant l'autre, au point que sa vie n'était désormais faite que d'un seul jour de lumière argentée où le ciel gris était posé sur la neige. Les nuits, loin de lui apporter le repos, aggravaient sa fatigue psychique dans l'inconfort de sa couche de fortune où le froid s'imposait en régisseur cruel, incorruptible et capricieux. La neige mit des semaines à fondre, ne laissant derrière elle que des flaques de boue saumâtre et une immense lassitude. L'apparition des premiers bourgeons se fit sans cette impression de renaissance qui avait marqué les premiers printemps lucides de celle qui sans s'en rendre compte était devenue une jeune femme. Elle pensa à mourir. La mort ne lui semblait pas un état si différent de celui où elle se trouvait actuellement pour qu'elle veuille la repousser à tout prix. Mais elle n'entendait pas l'encourager, impatiente de recevoir de Dieu ce qu'Il lui avait pris. Elle souhaitait assister une nouvelle fois au miracle de l'équilibre qui scellait son pacte avec le Créateur. Un équilibre qui dépassait, selon elle, les limites du monde étriqué dans lequel Il avait choisi de la faire évoluer pour l'endurcir et la rendre apte à des tâches supérieures dont elle n'avait pas encore idée.

Un après-midi de la fin du mois de mars, épuisée à en pleurer, elle se leva pour mettre son disque sur le gramophone. Le froid avait décroché et il régnait une atmosphère douceâtre, alors qu'un vent tiède soufflait en continu. L'extérieur et la musique fusionnèrent dans un requiem sans drame. Maria, creusée par les privations, les jambes serrées contre sa poitrine, regardait le voile blanc de la porte qui lui donnait sur le monde une vision d'aveugle. Une ombre s'en détacha qui prit corps d'une façon tellement brutale qu'elle détourna les yeux pour fuir ce qu'elle pensait être une hallucination.

4

L'HOMME était de taille moyenne. Quand il aperçut distinctement Maria, il eut un mouvement de recul, mit sa main sur le pistolet suspendu à sa hanche puis se ravisa, contrarié de cette peur soudaine. Deux autres hommes le suivaient prudemment, lançant des coups d'œil furtifs à la jeune fille avant d'embrasser plus largement la pièce presque vide. Maria remarqua leur uniforme et leur casque. Celui qui était le chef se mit à parler dans une langue qu'elle reconnaissait mais qu'elle ne comprenait pas.

— Qu'est-ce qu'elle fout là ? Tu parles français ?

Hébétée, prisonnière de son extrême fatigue, elle aurait souhaité répondre par la négative, mais rien ne vint.

Alors qu'un des deux militaires commençait à inspecter la pièce, son supérieur le héla :

— Vagot, va chercher Furtwiller, elle comprend rien.

Vagot sortit et revint un peu plus tard avec un grand type hirsute qui tenait son casque à la main.

— Demande-lui ce qu'elle fait là !

Furtwiller lui parla un allemand dialectal compréhensible pour elle.

— Comment t'appelles-tu ?

Maria le regarda avec une telle intensité qu'il crut qu'elle allait défaillir. La flamme s'éteignit aussitôt. Puis elle répondit, d'une voix détachée :

— Maria Richter.

— Elle s'appelle Maria Richter, dit Furtwiller.

— Ça va, j'avais compris, répondit le supérieur. Demande-lui ce qu'elle fout là.

Furtwiller le regarda, gêné :

— C'est pas une question, ça, mon adjudant.

— Comment, c'est pas une question ?

Maria trouva effectivement la question étrange. Elle y répondit d'une voix lente pour éviter de répéter.

— Je n'ai pas de raison d'être ailleurs.

Furtwiller traduisit et l'adjudant s'impatienta.

— Bordel ! Qu'elle nous dise où est sa famille !

Quand la question lui parvint, Maria mesura soudainement, en préparant sa réponse, la dévastation qui avait sévi autour d'elle, dont elle n'avait pas mesuré la gravité tant qu'elle n'avait pas eu à la formuler de sa propre bouche.

— Mes grands-parents sont tous morts avant la guerre. Mon père est sur le front russe.

Le reste ne vint pas.

— Et ta mère ? insista Furtwiller.

L'adolescente se mit à hoqueter puis à s'étouffer :

— Elle… elle est dans une maison de repos.

— Où ? demanda l'adjudant.

La réponse, une fois traduite, l'accabla :

— Je ne sais pas.

— Comment, elle ne sait pas ? Si sa mère est dans une maison de repos, elle doit bien savoir où, nom de Dieu, ils ne doivent pas en avoir tant que ça, les fritz.

— Mais qu'est-ce que ça peut faire ? demanda Furtwiller.

— Ça peut faire que si on trouve sa mère, on peut se débarrasser d'elle tout de suite, sinon, je ne sais pas à qui on va la fourguer.

— On pourrait peut-être lui donner quelque chose à manger, rétorqua Furtwiller.

— Sacrés Alsaciens, vous êtes quand même boches, quoi qu'on en dise. Démerdez-vous avec elle. On fouille tout de fond en comble et on se tire ! J'ai bien dit de fond en comble, souvenez-vous d'avant-hier quand on a trouvé un nazillon à l'intérieur d'une botte de foin.

— Comment on peut savoir si c'était un nazillon ? demanda un type moins gradé.

— C'est très simple, répondit l'adjudant, un type jeune qui n'est pas parti au front, c'est qu'il a des responsabilités politiques. Qui dit responsabilités politiques dit forcément nazi. S'il se cache et qu'en plus on n'a pas le temps, moi je lui mets une balle dans la tête à titre préventif. Tu me suis ?

Le type qui avait posé la question acquiesça sans conviction.

— Pour ceux qui se poseraient des questions, reprit l'adjudant, moi je dis qu'on n'est pas au royaume des états d'âme, donc j'attends pas d'autres écrits pour faire du nettoyage.

Maria, soûlée par des mots qu'elle ne comprenait pas, se sentit chanceler un court instant avant de perdre connaissance.

Elle revint à elle, trempée par l'eau qu'on lui avait lancée sur le visage, un liquide brun et froid qui dégoulinait de ses vêtements. Les hommes faisaient un cercle autour d'elle. Elle reconnaissait tous ces visages sauf un, celui d'un homme qui la regardait d'assez loin, en roulant une cigarette. Il levait fréquemment la tête en scrutant le ciel comme s'il y lisait quelque chose de particulier.

L'adjudant fit un signe et deux de ses subordonnés entrèrent en poussant une caisse. Quand la caisse fut devant Maria, l'adjudant regarda Furtwiller. Celui-ci s'avança. Un des deux hommes qui avaient poussé la caisse en sortit un fémur calciné.

— Qui était-ce ? demanda l'Alsacien en désignant les ossements.

Maria, sans prendre l'air qui correspondait à sa réponse évasive, répondit :

— Je ne le connais pas et il n'avait pas de papiers.

La traduction parvenue à ses oreilles, l'adjudant objecta :

— Tu ne sais pas qui était ce type ? Il est venu mourir ici tout seul probablement, ensuite il s'est fait cuire et, pour finir, il s'est rangé soigneusement dans une caisse. Et, ultime précaution, pour ne pas prendre froid, le désossé s'est recouvert de toutes les saloperies qu'il a trouvées dans la grange.

— Je ne sais pas qui c'est mais je peux expliquer, rétorqua Maria d'une voix essoufflée. Après le départ de mon père, des hommes…

— Quels hommes ?

— Des Allemands. Ils sont venus pour réquisitionner tout ce qui se trouvait dans la ferme, je ne sais pas pour quelle raison. Et ce jour-là, un des policiers qui surveillaient l'opération…

— Combien de policiers ?

— Deux. Juste deux. Un des policiers a tué un des manutentionnaires dans la grange…

— Pour quelle raison ?

— Je ne sais pas.

— Des histoires de partage certainement. Continue…

— Ensuite il a voulu mettre le feu à la grange. Le feu n'a pas pris parce que la paille était mouillée à cet endroit-là.

Elle s'interrompit, subitement sidérée de tous ces mots qui s'échappaient de sa bouche.

— Ensuite ?

— J'ai tiré le corps pour l'enterrer, mais la terre était dure et ils ne m'avaient pas laissé d'outils pour le faire.

— Alors tu l'as brûlé et tu l'as mangé.

— Je crois que vous exagérez, adjudant !

Maria ne comprit pas ce que l'homme avait pu dire, mais un silence solennel suivit son intervention.

L'adjudant défia le capitaine du regard.

— Vous dites, mon capitaine ?

L'officier gardait ce même air désinvolte qu'il avait depuis le début.

— Je dis que vous poussez trop loin. Nous sommes les premiers étrangers à fouler ce sol depuis cinq ans. Les affaires de cannibalisme entre Allemands, si tant est qu'il en existe, ne nous concernent pas.

L'adjudant se mit à tourner en rond comme un croiseur qui a pris une torpille dans le gouvernail. Puis il se résigna :

— Bon, qu'est-ce qu'on en fait ?

Le capitaine fixa Maria pour la première fois et la détailla des pieds à la tête.

— Quel âge as-tu ?

Maria hésita. Avouer son âge présentait des inconvénients. On risquait de la forcer à quitter les lieux pour la remettre à une autorité. Toute seule dans cette ferme plus longtemps, elle savait qu'elle était vouée à la mort. Une image lui traversa brièvement l'esprit, celle d'une tablée devant la maison de maître aux premiers jours chauds du printemps. Son père était en bout de table et ses yeux pétillaient devant un verre de vin blanc du Rhin qu'il levait à la santé de tous les convives. De part et d'autre se tenaient les ouvriers agricoles endimanchés. De ce tableau ressortait une immense confiance dans l'existence. Bien sûr, à droite de son père, sa mère était un peu absente. Elle était la seule à ne pas apprécier la quiétude de l'instant, cette simplicité enchantée. On lui répéta la question.

— J'ai quinze ans.

Assis sur un garde-boue de sa voiture, le capitaine tirait mollement sur sa cigarette, les mains dans les poches.

— On l'emmène ! trancha-t-il sans s'adresser à personne. Ensuite on la remettra à une autorité ou…

— Mais il n'y a plus d'autorité.

— Si, nous, conclut le capitaine avec hésitation.

L'adjudant attendit que tout le monde soit sorti pour murmurer à son supérieur :

— C'est tout de même une ennemie, mon capitaine.

L'officier bâilla et posa la main sur son épaule.

— Elle n'a pas l'âge d'être une ennemie. Et puis on a une vieille tradition d'hospitalité. Cet ennemi, on l'a tout de même hébergé quatre ans chez nous.

L'adjudant s'éloigna :

— Et qu'est-ce qu'on va faire d'elle ?

— On trouvera bien un moyen de l'employer.

— C'est plus tout à fait une enfant, et nos hommes n'ont pas touché une femme depuis au moins six mois.

— Alors ils peuvent tenir encore un peu.

— C'est comme vous voudrez, fit l'adjudant, résigné.

— Vous emmènerez aussi les chevaux.

MARIA avait été poussée dans un camion bâché avec le reste des sans-grade qui la regardaient en essayant d'imaginer ses formes quand elle aurait repris du poids. Aucun ne lui paraissait particulièrement menaçant. Aucun ne montrait de compassion non plus. Les premiers virages lui soulevèrent l'estomac et elle se mit à vomir à l'arrière par-dessus bord. Derrière le camion, la route défilait. À travers les projections de boue, elle découvrait une campagne qui n'avait pas changé mais qui était frappée d'une étrange immobilité. On ne voyait âme qui vive, sauf de temps en temps un vieillard au regard vide. Les bêtes avaient disparu. Une femme, un enfant dans chaque main, venait de se jeter dans un fossé au passage du camion. Maria la vit se relever et reprendre sa marche. Elle les vit disparaître, trois points rétrécis dans l'horizon morne. Sa lassitude lui donna un moment l'illusion qu'elle serait pour toujours le spectateur de son existence.

Le camion traversa un premier village. Il était intact, aucune trace de combat ni de bombardement. Un chien se mit à courir derrière eux, allègre et obstiné. La bourgade dépassée, la campagne reprit ses droits et le camion plongea dans une étendue verdoyante de chaque côté de la route ponctuée par endroits de bouquets d'arbres. La route descendait vers la vallée où s'étendaient de grandes mares. La marque de la crue s'affichait encore sur les maisons dévastées. Les hommes de troupe, lassés de cette nature désolée, ne regardaient que le bout de leurs chaussures, appuyés sur leurs fusils posés crosse contre terre. Ils s'ennuyaient, seule alternative raisonnable au meurtre en temps de guerre. Le trajet tirait à sa fin, ils pénétrèrent dans les faubourgs d'une ville de moyenne importance. Des maisons en brique s'alignaient, austères et presque arrogantes de modestie calculée. Quelques jardins trahissaient une présence humaine bienveillante, d'autres la longue agonie de l'abandon. Le centre était à peine plus gai. De petits immeubles, toujours en brique, avaient remplacé les maisons des faubourgs, faisant une large place à des bâtiments administratifs. Le petit convoi s'immobilisa devant la mairie. Un drapeau français flottait sur l'édifice, signe pour ceux qui ne l'avaient pas encore compris que la région était désormais sous administration étrangère. Les passants, poussés par la nécessité, s'aventuraient dans la rue en contournant soigneusement le bâtiment occupé. Emmitouflés comme si l'hiver devait se prolonger éternellement, leurs visages échappaient au regard et il était difficile d'y distinguer ce qui prenait l'ascendant de la détresse ou de l'humiliation. Des hommes âgés n'échappaient pas à la consternation de voir flotter à cet endroit le drapeau d'une nation qu'on avait dite défaite pour les siècles.

Maria, poussée hors du camion, se retrouva sans force sur cette place qui ravivait des souvenirs classés confusément dans son esprit d'enfant. Le capitaine l'observa longuement à contre-jour, d'un regard qui ne disait rien sur ses intentions, puis il donna ses ordres à la voix d'une douceur hypnotique :

— Donnez-lui une chambre et à manger, mais pas trop d'un coup, elle pourrait y passer. Qu'on lui porte aussi de quoi se laver et que quelqu'un aille lui chercher des vêtements propres !

— Mais où, mon capitaine ?

— Qu'est-ce que j'en sais, moi ? Demandez à ce qu'il reste de personnel dans cette mairie.

— On l'enferme dans sa chambre ? demanda l'adjudant.

— À ce compte-là, on enferme tous les gens de cette ville.

Deux hommes furent désignés pour l'escorter, dont un très brun qui semblait pressé d'en finir. Ils traversèrent la mairie puis une cour qui donnait sur une caserne sinistre. Maria dut s'arrêter à plusieurs reprises pour gravir les marches, trahie par ses jambes qui ne voulaient plus la porter. Pour son malheur, sa chambre était au dernier des quatre étages sous des combles. Voyant qu'elle n'y parviendrait pas, l'un des deux hommes se décida à la porter. Il la prit dans ses bras et, surpris qu'elle ne pèse rien, il gonfla le torse pour franchir les dernières marches. Exténuée, Maria ne vit de lui que des traits quelconques et un nez proéminent, sur lequel étaient posées des lunettes. La vue des lunettes si proches d'elle lui arracha un cri et elle se mit à battre des jambes. Le souvenir des lettres de son père avait jailli de son esprit et elle se mit à suffoquer avant de perdre une nouvelle fois connaissance.

ELLE se réveilla dans une chambre où une dizaine de lits vides étaient alignés. Aucun n'était préparé, mais des couvertures vertes d'une laine épaisse et rêche, pliées au carré, reposaient au bout du matelas. L'humidité était étouffante et, lorsqu'elle ouvrit les yeux, le binoclard forçait sur la poignée de la fenêtre pour l'ouvrir.

— Reste là, on va t'apporter à bouffer, du savon et des vêtements propres et après on verra ce qu'on peut faire de toi, fridoline.

Peu lui importait qu'elle comprenne ou pas. Le brun sombre se tenait dans l'encadrement de la porte. Il la regardait comme quelqu'un qui cherche à se donner de l'appétit devant un plat d'orties.

Il jeta un dernier œil sur elle avant de refermer la porte. Leurs pas résonnaient dans le couloir. Maria reprit connaissance avec, toujours à l'esprit, les lettres de son père. Le sujet ne tarda pas à tourner à l'obsession, elle voulait les récupérer.

Les deux types revinrent au bout d'une heure, elle n'avait rien fait d'autre que de fixer les toits en tuiles qui s'offraient à sa vue, depuis le lit où elle avait fini par s'asseoir. Des nuages pressés dans le ciel par un vent d'altitude cachaient puis libéraient le soleil. Les tuiles sous l'effet des changements soudains de lumière dégradaient les rouges entre teintes mates ou brillantes.

Le porteur de lunettes tenait d'une main un morceau de pain et un bout de fromage, de l'autre un paquet de vêtements. Il jeta les deux sur le lit voisin, et sortit de sa poche un morceau de savon.

— Du vrai savon. Ou presque. (Il la regarda sans bienveillance.) Les douches sont au fond du couloir, compris ?

L'adolescente fit non de la tête. Alors le soldat lui mima la phrase. Elle semblait encore si incrédule qu'il ramassa ses affaires et la conduisit par le bras aux douches. Mais la jeune fille se jeta au passage sur le pain et le morceau de fromage qu'elle engloutit en marchant.

Les lieux, dans l'attente d'une garnison improbable, étaient d'une propreté maniaque. La salle de douche pouvait contenir en même temps au moins une vingtaine de soldats. La jeune fille s'avança vers le coin d'où elle était le moins visible au regard des autres. Mais d'autres, il n'y en avait aucun, si ce n'est les deux plantons qui se demandaient s'ils allaient profiter du spectacle. Le brun au teint mat soupira et tira par la manche son binôme, qui marqua un temps avant de reculer. Maria se colla contre la paroi carrelée. Elle hésita longuement à se déshabiller moins par pudeur que par crainte de voir ce que son corps était devenu. Elle découvrit ses jambes maigres, ses cuisses creuses, ses os iliaques pointus. À sa grande surprise, l'eau coula chaude. La force du jet lui parut presque douloureuse, mais elle se laissa aller. Elle ne parvenait plus à s'extraire de cette caresse inattendue. Un des soldats lui cria quelque chose depuis l'entrée. À son intonation, elle comprit qu'elle abusait. Elle resta sourde aux ordres diffus et s'accrocha à son plaisir, consciente que le militaire allait finir par entrer dans la pièce pour l'arrêter. Il entra, peu après. Il se tint devant elle et, faisant mine de ne pas paraître devant une femme nue, il lui fit comprendre par des gestes qu'il était temps de sortir. Il n'avait pas prévu de serviette ou peut-être n'en avait-il pas trouvé, alors elle se rhabilla toute mouillée, endossant des vêtements d'une femme d'un autre âge qui lui donnaient un air sévère et démodé.

Les deux hommes la reconduisirent à sa chambre. Le binoclard s'assit loin d'elle sur un lit proche de la porte pendant que l'autre s'en allait chercher les ordres. Assise sur sa couche, Maria ressemblait à une petite fille grimée en femme. Le garde la fixait de longs moments comme s'il voulait lui dire quelque chose. Elle voyait mal sans ses lunettes mais quand par hasard elle captait son regard, elle n'y lisait de façon diffuse que veulerie et calculs servis par un esprit médiocre. Le brun mat revint un peu plus tard, ennuyé de son essoufflement.

— Elle reste là. En attendant, on l'enferme.

— Et si elle saute par la fenêtre ?

— Elle se tuera, mais elle n'en a pas l'intention, sinon pourquoi elle se serait accrochée à la vie dans sa bauge, tu peux me dire ? Tu es chargé de venir la voir de temps en temps, de lui apporter à manger et puis voilà.

Le binoclard se leva agacé, de quoi il n'en savait rien mais contrarié tout de même. Il s'essaya en allemand.

— Toi, pas bouger, toi rester là, compris ?

Maria acquiesça. Elle était encore toute à la fraîcheur de son nouvel état. Elle sentait la douche miraculeuse couler sur ce corps qu'elle se réappropriait lentement. Se débarrasser de ses gardes ajoutait à son bien-être. La porte se referma sur eux et, au bruit de la clé dans la serrure, elle comprit qu'on l'avait enfermée. Sans beaucoup d'efforts pour le concevoir, elle ne s'imaginait pas l'ennemi de quelqu'un mais, puisqu'il en était ainsi, elle allait en profiter pour se reposer, prendre des forces avant de retourner chercher les lettres de son père.

CHAQUE jour cédant difficilement au suivant, deux semaines au moins s'étirèrent dans la monotonie. Le garde lui rendait visite à heures régulières, celles des repas qu'il posait négligemment sur le lit voisin pour lui signifier qu'il n'était pas son larbin. Pendant qu'elle mangeait, il la regardait sous ses lunettes. Il marmonnait quelques mots en allemand, langue qu'il maîtrisait mieux qu'il n'en donnait l'impression. Elle lui demanda un livre. Après l'approbation de son supérieur, il lui en apporta un, trouvé dans la mairie. C'était *La Montagne magique* de Thomas Mann qu'il avait sorti d'une des nombreuses caisses où les vaincus avaient écrit : DESTINÉ À LA DESTRUCTION.

LE maire lui-même vint lui rendre visite accompagné du capitaine, de l'adjudant et de Furtwiller qui traduisait.

— J'ai bien connu son père.

Le maire était un homme de petite taille, assez rond, qui portait une moustache à la mode taillée droite sur la lèvre supérieure. L'humiliation de voir des étrangers occuper sa bourgade se lisait sur son visage. C'était un homme sans consistance qui accordait beaucoup d'importance au regard des autres. Avec la défaite, il risquait de perdre la face.

— Oui, oui. Son père est un propriétaire terrien bien connu.

— Et où est-il ? demanda le capitaine en allemand.

— J'imagine qu'il est parti à la guerre. Mais il n'était pas supposé y aller.

— Pourquoi ?

— Parce qu'il était trop vieux et qu'il faisait tourner des terres agricoles. Mais au fond, je ne sais pas. J'ai l'impression qu'il s'est engagé.

— Sur quel front ?

— Sur quel front ? Comment puis-je savoir sur quel front, moi ?

— Je ne vous reproche rien, je m'informe. Lorsque nous avons trouvé cette jeune fille chez elle, il y avait des ossements humains entassés dans une caisse en bois.

Le maire haussa les sourcils, mais très vite il dit :

— Qu'y pouvons-nous ?

— Vous peut-être rien, répliqua l'officier. Or moi, c'est différent. Je suis investi des pouvoirs de police. La vôtre est en fuite ou défaillante. Je ne peux pas me désintéresser d'un crime.

— Peut-être ne s'agit-il que d'un suicide ?

— Ce n'est pas la version de Maria Richter. Selon elle, c'est un policier qui aurait tué cet homme sur lequel nous ne possédons aucune information.

Le maire gonfla ses poumons, plissa la peau qui entourait son menton adipeux.

— Tout de même, capitaine, ce mort a-t-il vraiment une importance ? Des morts, malheureusement, ce n'est pas ce qui manque.

— Je ne dis pas que c'est important, mais ça pourrait l'être. Enfin, cette jeune fille est identifiée, c'est une bonne chose.

Louyre parlait avec détachement car ni les êtres ni les choses n'avaient de prise sur lui.

— Attendez, reprit le maire, vous me dites qu'elle s'appelle Maria Richter et que vous l'avez trouvée dans une ferme que je connais. Mais cela ne m'autorise pas à affirmer qu'elle est la fille de Hans Richter.

— Pouvez-vous vous en occuper ?

Le maire leva les bras au ciel.

— M'en occuper ? Mais nous manquons de tout. Personnellement je n'ai pas de structure pour le faire non plus. Nous avons une institution religieuse dans la ville, mais les sœurs l'ont désertée, ne me demandez pas pourquoi.

— Pas d'orphelinat ?

— Euh oui, enfin… non, si… mais je crains que le prêtre qui s'en charge ne soit débordé.

— Vous ne pouvez pas la prendre avec vous ?

— Certainement pas. J'avais cinq enfants. J'en ai perdu un sur le front de l'Ouest et un à l'Est. Je n'ai pas de nouvelles du troisième. Ma femme est alitée. Je dois nourrir seul deux filles et nous n'avons plus rien.

— Bon, bon, fit l'officier. Mais on ne va pas pouvoir la garder éternellement.

— Elle est mieux avec vous pour le moment, je vous l'assure.

— Elle n'a pas de famille, par ici ?

— Pas à ma connaissance.

Le capitaine se retourna vers Maria.

— Tu as de la famille ?

La jeune fille restée allongée sur son lit fixa ses pieds et les affreuses chaussures qui les enserraient.

— Oui, mais loin. Une tante dans la ville de D…

Un silence s'installa, lourd et partagé. La ville nommée avait été complètement rasée quelques mois plus tôt. C'était peine perdue de rechercher ces gens-là.

— Nous ne sommes pas très avancés, conclut Louyre. Bien, on va la garder en attendant de trouver une solution ou que notre hiérarchie nous impose de nous en débarrasser.

L'officier fixa le maire dans les yeux.

— Pas un mot sur l'histoire de ce cadavre calciné, je peux compter sur vous ?

— À qui voulez-vous que j'en parle ? Nous avons une grande tradition de discrétion.

— Je vous laisse aller, monsieur le maire, mais avant que vous ne partiez, dites-moi, de quoi vivait cette ville avant la guerre ?

Le maire tourna sur lui-même en regardant partout comme si la réponse se trouvait inscrite en petits caractères sur un mur. Puis il s'immobilisa d'un air désolé.

— Nous vivions d'agriculture. C'est ça. Une laiterie importante. Nous avions aussi une bonne petite industrie mécanique, en particulier une usine modeste mais performante qui faisait les palonniers de nos Messerschmitt. C'est à peu près tout. Un peu de confection aussi peut-être. Nous avons connu de grandes déceptions quand la Wehrmacht ne nous a pas retenus pour ses uniformes de fantassins juste avant la guerre. Ni les SS, qui ont choisi Hugo Boss. Ils préféraient la grande couture. Mais, dès 1941, l'armée s'est aperçue que nous étions indispensables. Cela nous a ouvert une période de prospérité interrompue par les premiers défauts de paiement qui sont devenus endémiques. Nous n'avons pas cessé la production ni la fourniture pour autant. Mais nous n'avons jamais rien produit de stratégique car nous n'avons jamais été bombardés, signe de notre modeste contribution industrielle à l'effort de guerre.

— C'est tout ?

Surpris, le maire répéta :

— C'est tout. En 1939, il a été question de cantonner des troupes ici. Un projet sérieux puisque cette petite caserne qui jouxte la mairie a été construite en quelques mois. Et puis la guerre est arrivée. Des unités de passage y dormaient avant. Mais personne n'est venu depuis.

— Très bien, dit l'officier, lassé de l'entretien.

Maria avait rajusté sa robe remontée le long de ses cuisses pendant son sommeil. Le garde avait posé son déjeuner sur le lit sans la réveiller. Après tout, c'était son problème si elle dormait en pleine journée, « cette couleuvre teutonne ». Sans doute cette réflexion était le prétexte qu'il se donnait pour contempler ses jambes sans que rien ni personne ne vienne interrompre ce spectacle volé.

Parfois, les nécessités du service devaient l'éloigner, et il fermait la chambre à clé, le temps de ses sorties. Mais il avait hâte de la retrouver. Elle était son seul objet de désir dans cette existence sans but qu'il menait depuis la guerre. Il ne lui montrait aucun sentiment, car il n'en avait pas. Il ressentait juste une sorte de précaution jalouse où elle tenait un rôle indéfinissable à mi-chemin entre le passe-temps et le fantasme.

Maria le regardait le plus souvent sans le voir. Elle le pensait inoffensif et faible. Sa santé retrouvée en avait fait une femme. Elle s'assit sur son lit en défaisant des deux mains une chevelure blonde au volume libéré par la propreté. Puis elle se leva, prit son plateau et se mit à manger avec appétit.

— Vous allez m'emmener chez moi. Juste pour une fois.

— Pour quoi faire ?

— Je veux récupérer des choses personnelles.

— Quelles choses ?

— Des choses. J'ai dit qu'elles étaient personnelles.

Le planton soupira.

— Mais tu n'es pas en position de détenir quelque chose de personnel. Ta maison est vide. À part ce cadavre dans une caisse, je ne me souviens pas qu'on ait trouvé grand-chose. D'autres étaient passés par là.

— Il reste quelque chose d'important pour moi. Je suis sûre que vous pouvez y aller.

— Je n'ai pas souvent l'occasion d'aller dans le coin, mais ça arrive. Qu'est-ce que tu me donnes en échange ?

La question, automatique, lui était venue avant qu'il y réfléchisse vraiment, et il fut donc encore plus surpris de la réponse.

— Ce que vous voudrez.

Un liquide chaud lui traversa le ventre.

— Ce que je veux, tu es sûre de ce que tu dis ?

Elle répéta son offre d'une voix teintée de désespoir.

— Ce que vous voulez.

Il se gratta la tête tandis que Maria prenait la mesure de ce qu'elle venait de dire. Dieu pouvait s'en accommoder. Les nouvelles de son père étaient nécessaires à son existence. La vie était prioritaire sur la morale. Ce n'était écrit nulle part, mais elle en avait la conviction. Et puis le Seigneur lui avait montré à plusieurs reprises qu'on ne reçoit rien sans donner.

— Et qu'est-ce qu'il faut te ramener ?

Le garde s'était rapproché d'elle avant de s'asseoir sur sa couche. Maria ne fit aucun geste pour se reculer. Elle s'assit en tailleur en recouvrant ses genoux avec sa robe et prit un ton de confidence.

— Il faut ramener des lettres de mon père.

— De ton père ? Tu ne les as pas encore lues, ou tu veux les récupérer comme reliques ?

— Je ne les ai pas encore lues.

— Pourquoi ?

— Parce que j'ai cassé mes lunettes.

— Il va te falloir quelqu'un pour te les lire.

— Je le sais.

— Peut-être que je vais te prêter mes lunettes. On verra. On n'en est pas encore là. (Il s'arrêta, caressa sa barbe comme s'il en avait une.) Mais, dis-moi, le macchabée qu'on a trouvé chez toi, tu es sûre que c'est pas toi qui l'as tué ? Je peux comprendre, une gamine seule dans une ferme au cœur d'un pays où il n'y a plus ni foi ni loi, c'est tentant pour un esprit tordu.

— Mais je ne l'ai pas tué.

— Mais c'est toi qui l'as brûlé ?

— Oui.

— Bon Dieu, t'es une sacrée bonne femme. Plutôt que de l'abandonner aux vers, tu as eu le cran de le cramer.

Il se gratta le haut du crâne où sa chevelure, abîmée par le casque, s'éclaircissait.

— Je ne comprends pas ton père. Laisser une gamine de ton âge toute seule dans une grande ferme comme ça…

— Je devais rejoindre ma tante.

— Pourquoi il ne s'est pas assuré d'abord que tu étais bien partie ?

— Parce que je voulais encore ranger des choses pour l'hiver.

— Et il t'a laissée faire ?

— Oui. Mais pour lui, je n'étais pas une petite fille. C'est lui qui m'a élevée. J'étais plutôt un garçon manqué.

— Mais pas une fille manquée, en tout cas.

Il eut un petit sourire qui mendiait la connivence. Maria ne releva pas. Il soupira profondément.

— Je comprends. Bon, je vais aller te les chercher ces lettres, mais pas un mot là-dessus. Et je te les lirai. Pour la contrepartie, on s'arrangera.

Il se leva et se sentit subitement honteux, car il ne savait pas lire. Un peu tout de même, mais pas toute une lettre.

— Parce qu'il y a forcément une contrepartie, c'est comme ça, on ne fait jamais rien pour rien, sinon on se fait avoir. Hein, dis-moi, j'ai pas la tête d'un type à se faire avoir ?

— Non.

— Donc on est d'accord. Je ne peux rien te promettre sur la date. Il faut une opportunité. Si tout va bien, en fin de semaine, on fait le tour des fermes pour améliorer l'ordinaire. Il n'y a plus beaucoup de fermes en état mais ton voisin à quelques kilomètres a encore des vaches et du lait. On a le temps de toute façon. On est là pour un moment, sauf si tes compatriotes renaissent de leurs cendres, mais aux dernières nouvelles ils sont très mal sur tous les fronts.

— Nous allons gagner la guerre, répliqua la jeune femme avec beaucoup de naturel. Et si vous êtes fait prisonnier, je témoignerai que vous vous êtes bien comporté.

Le garde éclata de rire.

— Je sais pas où vous allez chercher une confiance pareille vous, les fridolins. Ils vous ont fait entrer ça à coups de masse dans le crâne, ma parole !

Il lui demanda quel âge elle lui donnait. Elle s'approcha de lui au point de sentir son haleine âcre. Elle recula d'un coup.

— Trente-cinq ans.

— Quoi ? Mais tu es folle, j'en ai à peine vingt-cinq.

— Qu'est-ce que ça change ?

— Ça change qu'on n'a pas tant de différence d'âge que ça.

Il se leva un peu dépité, déçu que l'argument fasse si peu d'effet sur la jeune fille. Il prit le plateau et sortit, en proie à un sourd malaise.

— Pourquoi parlez-vous l'allemand ? lança-t-elle alors que la porte se refermait sur lui.
— Parce que je suis lorrain.
— C'est quoi, être lorrain ?
— Tu ne sais pas où est la Lorraine ?
— Non. C'est en Allemagne ?
— Ça dépend des années. Bon, il faut que j'y aille. Pas un mot sur notre… arrangement.
— Vous parlez allemand, mais vous parlez mal, comme quelqu'un de vulgaire.
Il la dévisagea d'un air ahuri puis il répondit :
— Tu verras qu'on finira par se comprendre.

Le Lorrain ne fut pas prompt à satisfaire Maria. La perspective de sa récompense attisait en lui une joie secrète qu'il ne parvenait pas à s'avouer. Cette âme triste tenait pour de bon un moment de plaisir que les circonstances et l'injustice lui avaient toujours refusé. Il savourait cette attente sans jubilation excessive, tel un détenu devant un colis destiné à améliorer son ordinaire et conscient que les plaisirs sont de courte durée.
Le secrétaire et le gramophone n'avaient pas bougé de place. L'humidité avait recouvert leur bois d'une pellicule grasse. Le brun au teint mat inspectait les lieux, courbé, la vue basse. Voquel profita d'un moment d'inattention pour saisir les lettres et les dissimuler sous sa vareuse.
— Je ne comprends pas pourquoi tu nous as fait revenir ici. Pour le gramophone ? Ou alors la petite t'a dit que son vieux avait caché de l'argent quelque part ?
— La petite ne m'a rien dit, mais moi je pense que son père ne peut pas l'avoir laissée seule dans une ferme sans lui avoir assuré un pécule. Si on tombe dessus, tant mieux.
— Pourquoi t'as pas cuisiné la gosse ?
— Je suis affecté à sa garde, pas à sa torture. Je préfère jouer la confiance, avec le temps tu verras.
— Alors qu'est-ce qu'on fout là aujourd'hui ?
— Comme on n'était pas loin, je me suis dit qu'avec un peu de chance…
— On ne laisse pas ces choses à la Providence. Allez, on s'en va.

VOQUEL entra dans la chambre de Maria en vainqueur. Elle dormait sur le ventre, les bras tombés de part et d'autre du lit, la tête de côté. Un curieux pli s'était formé sur son visage. Le soldat respecta son sommeil et vint s'asseoir sur le lit d'à côté, dégrafa sa vareuse pour se mettre à l'aise et une fois de plus fixa ce corps de femme. Comme chaque fois qu'il avait une raison d'être satisfait, un étrange sentiment nauséabond s'emparait de lui. Il s'allongea à son tour, de côté, orienté vers elle. Quand la jeune fille ouvrit les yeux et le vit là, si près, elle se recula d'instinct. Voquel, un peu confus, se releva pour s'asseoir au bord du lit. Elle s'assit à son tour et ils se firent face ainsi un bon moment sans rien se dire.

Voquel savoura cette attente et quand il fut temps de la quitter il lui annonça d'un ton très neutre qu'il avait les lettres, là, dans sa vareuse. Il en sortit une, à demi pour lui montrer qu'il disait vrai.

— Donnez-les-moi, lança-t-elle en se levant.

Il l'arrêta en dressant son bras vers elle.

— Et ça servira à quoi ? Tu n'as pas de lunettes pour les lire. Tu risques qu'on te les confisque et que tu ne les revoies plus jamais.

— Vous aviez dit que vous alliez me prêter les vôtres de lunettes.

— Sais-tu seulement si elles sont adaptées à ta vue ?

— Faites-moi essayer.

— Il est trop tôt.

— Trop tôt pour quoi ?

Il inspira, fort de ce pouvoir sur un être, une nouveauté pour lui.

— Un dicton dit : « Chaque chose en son temps. » Tu tiens à ces lettres, n'est-ce pas ?

Maria acquiesça, inquiète.

— Alors tu dois réfléchir aux sacrifices que tu es prête à faire pour les lire. Est-ce que tu t'es demandé si tu pourrais m'aimer ? Attention ! je ne veux pas de réponse. Je veux savoir si tu t'es posé la question.

Elle le regarda fixement.

— Oui, je me suis posé la question.

De peur qu'elle n'aille plus loin, il fit un geste de la main pour couper court.

— Tu me donneras la réponse un autre jour.

Et il quitta précipitamment la pièce en refermant doucement la porte derrière lui.

5

La salle du conseil de la mairie était au premier étage d'un bâtiment sombre et ouvragé. On y accédait par un escalier en granit de Norvège. Une photo colossale du Führer en gros plan, où l'on pouvait lire jusqu'à sa couperose, au-dessus d'un drapeau nazi aux teintes passées, mangeait le mur du fond. Sur les tentures grises poussiéreuses s'alignaient dans de lourds encadrements dorés les portraits des maires qui s'étaient succédé depuis le début du siècle précédent. Trois hautes fenêtres donnaient sur une cour pavée fermée en cheminée. Une table en bois plein et sombre s'allongeait, ceinte par une vingtaine de chaises au dossier ogival. Le capitaine Louyre y avait étalé une carte d'état-major du canton dont il avait provisoirement la charge. Il s'était assis dos à la fenêtre pour profiter du peu de lumière qui parvenait à s'infiltrer. L'électricité dont la centrale avait été atomisée six mois plus tôt par un bombardement américain n'était pas rétablie. Un bras pendant le long de sa chaise, il se tenait les jambes tendues, les pieds posés sur le drap vert qui recouvrait la table, à la manière d'un Américain. Il fumait une cigarette.

On frappa à la grande porte et elle s'entrouvrit. Il ne vit d'abord qu'un œil puis la tête contrariée du maire qui s'avança pour de bon. Louyre parlait un allemand littéraire hérité de ses longues études.

— Vous ne trouvez pas bizarre l'histoire que nous a racontée la jeune fille l'autre jour ?

Le maire prit un air étonné.

— Quelle histoire s'il vous plaît ?

Louyre écrasa sa cigarette dans un grand cendrier blanc et laid.

— L'histoire de ces ossements qu'on a retrouvés chez elle.

Le maire fit une grimace qui n'exprimait rien, sinon qu'il aurait préféré être ailleurs.

— Vous permettez que je m'assoie ?

L'officier désigna le siège en face de lui.

Il prit une autre cigarette et l'alluma avec un gros briquet à essence.

— J'essaie de comprendre. La jeune fille prétend que des hommes sont venus chez elle réquisitionner tout ce qui s'y trouvait. Il y a environ six mois. Avez-vous une idée des personnes impliquées dans ces réquisitions ? Ont-elles procédé d'un ordre officiel ?

Le maire croisa ses mains sur ses genoux joints.

— Pas à ma connaissance en tout cas. Il se peut qu'une action ait été entreprise du côté de la police mais nous n'avons pas le moyen de vérifier.

— Pourquoi ?

— Capitaine, vous savez bien que les policiers ont été affectés au front de l'Est, sauf deux qui ont disparu.

Louyre recracha la fumée de sa cigarette par petites poussées.

— On ne déménage pas des fermes entières sans laisser de traces, monsieur le maire. Si ces actions n'avaient rien d'officiel, elles procédaient d'un trafic. Vous êtes sûr de ne pas l'avoir couvert ?

— Bien sûr que non. Je ne suis pas un opportuniste, capitaine.

— C'est ce que je sentais mais il est bon que vous me le confirmiez.

— Si vous me permettez, pourquoi vous intéressez-vous à cette découverte macabre ?

— Je m'intéresse à ces ossements, monsieur le maire, parce qu'ils m'intriguent. Je ne sais pas où ils peuvent me conduire et en cela ils attisent ma curiosité.

— Pardonnez-moi, capitaine, mais, dans le civil, étiez-vous une sorte de policier ou de magistrat ?

Louyre sourit et se laissa glisser le long de sa chaise.

— Je n'appartenais à aucune de ces corporations. Cela m'a évité de me déshonorer. (Son regard croisa celui de Hitler, il en profita pour ajouter :) À propos, il faudrait décrocher et détruire ce portrait.

Les yeux du maire se mirent à tourner sur eux-mêmes telles les aiguilles d'une boussole affolée.

— Vos hommes ne pourraient pas le faire eux-mêmes ?

— Pourquoi, vous craignez un sacrilège ?

Le maire ne répondit rien, il se contenta de fixer le cendrier. L'officier revint sur le portrait.

— C'est la première fois que je vois un visage s'animer sur une photo. C'est très étrange, on dirait qu'on ne peut pas le contraindre à la fixité. On y lit de grandes terreurs, de l'ampleur de celles qu'ont les enfants. Vous ne trouvez pas ?

Le maire ne bougea pas. Louyre changea de sujet.

— Vous voyez, je n'ai de goût que pour les mystères métaphysiques. Les intrigues policières m'ennuient car elles ne sont que de petits règlements de comptes entre hommes.

— Je ne me suis pas posé la question, mais il est vrai que je ne me suis jamais intéressé aux histoires de meurtres.

— Que faisiez-vous avant d'être maire de cette ville ?

Les lèvres du maire s'animèrent sans s'ouvrir. Il finit par dire :

— J'étais professeur de philosophie.

Il baissa la tête. Il resta ainsi un bon moment. Seulement quand il la redressa, Louyre lui lâcha :

— Ce n'est pas facile de faire du doute son métier. On se brûle vite à côtoyer l'essentiel, et j'imagine qu'on se sent tellement soulagé quand on y renonce. Mais en refusant le doute, on est certain de se priver de la vérité. (Le capitaine poursuivit presque à voix basse.) Monsieur le maire, la vindicte n'est pas mon moteur. Nous sommes partis pour coopérer un bon moment, vous et moi. À moins que les Alliés n'en décident autrement ou que l'issue de la guerre ne soit inversée – ce dont je doute –, nous allons occuper cette région quelque temps. Je ne resterai pas ici éternellement, mais assez pour que nous apprenions à nous connaître. Je vais vous faire une confidence. Ce qui m'honore d'être français, c'est de ne pas être obligé d'être fier de mon pays, tout en l'aimant, bien sûr. Nous devons punir ceux qui le méritent, comme nous avons commencé à le faire chez nous, mais nous sommes là aussi pour vous aider à vous relever. Je vous conseille de collaborer avec moi. Il y va de votre intérêt que ma compréhension des faits soit la plus large possible. Vous me comprenez ?

— Je vous comprends.

— Mais je ne vous ai pas convoqué pour vous entretenir de généralités. L'autre jour, quand je vous ai posé la question de l'activité économique de la ville, vous ne m'avez répondu que partiellement. Vous avez oublié de me mentionner le plus gros employeur de la ville. L'hôpital.

— L'hôpital ?

— Oui, l'hôpital. Je m'intéressai hier à ce bâtiment imposant qui domine la ville. On dirait qu'il a une emprise sur elle. Je l'imaginais comme un ancien fort reconverti en prison. Mais non, on m'a dit que c'est l'ancien hôpital, je me trompe ?

Le maire prit le temps de la réflexion.

— Nous n'avons jamais eu à proprement parler d'hôpital ici, juste une maison de repos.

— Pour qui ?

— Pour les malades en longue convalescence.

— Alors pourquoi est-elle fermée ?

— Elle a été fermée par décision gouvernementale.

— Vous savez pourquoi ?

— Non. Ils avaient leurs raisons, sans doute, et nous avons pris l'habitude de ne pas les discuter.

— Pourtant, ce sont des dizaines d'emplois qui ont été supprimés dans une bourgade modeste. Ce n'est pas sans conséquences.

— Pas à ma connaissance. La carte des maisons de repos a été modifiée pour des motifs sérieux, j'imagine.

— Mais alors, monsieur Müller, comment expliquez-vous que les employés de cette maison de repos, comme vous dites, soient encore payés ?

Piqué, le maire se redressa.

— Qui vous a dit ça ?

— Une femme de service qui fait le nettoyage ici. Elle s'en est ouverte incidemment à un de mes soldats, qui a fait le lien avec ce grand bâtiment vide, que je me propose d'aller visiter cet après-midi. Voulez-vous m'accompagner ?

Le maire fut saisi d'un accès de panique avant de reprendre le contrôle de lui-même.

— Vous y tenez vraiment ? Mais qu'est-ce qui peut bien vous intéresser dans une maison de repos vide ?

— Rien de particulier. Si ce n'est qu'elle est vide. Une jeune fille affamée retrouvée près d'un corps carbonisé, une maison de convalescence désertée en temps de guerre, il y a là des secrets palpitants pour un homme ordinaire menacé d'ennui. Dans un autre pays, encore, je ne dis pas. Or je sais qu'ici vous n'aimez pas improviser. Voulez-vous que je vous raconte une histoire ? C'est celle d'un enfant allemand muet. Depuis la naissance, il n'a jamais parlé. Ses parents lui ont fait consulter les plus grands médecins. Il ne parle toujours pas. Et puis, un jour, à la stupéfaction générale, il ouvre la bouche et lâche : « La soupe est froide. » Ses parents sont sous le choc, bouleversés, et on les comprend. « Pourquoi tu ne parlais pas alors que tu étais capable de le faire ? » L'enfant, très maître de lui, fixe ses parents et leur répond d'un ton sec : « Oui, jusqu'ici, tout était parfaitement organisé. »

L'officier se leva, aussitôt suivi par le maire dont le visage était resté impassible.

— Dites-moi, qui dirigeait cette maison de convalescence ?

Le maire hésita.

— Le Dr Halfinger.

— Où est-il maintenant ?

— À la retraite.

— Et sait-on où il habite ?

— Il a quitté la région.

— Pour aller où ?

— Je l'ignore. Son administration doit le savoir.

— Et où se trouve cette administration ?

— À Berlin.

— Bien, bien, nous avons tout le temps.

Louyre alluma une nouvelle cigarette et désigna sa chaise au maire. Il se mit à déambuler, une main dans la poche.

— Je dois pouvoir compter sur vous. D'autres viendront après moi, qui n'auront peut-être pas ma façon de faire. Je sais que quand vous me regardez vous me voyez du côté des vaincus. Vous avez tort. Et vous m'avez menti.

Il se retourna pour voir l'effet produit sur le Pr Müller. Mais ce dernier n'eut aucune réaction.

— Le Dr Halfinger n'a pas l'âge de prendre sa retraite.

La partie de cartes battait son plein, comme tous les soirs, autour d'une table raflée à la mairie. Des bouteilles de bière vides jonchaient le sol. Le cendrier débordait et un nuage épais s'élevait pour se disperser contre le plafond du dortoir à l'avant-dernier étage de la caserne. Voquel se tenait en retrait, la tête dans les mains. Il avait bu une ou deux bières et refusé la troisième. Il n'aimait pas jouer. Lire ne l'intéressait pas non plus, pour quoi faire ? Chaque fois qu'il pliait le tronc, le coin des lettres appuyait sur son plexus, lui rappelant la jeune fille, à l'étage supérieur. Poussé par l'ennui plus que par la préméditation, il se leva et se dirigea vers la porte. Il monta le large escalier, en s'aidant de sa torche qu'il économisait en l'éteignant dès que la lumière naturelle lui permettait de distinguer les reliefs. Il sortit sa clé de sa poche et l'introduisit dans la serrure de la chambrée. On n'y voyait strictement rien. De sa torche, il éclaira le lit de Maria et sursauta quand il vit ses yeux ouverts. Elle ne dit rien. Lui non plus. Il se contenta de s'asseoir à sa place habituelle dans un grincement de sommier sinistre. Puis il soupira, peut-être pour chercher à lui indiquer sa détresse.

Le désir des femmes était un drôle de serpent. Les bordels de campagne l'avaient soulagé un temps, puis il y avait renoncé, lassé de n'être pas désiré. Or désiré, il ne l'avait jamais été. Ni par ses parents ni par personne. Quand il se rappelait sa mère, il n'arrivait pas à s'imaginer qu'un homme ait eu envie d'elle et il se demandait bien à quelle pulsion ce type, son père, avait pu céder pour lui faire un enfant. Il ne pouvait pas le blâmer de ne pas l'avoir reconnu. Il en aurait fait de même à sa place. Sa mère montrait à son égard une étonnante neutralité. Elle ne le considérait ni comme l'enfant de la honte, ni comme celui de la joie.

Il n'avait pas souffert de l'Occupation, et quand les privations s'étaient généralisées, que les autres accédèrent à sa pauvre condition, cela l'avait rassuré. Il s'était engagé pour briller auprès de femmes inconnues, à une période où personne ne lui demandait rien. Mais l'héroïsme qu'il avait tant espéré s'était refusé à lui.

Maria se releva, et s'assit, appuyée contre sa tête de lit, les jambes repliées, la couverture tirée jusqu'au cou. Voquel alluma sa lampe torche, il la braqua sur la jeune fille qui regardait droit devant, fixant une ligne imaginaire. Voquel éteignit sa lampe.

— J'ai les lettres sur moi.

Après un temps, elle répondit :

— Je n'ai pas de lunettes.

— J'ai les miennes.

— Et si elles ne conviennent pas ?

— Je te les lirai.

Elle prit son temps une nouvelle fois.

— Les mots de mon père ne peuvent pas sortir d'une bouche telle que la vôtre. Mon père n'était pas un paysan, c'était quelqu'un d'éduqué qui avait fait de bonnes études. Notre ferme était une grosse ferme, une des plus grosses fermes de la région.

Voquel réagit en petit garçon vexé :

— Attention, je vais les brûler, moi, tes foutues lettres. J'ai horreur des gens qui ne savent pas ce qu'ils veulent ! J'ai été les chercher et maintenant quoi, hein, dis-le !

Ses paroles retentirent dans la chambrée vide et il en fut surpris lui-même. Il poursuivit à voix basse :

— J'ai honoré ma parole, j'ai fait ce qui était prévu, tu me dois une contrepartie.

— Je sais, répondit-elle sèchement avec une voix de femme qu'il ne lui connaissait pas. Alors donne-moi les lettres, toutes les lettres.

Il avait rallumé la torche et la promenait sur la jeune fille comme un cheminot qui vérifie les attaches des wagons. Il la vit remonter sa jupe et descendre sa culotte. La blancheur et la rondeur de la hanche exposée maladroitement à la lumière déclenchèrent un renvoi aigre dans sa bouche.

— Allez, viens, fit-elle, mimant l'impatience.

Il éteignit la torche d'un coup.

— Non, non et non.

— Pourquoi ? fit-elle de sa voix retrouvée d'adolescente.

— Parce que c'est moi qui décide. Je veux des sentiments.

— Des sentiments ? dit-elle en riant. Comment peut-on échanger des lettres contre des sentiments ? Les sentiments, ça ne se commande pas. Et je ne sais pas faire semblant.

— Bon, bon.

Il prit l'air de quelqu'un qui cherche une solution. D'une voix qui se voulait assurée il poursuivit :

— Tu l'as déjà fait ?

Imaginant ses scrupules, la jeune fille le rassura :

— Oui. Avec un policier.

Elle avait improvisé cette réponse qui lui semblait le mensonge le plus proche de la réalité.

— Un policier, quel policier ? Le policier qui a tué l'homme que j'ai retrouvé, le macchabée, hein ? C'est pas clair ton histoire. Mais cela ne me concerne pas. (Il se calma de nouveau.) Tu ne veux pas m'aimer un peu ? Ça serait tellement plus simple.

Il éclaira le visage de la jeune fille qui fit non de la tête. Sa robe remontait toujours sur son ventre.

— Et puis, tu as quel âge pour de bon ?

— J'ai seize ans depuis hier.

Elle dit cela, mais elle n'y pensait pas. Elle s'étonnait de sa résignation. Elle trouvait correct d'offrir une contrepartie aux lettres. C'était un signe. Un de ces signes qui lui étaient adressés régulièrement.

Aucun sacrifice n'était inutile. Un jour, il serait largement compensé, elle le savait. Qu'est-ce que Dieu allait lui offrir en échange ? Une victoire de l'Allemagne et le retour triomphant de son père. Dieu y ajouterait peut-être aussi le retour des garçons de ferme. Alors si on faisait la somme de tous ces bonheurs, c'était un sacrifice raisonnable qu'on exigeait d'elle. Elle n'eut plus qu'une idée en tête : se donner au Français, à cet infâme porc au regard plus éteint qu'une fosse à purin. Sans la protection du Seigneur, le policier l'aurait violée, elle le savait. Mais là, il ne s'agirait jamais d'un viol. Plutôt d'une offrande.

Elle dégrafa le haut de sa robe boutonnée jusqu'au cou. Puis elle la fit glisser tout entière. Elle tendit la main vers le soldat.

— Viens !

Il se leva du lit où il était assis et s'approcha, le souffle court. Il posa sa main sur son nombril. Elle mit sa main sur la sienne, se souleva légèrement et, de l'autre main, elle s'empara de ses lunettes.

— Les lettres ! ordonna-t-elle.

Il posa la torche entre les genoux de Maria puis saisit le paquet de lettres dans sa vareuse et le lui donna.

— Éclaire-moi !

Elle remonta son dos contre le montant du lit, posa les lunettes sur son nez. Dans la pénombre et son jeu d'ombres portées, ces lunettes lui donnaient une tête effrayante. La main de Voquel n'avait pas quitté son ventre. Il éclaira les lettres qui reposaient devant sa main. Leur ordre n'avait pas changé. Les deux premières avaient été ouvertes et lues. La troisième, ouverte également, n'avait jamais pu être déchiffrée. Les quatre suivantes, aussi humides que les précédentes mais plus lourdes, n'étaient pas décachetées.

Voquel s'agenouilla pour garder sa main posée sur le ventre de la jeune fille. Elle se saisit de la lampe avec autorité, lut la lettre avec difficulté à cause des lunettes qui n'étaient pas à sa vue. Quand elle eut fini, elle soupira, replia la lettre et s'empara d'une autre qu'elle s'apprêtait à ouvrir quand elle sentit la grosse main du Français l'en empêcher. Il prit le paquet de lettres et le posa par terre avec la lenteur de quelqu'un qui craint une réaction. C'était pour elle le signe qu'il faudrait payer pour chaque lettre, chose dont ils n'avaient pas discuté, mais il était trop tard, elle n'avait plus la force de négocier. Ensuite, il détacha sa ceinture, fit glisser son pantalon sur ses hanches et s'allongea sur elle, alors que des yeux elle fouillait le plafond en quête d'un point à fixer.

6

L'ADJUDANT se moucha d'un revers de main. Une humeur maussade se lisait sur son visage. L'inaction lui pesait. Certes il avait de l'occupation, mais il sentait qu'il n'était plus question de bataille.

— Retrouver un médecin. Mais comment voulez-vous que je fasse, mon capitaine ? Je suis soldat, pas policier.

— Je sais, je sais. Mais pourtant, il faut le retrouver.

L'adjudant toujours circonspect s'assit sur la grande table.

— Qu'est-ce qui vous intéresse chez ce médecin ?

Louyre sortit une cigarette.

— Qu'il soit parti à la retraite à un peu plus de cinquante ans. Que la maison de convalescence ait fermé à un moment où les blessés se comptent par millions, que Müller regarde en l'air lorsque j'évoque avec lui cet établissement qui a été le premier employeur de la ville. En bref, j'ai l'impression que l'on me cache quelque chose et je n'ai pas la moindre idée de ce que cela peut être.

— Je comprends bien, mon capitaine, mais, pardonnez-moi d'être direct, qu'est-ce que ça peut faire ?

— Justement, je n'en sais rien et c'est cela qui m'intéresse.

— Les blessés ont peut-être été regroupés dans une certaine partie de l'Allemagne, plus près des fronts.

— Non, l'arrière, c'est toujours l'arrière. Et nous ne sommes pas si loin. Mon grand-père qui était caissier dans une banque avant la Grande Guerre me disait qu'une différence de quelques centimes dans l'encaisse pouvait être la différence entre plusieurs millions déplacés, vous comprenez ?

— Je comprends, mais notre mission n'est-elle pas seulement de prendre le contrôle de ce canton, l'administrer et y remettre de l'ordre ?

Louyre se caressa le haut de la lèvre supérieure en mimant le geste de lisser une moustache.

— Justement. La désertion de cette maison de convalescence n'est pas un problème en soi. Sauf qu'il s'y ajoute le cadavre de cet homme, retrouvé en même temps que la jeune fille.

— Je ne vois pas le lien.

— Moi non plus. C'est bien ce qui m'intrigue. J'ai l'intuition d'une relation entre les deux. Mais peut-être ai-je tort.

— Vous voulez vraiment que je recherche ce médecin-chef ?

— Oui, j'y tiens. Ce n'est pas un ordre, c'est une incitation. Et je vous en serais reconnaissant.

L'adjudant soupira.

— Je vais m'en occuper. Mais je ne comprends toujours pas pourquoi on nous a laissés là, à l'arrière, au lieu de marcher sur Berlin. On n'avait pas démérité pourtant, on s'est bien battus, non ?

— Je crois, mais de leur point de vue, ces nouvelles responsabilités sont une façon de récompenser nos mérites.

— Vous pensez vraiment ?

— J'essaie de m'en convaincre. Faites la même chose.

— Et que dit le commandement ?

— Le commandement ne dit rien. Les batailles que nous avons livrées ne font pas oublier aux Alliés que nous avons passé une bonne partie de la guerre dans l'autre camp.

— Mais pas moi, ni vous, mon capitaine !

— Non, mais nous ne sommes pas la France, ni vous ni moi. Je n'ai aucune idée de ce qui se tracte en haut lieu. Le colonel non plus.

— Et combien de temps allons-nous rester dans ce trou perdu ?

— Le temps qu'il leur faudra pour se décider à nous envoyer ailleurs. Ou peut-être dans nos familles.

— Je n'ai pas de famille.

— Alors il vous faudra vous trouver une autre guerre. Mais vous ne pourrez pas toujours croiser de grandes causes, Hubert.

L'adjudant hésita à parler quelques secondes puis se lança :

— Il y a quelque chose qui m'étonne, mon capitaine. Vous savez que je ne suis pas toujours d'accord avec vous et que parfois je vous ai trouvé un peu inexpérimenté au regard des circonstances, mais il y a un truc bizarre, quand on vous écoute parler, on a l'impression que vous êtes beaucoup plus vieux. Pas dans le métier des armes, mais tout simplement plus vieux.

Louyre le regarda intensément avant de détourner les yeux pour ne pas le gêner. Il sourit légèrement :

— Parce que je suis astronome. Plus vous vivez haut, plus vous vieillissez vite, car la distance parcourue est plus grande. Déjà un homme des montagnes prend de l'âge plus rapidement qu'un homme des plaines, alors vous imaginez dans l'espace.

— Et qu'est-ce qu'on y voit là-haut ?

— Des étoiles par millions, toutes plus mortes les unes que les autres. Comme si elles attendaient que la nôtre les rejoigne dans le grand concert du silence sidéral. On n'en est pas passés loin cette fois-ci.

Hubert s'éclaircit la voix. Il rentra la tête dans ses larges épaules et d'une voix douce inhabituelle, il dit :

— Vous croyez en Dieu, mon capitaine ?

Louyre le regarda, surpris, réfléchit un instant puis répondit :

— Assez pour me poser la question de son existence.

Un peu honteux de s'être laissé prendre à ce qui aurait pu passer pour de l'émotion, Hubert, courbé par la réflexion, se releva :

— Et on fait comment pour le retrouver, cet homme ?

— Cela ne doit pas être compliqué. Ils sont remarquablement organisés. Furtwiller a une accointance avec une femme de service de la mairie, qui le considère en Allemand parce qu'il est alsacien. Elle pense qu'il est avec nous contre son gré. Il ne faut pas la contrarier. Elle s'épanche. C'est elle qui lui a dit qu'elle avait travaillé à l'hôpital avant qu'on le ferme sans raison. Mais Furtwiller a eu l'impression qu'elle ne pouvait pas tout lui dire. Quand elle en vient à l'essentiel, les mots ne sortent pas, elle devient soudain absente et, me dit-il, « elle se met à sourire, gênée ».

Hubert reprit ses réflexes de militaire :

— Et la petite, on n'a pas mené très loin l'investigation ?

— J'attendais qu'elle se refasse une santé.

— Un drôle de peuple tout de même. Laisser une gosse toute seule dans une ferme abandonnée. Vous me direz ce que vous voudrez, mais je reste persuadé qu'elle a mangé le type qu'on a retrouvé.

Louyre sourit. Hubert en fut intrigué.

— Vous trouvez ça amusant, mon capitaine ? Moi, ça me fait froid dans le dos.

— Dans le cannibalisme, il y a une forme de respect de l'autre. On le met à l'intérieur de soi. Rien à voir avec les abattoirs qu'on pratique dans nos guerres, où on abandonne la viande au bord des routes.

Louyre s'était vendu la guerre comme une aventure rebutante dont il ne pouvait pas être absent. Son esprit sceptique avait très jeune sapé sa confiance dans sa propre espèce. Dès le lycée, incapable de s'intégrer parmi ses camarades à la conscience étriquée, il s'était placé en spectateur amusé de l'existence. Il furetait. Il en avait soupé des poilus qui ponctuaient leurs vies de commémorations macabres, où chacun pleurait les morts en célébrant sa petite vie qui n'avait jamais compté pour rien, de cette génération jalouse de sa guerre, la seule remarquable de l'histoire des guerres. Si on haïssait le boche, il n'en allait pas de même pour l'Allemand. On l'admirait même secrètement, on lui enviait ce qui nous faisait défaut, cet esprit systématique et industriel, car il y avait dans ce peuple un peu du meilleur de nous-mêmes, de cette radicalité évaporée dans un siècle et demi de gauloiseries et une franchise surprenante, qui l'autorisait à mener ses haines jusqu'à ses extrémités sans connaître le remords, cette pourriture de la conviction.

Même si les dictatures l'indisposaient, Louyre n'avait pas cette foi combattante qui rend les choses si lumineuses de simplicité, quand le mal devient trivial. La campagne d'Italie lui avait valu du galon, gagné à l'intelligence plus qu'au courage, une notion bien lointaine pour lui, qui par un défaut de naissance ne connaissait pas la peur ni le mérite de l'apprivoiser. Il y avait dans cette guerre quelque chose de définitif à comprendre, dont les contours étaient encore mal définis. La grande répétition de 1914 s'était faite sans motif, mais cette fois, on avait mis de la substance à s'entre-tuer. Les hostilités finies, chacun retrouverait le chemin de la tranquillité, la paisible bonne conscience d'avoir éradiqué une bonne fois pour toutes ce qui, sous des airs de matador, fait de l'homme un être débile, navré, moutonnier, avare de son intelligence autant que de son argent, consternant de conformisme jusque dans l'abattage de la partie adverse désignée en quelques mots simples et compréhensibles de tous.

Hubert parti, Louyre, voyant la tache sombre du soleil descendre dans le ciel plombé qui s'insinuait entre les toits, décida de profiter des dernières minutes de jour pour rendre visite à l'adolescente dont il ne savait décidément pas quoi faire. Maria était, se disait-il, un des éléments de cette énigme qui rend supportable par ses perspectives notre stationnement dans cette bourgade sans caractère, où même le fleuve ne ressemble pas à un fleuve, mais à un redoutable constricteur. Louyre se mit en marche avec l'assurance trompeuse des grands anxieux qui, frappés dès l'enfance par la conscience douloureuse de leur fin, face aux événements chargés de la précipiter, s'efforcent de donner l'image d'une solide légèreté.

MARIA pleurait. Quand Louyre lui en fit la remarque, elle en fut gênée car le flot continu de ses larmes se déversait sans affliction ni drame, telle une plaie qui suinte.

— Qu'est-ce qui ne va pas ?

Elle sécha ses larmes. Voquel se tenait derrière le seuil de la porte ouverte, ivre d'inquiétude. Elle le désigna des yeux, assez intensément pour que Louyre se retourne et scrute du regard le soldat qui s'efforçait maladroitement de ne rien laisser paraître de son angoisse.

— Il m'a pris mes lettres.

— Quelles lettres ?

Elle s'enfonça un peu plus dans sa couche.

— Les lettres de mon père.

Louyre fit signe à Voquel d'entrer.

— Qu'est-ce que c'est que cette histoire de lettres ?

Voquel, à demi décomposé, bafouilla :

— Je les ai confisquées, mon capitaine.

Louyre le fixa, suspicieux.

— Où étaient-elles ?

Alors que Voquel préparait sa réponse, Maria le sauva inopinément de l'embarras.

— Quand je suis venue, je les avais sur moi. Mais le soldat me les a prises quand je les ai posées près de mon lit.

Tout cela était logique, à ceci près que le soldat n'était pas habilité à prendre des mesures de confiscation sans en référer à ses supérieurs.

— Pourquoi n'avez-vous pas transmis les lettres à Hubert, Voquel ?

— J'allais le faire, tout cela vient juste de se produire.

— Vous les avez lues ?

— Non.

— Donnez-les-moi !

Voquel tendit les enveloppes grises. On pouvait lire sur son visage que le soulagement avait fait place à la détresse. Louyre les examina et s'étonna qu'elles ne fussent pas toutes ouvertes. La jeune fille s'en expliqua d'une voix neutre.

— Celles qui sont ouvertes l'ont été avant que je ne perde mes lunettes.

— Et vous ne pouvez plus lire.

— C'est ça, dit-elle en s'immobilisant, les yeux écarquillés.

Louyre se montra circonspect, puis il se rendit à la fenêtre et y resta planté les mains dans le dos, sans rien dire. La nuit tombait sur la ville.

— Et comment avez-vous perdu vos lunettes ? demanda-t-il.

La jeune fille, décidée à changer d'humeur, se redressa sur son lit.

— Un jour que je caressais nos chevaux, des avions sont venus très bas. Les chevaux ont été effrayés, ils m'ont bousculée, mes lunettes sont tombées dans la boue et ils les ont écrasées.

Louyre ne dit rien et continua à sonder la nuit. Il se retourna.

— Bien, bien, fit-il à l'adresse de la jeune fille en lui souriant. (Puis il retourna vers Voquel.) Je vous relève de la garde de cette enfant. Elle peut désormais circuler librement dans le bâtiment. Vous pouvez sortir. Fermez la porte derrière vous.

Voquel opina du chef de manière servile. Il fit demi-tour et s'éclipsa.

Louyre vint s'asseoir au pied du lit de la jeune fille. La femme commençait à poindre sous les traits restaurés de l'adolescente. Les vingt ans qui les séparaient lui semblaient infranchissables, créant un abîme de maturité entre eux. Elle soutenait son regard, sans impertinence.

Louyre mit sa tête dans ses mains. Sa voix, difficilement crédible quand il ordonnait, fascinait de douceur quand il parlait.

— Nous devons avoir un long entretien. Comment vous appelez-vous déjà ?

— Maria.

— Maria, je vais emporter ces lettres et les lire, si vous voulez bien. Ensuite, je vous les lirai. Je n'ai pas de lunettes à vous prêter. Je vous en ferai faire quand le magasin d'optique ouvrira de nouveau ses portes. Mais je suis passé plusieurs fois devant et il semble irrémédiablement fermé.

— Je sais. L'opticien est parti avec mon père.

— Donc, quand il reviendra, je m'occuperai de vos lunettes. Vous m'autorisez à lire ces lettres ?

La jeune fille le regarda, surprise.

— Vous avez besoin de mon autorisation pour les lire ?

— Votre autorisation ? Non, je n'en ai pas besoin. Mais je vous la demande.

Il s'appuya contre le montant en fer au pied du lit. Il baissa encore d'un ton et se mit à la tutoyer pour se convaincre qu'elle était encore une enfant :

— Tu es bien certaine de ne pas l'avoir tué, l'homme dont on a retrouvé le cadavre chez toi ?

— Bien sûr que oui. C'est un policier qui l'a tué.

— Comment ?

— Ils sont entrés dans la grange où je me cachais. L'homme était devant, le policier derrière. Ils cherchaient ce qu'ils pouvaient voler. D'un seul coup, j'ai vu le policier sortir son pistolet et tirer derrière la tête de l'autre homme qui est tombé. Ensuite il est parti.

— Ils savaient que tu étais là ?

— La veille, deux policiers se sont déplacés pour voir les meubles et les bêtes. Ils sont revenus le soir pour me violer.

— Pour te violer ?

— Oui, je les ai entendus arriver. Je me suis cachée. Et j'ai compris à ce qu'ils disaient qu'ils avaient l'intention de profiter de moi. Mais ils ne m'ont pas trouvée. Le lendemain, ils ont débarqué pour tout prendre avec des manutentionnaires. Le policier qui, la veille, m'avait témoigné un peu de considération, est parti le premier une fois son camion chargé. Le second policier est resté avec le deuxième manutentionnaire, et il l'a tué.

— Et pourquoi, d'après toi ?

— Je ne sais pas. Ils ont peut-être eu une conversation avant, mais j'étais trop loin pour l'entendre.

Louyre se lissa le menton :

— Et dis-moi, où se trouve ta mère ?

Le visage de Maria se vida de son sang et une agitation désordonnée s'empara de ses membres.

— Ma mère ? Elle est dans une maison de repos.

Louyre eut un rictus qui exprimait le mécontentement de soi.

— Tu en es certaine ?

La jeune fille hésita à répondre.

— Non. Un soir, elle s'est endormie vivante, et le lendemain, elle s'est réveillée morte à l'hôpital. Je ne sais pas lequel. Il y a longtemps qu'elle y était entrée. J'avais douze ans quand elle a quitté la maison.

— Tu ne lui rendais pas visite ?

— Non, jamais. Mon père allait la voir seul. Quand il revenait, il était triste une bonne demi-journée. Ensuite, il reprenait le dessus.

— Il ne voulait pas que tu la voies ?

— Non, c'est elle qui ne voulait pas me voir.

— Pourquoi ?

— Je ne sais pas. Elle disait qu'elle voulait me revoir quand elle serait plus présentable. Elle est morte avant.

— Tu n'as vraiment aucune idée d'où se trouvait cet hôpital ?

— Non, mais je crois qu'il n'était pas loin.

— Ce n'était pas la maison de convalescence de la ville ?

— Je ne sais pas. Mais quand mon père allait lui rendre visite, il en profitait toujours pour faire des achats, et il me ramenait des petits cadeaux. Il ne partait jamais très longtemps, donc ça ne devait pas être si loin.

Louyre réfléchit un long moment alors que la nuit avait tout envahi.

— Et dis-moi, où ta mère est-elle enterrée ?

— Je ne sais pas.

— Tu ne te souviens de rien d'autre de marquant ? Quelque chose qui t'aurait étonnée.

— Non. Si, peut-être. Mon père s'est mis à pleurer des semaines avant la mort de ma mère.

— Et pourtant tu me dis qu'elle est morte subitement.

— Oui. Mais mon père était déjà accablé des semaines avant sa mort, comme si elle était morte avant qu'il me le dise.

Louyre se leva.

— Tu n'es pas notre prisonnière. Tu es libre d'aller où tu veux à l'intérieur de ces bâtiments et si tu veux sortir dans la ville, tu dois m'en parler avant, je te ferai accompagner. Tu dois continuer à dormir ici, en attendant qu'on ait retrouvé ta famille. Et bien sûr, on va te nourrir. Mais je veux que tu ne parles à personne, ni avec tes compatriotes ni avec les miens.

Mon père ne devrait pas tarder de toute façon. Et mes lettres ?

demanda Maria d'une voix de petite fille qui contrastait singulièrement avec la tonalité presque grave qu'elle avait maintenue jusqu'ici dans leur conversation.

— Je te les lirai.

— En échange de quoi ?

— Mais de rien.

— Quand ?

Louyre attendit d'être à la porte pour lui répondre.

— Bientôt. (Et avant de refermer la porte il lui dit :) Et ici, personne ne te violera. Tu peux me croire.

Il rejoignit sa chambre au premier étage. En marchant, il constata qu'une étreinte imperceptible avait cédé à l'ennui et à la crainte diffuse de ces nuits sans étoiles qui se succédaient.

7

Le lendemain, le jour s'était levé à contrecœur. Louyre avait quitté son lit sans empressement. La lumière naturelle ne permettait pas encore de lire. Il déplorait la répétition de jours semblables. Il enviait un peu ses camarades chargés d'enquêter sur les crimes de guerre. Les nazis avaient franchi les limites de ce que l'on peut tolérer dans un conflit, maintenant on ne pouvait plus faire semblant de ne pas le savoir. Il fallait instruire ce débordement, le condamner et, avec lui, ceux qui, au nom du prétendu noble art de la guerre, avaient commis un sacrilège contre l'humanité.

Sa hiérarchie avait décidé de l'immobiliser sur une route sans retour. La raison en était sa personne diversement appréciée. Courageux sans être un vrai militaire, voilà ce qu'on lui reprochait et cela suffisait à faire de lui un officier d'appoint qu'on ne blâme ni ne récompense, mais qu'on laisse seul, à la première occasion, dans un fortin d'altitude battu par les vents, devant un immense désert de sable que plus personne ne convoite.

Les Alliés aux portes de Berlin enfonçaient soigneusement les derniers désespérés du Reich, un Reich conçu pour mille ans qui n'en avait duré que douze, mais douze qui comptaient pour mille. Ainsi le bruit de l'apocalypse s'était éloigné. Il n'avait jamais vraiment tonné dans cette province prise sans combats.

Lavé, habillé, rasé de près, Louyre s'était assis à son bureau. Il avait saisi le paquet de lettres pour les inspecter l'une après l'autre en tournant et retournant lentement leur enveloppe. On sentait chez lui une gêne à lire un courrier qui ne lui était pas destiné. Cette gêne était plus forte que sa curiosité. D'ailleurs il ne se faisait pas de grande illusion sur l'intérêt de ce qu'un père au front pouvait écrire à sa fille. Cette correspondance s'était arrêtée brutalement. Sans doute le courrier avait-il cessé d'être acheminé. Ou plus probable encore, Richter était mort. Louyre se demanda quel âge il pouvait avoir, ce Richter. Si on l'avait mobilisé si tard, c'est qu'il était assez vieux, et qu'on avait attendu pour faire appel à lui d'avoir sacrifié toute la jeunesse. Les vieux ont toujours décidé des guerres en pensant qu'elles seraient assez courtes pour qu'elles ne les concernent jamais. Mais cette fois, elle ne les avait pas épargnés.

Il eut une pensée pour Maria. Il se demanda comment elle avait pu survivre, seule, dans cette bauge humide où on l'avait découverte, à quoi elle avait pu penser durant tous ces mois, quelle force avait pu permettre à cette petite lueur de ne pas s'éteindre. Il ne voyait pas l'adolescente qui s'essaie à être quelqu'un, car elle était déjà un être construit ; ses lignes de défense apparaissaient distinctement, de même qu'un acharnement à vivre en dépit de tout. Un éclair de tendresse pour elle traversa son esprit.

Les deux premières lettres se ressemblaient à s'y méprendre. La guerre n'y était pas plus dramatique qu'un camp scout d'été où, en dehors de l'éloignement de ceux qu'on aime, rien ne pèse. Le style était hésitant, parfois emprunté, souvent maladroit, mais on y devinait une solide éducation. Louyre se dit qu'à ce moment-là, il ne pouvait pas encore avoir atteint le front. La troisième lettre aurait pu provenir d'un tout autre individu. C'était celle d'un homme douché par la réalité, au bord des larmes, qui réalisait qu'il n'était là que pour tuer ou être tué. On le sentait, à travers les lignes, désarmé par les forces de l'anéantissement qui se levaient contre lui. Il n'était plus qu'un homme sans importance parmi des millions qui se massacraient aveuglément. Il prenait soudainement conscience qu'on ne pouvait pas, de ce monde-là, revenir à celui des vivants. Alors il se prépara à écrire son testament et annonça à sa fille qu'il lui dirait bientôt tout ce qu'elle devait savoir car il ne voulait pas qu'elle l'apprenne un jour « de bouches infectées ».

Louyre savait qu'au moment où elle recevrait la troisième lettre, Maria était censée quitter la ferme pour rejoindre sa tante à la ville. Pourtant Richter lui envoya les suivantes à la même adresse. Les mains jointes sous le menton, Louyre hésita à ouvrir les trois dernières lettres. Les enveloppes étaient plus lourdes que les autres. Elles étaient abîmées aux coins, l'encre de l'adresse avait pris la pluie.

De la pointe de son couteau, il décacheta la première enveloppe. Il la lut une première fois, puis une seconde. Il fit de même pour les suivantes. Puis il les replia soigneusement. On frappa à la porte. Il reconnut les manières de l'adjudant Hubert qui, après avoir été invité à entrer, se tint là, droit et propre comme le monde dont il rêvait.

— L'Allemagne a capitulé, mon capitaine.

Louyre ne dit d'abord rien puis maugréa :

— Bonne nouvelle, bonne nouvelle.

— C'est tout ce que ça vous fait, mon capitaine ? Mais c'est la fin de la guerre, tout de même !

— Pardon, j'étais absorbé par quelque chose, je ne réalise pas très bien. Bon, bon, mais qu'est-ce que ça change pour nous ?

Hubert eut l'air décontenancé.

— Rien.

— C'est bien ce que je pensais, rien. Il faut organiser une fête ce soir, avec les moyens du bord. Mais il y a plus urgent. Prenez tous vos hommes, je veux qu'on retrouve le directeur de l'hôpital.

— C'est vraiment si important que cela ?

— Oui. Mes prémonitions prennent forme, Hubert.

— Comment cela ?

— Je préfère vous en parler un peu plus tard. Dans mon puzzle, je vois une ombre se former.

— Je m'en charge dès ce matin. Autre chose, un homme d'Église demande à vous voir. Il est dans le hall de la salle du conseil assis sur un banc. Je lui ai dit que je ne pouvais pas lui garantir que vous le recevriez, mais ça ne l'a pas perturbé.

— Je vais le recevoir. Autre chose, je veux que la petite Allemande circule librement.

— Pourquoi ?

— Pourquoi pas ? Elle n'est pas prisonnière et c'est une enfant.

— Pratiquement on fait comment ?

— Elle circule librement dans l'enceinte de la mairie et de la caserne. Mais elle ne sort pas sans accompagnement, c'est dangereux pour elle.

— Pourquoi dangereux ?

— Parce que c'est presque une femme, Hubert, et qu'elle a peut-être vu des choses sur lesquelles certaines personnes ne voudraient pas la voir témoigner.

— Mais elle crée aussi de la tentation chez nos hommes de troupe.

— Je m'en doute. Il faut l'enlever du dernier étage.

— Pour la mettre où ?

— À celui-ci.

— À l'étage des gradés ?

— Il n'y a que vous et moi.

Hubert prit une mine dépitée, vite effacée.

— Si vous voyez les choses de cette façon. Mais pardon de dire cela, mon capitaine, n'oublions jamais que c'est une Allemande.

— Ni que c'est une enfant.

— On dit que ce sont les enfants qui ont défendu Berlin contre les Russes.

— Je sais. Elle reste une enfant tout de même.

L'HOMME d'Église attendait assis sur un banc en chêne. De grandes rides lui tailladaient le visage. Alors qu'il montait les quelques marches qui le séparaient de la salle du conseil – son bureau désormais –, Louyre découvrit le prêtre observant le plafond dans une drôle de supplication. Ses mains étaient posées sur ses genoux serrés devant lui. À le voir ainsi, sans pouvoir l'expliquer, il se dit que dans la course vers la mort son corps avait pris de l'avance sur son esprit. À sa vue, le prêtre se déplia comme un double mètre de maçon. Il était d'une taille très au-dessus de la moyenne. Louyre lui fit signe d'entrer et remarqua que l'ecclésiastique se déplaçait les genoux pliés et le dos voûté. Il le fit asseoir en face de lui, de l'autre côté de la grande table. Un ouvrier juché sur une échelle descendait le portrait du Führer. Louyre pensa un moment donner du « mon père » au prêtre et renonça car lui-même, protestant de naissance, ne se voyait pas faire avec un vaincu l'effort qu'il n'aurait pas consenti pour un compatriote.

— Vous vouliez me voir ?

La voix du prêtre, grave et posée, contrastait avec ses traits.

— Oui, monsieur l'officier, pardonnez-moi de vous dire cela, je ne connais pas les grades de votre armée.

— Il faut dire que nous n'avons pas donné le temps à votre armée de les apprendre en juin 1940. Je suis capitaine.

— Vous parlez un allemand remarquable, capitaine.

— Je dois avoir l'oreille musicale. Vous avez une demande à me faire ?

— Oui, capitaine. C'est à propos de cette adolescente que vous détenez. Nous souhaiterions que vous nous la confiiez.

— Et pourquoi le ferais-je ?

— Car nous récupérons les enfants orphelins pour les remettre sur la voie de Notre Seigneur Jésus-Christ.

— Parce qu'ils se sont égarés ?

— C'est à craindre pour certains d'entre eux. Il faut tourner la page. Beaucoup de ces enfants n'ont plus de père. Nous avons le projet de les remplacer en leur inculquant de bons principes. Nous sommes les plus à même de mener cette tâche, avec l'aide du Vatican et de confréries étrangères. Pour l'instant, nous sommes installés dans une maison de colonie de vacances qui fut autrefois utilisée par les Jeunesses hitlériennes. Mais nous allons manquer de place. Beaucoup d'enfants des villes importantes ont perdu leur père au front et leur mère dans des bombardements. Ils affluent à la campagne, où nous ne sommes pas encore complètement affamés, même si, comme vous le savez, ce n'est pas l'opulence.

Louyre prit une mine affable qui mit le prêtre en confiance. Il se leva et s'approcha de la fenêtre.

— Si vous manquez de place, j'ai un lieu à vous suggérer. Le centre de convalescence de la ville.

Louyre se retourna pour mesurer son effet. Le prêtre avait perdu sa contenance. Mais il ne fut pas long à la retrouver.

— Le centre de convalescence. Ah oui ! Bien sûr, c'est ça. Mais en vérité nous n'en sommes pas encore vraiment à manquer de place.

Pour rendre plus digeste ce qu'il allait lui annoncer, Louyre décida de lui donner du « mon père ».

— Mon père, je note quelque chose de très contradictoire chez vous. Vos mots et vos gestes ne disent pas la même chose. C'est fréquent chez les hommes politiques. Mais chez un prêtre, c'est beaucoup plus rare, même si le discours politique a quelque chose à voir avec le prêche.

Le prêtre pour toute réponse resta quelques secondes figé.

Louyre s'assit confortablement sur son siège et posa ses pieds sur la table comme il avait l'habitude de le faire. C'était le seul signe ostentatoire par lequel il affichait délibérément la supériorité de sa position. Puis il parla très posément.

— Je n'ai pas l'intention de libérer cette jeune fille parce qu'elle fait l'objet d'une enquête criminelle. On a retrouvé les restes d'un cadavre calciné…

— Ô mon Dieu, l'interrompit le prêtre.

— Oui, les restes d'un cadavre calciné dans la ferme de son père alors qu'elle y vivait seule.

— Mais, capitaine, vous êtes aussi chargé de faire la lumière sur les meurtres entre Allemands ?

— Je ne sais pas de quoi je suis chargé. J'occupe la butte d'une province inondée par des bombardements. Je suis une force d'occupation aux pouvoirs indéfinis à ce jour, ce qui me fait penser, en tout cas pour le moment, qu'ils sont illimités.

— J'ai moi-même été aumônier de la Wehrmacht quand elle occupait la Normandie et je ne me souviens pas que nos troupes s'occupaient des crimes entre Français.

— Parce que nous avions notre propre police et il est peu probable que la mort d'un Français tué par un autre Français passionnait vos hommes, sauf quand il s'agissait de l'assassinat d'un collaborateur. Je n'ai pas l'intention de relâcher cette adolescente pour le moment. Elle est en résidence surveillée, pas prisonnière, et elle est bien traitée. Ne croyez pas que je me désintéresse du sort des enfants orphelins, au contraire. D'ailleurs je compte organiser une petite excursion avec le maire pour visiter le centre de convalescence.

Le prêtre ne reprit pas la parole immédiatement.

— Nous nous y rendons assez souvent avec nos enfants. Ce centre avait un très beau verger et un potager exceptionnel jusqu'à une certaine époque et nous avons commencé à le remettre en route pour nourrir nos pensionnaires.

— Ce serait donc aussi bien s'ils vivaient dans les locaux ?

— Peut-être. Mais la question n'est pas à l'ordre du jour.

— À propos, mon père, que savez-vous de Maria Richter ?

Le prêtre serra les genoux.

— Je n'en sais pas grand-chose. Son père est un homme très respectable, une de ces personnalités qui honorent la communauté. Un homme cultivé, assez pieux pour se rendre à l'église régulièrement, généreux avec elle. Il était assidu au chœur de la cathédrale.

— Était-il membre du Parti national-socialiste ?

— Euh… oui, je crois. Mais comment dire, il semblait plus réservé ces dernières années. À ma connaissance, il ne s'occupait pas de politique, mais il avait un certain crédit et même une certaine influence sur les questions agricoles. Il lui est arrivé de participer à des commissions à Berlin sur ce sujet-là, disait-on.

Louyre se cala un peu plus haut sur sa chaise.

— Quelque chose me dit que vous n'êtes pas venu de votre propre initiative me demander d'emmener Maria Richter.

L'autre baissa les yeux.

— Il m'a été indiqué qu'une orpheline…

— Elle ne l'est pas encore.

— Qu'une enfant seule se trouvait entre vos mains et il m'a été demandé d'intervenir…

— Qui ?

Pour la première fois depuis le début de leur entretien, le prêtre parut vraiment déstabilisé.

— La communauté, des paroissiens.

Louyre se leva à nouveau et alla s'appuyer contre la fenêtre.

— Bien, bien. Je vois qu'il n'est pas encore l'heure de parler de son plein gré. Je ne suis pas d'humeur à pendre ceux qui me résistent. Ce n'est pas l'idée que je me fais de la civilisation. Mais, bien sûr, comme chez tout être humain, ma patience a des limites. Tant mieux pour vous, je ne les connais pas encore.

— Pardonnez-moi, capitaine, mais serait-il impoli de vous demander ce que vous faisiez avant la guerre ?

— Vous aussi, cela vous intéresse ? Le maire m'a posé la même question. J'étais astronome. J'allais à la rencontre de Dieu. Pas le Dieu des hommes, l'autre. (Il s'interrompit pour contempler son effet sur le prêtre.) Cet après-midi, soyez là à trois heures. Le maire sera des nôtres. Nous allons visiter votre jardin d'orphelins. Ne vous inquiétez pas, je n'ai pas l'intention de réquisitionner vos fruits et légumes.

Louyre retourna à sa chambre, attiré par les lettres. Il les relut une à une, s'efforçant de prendre son temps. Un bruit le dérangea. Hubert et un soldat installaient Maria à son étage, dans la chambre attenante. Du dépit et un peu de réprobation pouvaient se lire sur leurs visages. Quand ils en eurent terminé, ils laissèrent la jeune fille seule dans sa nouvelle chambre. Louyre attendit qu'ils aient complètement disparu, et frappa à sa porte.

Elle se tenait droite, les jambes légèrement fléchies, les mains jointes entre le haut de ses cuisses comme si elle s'apprêtait à adopter une position fœtale pour tourner sur elle-même dans l'apesanteur d'un liquide amniotique imaginaire. On avait le sentiment qu'elle avait quitté la vie pour un moment indéfini et qu'il ne tenait plus à elle d'y revenir. Louyre fut un court moment submergé par l'émotion et incapable de lui dire quoi que ce soit. Elle avait de remarquables yeux bleus. Louyre se racla la gorge avec l'intention de la ramener à la réalité. Il en fallait plus pour amarrer l'esprit de la jeune fille. Alors il s'avança vers elle, il passa doucement sa main devant son visage. Elle finit par réaliser sa présence. Elle menaça de s'effondrer. Il s'approcha et lui prit les bras pour la soutenir. Elle regarda ses mains, elle voulut se reculer, mais déjà collée à la fenêtre, elle se laissa tomber avec le bruit sourd d'un corps qui épouse le plancher en s'évanouissant. Elle se releva aussitôt pour s'asseoir contre le mur.

D'une voix apaisante, Louyre murmura :

— La guerre est terminée, Maria. Tu n'as plus d'ennemis.

Elle se leva, soucieuse de digérer dignement l'annonce de cette défaite à laquelle elle ne parvenait pas à croire car elle était tout simplement impossible. Sans se résigner, elle laissa son esprit divaguer sur des considérations plus pratiques.

— Mon père va donc revenir ! Quand ?

— Je ne sais pas. La démobilisation prend du temps. Et il est peut-être loin. Loin et prisonnier. Tu ne dois pas t'attendre à le voir avant plusieurs semaines, plusieurs mois peut-être.

— Plusieurs mois ? Mon grand-père disait toujours que dix jours après la démobilisation de 1918, il était de retour à la maison.

— Les conditions ne sont pas les mêmes, Maria. Tu vas devoir te montrer patiente.

— Croyez-vous qu'il va m'envoyer de nouvelles lettres ?

— J'en doute. Le courrier est complètement désorganisé.

— Et les lettres que vous avez, vous me les ferez lire quand ?

Louyre affecta un air joyeux et optimiste.

— Bientôt. Dès ce soir, après l'heure du dîner, je viendrai te chercher et nous irons dans ma chambre. Je ne te les lirai que par petits bouts car il faut économiser la lumière.

— Et vous allez me demander quelque chose en échange.

Louyre montra une totale incrédulité.

— Qu'est-ce que tu veux que je te demande ?

— Je ne sais pas.

8

La Jeep, cadeau de l'armée américaine, rebondissait, capote fermée, sur l'asphalte luisant des rues de la ville. Une sombre affliction enveloppait les passants de sa brume humide. On ne sentait ni regret, ni peur, ni culpabilité, le peuple était simplement dégrisé, étourdi de n'être rien de plus que les autres, réduit jour après jour à trouver sa pitance. Le Reich millénaire déchu avait fait de ces hommes et de ces femmes de petits rongeurs anonymes surpris par l'hiver sidéral qu'ils avaient eux-mêmes soufflé, chacun à leur manière.

Le maire sautait à l'arrière sur son siège en regardant ses concitoyens d'un air méprisant, car pour en avoir eu la tentation, il sentait chez eux le lavage de cerveau qui avait tenu lieu d'automédication. Il n'avait pas dit mot à Louyre sur la capitulation. Le prêtre se tenait à côté de lui, lourdement emmitouflé, alors que pour la première fois depuis des semaines le printemps claironnait fièrement, contre-pied insolent à une nation en deuil. Voquel, par des coups de volant inutiles, trahissait sa nervosité. Il n'osait pas regarder Louyre qui ne lui attachait aucune importance. L'hospice siégeait sur un plateau de verdure. On y accédait par une route qui serpentait à la verticale. Un haut mur de pierre l'enfermait dans un parc sans fleurs. Une pelouse s'étendait sur plusieurs hectares. On pouvait encore y lire le tracé rectiligne et commode des allées d'un gravier sombre désormais envahi par le chiendent. L'herbe était haute et fatiguée. De grands arbres plusieurs fois centenaires attestaient l'ancienneté des lieux. Les bancs en ciment qu'on avait disposés sous leurs branches se fissuraient d'ennui. À l'arrière, caché par une haie de persistants d'un vert trop cru, fermé par un portail en fer forgé peint en noir, se trouvait le jardin des orphelins. Tout y était propre et enviable. Les arbres du verger étaient taillés, et ses abords débroussaillés. Personne n'y travaillait pour l'heure et le soleil s'y répandait sans scrupules.

La bâtisse datait de la fin du siècle précédent quand le bon goût commençait à céder à l'utilité. De grandes fenêtres rectangulaires ouvraient les façades, plus propres à organiser leur symétrie qu'à permettre à la lumière de se sentir chez elle dans les bâtiments.

La gardienne avait son logement personnel, à l'entrée, une petite maison en meulière de la fin des années 1920, adossée au mur d'enceinte. À la vue de la voiture, celui qui devait être son fils s'avança en courant à petites enjambées raides, les mains derrière le dos. Il avait une tête large et des cheveux trop courts pour adoucir des traits grossiers. Il était de ces êtres curieux qui peuvent tout voir sans jamais rien discerner, victimes d'une émotivité atrophiée qui obstrue leur mémoire. La gardienne lui succéda dans l'encadrement de la porte. Ses yeux trahirent une sombre inquiétude devant l'apparition de ce véhicule étranger. Quand elle reconnut le maire, elle s'apaisa. La vue du prêtre la rassura tout à fait, elle se précipita à leur rencontre avec un air affable qui n'eut aucune prise sur Louyre. Il lui tourna le dos pour détailler la façade.

Après l'injonction du maire, munie d'un énorme trousseau de clés, elle entama la visite, silencieuse et visiblement gênée. Louyre constata que le vide des pièces correspondait à une volonté évidente de dissimulation. On pouvait distinguer aisément le réfectoire des chambres, mais il était impossible de savoir qui en avaient été les convives ou les pensionnaires. Sur les murs de l'escalier monumental desservant les trois ailes, des inscriptions gravées sur le marbre avaient été martelées. Il n'en restait que les écussons de style gothique. Les murs avaient abrité de grands tableaux dont il ne subsistait que les ombres. Connaissant par avance les réponses, Louyre s'abstenait de poser des questions. Il respectait le silence de la procession. Elle s'effectuait à rebours des usages, le prêtre fermant la marche à distance du maire, lui-même précédé de Louyre. À la recherche d'un détail révélateur, tout l'intéressait, des plinthes aux prises de courant en passant par les paillasses à grands carreaux blancs. Des empreintes sur les murs rappelaient que des têtes de lit y avaient été appuyées. Rien n'était repeint, mais tout avait été lessivé avec un produit si peu dilué que son odeur entêtante s'était insinuée partout. Un ascenseur conduisait au dernier étage dont les pièces étaient recouvertes d'un bois sombre et lugubre.

Une vingtaine de bureaux étaient alignés le long d'un couloir recouvert d'une moquette aux couleurs ternes. Leur taille différait selon l'importance de ceux qui les avaient occupés. Le plus grand s'ouvrait sur la plus belle perspective, où se confondaient le parc et la ville au loin.

La visite terminée, Louyre resta silencieux un long moment à contempler les lieux. L'architecture classique évoquait un conservatisme propice à la dissimulation du drame qui s'était joué là.

La tranquille assurance qu'il affichait, sa marche déliée, la franchise de ses traits ne disaient rien sur la souffrance de l'officier. Il n'avait pas l'intention de se remettre de cette guerre. Il voulait toucher au fond, sans jamais se mentir, y patauger, se prétendre l'intime de l'insondable dans sa descente vertigineuse vers l'innommable dont un grand nombre croient s'affranchir par un mutisme salutaire. « Quand le mal atteint de tels sommets, le bien ne connaît plus de plaine », pensa-t-il en se remémorant sa campagne depuis le débarquement en Sicile. Le bruit avait couru sur des exactions si terribles que l'imagination ne parvenait à en dresser que des contours maladroits où la rumeur était livrée à elle-même.

Le maire et le prêtre, légèrement en retrait sur les côtés, laissaient Louyre à ses divagations inquiètes. Il se retourna vers les deux hommes et leur dit à brûle-pourpoint :

— Vous en viendrez à m'aider un jour ou l'autre, sans torture ni menace. Vous y viendrez car il vous faudra bien laver votre conscience.

Il se retourna vers les deux hommes qui s'observaient, interdits, et qui, du regard, commençaient à se défendre de ce dont on ne les accusait pas encore. Louyre ajouta :

— Non seulement j'en sais plus que vous ne le pensez mais je crois modestement tout savoir. Il ne me reste qu'à me persuader de la réalité de ce que je découvre. C'est le monde de l'investigation à l'envers. Ne croyez pas que cela m'enchante ; je ne pense pas m'en sortir aussi grandi que vous en serez abaissés. Un point obscur tout de même. Vous n'êtes pas si loin d'une ville bombardée. Où sont les survivants ?

Le maire se sentit autorisé à répondre.

— Pour la plupart nous n'en savons rien. Certains ont fui devant l'avancée de l'ennemi, d'autres y sont restés dans des conditions très précaires à ce que l'on dit. Les derniers ont tenté de se disperser dans la campagne, mais nous les avons repoussés.

— Ils étaient devenus des étrangers ? demanda Louyre.

— Mais ils l'ont toujours été.

— C'est bien ce qu'il me semblait.

Il s'interrompit pour faire un dernier tour de cette pièce où le pouvoir s'était exercé. Il n'y découvrit rien de plus.

— Nous en avons fini. À moins que notre bon père ne souhaite me faire visiter le verger et le potager de ses orphelins.

Le prêtre acquiesça, embarrassé.

Le soleil dans sa course avec les nuages rasait le sol en vagues timides. Louyre examina la terre avec des attitudes de spécialiste. Malgré son ignorance de ces choses, il lui semblait qu'elle n'avait pas la même stabilité d'un côté et de l'autre du potager. Impression qui se poursuivait là où de nouveaux arbustes allongeaient le verger.

— Est-ce vous, mon père, qui dirigez les plantations ?

— Oui, répondit le prêtre, qui d'autre pourrait le faire ?

— Et vous avez les compétences pour cela ?

Le prêtre se montra confus de parler de lui.

— Je dois vous avouer que, dans les premières années de mon ministère, j'ai connu assez longuement la vie monastique. Nous vivions en autarcie alimentaire complète et nous avions nos propres bêtes…

— Alors que moi, voyez-vous, je ne connais rien à la terre, et pourtant il ne me viendrait pas à l'idée de planter des arbres fruitiers au nord sous une latitude pareille.

— Vous dites ? demanda le prêtre pour se donner le temps de réfléchir.

— Je dis que ces arbustes ont été plantés au nord au début de l'automne dernier.

Le prêtre, les mains dans le dos, courbé vers le sol, se mit à battre la parcelle incriminée de long en large. Puis il revint vers Louyre et se campa si près de lui que l'officier recula.

— Vous avez raison, ces arbustes sont en terre depuis le début de l'automne et il ne fait pas de doute qu'ils sont exposés plein nord. Je partage votre point de vue, et je ne donne pas cher de leur survie.

Louyre se tourna vers le maire pour élargir la conversation.

— Alors il reste à savoir qui peut bien avoir eu l'idée de soumettre ces jeunes plants à un destin criminel. Une suggestion, monsieur le maire ?

— Je n'en ai pas la moindre idée.

— En revanche, vous savez peut-être à partir de quand cette maison de convalescence n'a plus fonctionné ?

Le maire esquissa une grimace.

— Oh oui ! fit-il, aucun doute là-dessus, la maison a été fermée le 7 novembre de l'année dernière par décision des autorités sanitaires elles-mêmes, inspirées par un ordre du ministère de l'Intérieur du Reich.

Louyre poussa un soupir magnanime.

— C'est bien ce que je pensais. Où sont les meubles de cet établissement ?

— Déménagés par des transporteurs accrédités, la semaine suivant la fermeture, sans doute pour servir ailleurs, mais comme cela ne nous concernait plus, peu nous importait de savoir ce qu'ils avaient fait des lits, tables et autres chaises d'hospice. D'ailleurs, monsieur l'officier, ne cherchez pas d'énigme là où il n'y en a pas, d'autres régions ont fourni à l'armée plus d'hommes que la nôtre et il me semble bien légitime que les maisons de convalescence aient été rapprochées de ces familles.

La gardienne attendait à la porte principale avec son trousseau de clés de différentes tailles dont assez peu avaient servi. Au retour des trois visiteurs, elle inspecta leurs visages à la recherche d'une information sur les raisons mystérieuses de cette visite. Son fils s'approcha à son tour, mais elle le chassa d'un revers de la main. Pas assez vite toutefois pour que Louyre ne remarque pas l'air d'innocence un peu maladive qui passait dans ses yeux. Attaché à une laisse, un berger allemand s'épuisait en aboiements furieux. Louyre qui n'avait jamais ressenti la haine pendant ses longs mois de campagne eut envie de sortir son pistolet et de l'abattre. Ils remontèrent dans la Jeep dont Voquel n'avait pas bougé.

Louyre se sentait d'une humeur étrange. Il n'avait ni le désir de vivre ni celui de mourir, déprimante neutralité d'un état qu'il connaissait bien pour y succomber régulièrement. Une envie de pâtisserie, de tarte aux mûres le saisit puis s'estompa, emportée par son manque de réalisme. La voiture prit le chemin du retour vers la mairie en passant par la vieille ville. Les piétons s'y faisaient rares. Avec ses rues pavées, ses maisons en pierre brossée, ses enseignes peintes avec soin, ses berges accueillantes qui bordaient une rivière immobile, la vieille ville exprimait la quiétude des lieux qui ne veulent rien savoir des turpitudes passées. Elle résonnait encore de ses tavernes enfumées les samedis soir de paix. « Tant de convictions ont dû s'affirmer là », se dit Louyre en fixant la porte close de ces lieux de convivialité. C'est là, pensait-il, qu'on avait désigné les boucs émissaires, sous une lumière tamisée par un halo de fumée, dans le bruit des chopes, et que s'était libérée la ferveur joyeuse d'un monde nouveau. C'est là aussi que s'était opéré le miracle de la simplification, quand l'idéologie prend forme et se radicalise afin de balayer les derniers sceptiques et ceux dont la conscience n'est pas encore obscurcie par la haine.

9

À LA mairie, Louyre était attendu par son supérieur, une sorte de commandant de région aux pouvoirs mal définis. L'uniforme paraissait impuissant à redonner de la vigueur à son corps fatigué. Il approchait de l'âge où toute grande aventure est proscrite. Il compensait cette apparente usure par un air martial et une raideur un peu artificielle qui étaient le lot de beaucoup d'officiers supérieurs français, lesquels, depuis la débâcle et la collaboration, essayaient de hisser haut les couleurs d'une nation tombée bas.

À Louyre, surpris de le découvrir là, il dit :

— Je faisais un petit tour d'inspection. Vous croyez qu'un de vos hommes pourrait m'apporter de l'eau chaude avec du sel ? J'ai des ampoules aux pieds que je ne m'explique pas. À mon grade, on ne fait pourtant plus beaucoup de marche. Comment ça se passe ici ?

Sans attendre la réponse de Louyre et en commençant à défaire les lacets de ses chaussures, il poursuivit :

— On peut dire que vous avez touché la planque d'entre les planques. Pas de décombres, pas vraiment d'exode.

— Il manque juste l'électricité, remarqua Louyre.

— Oui, à cause du barrage, il faudra des semaines sinon des mois, mais à part ça…

— À part ça, rien à signaler. Tout est calme, d'un calme terrifiant.

— Vous n'imaginez pas ce qu'on découvre ailleurs. On dit que les Russes sont tombés sur des camps de concentration, avec des monceaux de cadavres. Nous n'avons pas fait une guerre comme les autres, ces gens-là n'étaient pas les ennemis de 1914, mais une race de mutants dont on découvre chaque jour un peu plus les horreurs.

— Les découvre-t-on vraiment ? Découvre-t-on jamais après des années ce qui se fait à grande échelle ?

Le colonel se frotta le front pour signifier que la question le dépassait.

— En tout cas, les Alliés sont dans la position d'un chirurgien qui ouvre le ventre d'un malade pour une appendicite et qui découvre des dizaines de tumeurs cancéreuses. On est tenté de recoudre tout de suite. Je ne sais pas si on va nous envoyer ailleurs mais, pour vous et vos hommes, ça ressemble à un séjour dans un sanatorium, la tuberculose en moins.

— On peut dire ça comme ça, confirma Louyre.

Un homme du rang entra à cet instant précis et le colonel l'interpella :

— De l'eau avec du gros sel, mon vieux, et vite ! (Il poursuivit :) Je vais organiser une réunion de coordination tous les quinze jours. Pour la bouffe, il faut qu'on mutualise un peu, on a encore pas mal de rations américaines si cela vous chante et puis servez-vous sur la bête avec la manière forte s'il le faut, je n'ai pas le souvenir que ces gens-là nous aient jamais ménagés. Sinon, quelque chose à signaler ?

Louyre prit son temps pour répondre :

— Rien à signaler, mon colonel.

— Qu'est-ce qu'ils produisent dans ce coin ?

— C'est un canton essentiellement agricole, dit Louyre. Un peu d'industrie mécanique, des pièces détachées pour l'aviation, mais des petites entreprises et un grand centre de convalescence.

— Beaucoup de blessés ?

— Non, il est vide. J'en reviens. Ils l'ont fermé et débarrassé de ses meubles l'automne dernier.

— Pourquoi ?

— J'essaie de le savoir.

Le colonel se releva sur sa chaise et son visage s'illumina quand un soldat fit son entrée avec une cuvette fumante. Il y plongea ses pieds et soupira de bien-être.

— Vous voulez des nouvelles du pays ?

Louyre qui s'était rapproché de sa fenêtre favorite se retourna en recrachant la fumée de sa cigarette.

— Je ne crois pas.

— Et pourquoi ça ? fit le colonel, surpris.

— Les nouvelles, c'est un peu comme le poisson : des jours de transport sans glace, ça ne leur donne pas l'œil vif. On ne peut rien apprendre qui nous surprenne. On dresse la statue de héros incontestables, on épure à la marge, on récompense les ralliements de dernière heure, on compose avec les uns et les autres un orchestre qui donne enfin la même partition, même si les musiciens jouent faux. Ces informations peuvent attendre des années, mon colonel, faisandées elles prendront un caractère qui leur fait défaut aujourd'hui.

Le colonel creva une ampoule de la pointe d'un canif.

— Vous ne changez pas, Louyre. Vous n'auriez pas fait un bon militaire de carrière.

— Je ne fais pas un bon militaire tout court, je ne peux pas penser à la guerre en période de paix.

— Vous êtes sûr que vous allez bien ?

— Aussi bien que tout le monde, les mensonges en moins.

— On s'en remettra, Louyre, vous verrez. Tout corps vivant a ses règles de régénération. C'était pas joli joli, j'en conviens. Mais tout cela sera vite oublié. D'ailleurs on n'a pas le choix.

Il sortit ses pieds de la cuvette, les essuya avec une serviette un peu rêche en les tamponnant par petites touches. Puis il remit ses chaussures en gémissant.

— Je vais retrouver les ruines et les rats qui s'y faufilent. Vous ne croyez pas qu'on pourrait en envoyer un peu ici à la campagne ?

— On peut prendre des orphelins. Nous avons le bâtiment pour les abriter. Mais les autres, ils n'en veulent pas.

— On les forcera si nécessaire.

— C'est vous qui voyez.

Le colonel se mit à dodeliner de la tête.

— Quand je pense au travail qui m'attend, je me demande si on va rentrer chez nous un jour.

Louyre prit son maigre dîner seul. Il relut les lettres une nouvelle fois. Il ne parvenait pas à se décider à tenir sa promesse. On frappa à la porte. L'adjudant Hubert se tenait dans l'embrasure, sa haute taille étouffant un peu la lumière du couloir. Sur un ton morne, il lâcha :

— J'ai trouvé votre médecin.

— Déjà ? Et où ?

— Chez lui. À vingt kilomètres d'ici, là où la mairie m'a indiqué qu'il habitait.

— Et comment est-ce ?

— Une maison de médecin de campagne qui se donne des airs de maison de maître. Pas le genre de baraque qu'on achète. Plutôt le genre dont on hérite.

Une légère effervescence s'était emparée de Louyre par ailleurs incapable d'enthousiasme.

— Et le médecin ? Comment s'appelle-t-il déjà ?

— Halfinger.

— C'est ça, Halfinger. Comment est-il ?

— Assez massif, avec une tête large, des yeux bleus presque blancs. Très poli.

— Que lui avez-vous dit ?

— Que mon chef qui dirige l'armée d'occupation du canton souhaite le voir.

— Qu'a-t-il répondu ?

— Rien. Il a souri. D'un seul côté. Il m'a demandé à quel sujet. Je lui ai répondu que je n'en étais pas informé. J'ai pris l'initiative de le convoquer demain à dix heures. Il m'a demandé de l'excuser par avance s'il avait un peu de retard car la liaison avec la ville se fait en voiture à cheval étant donné la pénurie d'essence.

— On pourrait aller le chercher, mais ça lui donnerait trop d'importance. Quoi d'autre ?

— Rien, mon capitaine, rien. J'essaie de coordonner l'approvisionnement de notre unité, voilà tout. D'ailleurs on vient de tomber sur une réserve de fromage. Vous en voulez ?

Louyre qui n'était déjà plus à la conversation répondit sans réfléchir.

— Pourquoi pas ?

— N'oubliez pas de manger la croûte ! C'est bon contre toutes les saloperies qu'on trimballe dans le ventre.

— Vous connaissez des gens qui laissent les croûtes de fromage par les temps qui courent ?

L'adjudant sortit et revint cinq minutes plus tard avec une tomme de fromage brun qu'il posa sur la table de son supérieur. Louyre découpa un quartier qu'il mangea. Puis un autre qu'il emballa dans une feuille de papier. Il attendit un peu et sortit, le paquet dans une main. Dans l'autre, il tenait une lampe à huile. Il frappa du genou la porte de Maria, et entra directement.

Elle était allongée sur son lit dans le noir et il était difficile de savoir si ses yeux étaient ouverts. Reconnaissant l'officier à la lueur de la lampe qui balayait son visage, elle s'assit sur le côté du lit, les deux mains posées sur les cuisses.

— Je t'ai amené de quoi améliorer l'ordinaire.

Il lui mit le bout de fromage entre les doigts. Elle eut un instant d'hésitation avant de se jeter dessus. L'officier souffla sur la lampe pour économiser son combustible. Il faisait une nuit de charbonnier et le froid avait effectué un retour discret. La bouche pleine, elle lui demanda :

— Vous avez les lettres ?

Louyre, qui venait de s'asseoir sur la seule chaise, les mains dans les poches, répondit :

— Elles ne me quittent jamais.

— Et vous allez me les lire ?

Louyre ne répondit pas tout de suite.

— Je ne peux pas te les lire parce que cela prendrait trop de temps et je n'ai pas assez d'huile pour la lampe. Mais je peux te dire ce qu'il y a dedans.

— Alors dites-moi !

Louyre inspira comme un père qui s'apprête à lire un conte à un enfant.

— D'abord, dans chaque lettre, il fait le point sur sa position géographique.

— Où est-il ?

— À l'Est. La bonne nouvelle pour toi, c'est qu'à chaque lettre, il se rapproche un peu plus de toi, car l'armée allemande recule devant la poussée de l'armée russe. Il parle aussi de ceux qui sont autour de lui, beaucoup d'hommes de son âge, pas mal d'intellectuels de bonne compagnie. Il dit que des garçons de ton âge les ont rejoints et qu'ils passent leur temps, lui et ses camarades, à calmer leur ardeur. Il dit aussi qu'il ne comprend pas « ce qui nous a pris de vouloir conquérir des contrées aussi désolées où le froid règne en maître et où les paysages sont aplatis comme le nez d'un boxeur ». Pour te rassurer, il écrit aussi des choses qui normalement auraient dû être censurées mais qui ont réussi à traverser les lignes. Il affirme par exemple qu'à la vitesse à laquelle sa division recule, il sera à la maison dans moins de six mois. Les combats sont violents, dit-il, mais faut-il s'attendre à autre chose ? Il t'assure qu'il fait son devoir sans se ménager mais qu'il ne prend aucun risque inutile. Même au milieu de la foudre des bombardements, il ne passe pas une heure sans penser à toi, à la force infinie de ses sentiments paternels pour toi. Il puise son inébranlable confiance dans la certitude que Dieu ne peut pas vous séparer. Il dit aussi que quand il a quitté la ferme, il se doutait que tu n'irais pas rejoindre ta tante à la ville. Il est sûr que tu es restée sur la propriété et que tu as bien fait car il a appris que toutes les permissions pour cette ville ont été supprimées à cause des bombardements ennemis. C'est d'ailleurs la raison pour laquelle il a continué à t'envoyer les lettres chez vous.

Louyre s'interrompit pour allumer une cigarette.

— Quoi d'autre ? répéta la jeune fille, impatiente.

— Il dit aussi que tu dois apprendre à ne pas confondre ton pays, ta patrie, avec la bande de criminels qui les dirigent. Il a pris beaucoup de risques pour t'écrire cela. Si la lettre avait été interceptée, il aurait pu être fusillé.

— Alors pourquoi a-t-il écrit cela s'il m'aime autant ?

— Parce qu'il a pensé que son devoir était de te prévenir.

— Il ne dit vraiment rien d'autre ?

— Non.

Avec la vitalité de sa jeunesse, elle se mit à la fenêtre en faisant le geste de ramener l'air frais à elle. Elle regarda Louyre.

— Vous verrez, tout cela se terminera comme un conte de fées.

Elle pointa le ciel de l'index.

— Dieu veille. Il sait ce que j'ai fait pour Lui.

Maria vint se coller un peu contre son épaule.

— Et vous, vous ne me demandez rien ?

— Ce que tu pourrais me donner ne rendrait rien à Dieu.

Il sortit en lui souhaitant une bonne nuit.

LOUYRE resta un bon moment en haut des marches du premier étage à observer le Dr Halfinger qui déambulait dans le vaste hall de la mairie. C'était un homme cubique, d'une lourdeur qui n'était pas dénuée d'agilité. Il portait un imperméable qui lui tombait à mi-mollet et une cravate serrée sur un cou de taureau. Après l'avoir bien détaillé, Louyre le fit chercher par le planton.

Le Dr Halfinger pénétra dans la salle du conseil avec une parfaite assurance. Il salua Louyre, sans ostentation ni obséquiosité, et chercha des yeux la place qui logiquement lui revenait. Quand Louyre la lui eut désignée, il ôta son imperméable et se laissa tomber sur le siège.

Louyre posa ses coudes devant lui en joignant ses mains.

— Merci de vous être déplacé, docteur.

— C'est tout à fait naturel mais, dites-moi, puis-je vous demander une faveur ?

— Je vous en prie.

— Accepteriez-vous que notre entretien se fasse en français ? Non pas que votre allemand ne soit de grande qualité mais voyez-vous j'ai pour cette langue une fascination musicale. Vous permettez ?

Louyre le regarda, intrigué.

— Pourquoi pas ?

Il reprit en français.

— Vous êtes bien l'ancien directeur de l'institut de convalescence de la ville ?

Halfinger n'eut aucune hésitation.

— Absolument.

— Il est actuellement fermé et vide à ce que j'ai pu voir. Pourquoi ?

— Parce que les autorités sanitaires de la région, en accord avec celles du Reich qui couvrent l'Intérieur et la Santé publique, l'ont décidé.

— De quand date cette décision ?

— De septembre 1944, effective au 31 octobre 1944.

— Bien. Donc la fermeture définitive date du 31 octobre 1944 ?

— La fermeture effective a eu lieu le 7 novembre. Sept jours de retard, c'est peu de chose, n'est-ce pas ?

— Et pourquoi, d'après vous, cette décision ?

Halfinger prit son temps pour étayer sa réponse.

— L'évolution de la guerre a poussé l'administration à faire des économies, et en cela nous ne pouvons pas la blâmer. Le matériel a été redistribué plus au nord à des centres qui en avaient l'impérative nécessité.

— Avec la montée des pertes dans votre armée et l'augmentation vertigineuse du nombre de blessés, on pouvait se passer selon vous d'un institut de convalescence de cette taille ?

— Certainement. D'ailleurs la convalescence n'était pas la priorité. Les blessés de retour du front avaient besoin de vrais hôpitaux.

— Bien, admettons. Qu'est-il advenu du personnel ?

— Il a été réaffecté plus près du front.

— Et vous ?

— On m'a mis à la retraite.

— On vous a mis à la retraite comme ça, en pleine guerre ? Vous trouvez cela logique ?

— Non, mais c'est ainsi. C'est en quelque sorte le résultat d'un certain rapport de force, pour être honnête avec vous.

— C'est-à-dire ?

— On m'a proposé de me nommer dans un camp de concentration. Je ne vous apprendrai pas, ou peut-être suis-je en train de vous l'apprendre, que ce qui se passait dans les camps de concentration n'était pas joli joli, si je peux m'exprimer ainsi. J'ai donc refusé, arguant que mes connaissances n'étaient pas adaptées à l'utilisation qu'ils envisageaient. Ils ont insisté. Mais si puissants fussent-ils, j'avais mes soutiens, alors ils m'ont mis à la retraite d'office.

Halfinger s'affaissa de bien-être dans son fauteuil.

— Comment saviez-vous ce qui se passait dans les camps de concentration ?

— Oh ! des réunions entre directeurs et certains praticiens à Berlin. J'ai même croisé dans un colloque un médecin qui pratiquait en Pologne, son nom ne vous dira rien, le Dr Mengele. Il ne s'est pas ouvert à moi directement, nous n'étions pas assez intimes, mais je l'ai surpris disant à d'autres : "Ce qui se passe là-bas est horrible."

— Et que faites-vous désormais ?

— Je profite de ma retraite. Je joue du piano, fort mal d'ailleurs, regardez mes mains, avec des doigts pareils, difficile de ne pas taper deux notes en même temps. Je jardine et je lis.

— Est-ce indiscret de vous demander si vous avez une famille ?

— Non, depuis quand cacherait-on ce qui fait son bonheur et sa gloire ? J'ai une femme aimante et une fille de seize ans.

Louyre se leva pour se dégourdir les jambes.

— Pouvez-vous me parler de vos relations avec le maire de la ville et le père Wurtz ?

— Bien sûr. Le maire est au conseil d'administration de l'institut et j'ai pour le père Wurtz la considération d'un fidèle pour le représentant de son Église.

— Le conseil d'administration fonctionne toujours ?

— Ces derniers temps, je n'en voyais pas la nécessité, mais le calme revenu nous reprendrons ces assemblées au moins pour respecter le formalisme. Je suis toujours directeur de l'institut et payé en tant que tel. C'est en cela que consiste ma retraite jusqu'au jour où j'atteindrai l'âge légal de la prendre effectivement. Quant au père Wurtz, il m'a demandé un accès au verger et au potager de l'institut pour ses orphelins. J'ai trouvé que c'était une bonne idée, même si la grande majorité de ces orphelins ne sont pas du canton. Devant l'afflux d'enfants, j'ai ma petite idée. Je pense que nous pouvons envisager de mettre les locaux de l'institut à leur disposition et agrandir les surfaces cultivables à la totalité du parc.

— J'y ai également pensé.

Louyre eut soudainement l'impression qu'un voile blanc lui passait devant les yeux. Ses jambes devinrent molles et son cœur se mit à battre anormalement comme si une indicible émotion l'agitait, puis tout rentra dans l'ordre. Curieusement, alors que sa faiblesse venait de lui jouer un tour, Louyre se décida à prendre l'initiative.

— Je n'ai pas l'intention de vous emprisonner pour le moment, mais vous allez être assigné à résidence sous la garde de mon unité.

Le regard du médecin se troubla à peine.

— Pourquoi donc, capitaine, qu'avez-vous à me reprocher ?

Louyre reprit d'une voix un peu lasse :

— Voyez-vous, docteur, vous êtes certainement un éminent médecin, un scientifique de qualité dans la spécialité qui est la vôtre, mais votre grand défaut comme celui de bien de vos contemporains est de ne pas faire assez de place au hasard, à l'enchaînement des probabilités. On ne peut pas tout prévoir, c'est impossible. Et ce que j'aurais dû mettre des semaines sinon des mois à comprendre m'est parvenu dans sa lumière crue, d'une façon imprévisible, inattendue, en une seule fois. Donc je sais. Maintenant le plus important pour moi va être de déterminer le pourquoi de ce que je sais. Nous allons laisser l'interrogatoire là. Nous le reprendrons demain et les jours suivants. D'ici demain, vous aurez tout le loisir de méditer sur ce que vous allez me dire sachant désormais que l'affaire est entendue. Vous me suivez ? Je vous propose de faire l'économie des mensonges dans lesquels vous vous croyez confortablement installé.

Halfinger eut un bref rictus.

— Mais qu'est-ce que vous pensez savoir, capitaine ?

— Je sais la même chose que vous. Et j'attends avec impatience le récit que vous allez m'en faire. Il y aura certainement des différences qui tiennent à nos subjectivités respectives. Mais nous finirons bien par nous rejoindre sur une réalité incontestable.

Le médecin s'assombrit.

— J'en doute. Les gens comme vous ne sont pas à même d'apprécier les actes d'hommes comme moi.

— Pour quelles raisons ?

— Nos mondes diffèrent trop. Pardonnez-moi cet a priori. Vous cherchez une vérité ?

Louyre se dressa d'un coup pour signifier la fin de l'entretien.

— Pas une vérité au sens philosophique du terme, je suis beaucoup plus modeste que cela, je cherche à résoudre l'énigme d'un meurtre.

Le médecin se mit à rire.

— Un meurtre, dans une guerre qui a fait des millions de morts ?

— Justement, chacun a droit au respect et à un peu de vérité, même s'il est noyé dans une mer de sang.

Halfinger fixa Louyre, incrédule, et l'officier vit des éclats de haine pétiller dans ses yeux.

10

Comme chaque soir, Louyre rendit visite à la jeune fille à l'heure où le bâtiment, privé d'électricité, sombrait dans le silence après des heures de bruit et d'agitation. Il frappa puis entra. La jeune fille était prostrée, assise au bord du lit, la tête sur les genoux, ses cheveux défaits. Louyre tira à lui la seule chaise de la pièce. Il s'installa en face de Maria. Puis il lui serra le bras assez fort pour la faire réagir. Elle fit un geste rapide de reconnaissance. Elle se releva d'un coup et frappa ses cuisses comme si elle voulait en chasser le sang.

— Vous ne voulez vraiment rien ? cria-t-elle.

Elle répéta la question à trois reprises, indifférente à la réponse avant de se balancer d'avant en arrière en tentant de s'étourdir.

Louyre resta immobile, il ne répondit pas. Il posa la main sur la sienne. Elle la retira et partit dans un monologue, d'une voix inquiétante qu'il ne lui connaissait pas.

— De l'affection ? Oh non, non. L'affection ne compte pas. On n'échange rien contre de l'affection. C'est que vous n'avez rien à me dire, rien à me donner, c'est ça ? Dieu n'accepte pas les pacotilles ! D'où tenez-vous qu'Il puisse se contenter de sentiments ridicules comme l'affection ? Hein ? Hein ? Moi qui vous prenais pour un homme sensé ! Mais vous n'êtes rien. Incapable du moindre sacrifice. Je n'envie pas votre petite vie. Vous êtes un médiocre, aucune qualité, je l'ai bien vu quand vous m'avez résumé les lettres de mon père. Le ton n'y était pas. On voit bien que vous ne l'avez pas connu ! Vous croyez que je vais rester là indéfiniment. Pour quoi faire ? Pour essuyer vos silences, éponger votre ennui ? Je suis une femme maintenant. J'ai fait tout ce qu'il fallait pour le devenir. Vous devez me relâcher de cette prison infecte où je ne vois que des porcs de Français avec des mines incertaines. C'est ça, j'ai trouvé le mot, des mines incertaines. Ce n'est pas moi qui ai perdu la guerre, je ne mérite pas qu'on me traite comme un rat !

Son ton avait augmenté graduellement, ses dernières phrases avaient résonné avec la démesure de la démence. La porte s'ouvrit brutalement, Hubert apparut, une lampe de fortune à la main. Il s'avança doucement pour éclairer les deux visages. Le faisceau remonta d'un coup lorsqu'il reconnut son supérieur. Il s'excusa et resta pétrifié dans l'attente de la consigne. Louyre se releva et sortit le premier. Quand Hubert fut dehors, il ferma la porte à clé et mit la clé dans sa poche. Il lâcha, désabusé :

— Demain, quand vous m'aurez amené le Dr Halfinger, vous vous mettrez à la recherche d'une maison à réquisitionner. J'y déménagerai avec la petite. Dans la vieille ville de préférence, avec vue sur le fleuve. Cette caserne ne lui vaut rien.

— Mais, objecta l'adjudant, on va jaser, mon capitaine.

Louyre pressa sa lèvre supérieure entre deux doigts.

— C'est une loi de l'espèce de reprocher aux autres ce que l'on souhaite pour soi-même. Tel que vous me voyez, Hubert, je ne suis pas sensible à la calomnie.

POUR son second entretien, le Dr Halfinger avait conservé la même chemise que la veille, la même cravate trop serrée sur son cou puissant. Ses lunettes avaient changé, la monture en écaille avait été remplacée par une armature noire plus austère.

— Connaissez-vous la famille Richter, docteur ?

Le médecin chercha sa réponse à travers la fenêtre de la salle qui distillait une lumière timide.

— Vous savez, Richter est un nom assez courant. Comme médecin, il se peut…

— Hans Richter, cela ne vous dit rien ?

Halfinger se frappa le front d'une manière un peu théâtrale.

— Grands dieux, bien sûr, le propriétaire terrien. Nous chantions à la chorale ensemble. Vous êtes sans doute trop récent ici pour savoir que nous avons une fameuse chorale qui donne tous les ans la *Messe en si* de Bach à la cathédrale. C'est un événement. Hans Richter y est un fidèle compagnon. Voilà plus de vingt ans que nous chantons ensemble. Il est doté d'ailleurs d'une très belle voix de baryton basse. Comment pouvais-je l'oublier ?

— En dehors de la musique, vous étiez liés ?

— Il nous est arrivé de nous voir. Nous avions déjà les dîners de la chorale dans la vieille ville et il est possible que nous nous soyons reçus une ou deux fois.

— Vous avez une idée de ses opinions politiques ?

— Oh ! c'est un propriétaire agricole respecté. Par ici les exploitations ne sont pas immenses, mais la sienne est de bonne taille, assez bien située, en hauteur. Il avait des responsabilités professionnelles syndicales, me semble-t-il, et je crois qu'il est devenu membre du Parti national-socialiste, assez tardivement.

— Vous voulez dire après vous ?

Halfinger ouvrit les bras pour souligner l'évidence.

— J'ai adhéré dès 1933.

— Et pourquoi ?

Son regard blanchit, sa voix se fit confidentielle.

— Je dirai... Il arrive à Dieu de douter, nous avons choisi de décider pour Lui. Vous n'imaginez pas ce que c'est, une opportunité pareille. Avant 1933, nous avions une vie de reptiliens bourgeois d'une consternante médiocrité. Notre expérience, même si elle se termine aujourd'hui, nous ne devons pas la regretter, peu d'hommes dans l'histoire de l'humanité ont eu ce sentiment de plénitude qui était le nôtre. Le sentiment de vivre une grande ambition collective, se lever le matin transporté par une vision du monde au lieu de faire allégeance à la médiocrité. (Il marqua une hésitation.) Mais il y a eu des erreurs...

— Lesquelles ?

— Pour être sincère avec vous, l'exaltation est une excellente chose sauf lorsqu'elle prend un virage psychotique, c'est le psychiatre qui vous parle.

— Parce que vous êtes psychiatre ?

— J'ai été psychiatre. Mais là n'est pas la question. Cela me donne juste les éléments pour juger que l'attitude délirante de l'entourage de notre Führer nous a conduits trop loin, trop vite.

— Des remords ?

— Pas le moindre. Des regrets, oui.

— Vous avez connu cet entourage.

— Je ne vais pas me vanter alors qu'il n'y a personne pour me contredire. Je n'ai jamais approché à proprement parler le premier cercle. Mais disons que j'avais mes entrées dans le deuxième cercle.

— Ce qui vous a évité d'être envoyé comme médecin en camp de concentration.

— Exactement.

— Savez-vous ce qui s'y passait dans ces camps ?

— Il me semble que oui. Au départ il s'agissait de simples camps de détention et de travail pour les opposants et les bolcheviques. S'y sont ajoutés les Tsiganes, les résistants des pays occupés et les juifs. Et puis je crois qu'on en est venus à des solutions radicales.

— Pourquoi ?

— Par manque de place, j'imagine. Mais je ne connais pas le détail. C'est toujours le problème quand vous confiez des foules égarées à des brutes mal dégrossies en petit nombre, ça dérape. Mais je n'en sais pas plus.

— Sur les juifs, vous avez pensé quoi ?

— Je vais être franc avec vous. Je n'ai jamais particulièrement aimé ce peuple, et l'écarter de l'Europe me paraissait une idée saine. Mais je n'approuve pas le délire paranoïaque dont ils ont fait l'objet. Une fois les lois raciales adoptées, je pense que nous pouvions nous contenter de cet arsenal juridique pour nous protéger. Ensuite, il fallait les envoyer en Palestine au milieu des leurs, les Arabes.

— Mais les Arabes sont musulmans.

— Dans notre ville, voyez-vous, nous avons deux Églises puissantes, les catholiques et les évangéliques. Les deux cohabitent très bien même s'ils sont différents. Les évangéliques portaient le national-socialisme en eux. Il leur a suffi de vider le Christ de sa bonté et de le remplacer par le Führer. Les catholiques ont un cheminement émotionnel plus complexe.

Il sortit un mouchoir de sa poche et se moucha énergiquement.

— Pardonnez-moi, mais j'ai l'impression que je commence à avoir des allergies de printemps. Dites-moi, capitaine, cette conversation m'est très agréable, mais elle ne dit rien sur les raisons de ma présence ici ni sur mon assignation à résidence.

— Docteur, j'enquête sur un meurtre et je vous auditionne dans le cadre de ce meurtre.

— Je peux en savoir plus ?

Louyre se sentit irrépressiblement attiré par l'air du dehors et se leva pour aller respirer.

— Nous avons trouvé chez les Richter les restes calcinés d'un homme dont nous ne connaissons pas l'identité.

— Et en quoi cela me concerne-t-il ?

— Je sais que cela vous concerne. Pourquoi ? Je finirai par l'apprendre. Rassurez-vous, je suis convaincu que vous n'êtes pas le meurtrier.

— J'aimerais vous dire que je suis rassuré, mais je n'ai jamais été vraiment inquiet. Je peux donc circuler librement ?

— Je crains que non.

— Mais pourquoi ?

Le capitaine se fit cinglant.

— Apprenez, si vous ne le savez pas déjà, que les vainqueurs ont leur propre loi, qui échappe parfois aux vaincus.

— Je comprends très bien, il m'avait simplement échappé que

vous apparteniez au clan des vainqueurs. Ou alors vous vous êtes perdu, c'est une explication.

Louyre parla d'une voix douce.

— Profitez du printemps car rien ne dit que vous verrez l'été.

Le médecin recula au bout de sa chaise. Il se tamponna le front où perlaient quelques gouttes de sueur. Puis, d'une voix qui se voulait conciliante et assurée, il reprit :

— Je ne vous comprends pas très bien, capitaine. Vous me parlez d'un meurtre que j'ignore totalement, vous m'assurez, j'en suis fort aise, que je n'en suis pas l'auteur et puis vous me menacez.

Louyre, qui allumait une cigarette chaque fois qu'il pensait que les circonstances en valaient la peine, sortit son paquet de sa poche.

— J'ai eu tort de vous menacer. C'est vous reconnaître une capacité émotionnelle que vous n'avez pas.

— Envisagez-vous de faire de moi un bouc émissaire ?

— Oh non ! Je ne m'aventurerai pas sur un terrain où je suis certain de ne pas avoir l'expertise de votre peuple.

— Parce que le vôtre n'en a aucune en la matière ?

— Bien, coupons là, j'ai d'autres sujets à gérer. Nous nous reverrons demain. Lors des deux premières séances, nous avons lié connaissance. Demain je vous demanderai d'être plus factuel.

— Comment ?

— Il faut vous remettre dans les rails. Sinon vous allez me faire perdre du temps. Pour cela, imaginez que par le plus grand des hasards, j'ai intercepté un courrier venant du front qui explique par bribes cohérentes tout ce qui s'est passé dans cette bourgade depuis septembre 1939. Son rédacteur n'est pas suspect de fantaisie. Ce qu'il écrit dans ses lettres est assez précis et d'une sincérité redoutable car il s'adresse à sa seule descendance. Ce que je vous demande est très simple. Me raconter en détail ce que je sais déjà.

— Pourquoi voulez-vous que je vous le raconte si vous le savez déjà ?

Louyre prit un temps infini pour répondre en arpentant la salle du conseil de long en large.

— Si vous collaborez, sur la base de votre témoignage, je pourrai mener une instruction digne de ce nom et la transmettre à une personne autorisée. Si vous ne collaborez pas, il ne sera plus question d'instruction. Mon dossier perdra de sa consistance.

— Et alors ?

— Alors ? Je serai obligé de vous exécuter sans autre forme de procès.

— Vous en avez le droit ?

— Je serai le droit.

Halfinger, qui donnait jusqu'ici l'impression d'un homme avachi, se redressa sur son siège et arbora un curieux air de dignité. Il ferma le bouton du milieu de sa veste puis se leva et déclara sur un ton d'une solennité non feinte :

— Bien, capitaine. Sachez que les mensonges et les dissimulations que vous suspectez n'ont été commis que par respect des ordres et en aucun cas pour me protéger d'éventuelles représailles qui, de mon point de vue, ne sont absolument pas justifiées. Je compte bien vous démontrer la pureté de mes intentions et vous verrez que je sortirai grandi à vos yeux de cet interrogatoire, il établira la preuve que tout a été fait en conscience au service d'une certaine idée du bien.

Il tourna les talons et sortit.

11

— MADAME FINZI, vous n'ouvrirez à personne. Pas même au garde français qui surveille l'entrée de l'immeuble. Si on vous menace, vous devrez me le dire immédiatement. La jeune fille ne doit sortir en aucun cas de l'appartement, vous m'entendez ?

— Je vous entends bien, monsieur l'officier, mais il me semble que cette jeune fille n'a aucune intention de sortir. Elle vaque d'un fauteuil à l'autre, passant de la tristesse à la gaieté.

Mme Finzi était la seule présence vivante de ce confortable appartement aux murs en pierre et aux poutres apparentes dont la façon remontait à trois siècles au moins. Quantité de tableaux de petits maîtres s'y trouvaient réunis, révélant les nombreuses campagnes militaires auxquelles avait participé le propriétaire des lieux. L'armure complète d'un chevalier teuton, surmontée d'un heaume en proue de destroyer sur lequel un panache mité tombait en arrosoir, veillait sur les prises de guerre. Des meubles bourgeois, fauteuil Voltaire d'époque, console Louis XVI, guéridons Napoléon III peints en noir, s'alignaient dans une logique de garde-meuble. La masse disparate d'objets volés ne suffisait pas à masquer complètement le goût de parvenu du propriétaire de l'appartement qui, au dire de Mme Finzi, était de modeste extraction. À l'en croire c'était un tailleur de pierre qui, en rejoignant les SS, avait réussi tout ce qui lui semblait inaccessible ailleurs. Pour s'en convaincre, sa bonne à demeure était la mère de son ancien employeur. Il imaginait qu'il était mort assassiné par des partisans dans les Balkans. En tout cas, on ne l'avait pas revu depuis des années et, sa mère ayant succombé à la grippe au cours de l'hiver 1940, on ne lui connaissait pas d'héritier. Mme Finzi, convaincue que ce genre d'individu finissait toujours par renaître, n'avait pas bougé et continuait avec ses petits moyens de veuve de la Grande Guerre à entretenir a minima ce qui était devenu un musée. Elle s'honorait pourtant d'héberger le plus gradé des occupants avec un sens de l'hospitalité qui s'embarrassait peu d'a priori. Elle prit aussitôt la jeune Allemande sous sa protection avec le tact des serviteurs qui ne veulent rien savoir des turpitudes de leur maître.

La jeune femme résidait dans une chambre avec vue sur la berge à l'angle de la rue qui remontait vers le centre historique. Tout en longueur, la pièce était vaste et ne recevait la lumière que les après-midi de beau temps.

Maria reposait, couchée sur le ventre, les bras collés le long du corps, la tête face au mur. Louyre fit le tour du lit pour s'approcher d'elle. Ses yeux étaient fixes et ne clignaient pas. Il s'accroupit pour se mettre à la hauteur de sa tête.

— Tout va bien ?

Elle ne répondit d'abord rien puis murmura d'une voix atone :

— Je vais à Dieu.

— Par quel moyen ? murmura Louyre narquois en lui prenant la main qu'elle avait glacée.

Encore plus doucement, elle répondit avec un ton plein de sensualité.

— J'hésite.

Ils restèrent sans bouger alors qu'à travers la fenêtre entrebâillée leur parvenait le bruit délicat du fleuve dans sa fuite incessante.

— Vous ne me laisserez pas, n'est-ce pas ?

Louyre recula un peu et ne répondit rien, troublé. Il se releva et d'un air tout à coup distant, il lui conseilla :

— Tu devrais t'occuper un peu.

— Je n'ai envie de rien. En tout cas rien de ce qui occupe les gens en ce moment. Je n'ai envie que de vous. Il faudra me prendre, vous savez.

Louyre recula vers la porte.

— Car sinon d'autres le feront qui ne me méritent pas.

En présence du médecin, la gardienne de l'institut s'inclina à plusieurs reprises, avec exagération qui rappelait le comportement des serfs vis-à-vis des aristocrates dans la lointaine Russie, avant que la révolution leur rende pour un temps un peu de dignité. Son fils se tenait toujours derrière elle, avec sa tête ronde et sa bouille enjouée. En revoyant les lieux, Halfinger se gonfla d'une grandeur passée qu'il était seul à comprendre.

Il se retourna brusquement vers Louyre.

— Pourquoi m'avez-vous amené ici ?

Son regard traduisait autant l'orgueil que l'indignation.

Louyre, le nez en l'air, ne se donna pas la peine de le regarder pour lui répondre.

— Quel bel endroit, vous ne trouvez pas ? J'entends déjà les cris de joie des enfants qui vont s'y ébattre quand l'été viendra. Ce sera le temps de la renaissance, une nouvelle génération de petits Allemands pleins de vigueur et d'espérance. Et la fin de votre époque, dont il ne restera rien. Il faudra penser à convoquer un conseil d'administration rapidement. Vous avez le pouvoir de le faire ?

— Certainement.

L'officier avança vers le bâtiment, les mains dans le dos.

— Dites-moi, Halfinger, où sont partis tous les meubles ?

— Plusieurs camions les ont transférés dans des centres près du front.

— Qui étaient les transporteurs ?

— Des policiers attachés au département des transports du ministère.

— Il doit bien rester des chaises quelque part, et une table qui pourrait faire office de bureau.

— Pour quoi faire ?

Louyre s'arrêta pour contempler un chêne vieux de plusieurs siècles qui s'évasait puissamment vers le ciel.

— Je souhaite poursuivre notre conversation dans ce qui était votre bureau. Je suis persuadé que ce décor vous correspond mieux que la salle du conseil municipal, trop impersonnelle. Qu'on nous trouve deux chaises et une table.

Halfinger s'adressa à la gardienne qui prit d'abord une mine dubitative, se gratta la tête puis s'illumina de la solution qu'elle avait trouvée. Un cabanon près de sa maison conservait quelques meubles sous clé. Louyre fit signe à son chauffeur, Voquel, de la suivre. Il se mit en route en direction du grand bureau qui lui avait semblé, lors de sa première visite, être celui du directeur de l'hôpital. De là, se souvenait-il, on avait la vue à l'avant sur la vieille ville. L'arrière donnait sur les jardins cultivés. Une dizaine de rideaux à l'opacité douteuse habillaient les fenêtres d'un uniforme inutile. Louyre les tira un à un pour laisser la lumière pénétrer la pièce boisée pendant que Voquel et la gardienne – toujours suivie de son fils – disposaient une table et deux chaises. Il les chassa d'un geste de la main et indiqua sa place au médecin, dos à la vieille ville, face au jardin. Il alla à la porte, la ferma à clé, mit la clé dans sa poche et alluma une cigarette.

— Maintenant nous allons parler pour de bon. Nous n'avons rien à manger, rien à boire, pas de lit pour dormir et pas d'électricité. Nous ne quitterons cette pièce que quand tout sera dit. Si vous tentez de fuir, je vous abattrai. Et si vous décidez de vous jeter par la fenêtre, je ne ferai rien pour vous en dissuader. Nous n'avons pas de greffier et je n'ai pas de papier pour prendre des notes.

— Alors, à quoi tout cela va-t-il servir ?

— À rien. Je veux juste que ces mots soient prononcés.

Le médecin tira sur son nœud de cravate.

— Vous avez l'intention de me tuer, une fois l'interrogatoire fini ?

— Ce n'est pas un interrogatoire. C'est une confession.

— Vous n'avez pas l'intention d'instruire un procès ?

— J'y ai pensé mais, finalement, la forme me répugne. Un procès n'a d'utilité que pour tirer des leçons et punir. Tirer des leçons d'une vie comme la vôtre, je n'en vois pas l'intérêt. Quant à vous punir, je laisse la réprobation et la vengeance à d'autres. Ne croyez pas que vous m'intéressez, Halfinger, vous m'intriguez seulement.

Louyre sortit de sa poche intérieure le paquet de lettres écrites par le père de Maria.

— Voici le dossier à charge. Regardez ce que je vais en faire.

Avec son briquet, il mit le feu à une lettre et la jeta sur le parquet. Puis il fit de même pour toutes les autres, créant autour de lui un cercle de foyers incandescents qui se consumèrent sans bruit, dans une fumée noire qui montait en spirale vers le plafond.

— J'ai oublié une des règles du jeu. Elle est discrétionnaire, j'en conviens, et elle me confère un pouvoir auquel je n'ai jamais aspiré dans l'existence. Vous allez me donner votre version des faits. Si à un moment ou à un autre j'estime qu'elle s'éloigne par trop de la vérité, que vous me mentez, que vous me manipulez, je n'hésiterai pas à vous mettre une balle dans la tête.

Il regarda les cendres des lettres affaissées sur le plancher.

— Tout était écrit sur ces pages. Un homme qui va mourir ne ment pas à sa fille. Car il est mort à présent.

— Comment le savez-vous ?

— Une sourde conviction.

— Qui d'autre a lu les lettres ?

— Personne d'autre que moi. Maria Richter n'a plus de lunettes. Voilà, cher docteur, nous ne sommes que deux à savoir. Et la vérité ne m'importe pas au point de vous dissuader de mourir, si c'est votre souhait. Je me contenterai de votre mort, s'il le faut.

— Je n'ai aucune intention de me suicider.

— Vous aviez le temps de fuir depuis que vous avez appris que j'enquêtais sur une piste qui me conduirait forcément à vous. Pourquoi ne l'avez-vous pas fait ?

— Parce que j'ai estimé que je n'avais rien à me reprocher.

— C'est bien, lâcha Louyre pris de lassitude. Maintenant que les règles sont établies nous allons commencer. Vous pouvez prendre votre temps. Un funambule vérifie toujours la semelle de ses chaussures avant de s'engager sur un fil.

Halfinger se leva et se planta devant la fenêtre qui donnait sur le verger. Les mains dans le dos, ses doigts se contorsionnaient telles de grosses limaces sur un pied de salade.

— Quand vous en aurez fini avec la partie de la vérité qui contrevient aux ordres qu'on vous a donnés, vous verrez que les choses s'enchaîneront naturellement. Allez-y ! lança Louyre.

Le médecin garda le silence un moment, il paraissait accablé par la perspective de sa reddition.

— On m'a demandé de dire qu'ici se tenait autrefois un institut de convalescence, je l'ai fait de bonne foi. En réalité, et je ne vous apprends rien, il s'agissait d'un hôpital psychiatrique public dont j'étais le directeur. Je le suis toujours d'ailleurs, même si l'hôpital a disparu. Nous avons soigné ici jusqu'à quatre cent quatre-vingt-sept malades. Ce chiffre extrême a été atteint en octobre 1938. Je m'en souviens très précisément car j'avais alors alerté mon autorité de tutelle sur le fait que nous étions à la limite de ce qui était supportable pour un hôpital régional car notre ressort dépassait largement le canton. J'ai reçu un courrier qui prenait acte de mon problème mais qui n'y voyait pour l'heure rien de catastrophique. "Ce genre de tension démographique hospitalière, soulignaient-ils, est statistiquement explicable. L'expérience nous pousse à considérer qu'une personne sur mille est atteinte de troubles psychiatriques qui nécessitent un internement. Votre institut couvre un périmètre démographique de cinq cent mille habitants, vous êtes parfaitement dans les normes. Sans sous-estimer les inconvénients d'une telle surpopulation, nous pensons que vous pouvez vous en accommoder sans dommage. Une politique précise est en cours de définition sur laquelle nous ne manquerons pas de vous consulter et elle sera, à n'en pas douter, de nature à régler votre problème conjoncturel."

» Quelques semaines plus tard, j'ai reçu la visite du Pr Schwanz, qui avait été mon professeur à la faculté et pour lequel j'avais beaucoup de considération à la fois humaine et professionnelle. Depuis quelques mois, il participait au niveau national à des travaux de réflexion essentiels sur l'évolution de notre discipline. Cet homme était né pour servir et nullement se servir. C'était un homme – je dis c'était, car il est mort brutalement d'un arrêt du cœur quelques mois plus tard – de petite taille mais qui avait l'élégance des gens élancés. Malgré sa minceur, il aimait les agapes. Dès son arrivée, je l'ai conduit à la brasserie la plus réputée du centre-ville, et nous nous sommes attablés de fort bonne humeur.

» Il respectait mes convictions avec soin. Un jour que je lui faisais part de mes réticences morales sur un point particulier, j'ai vu son visage s'allumer et il m'a dit : "Sans doute ces réticences sont-elles fondées et, si je me laissais aller, moi-même je les partagerais certainement mais, voyez-vous, un scrupule ne doit jamais briser une chaîne de responsabilités. Cette chaîne relie vos subordonnés à moi et votre devoir est de ne pas rompre ce lien sacré qui fait la force de notre entreprise. Vous devez me remettre les clés de votre conscience comme vous le feriez de celles de votre maison, sachant que je vous rendrai les lieux comme vous les aurez quittés." Le Pr Schwanz était un eugéniste reconnu. Il avait participé à l'élaboration de la loi sur la stérilisation des malades mentaux.

— Parce que les maladies mentales sont héréditaires ?

— Oui, pour beaucoup d'entre elles, avec des degrés de duplication plus ou moins élevés selon les maladies. Mais dans la schizophrénie, qui nous intéressait en premier lieu car elle est la plus répandue et la plus dommageable au corps social, nous avions de sérieuses observations qui prouvaient sa transmission génétique. Là-dessus, Schwanz et moi étions en parfait accord. D'ailleurs, qui viendrait contester le bien-fondé de notre initiative d'interrompre à l'échelle d'une nation ce que j'appelle "l'engrenage du malheur" ? Mais les bonnes intentions ne suffisent pas. Concernant la stérilisation des malades mentaux, nous n'avons pas été à la hauteur. Nombre d'interventions ont échoué ou, parfois, conduisaient à des actes plus proches de la boucherie que de la psychiatrie, et sachez que j'ai réagi. Car autant il était facile d'opérer sur des malades internés, autant nous étions confrontés à d'autres difficultés dès qu'il s'agissait de malades qui vivaient hors de nos murs. Ils étaient d'ailleurs les plus nombreux car la population commençait à avoir des doutes sur la volonté thérapeutique qui animait nos établissements. J'ai donc développé mon propre système de stérilisation qui présentait l'avantage considérable d'éviter tout contact physique avec le malade, et donc tout risque de réaction pathétique de sa part. C'était un appareil qui diffusait des rayons X. On le plaçait sous une table et, pendant que le malade s'entretenait avec un médecin ou une infirmière, les radiations dirigées vers son appareil génital faisaient leur effet…

— Pardonnez-moi, l'interrompit Louyre. Pouvez-vous me préciser ce que vous entendez par schizophrénie ?

— La schizophrénie se caractérise par une désintégration de la personnalité qui intervient généralement juste après l'âge de la puberté. Les malades perdent progressivement le contact avec la réalité. On assiste à un fléchissement de leur élan vital, de leur activité mentale. Ils deviennent froids, indifférents aux normes et conventions sociales, souvent irascibles, hostiles à la société. On remarque qu'ils tentent parfois de lutter contre cette dissociation mentale en essayant de se rassembler autour d'un idéal tendu à l'extrême – politique ou religieux – où ils poussent le rationalisme jusqu'à l'absurde. On note chez eux une anxiété constante, une angoisse floue, une propension anormale à douter quand il ne le faudrait pas et surtout une reconstruction souvent délirante du monde extérieur. Ils sont généralement désinvestis sur le plan affectif, ce qui conduit à une sexualité dissociée des sentiments et de ce fait souvent masturbatoire. La proportion de schizophrènes est constante dans chaque société, une personne sur mille me paraît le bon chiffre. Quand la dissociation est trop douloureuse, il leur arrive de mettre fin à leurs jours.

Halfinger s'arrêta, soucieux, comme si quelque chose venait de lui échapper.

— Oui, si je vous parlais de proportion constante de schizophrènes dans les populations, c'est bien la preuve qu'ils se reproduisent. Il m'apparaît même comme une évidence, maintenant que je vous en parle, que cette absence d'affectivité liée à leur sexualité les pousse à en user sans limites puisque l'amour n'entre pas en ligne de compte. Ainsi la répétition de cet acte sans fondement, purement animal, débouche sur un risque de reproduction accru. Où en étais-je ? Oui. On ne peut pas affirmer que la stérilisation a été un échec, mais elle ne donna pas totalement satisfaction. Des réunions ont continué à se tenir à Berlin. Quelques éminents psychiatres ont travaillé avec des politiques sur les objectifs à atteindre après la stérilisation.

— De quels objectifs parlez-vous ?

— L'amélioration de la race, pardi ! Mais ne pensez pas que l'eugénisme est une invention allemande. Tout le monde travaillait sur le sujet en Europe entre les deux guerres. Je pourrais vous citer une kyrielle de grands scientifiques anglais, par exemple, qui planchaient sur ce problème. Ce qui s'étudiait sans gloire ailleurs a été abordé ouvertement par nos dirigeants. Schwanz me disait qu'on évoquait fréquemment, lors de la commission du Reich, les inquiétudes de notre guide sur les problèmes de déchéance et d'abâtardissement.

— Et sur quoi cette commission travaillait-elle exactement ?

— Je n'y étais pas. L'abâtardissement, c'est la question juive ; les mariages interraciaux, cela ne pouvait pas les concerner. En revanche, le problème de la déchéance des Allemands de souche, cela les regardait en tout premier lieu. Cette menace n'était pas plus grande qu'ailleurs, mais nous avions décidé d'y faire face pour des raisons idéologiques dans un premier temps – pureté de la race et lutte contre les asociaux –, puis économiques dans un deuxième temps. Les menaces de guerre nous obligeaient à considérer le traitement des bouches inutiles. Dans un troisième temps, les interrogations purement morales ont surgi : fallait-il laisser vivre des enfants, des hommes et des femmes en souffrance ? Et qui était mieux placé que les psychiatres pour juger de cette souffrance ? Personne. Les infirmières étaient aussi capables de témoigner du calvaire des malades mentaux, ce qui explique que certaines d'entre elles aient pu être associées à la commission du Reich. Les membres de la commission touchaient des primes substantielles pour leur travail et surtout pour leur silence. Je le sais car Schwanz s'en est ouvert à moi. Le secret est incompatible avec l'être humain. Vous savez pourquoi ? Parce que s'il n'est pas lourd, ce n'est pas un vrai secret. S'il est écrasant, cela devient intolérable pour la personne qui le porte, et elle doit le partager sauf à se mettre elle-même en péril. Pour Schwanz, il en allait autrement, j'étais quelque part un autre lui-même, en moins réussi peut-être.

— Pourquoi le secret, si ces travaux se faisaient dans le cadre de la politique affichée par l'État ?

— Bonne question. Je l'ai moi-même posée à Schwanz. Il m'a répondu : "Vous savez, c'est un sujet sensible, il s'agit d'Allemands tout de même. Personne n'aime les juifs, pas plus en Allemagne qu'ailleurs, alors que les malades mentaux font partie intégrante de la communauté nationale, il faut être prudent. Surtout qu'en dehors des malades pour des raisons génétiques, nous soignions en asile encore beaucoup d'anciens combattants de la guerre de 1914. On nous a dit que le Führer lui-même marchait sur des œufs." Vous imaginez, notre Führer marcher sur des œufs !

Louyre demanda à contretemps :

— Personne n'a réagi à la stérilisation de ces patients ?

— Non, personne. Vous savez, se dresser contre le Reich pour défendre le droit à des débiles de se reproduire, pardonnez-moi, mais il faut être un malade mental soi-même. Pour préparer une guerre, il vaut mieux porter ses efforts sur des hommes sains que sur des sous-hommes qui lévitent entre l'être humain et l'animal. Plus près de l'animal que de l'homme d'ailleurs car ils ne sont pas capables de se nourrir par eux-mêmes. J'ai pu préciser toute cette réflexion à l'époque car j'avais la chance d'avoir comme interlocuteur un homme de la qualité de Schwanz. Jouer au tennis seul n'a pas de sens. Il en est de même des réflexions sur les grands sujets. Hitler, dit-on, usait lui aussi de la discussion pour affiner sa pensée. Mais, précisait Schwanz, Hitler se méfiait de ce fond de compassion qu'il n'était pas arrivé à éradiquer chez notre peuple. Il s'en inquiétait au moment où nous nous préparions à de lourds sacrifices humains. Il ne voulait pas que des esprits faibles, encore pétris de la morale chrétienne et de son chapelet de niaiseries, viennent miner le moral de nos troupes depuis l'arrière par des geignements d'un autre temps. Il craignait de ne pas être bien compris dans ce qu'il s'apprêtait à faire. Il savait que le personnel hospitalier psychiatrique risquait de mal accueillir ces projets. Tout cela méritait d'avancer à pas feutrés. D'autant que l'Église catholique avait obtenu, lors de la loi sur la stérilisation, que seuls les médecins convaincus du bien-fondé de cette loi soient amenés à intervenir.

— Vous en faisiez partie, de ces médecins ?

— Très honnêtement, je n'ai jamais douté de l'intérêt qu'il y avait pour une société d'interrompre la chaîne du malheur.

— Pourtant vous êtes catholique ?

— Oui, je le suis, et je n'ai jamais cessé de l'être.

— Et qu'est-ce que Hitler s'apprêtait à faire, selon vous ?

Le médecin ne répondit pas tout de suite. Il se décida enfin :

— En août 1939, on dit qu'il avait conscience de la nécessité impérative de libérer des lits d'hôpitaux pour les blessés qui allaient immanquablement affluer, la guerre étant imminente. Mais, chose intéressante, Hitler, selon Schwanz, était réticent à l'idée que le petit peuple sache que lui, leur guide, était à l'origine, ou même seulement informé, d'une décision aussi radicale. C'est, m'a-t-on dit à l'époque, la raison pour laquelle il n'a pas été question de loi, mais seulement d'une ordonnance très lâche du Führer lui-même, sur son propre papier à en-tête, une sorte de préconisation dont je n'ai jamais vu la copie mais qui disait en substance, toujours selon Schwanz qui était mon seul lien avec toute cette affaire : "Le Reichleiter Bouhler (un ponte de la chancellerie) et le Dr Brandt (le médecin personnel de Hitler) sont chargés, sous leur propre responsabilité, d'élargir les compétences de certains médecins qu'ils auront eux-mêmes désignés, les autorisant à accorder la mort par faveur aux malades qui, selon le jugement humain, et à la suite d'une évaluation critique de l'état de leur maladie, auront été considérés incurables."

Louyre ne commenta pas. Il se contenta de répéter lentement :

— La mort par faveur.

Halfinger reprit la balle au bond.

— Oui, l'euthanasie n'est un droit nulle part. C'est pour cela qu'il est justifié de parler de faveur lorsque l'on délivre un être humain de ses souffrances. Quelque chose vous choque là-dedans ?

Pour toute réponse, Louyre prononça d'une voix atone :

— Continuez, continuez.

— Vous remarquerez que je ne fais pas de rétention d'information. Je vous livre les faits exactement tels qu'ils me sont parvenus par l'intermédiaire de Schwanz. Un bureau appelé Aktion T4 a été logé au numéro 4 de la Tiergartenstrasse à Berlin. Plusieurs psychiatres cliniciens y ont élaboré trois organismes. Le premier était "La fondation générale des instituts de soins" qui gérait le personnel des centres désignés pour passer à la phase opérationnelle voulue par le Führer. Le deuxième organisme s'appelait "La communauté de travail du Reich pour les établissements thérapeutiques et hospitaliers". Il était chargé des questionnaires adressés aux asiles psychiatriques et de la préparation des expertises. Fut également créée une "Société d'utilité publique pour le transport des malades". Le dispositif n'était pas plus compliqué que cela.

— Mais pourquoi ce dispositif ? demanda Louyre, incrédule. Pour effectuer un tri des malades ?

— Le dispositif nous fut présenté à l'époque, à nous, les directeurs d'établissement, comme un recensement de la force de travail disponible pour l'économie de guerre. On pouvait le comprendre. Qui parmi nos malades était autonome, qui était capable de subvenir à ses propres besoins, qui était en mesure de travailler aux champs ou d'exercer un artisanat, etc. ? Il n'était pas question de mettre tous les malades dans le même sac, cela aurait été injuste. Nous avons donc reçu à l'automne 1939 un questionnaire émanant de la communauté de travail du Reich pour les établissements thérapeutiques et hospitaliers. Un exemplaire devait être rempli pour chaque patient. Il visait à préciser si le malade était atteint de schizophrénie, d'épilepsie (quand celle-ci était exogène, il fallait en indiquer les causes), de démence sénile, de paralysies générales ou autres maladies syphilitiques ; il fallait aussi recenser l'idiotie, l'encéphalite, la maladie de Huntington et diverses affections neurologiques dégénératives. En plus de ces pathologies particulières, un dispositif plus général consistait à consigner tous les malades internés dans l'établissement depuis au moins cinq ans, les malades mentaux criminels et ceux qui n'étaient pas de sang allemand ou de nationalité allemande.

— Pourquoi ?

— Il était clair que le programme d'euthanasie par faveur, s'il était mené à terme – puisque, à ce moment-là, vous vous en doutez, nous n'en étions qu'à son évaluation –, ne devait profiter qu'aux Allemands. Les juifs en étaient exclus, de même que tous les ressortissants des pays non occupés. Les Autrichiens comme les Polonais pouvaient aussi en bénéficier. J'ai donc rempli un questionnaire par malade. Comme nous pensions que les plus aptes de nos malades allaient être déplacés vers des camps de travail, beaucoup de directeurs d'institut ont falsifié leurs questionnaires pour les rendre inaptes.

— Dans quel but ?

— Pour qu'ils puissent rester travailler. Nous avions besoin de main-d'œuvre pour assurer notre autosuffisance alimentaire.

— Mais vous saviez que ces malades allaient bénéficier du programme d'euthanasie par faveur ?

— Nous ne savions pas lesquels. Nous pensions, nous, les directeurs d'établissement, qu'une infime partie d'entre eux jugés inaptes à toute vie sociale profiteraient du programme. J'ai rempli moi-même les questionnaires un par un avec, je vous l'assure, les meilleures intentions du monde. Un expert de la Fondation du Reich est venu me rendre visite au milieu de l'automne, jugeant que quelques cas lui paraissaient litigieux.

» "Qu'allez-vous faire des individus que vous allez sélectionner ?" lui ai-je demandé.

» Il m'a répondu assez sèchement :

» "Leur donner une véritable utilité sociale pour les uns, abréger leurs souffrances pour les autres."

» "Et comment allez-vous procéder ?" ai-je poursuivi.

» "Vous n'aurez à vous occuper de rien. La société de transport se chargera de conduire les malades à la destination qui aura été retenue pour eux."

» "Et pour les morts par compassion ?" ai-je avancé.

» "Vous voulez dire les morts par faveur ?"

» "Oui, c'est cela."

» “Nous avons un service chargé d'adresser aux familles un courrier annonçant le décès de leur parent où, en plus de nos condoléances, il leur sera donné la possibilité de récupérer les effets personnels du disparu et ses cendres sous un délai de quatorze jours. Nous ferons en sorte que le courrier leur parvienne une fois le délai écoulé vers le seizième ou le dix-septième jour.”

» “Et vous allez procéder en une seule fois ?” ai-je demandé.

» “Vous êtes bien membre du parti, docteur Halfinger ?”

» “Sans aucun doute”, ai-je répliqué.

» “Alors, il y a certaines choses dont on peut parler librement. Nous pensons que les familles seront un peu déroutées au début mais que, très vite, elles nous rendront grâce de les avoir débarrassées d'un fardeau. Les principes moraux ne résistent pas longtemps au soulagement matériel. En prenant la vie de ces inaptes, nous leur rendons la leur. Je ne dis pas que cela prendra une semaine pour assimiler cet avantage mais cela viendra beaucoup plus vite que vous ne l'imaginez. Nous tablons sur un taux de protestation assez faible des familles elles-mêmes et de toute évidence dégressif. Non, si nous avons une crainte, c'est à propos des personnels d'exécution. Il est moins facile qu'on ne le pense de trouver de bons agents qui ne faiblissent pas devant la masse. C'est un problème qu'il ne faut pas sous-estimer. Nous y sommes déjà confrontés en Pologne. Le meurtre de masse suscite chez beaucoup une frénésie objective. Mais si l'opération perdure, elle finit par provoquer un dégoût de l'exécutant qui perd la motivation première de son geste. Pour caricaturer, à quelques exceptions près, je dirai que chacun de nous possède un enthousiasme à tuer limité. La haine est bien utile pour mobiliser les tueurs, vient ensuite l'utilité, puis la nécessité. Mais parfois le nombre de victimes incriminées exige de puiser en soi pour dépasser ces trois seuls critères et c'est là que l'on trouve des hommes subitement désarmés comme des enfants qu'un jouet adoré n'intéresse plus.”

» “Et si je peux me permettre, monsieur l'expert, ai-je ajouté, comment comptez-vous procéder ?”

» “Par transfert. Nous parlerons officiellement aux intéressés de transfert d'un hôpital dans un autre pour regroupement, rationalisation des soins, et cela, tout le monde est capable de le comprendre. Six centres au total regrouperont les élus.”

» “Et les autres ?”

» “Il n'y aura pas d'autres. Et cette confidence fait de vous un des nôtres maintenant. Vous savez ce que vous encourez à divulguer la teneur de notre entretien ?”

» Il m'a prodigué de sa main osseuse une petite tape sur l'épaule.

» “Et comment allons-nous faire ?” ai-je ajouté timidement.

» “Maintenant, je peux vous le dire. Gaz d'échappement de camion et incinération. Ne me regardez pas comme ça, on ne sait pas faire mieux. Ce genre de traitement de masse n'était pas prémédité, alors on improvise avec les moyens du bord.”

» Voilà ce qu'il m'a dit et j'avoue que je suis resté deux jours sans dormir. »

— Seulement deux jours ? objecta Louyre.

— Façon de parler.

Louyre en avait assez entendu, il se leva et s'éloigna. La nuit était tombée sur la pièce et pourtant la lumière avait à peine faibli. Face à la vieille ville, la lune se dévoilait dans un halo de brume hésitante. Il observa un long silence avant de poursuivre :

— Vous savez à quoi tient la vie ? À la couche d'atmosphère. Imaginez que cette sphère soit la Terre. Songez encore qu'on l'ait enduite d'une couche de vernis. C'est à ce vernis que tient toute la vie, cette couche minuscule qui nous permet de respirer. Et maintenant, imaginez une couche de vernis sur les ongles d'une femme qui vit sur cette Terre. C'est l'épaisseur de notre civilisation. Y avez-vous jamais pensé ?

Le mouvement incontrôlé des lèvres du médecin trahit sa confusion. Mais avant qu'il ait eu le temps de répondre, on frappa.

Louyre se rendit à la porte qu'il ouvrit avec la clé qu'il avait gardée dans sa poche. Un soldat de son unité se tenait devant lui et l'attira dehors d'un signe de la tête pour lui communiquer une information à voix basse. Quand il l'eut entendu jusqu'au bout, Louyre se retourna vers Halfinger.

— Nous devons nous en tenir là pour l'instant. Une urgence m'appelle. Êtes-vous capable de soigner une blessure par balle ?

Le médecin, surpris, saisit l'opportunité qui lui était donnée de quitter les lieux, et répondit avec célérité :

— Je dois bien avoir gardé quelques notions d'anatomie acquises pendant mes premières années de médecine.

Plusieurs militaires gardaient l'entrée de l'immeuble où Louyre résidait. L'un d'eux le conduisit jusqu'au palier du deuxième étage sur le sol duquel gisait un homme les bras en croix, les yeux grands ouverts. Un filet de sang coulait le long de sa mâchoire et glissait dans l'oreille. L'homme, encore jeune, avait un visage aux traits plutôt fins. Sa chemise blanche était ensanglantée. À côté de lui se tenait le militaire qui l'avait tué.

— Je lui ai demandé ses papiers. Il a fait comme s'il ne comprenait pas et il a accéléré en se mettant à courir dans les escaliers. Je l'ai rejoint au deuxième. Il a sorti un Luger et je l'ai mitraillé.

Louyre s'effaça pour laisser Halfinger l'examiner. Le médecin se baissa, lui palpa la carotide et lui ferma les yeux.

— Il est bel et bien mort.

— Vous le connaissiez ?

Le médecin hésita. Trop longtemps pour nier ensuite qu'il l'avait vu plusieurs fois.

— C'est un policier local qui a été recruté au service des transports dont je vous ai parlé. Quand les transports ont été suspendus, il a repris son poste.

— Pourquoi n'a-t-il pas été envoyé au front ?

— Si vous me laissez l'autopsier, je pourrai vous en donner la raison médicale, fit Halfinger en souriant.

— Ce ne sera pas nécessaire, conclut Louyre, dégoûté.

Des bruits de pas se firent entendre alors que tous les visages étaient tournés vers ce cadavre. Louyre leva les yeux et aperçut Maria suivie de Mme Finzi qui ne semblait pas plus émue que si elle avait croisé un voisin sur le chemin de ses courses.

La silhouette de Maria et ses cheveux blonds discrètement bouclés firent un effet immédiat sur tous les hommes présents. Elle s'approcha du mort, le contourna dans un sens puis dans l'autre. Elle s'accroupit, lui ouvrit un œil délicatement en écartant sa paupière de son pouce et de son index. Elle se releva et clama d'une voix exagérément forte :

— C'est lui, c'est lui, ça ne fait aucun doute.

— Qui lui ? demanda Louyre.

Elle répondit avec exaltation :

— Eh bien l'homme qui m'a sauvé la vie.

— Nous verrons cela plus tard, coupa Louyre avec douceur et

fermeté, ne souhaitant pas que ses révélations profitent à toute l'assemblée.

Mme Finzi prit la jeune fille par l'épaule pour la reconduire à l'étage supérieur pendant que Louyre descendait les escaliers avec Halfinger. Arrivé en bas, devant la porte de l'immeuble, il se rendit compte que le cours d'eau dispensait une musique apaisante et il resta dans la fraîcheur de la nuit à fumer une cigarette. Le médecin se tenait à côté de lui, plus agité.

— Vous l'avez reconnue ? demanda Louyre. La jeune fille ?

— Aucune idée.

— Vous avez pourtant bien connu sa mère.

— Je vois mal et je ne suis pas physionomiste, de qui s'agit-il ?

— De la fille de Hans et Clara Richter.

Halfinger n'affecta aucune émotion.

— Maintenant que vous me le dites. C'est bien possible. Je ne l'ai pas bien vue. J'ai le souvenir de beaucoup plus de taille, d'élégance et de grâce chez sa mère, mais peut-être n'est-elle encore qu'une enfant ?

— Elle n'est plus tout à fait une enfant, lâcha Louyre.

Il continua à tirer sur sa cigarette avant de l'écraser sous son pied.

— Tout cela ne nous dit pas pourquoi son sauveur voulait l'assassiner. Vous avez une idée ?

Halfinger lui parut étonnamment sincère :

— Comment voulez-vous que je sache pourquoi il voulait l'assassiner alors que je ne sais pas pourquoi il lui avait sauvé la vie ?

Louyre se fit flegmatique.

— Il y a comme cela des énigmes qu'on peine à résoudre. Si on y retournait ?

— Où ? À l'hôpital ? Mais il est tard.

— Nous vivons une époque qui ne fait pas de différence entre le jour et la nuit. Autant en profiter.

Sans écouter la protestation du médecin, le capitaine se mit en route vers sa Jeep. En chemin, il pensa que l'homme qui venait d'être tué connaissait forcément Mme Finzi et qu'il comptait sur elle pour lui ouvrir en toute confiance, une fois le contrôle passé. Mais la mort de cet homme l'amenait à s'interroger sur ce qui l'avait conduit si près de Maria.

L'idée qu'il était du côté des vainqueurs traversa l'esprit de Louyre alors qu'il essayait de se protéger du vent qui soufflait dans la voiture ouverte. Il se demanda s'il y avait jamais eu de victoire joyeuse, si, chaque fois, l'humanité ne creusait pas un peu plus sa tombe, dans l'attente que la nature, par maladresse, ne l'efface de la surface de ce globe minuscule à l'échelle de l'univers, lassée de ce vacarme incohérent, des fumées nauséabondes et des cris de femmes et d'enfants. Halfinger se rapprocha de Louyre et lui lâcha d'un air de confidence :

— Cet homme était un homosexuel.

— Personnellement, je préfère voir des hommes s'aimer que s'entre-tuer, commenta Louyre.

— Mais cet homme-là tuait, capitaine !

— Probablement parce qu'on l'a empêché d'aimer ou d'être aimé.

— Vous êtes une sorte de libéral, ou vous avez une fascination pour la décadence ? demanda le médecin, indigné.

— Non, je ne suis rien, comme tout un chacun, mais je jouis de ma supériorité illusoire de le savoir. Chacun ses plaisirs, docteur.

12

La conversation reprit là où ils l'avaient quittée.

— Et alors, ensuite ? demanda Louyre.

Sans regarder Halfinger, Louyre ôta avec les dents le bouchon de la bouteille de schnaps qu'il avait réquisitionnée dans la Jeep.

Il but une gorgée au goulot, puis une autre avant de la refermer sans en proposer au médecin.

— Ensuite les transports ont été organisés. Ils sont venus chercher les malades dans des cars aux vitres opaques pour qu'on ne puisse pas voir ce qui se passait à l'intérieur. C'était toujours les mêmes hommes. Ils étaient trois, un chauffeur et deux hommes de main assez brutaux. Parmi ces hommes, il y avait celui qui vient d'être tué. Ce sont d'anciens policiers. Je me souviens plus précisément de l'autre, son binôme, qui pour moi représentait l'exemple parfait de l'homme déshumanisé. Il ne se gênait pas pour dire aux malades où ils les menaient. Certains trouvaient cela drôle, pensant qu'il jouait au méchant, d'autres étaient frappés car ils n'allaient pas assez vite. Je m'en offusquais parfois et mes infirmières les insultaient.

— Qu'est-ce qui conditionnait la fréquence des transports ? demanda Louyre en se servant une nouvelle gorgée de schnaps.

— Leur capacité à les absorber, j'imagine.

— Vous dites vous être offusqué, mais vous ne vous êtes jamais opposé.

Halfinger réfléchit longuement.

— Pour beaucoup d'entre eux, je ne pensais pas que la mort était particulièrement pénible, c'était plutôt une libération. Il faut avoir travaillé dans ce genre d'établissement pour savoir ce que ces malades endurent. Au début, les textes parlaient de malades incurables et totalement incapables de réaliser dans quel état ils se trouvaient. Je dois avouer que j'ai aussi ajouté des malades conscients du processus de dégénération qui les menaçait. Je ne le regrette pas.

— Vous n'avez jamais eu le sentiment de participer à une vaste entreprise de destruction ?

Le médecin se gonfla d'un coup, touché. Il se leva et se mit à marcher de long en large.

— L'espèce humaine porte en elle-même les germes de sa propre destruction, à l'inverse des espèces animales qui vivent un cycle préétabli selon des règles propres à chacune d'elles. La conscience et la mort sont intimement liées, capitaine. La conscience d'être est intimement liée à celle de mourir. Cette mort doit être utile et spectaculaire, il ne faut plus être cet animal d'abattage que nous avons été en 1914, nous les Allemands. La question de la destruction n'est pas intéressante en soi car elle est inhérente à ce que nous sommes. La seule vraie question est de savoir rendre utile cette destruction.

— Et c'est ce que vous avez fait ?

— Au moins nous, nous avions un dessein.

Comme Halfinger n'en finissait pas de tourner, Louyre lui ordonna de s'asseoir. Il reprit d'un ton moins emporté :

— Vous avez accepté de saborder votre science.

Le médecin réfléchit.

— L'honneur de la science est de soulager les malades et non pas de s'obstiner à vouloir les soigner coûte que coûte. Ils ont supprimé des bouches inutiles en temps de guerre, ils ont coupé le cordon funeste de l'hérédité maladive. Si cela devait conduire à faire disparaître notre science, nous n'y voyions pas d'inconvénient. Les juifs avaient commencé à gangrener les sciences de l'esprit par des démarches intellectuelles falsificatrices héritées directement de leur méthode de lecture de l'Ancien Testament. Freud et la psychanalyse sont le meilleur exemple de la façon particulière qu'un juif a de rendre cohérent quelque chose qui ne l'est pas, par pur orgueil, par absence totale d'humilité scientifique. Je préfère me saborder que d'adhérer à cette diarrhée intellectuelle.

— Combien de vos malades sont partis pour les centres ?

— Un peu plus des deux tiers. L'ensemble du processus T4 a été suspendu le 24 août 1941, moins de deux ans après le début des travaux. L'opération s'est ébruitée. Des familles étaient plus attachées à leurs petits monstres qu'on aurait pu le penser. L'Église catholique par l'intermédiaire de l'évêque de Berlin a parlé à voix haute de meurtres déguisés en euthanasie. Le plus remonté a été, dit-on, Mgr von Galen qui a vivement protesté en chaire. Ses sermons ont été copiés et diffusés sur le front. Ce que j'ai trouvé un peu vicieux dans l'attitude des chrétiens en général – car les protestants s'en sont mêlés aussi –, c'est qu'ils ont fait accroire à nos soldats que nous liquidions à l'arrière les anciens combattants handicapés physiques et mentaux. Hitler a envisagé de faire assassiner Mgr von Galen, l'évêque de Munster, mais Goebbels l'en a dissuadé. C'est en tout cas ce que m'a raconté Schwanz quand il est venu me voir pour m'informer que le processus était interrompu. "Qu'allons-nous faire maintenant ?" lui ai-je demandé. "Patienter, m'a-t-il répondu. Nous avons notre idée, mais il est encore un peu tôt pour en discuter."

Louyre écrasa une cigarette qu'il n'avait fumée qu'à moitié puis vint s'asseoir sur la table près d'Halfinger. Il se pencha vers lui :

— Et Clara Richter, dans quel car est-elle partie ?

— Elle n'est pas partie.

— Quand est-elle arrivée ici ?

— À la fin de l'été 1938. Je la connaissais un peu. Nous avions dîné avec les Richter quelquefois comme je vous l'ai dit. On ne pouvait pas rester insensible à cette femme élancée, dont l'élégance et la beauté s'accordaient mal avec les manières rustiques de Hans Richter, qui, pour être sincère, traînait un peu la pesanteur du propriétaire foncier qu'il était. Mais c'était certainement un homme rassurant pour une femme artiste et un peu fantasque. Je vais être désespérément franc avec vous. Je suis convaincu que si Clara Richter n'avait pas été malade, elle n'aurait jamais eu l'idée d'épouser un homme tel que son mari. Sa maladie l'a sans doute poussée à rechercher la protection d'un compagnon solide. Elle était de ces femmes qui font la grandeur des capitales comme Vienne, Berlin ou même Prague. Notre région, si chatoyante soit-elle, n'offre rien d'assez grand pour des femmes de cette sorte dont la beauté, la culture et la sensibilité artistique ne trouvent pas à s'épanouir dans nos campagnes. Après son mariage, son enfermement dans une existence monotone l'a précipitée dans une échappatoire délirante. Elle avait probablement des prédispositions à la schizophrénie depuis l'adolescence.

» Quand elle venait en ville, elle était très admirée. Je dois reconnaître que le peu de fois où j'ai eu l'occasion de la rencontrer avant que… enfin avant, eh bien, je prenais un plaisir rare à converser avec elle. Car elle n'en rajoutait pas comme les femmes qui d'emblée se veulent les égales des hommes. Elle se montrait très subtile et… »

— Suffit ! coupa brutalement Louyre qui se sentait envahi par la lassitude.

Arraché à son élan lyrique, Halfinger quitta sa douce exaltation pour revenir à une narration clinique.

— Après les fêtes de Noël de 1938, nous avons chanté des extraits de la *Messe en si* à l'église. Un repas avait été organisé dans cette taverne qui est en bas de la vieille ville, près du pont de pierre. Nous étions tous très heureux de notre prestation et le hasard de la table a fait que je me suis trouvé assis à côté de Hans Richter. Nous avons bu jusque tard dans la nuit et, après quelques schnaps, il m'a confié que sa femme venait de connaître deux épisodes violents au cours desquels elle avait complètement perdu le contrôle d'elle-même. En conséquence de quoi il me dit qu'il craignait qu'elle n'attente à sa vie. Par ailleurs il se souciait beaucoup des répercussions d'un tel spectacle sur la santé mentale de sa fille. Mais je sentais qu'il ne me disait pas tout. Vers deux heures du matin, nous sommes sortis pisser nos bières dans le canal comme deux vieux frères, l'un à côté de l'autre, en chantant. Sur la berge, il m'a pris par l'épaule et s'est mis à me faire des confidences. J'ai compris que sa principale inquiétude venait du fait que Clara Richter commençait à persifler contre le régime. Quand je l'avais rencontrée, j'avais été assez étonné par l'étendue de ses connaissances en psychiatrie, signe qu'elle s'y était intéressée pour elle-même. Mais de là à suggérer, à un déjeuner de Noël devant un parterre d'oncles, tantes et autres cousins, que le peuple allemand était atteint d'hystérie au sens freudien du "surplus d'excitation résultant d'un très ancien traumatisme psychique", il y avait un pas, qu'elle avait franchi allègrement. Et le pauvre Richter me disait cela sans rien y comprendre. Il avait perçu qu'il s'agissait d'une critique, mais il était un peu trop terre à terre pour capter parfaitement le sens de ces paroles. "Si je ne la fais pas interner, toute ma famille sera persuadée que je cautionne son délire. Car le pire, c'est qu'elle tient ces propos calmement et les délivre avec méthode et douceur comme un médecin de famille pose un diagnostic", m'avait murmuré Hans Richter en reboutonnant sa culotte de cuir. "Emmenez-la-moi en consultation, lui ai-je proposé, avant les fêtes de la nouvelle année car, j'en conviens avec vous, un nouvel esclandre pourrait être fatal à votre famille. Ce qui est tolérable en temps de paix ne l'est plus en temps de guerre." "Si vous me rendez le service de l'héberger pour un temps, docteur, je vous en serai éternellement reconnaissant." Et puis d'une façon totalement inattendue pour un homme de sa corpulence, il a murmuré contre mon épaule, les larmes aux yeux, comme s'il s'agissait du secret de la Création : "Si vous saviez comme je l'aime, docteur, si vous saviez…" "J'imagine très bien, monsieur Richter, et vous avez d'autant plus de mérite de prendre une pareille décision. Vous pouvez compter sur mon soutien, ma discrétion et ma loyauté", ai-je ajouté. Pour mettre un terme à la conversation, avant que nous ne rentrions nous jeter un dernier verre, il m'a confié : "Vous savez, elle vous apprécie beaucoup, elle dit même parfois que vous êtes le seul homme de la région avec qui elle peut mener une discussion intéressante."

» Sous l'effet de l'alcool, je n'avais pas pris toute la mesure du danger que je faisais courir à cette femme en l'internant, tout en sachant que ne pas l'interner la menait à des tracas bien pires si elle persistait dans ses délires et qu'il advienne qu'un jour quelqu'un s'avise de lui faire payer ses propos. Ses critiques allaient contre la nation allemande tout entière et "son romantisme national de bas étage". Cela se passait certes en privé, mais, à ce moment-là, la sphère privée avait complètement disparu. Son mari a mis plusieurs jours pour la convaincre de venir me consulter. Elle s'est présentée à l'institut un lundi sans prendre de rendez-vous. Sa visite inopinée ne m'arrangeait pas. Ce jour-là nous avions un transport. Les plus débiles se sont débattus avec l'énergie du diable. Les transporteurs ne les ont pas ménagés. Comprenez ma gêne. Pendant que ces hommes de main poussaient mes malades dans leur car, je l'ai reçue dans ce bureau. Elle était extraordinairement calme. Je n'ai pas pu l'empêcher de se porter à la fenêtre, mais elle n'a rien dit. Elle ne semblait pas étonnée. Elle avait beaucoup d'élégance. Puis elle s'est mise à parler, un peu désinvolte : "Mon mari m'a proposé de faire une cure dans votre établissement. Je ne sais pas pourquoi, lorsqu'il m'a fait cette proposition, j'ai pensé à mon livre préféré *La Montagne magique* de Thomas Mann que vous connaissez peut-être." J'ai acquiescé poliment. "Cette cure est certainement salutaire, a-t-elle poursuivi. Aussi salutaire que prendre les eaux à Baden-Baden, j'imagine. Pouvez-vous m'assurer le repos, docteur Halfinger ?" "C'est un peu mon métier, mais il faudrait que je puisse vous examiner, votre mari m'a parlé de pertes de contrôle." "De quelles pertes de contrôle ? a-t-elle rétorqué sans feindre l'étonnement. On ne peut plus dire ce que l'on pense sous prétexte que l'on est en guerre ?" "La question n'est pas là, madame Richter. Penser est une chose. Exprimer ses pensées quand on sait qu'elles sont de nature à provoquer une répression en retour, c'est cela, voyez-vous, qui pose un problème. Vous ne discernez plus très bien quel est votre intérêt. Vous sentez-vous surmenée ? Avez-vous une perte d'intérêt pour les personnes et pour les choses ? Avez-vous le sentiment que votre esprit prend des libertés avec vous-même ? Vous arrive-t-il d'avoir des hallucinations ?" Elle soupira, brutalement désemparée. "Oui, un peu de tout cela." "Et quand on est dans cet état, un peu schizophrénique, si vous permettez, il n'est pas rare qu'on se focalise sur un mode de construction intellectuel qui, poussé à bout, vous entraîne à dénigrer alors que vous n'en pensez rien ; vous avez juste besoin de vous concentrer sur quelques raisonnements qui donnent l'apparence de la construction. Vous êtes simplement malade. Je parie que vous avez aussi critiqué votre mari." "En effet." "Que lui avez-vous reproché ?" "Ce qu'on peut reprocher aux hommes de ce temps, de ne vivre qu'entre eux et pour eux en excluant complètement les femmes comme s'il s'agissait d'êtres maléfiques qui les détournent de leur mission première en leur infligeant l'image entêtante de la faiblesse incarnée. Je lui reproche de participer à cette sorte d'hystérie suicidaire qui a contaminé l'Allemagne de haut en bas, car c'est d'hystérie qu'il s'agit, or je croyais que ces crises étaient le propre des femmes, si bien que je ne vois guère de virilité dans tout cela ; d'ailleurs mon mari est-il un homme si viril ? Il me délaisse et préfère s'occuper de ses chevaux ou rencontrer ses soi-disant amis, des rustres du même genre. La guerre, ils ne pensent qu'à cela pour fuir l'ennui qu'ils infligent à leurs femmes. Tous les vingt ans, il leur faut briser cette routine sur des airs de revanche et désoler les mères dont les ventres ne travaillent plus que pour des mort-nés. Incapables de donner du plaisir à leurs femmes, ils se lancent dans la guerre."

» J'ai haussé les sourcils, désemparé devant cette tentative désespérée d'éclairer un monde qui n'était déjà plus le sien.

» J'ai effectué ensuite un examen clinique très ordinaire qui a révélé qu'elle était à bout. Une bonne trentaine de chambres s'étaient libérées pendant notre discussion. Je n'ai eu aucun mal à la loger seule, dans un angle confortable, au rez-de-chaussée avec vue sur le potager. Quand nous avons eu fini de l'installer, j'ai vu que l'infirmière était impressionnée par cette grande dame qui conservait une élégance peu courante dans ces lieux. Mme Richter s'est alors assise sur une chaise, face au jardin, et elle a soupiré avant de me confier : "Trouvez-vous normal qu'on ne désire plus une femme comme moi ? Faut-il que cette guerre aille jusque-là ?" Une demi-heure après, on lui avait administré une assez forte dose de sédatif qui lui a permis de dormir quarante-huit heures d'affilée. Le diagnostic n'a pas été long à venir.

» Elle souffrait à l'évidence d'une grave dépression. Qui ne s'arrangeait pas à la vue des autres malades. Elle jouissait d'un régime de faveur, si j'ose m'exprimer ainsi, par le seul effet de sa prestance, mais elle résidait tout de même dans un hôpital psychiatrique. Il s'est créé chez elle un sentiment que je qualifierais d'"attraction/répulsion". L'hôpital lui faisait horreur, mais il était devenu le seul lieu où elle se sentait en sécurité. Les visites n'étaient pas autorisées, mais à plusieurs reprises je lui ai proposé une permission de sortie pour aller voir son mari et sa fille. Elle l'a repoussée, elle craignait ses propres réactions. Pourtant, dès cette époque, elle ne présentait plus aucun danger pour la société. La thérapie médicamenteuse avait éradiqué chez elle toute envie de critiquer la nation allemande. Elle ne parlait même plus d'en finir avec la vie, c'était pourtant une obsession qu'elle avait à son arrivée. À la côtoyer ainsi, semaine après semaine, je l'avais cernée comme une… comment dire, connaissez-vous, vous qui êtes français, l'admirable roman de Gustave Flaubert, *Madame Bovary* ? »

Louyre opina.

— Voilà, c'était une sorte de madame Bovary qui étouffait dans sa vie de femme mariée. Pourtant l'existence qu'elle avait quittée n'avait pas été facile non plus, si j'en crois ses confidences. Son père avait fait de mauvaises affaires et s'était retrouvé ruiné. Mais c'était un homme cultivé qui avait le goût des belles choses et un don pour la musique. Il lui avait appris le piano. Elle jouait d'ailleurs fort bien. Malheureusement, elle refusait d'interpréter le répertoire classique sous prétexte que l'époque n'était pas à l'harmonie mais à la dissonance. La rencontre de sa fille avec ce gentilhomme campagnard de Richter était pour le moins une aubaine, mais elle disait que l'âme allemande l'ennuyait, qu'elle n'y trouvait que routine et pesanteur, alors que, tenez-vous bien, sa famille était originaire des Sudètes.

» "L'avantage à mener la vie que je mène, m'avait-elle dit un jour, c'est qu'on ne fait plus de différence entre la vie et la mort, et que la perspective du passage de l'une à l'autre ne présente aucun effroi mais la récompense d'une patience méritoire." Pourtant sa vie n'avait rien de rédhibitoire à mon sens, Richter travaillait dur, chantait à la chorale, chassait à l'automne, militait aimablement dans une organisation agricole proche du Parti national-socialiste, que pouvait-elle demander d'autre ? Elle m'a avoué qu'elle s'occupait peu de sa fille qui représentait pour elle une responsabilité insupportable. Mais elle n'était pas capable d'expliquer pourquoi. Sans doute avait-elle le sentiment que cette enfant était par nature son propre prolongement, le prolongement de ce qu'elle ne voulait pas être, d'une vie qu'elle ne voulait pas avoir. Plus le temps passait, plus cette ardeur que je lui avais connue disparaissait, moins je la sentais attachée à l'existence. Elle a beaucoup perdu de sa beauté en quelques semaines. D'ailleurs, avec le temps, j'ai pu remarquer qu'elle n'inspirait plus tout à fait le même respect au personnel qui avait tendance à la considérer comme les autres. Les plus atteints des patients l'aimaient beaucoup. Bien avant la guerre, la mère d'un psychopathe incurable, pour nous remercier de l'attention portée à son fils, nous avait offert un piano. Il n'était pas rare que Clara Richter s'y installe. Elle y jouait sa musique déconstruite avec une application remarquable. Les plus débiles de nos pensionnaires affluaient alors vers la pièce dans une étrange procession. Il arrivait que certains d'entre eux quittent leur infirmière sans prévenir, juste pour la rejoindre. On les retrouvait assis sur le sol dans des postures étonnantes, ou allongés dans d'étranges contorsions qui témoignaient de la lutte entre leur mal intérieur et l'envoûtement de cette musique moderne, qu'ils étaient peut-être les seuls à percevoir. À plusieurs reprises, j'ai dû faire évacuer la salle. Faire abstraction de l'harmonie, c'est priver l'autre de référence, l'obliger à un modèle qui n'a pas de sens. Je pouvais le tolérer jusqu'à un certain point. Elle jouait beaucoup de Janácek, ce compositeur tchèque affligeant, mais aussi ses propres inventions. Quand je demandais à une infirmière de la reconduire à sa chambre, elle vitupérait à tue-tête dans les couloirs. Elle s'en prenait souvent à Wagner et à son "Crépuscule des pleutres", "cette musique porte-drapeau des lâches qui veulent mourir en armes car ils n'ont pas le courage de vivre simplement". J'ai fini par lui interdire de jouer car elle revenait de ses prestations en larmes tandis que ses auditeurs montraient des signes d'agitation qui compliquaient infiniment la tâche du personnel soignant. Pour citer Flaubert, je dirai qu'au fond "Elle était plus sentimentale qu'artiste, la sérénité coulée au plomb l'incommodait".

» Elle a échappé à trois convois. L'expert dont je vous ai parlé auparavant m'a d'ailleurs assez lourdement questionné sur son dossier. Selon lui, elle avait un terrain de schizophrénie qui l'avait conduite à une dépression dont elle aurait du mal à se remettre. En cela, il voyait les signes d'une souffrance incontestable qui devait lui permettre de bénéficier du régime d'euthanasie par faveur. Je lui ai objecté que, par rapport au formulaire, elle ne remplissait pas selon moi tous les critères requis et qu'il était plus sage d'attendre. J'ai bien vu que c'est à moi qu'il accordait une faveur. J'ai tenu comme ça jusqu'à la fin du programme, le 24 août 1941. »

— Son mari n'a pas cherché à la reprendre avant ? demanda Louyre

— Si, bien sûr. D'autant plus qu'il avait eu vent du programme d'euthanasie par faveur. Les prêtres en faisaient état auprès de leurs ouailles lors de la confession en leur recommandant de se méfier. Richter s'en est ouvert à moi et nous en avons parlé très librement. Je lui ai dit que sa femme n'avait pas la santé mentale pour réintégrer la société mais qu'elle ne risquait rien car elle était sous ma protection. Quand il a su, toujours par l'Église, que sous la pression de cette dernière le programme avait été suspendu, il s'est détendu.

Les deux hommes s'observèrent un long moment sans rien dire

comme si ni l'un ni l'autre n'étaient pressés d'entendre de nouvelles paroles.

— Et ensuite ? lança Louyre d'une voix caverneuse.

— Ensuite ? répéta Halfinger. Ensuite, le Pr Schwanz est venu de Berlin pour me rendre visite, dans les premiers jours de septembre 1941. Il m'a redit son amitié et m'a fait part d'une offre de Himmler qui souhaitait reprendre, pour des opérations plus vastes dont il ne m'a pas précisé la nature, tous ceux qui avaient participé à l'opération d'euthanasie par faveur. Quand je lui ai demandé plus de précisions, il m'a répondu : “Voyez-vous, mon ami, nous sommes confrontés à une situation contradictoire. D'un côté, nous avons de nombreux ennemis à éliminer. De l'autre côté, les exécuteurs ordinaires se lassent. Enfin, il n'est pas exclu qu'un jour nous ne soyons pas amenés à négocier une paix séparée avec les Anglais et les Américains. Les traces laissées par l'élimination de nos ennemis pourraient entacher les négociations avec ces puritains. Nous avons donc un problème et toutes les bonnes volontés sont mobilisées pour le résoudre. L'inconvénient, c'est qu'il faut travailler en camp de concentration.” “L'arrêt du programme me laisse quatre-vingt-trois malades sur les bras”, ai-je rétorqué. “Officiellement l'euthanasie par faveur est abandonnée. Mais toute latitude est laissée aux directeurs d'institut pour vider par eux-mêmes, selon les méthodes qui leur paraissent les mieux appropriées, les établissements dont ils ont la charge. Il vous reste la seringue. Si cela ne vous enchante pas, nous allons vous couper complètement les vivres. Vos patients s'éteindront par manque de nourriture. Et le citoyen ordinaire qui subit d'immenses privations le comprendra très bien.” (Subitement essoufflé, le médecin s'interrompit puis reprit, la voix hachée par un sentiment indéfinissable.) Nous avons achevé les plus résistants de nos pensionnaires par injection. J'entends ceux dont la force physique leur permettait de résister des semaines aux privations. Les autres sont morts à petit feu mais sans souffrance, j'en suis témoin.

Louyre soupira :

— Et Clara Richter ?

Le psychiatre, pour la première fois de leur entretien, baissa la tête.

— Elle est morte de faim.

Un lourd silence s'installa.

— Pourquoi ? reprit Louyre d'une voix sourde.

Sur le même ton, Halfinger répondit :

— Je ne sais pas, je ne pourrais pas vous l'expliquer. En tout cas elle n'a jamais protesté. Sa voix s'est éteinte sans plainte. Il me semble qu'elle a connu un certain confort à se transporter dans cet état intermédiaire qui n'est plus la vie mais pas encore la mort où l'esprit s'allège pour quitter le corps. C'est elle-même qui le disait. J'ai annoncé à Richter la mort de sa femme. Il ne m'a rien reproché.

Il se leva et se précipita à la fenêtre pour regarder le jardin. Sans se retourner, il ajouta :

— Et voyez-vous, capitaine, je crois que j'aimais cette femme. D'un amour d'une pureté sans égale.

— Où est son corps ? demanda Louyre.

— Avec ceux des autres.

— Sous ces fameux pommiers plantés au nord ?

Le Dr Halfinger acquiesça d'un mouvement imperceptible.

Louyre ramassa les cigarettes qu'il avait laissées sur la table, en alluma une et, au moment de sortir, il dit :

— À propos, il n'y avait rien, dans les lettres de Richter. Rien sur rien. Dans l'une d'elles, il annonçait à sa fille qu'il allait lui raconter quelque chose à propos de sa mère. Mais il n'en a jamais eu la force.

Il regarda le médecin comme s'il cherchait une réponse que la parole est incapable de formuler. Ce dernier n'osait pas lui faire face.

— Vous allez m'abattre ?

Sans bouger ni cesser de le fixer, Louyre répondit dans un état de lassitude dépassée.

— Parce que vous m'avez menti ?

Halfinger baissa de nouveau la tête.

— Non, je ne crois pas, répondit Louyre.

Le médecin se statufia, le souffle suspendu, et comme s'il devait se débarrasser absolument de sa confession, il lâcha :

— Si, je vous ai menti. Schwanz n'a jamais existé.

Louyre fit celui qui n'avait pas entendu et, d'une voix affectée dont le débit avait la lenteur d'une procession funèbre, il répondit :

— Je ne peux pas abattre un homme de sang-froid. Je ne vois pas très bien ce que vous pouvez attendre de cette vie-là. Selon votre foi, si par hasard elle est encore intacte, vous n'avez rien à attendre de l'au-delà non plus. Je sais que vous avez pratiqué sans croire, alors cela mérite d'être tenté.

— Qu'est-ce qui mérite d'être tenté ?

— La mort. Je vous laisse seul juge. Qu'est-ce qui pourrait désormais vous retenir ici-bas, si ce n'est une collection de timbres ou de papillons à compléter ?

La concierge apparut dans son champ de vision. Elle marchait vivement et, collé à elle, son fils avançait en claudiquant.

— Pourquoi l'avez-vous épargné celui-là ? En échange du silence de sa mère ?

Halfinger les regarda disparaître dans la nuit.

— Pour son silence, il suffisait de la tuer. Mais il lui est arrivé de s'offrir à moi, quand mon désir pour Clara Richter était trop vif, et je lui en ai été reconnaissant.

Le silence prit le chemin de l'éternité. Soudain le médecin ajouta :

— Je pourrais encore vous être utile.

— Et à quoi donc ?

— En posant un diagnostic sur la petite. J'ai vu dans la façon que vous aviez de la regarder qu'elle était pour vous un peu comme sa mère pour moi. Elle ne lui ressemble pas, si ce n'est ce regard où la démence intermittente semble battre mieux que son cœur. Elle pourrait être votre croix, vous savez ? Et bien pire encore.

Pour toute réponse Louyre se dirigea vers la porte qu'il referma derrière lui.

13

Au matin, quand Louyre rentra à l'appartement ivre d'alcool et de fatigue, Mme Finzi l'attendait derrière la porte.

— J'espère que je n'ai pas mal fait, monsieur l'officier, lui dit-elle confuse, j'ai fait venir le prêtre.

Sans répondre, il se dirigea vers la chambre de Maria. Elle dormait profondément. Le prêtre était assis près d'elle, une croix entre ses mains jointes portées haut devant lui. Il resta dans cette position encore quelques secondes, puis, de guerre lasse, reposa ses mains sur ses genoux.

Il se mit à parler bas :

— Une crise de démence. Elle se prend pour l'Immaculée Conception.

Louyre ne dit rien et se contenta de contempler le visage paisible de Maria dans son sommeil. Il se rapprocha d'elle, écarta ses cheveux blonds épars et lui prit la main, sans qu'elle se réveille.

— Et vous savez pourquoi elle dit cela, monsieur l'officier ? Parce qu'elle est enceinte. Que comptez-vous faire, monsieur l'officier ?

Louyre prit son temps pour répondre.

— Si je vous la laisse, vous serez obligé de la nourrir avec les fruits poussés sur la tombe de sa mère. Je vais l'emmener loin d'ici.

Le prêtre se montra accablé.

— J'ai fait tout ce que j'ai pu.

— Je n'en doute pas, mon père.

Louyre avait pris sa décision. L'homme carbonisé chez les Richter lui revint en mémoire. Il se dit qu'il ne saurait jamais qui il était, et réalisa qu'au fond de lui-même il n'en avait rien à faire. Mme Finzi qui ne pensait pas hypothéquer sa bonté naturelle par un peu de délation colporta l'information auprès de ses autorités.

À L'ÉTAT-MAJOR, la nuit tombait. On sentait chez les soldats une sorte de quiétude retrouvée. Louyre attendait depuis une bonne heure d'être reçu, et ne savait pas qu'il lui en restait autant à patienter. La bureaucratie, assoupie le temps des combats, reprenait ses droits inaliénables, et nombre de commis à la paperasse, habillés de neuf, l'uniforme un peu cartonné, gesticulaient de bureau en bureau avec des airs d'importance. De Vichy à Baden-Baden. Comment un pays qui produisait de si grands vins faisait-il pour se ruer dans les villes d'eaux dès que les capitales lui échappaient ? Cette question traversa l'esprit de Louyre parce qu'il ne voulait penser à rien, conscient toutefois que l'esprit ne peut pas connaître de repos volontaire. Le tableau accroché en face de lui était figuratif à l'excès. Cet acharnement à reproduire le monde tel qu'il est révélait à ses yeux une profonde inquiétude face au réel. Les nazis avaient proscrit l'art abstrait, il s'en souvenait, probablement par peur de son réalisme. Il finit par céder à un demi-sommeil, la tête découverte appuyée contre le mur. Le secrétaire chargé de le conduire à un général de brigade le trouva dans cette position. C'était un bureau de « deux étoiles », ni plus ni moins. Le colonel qui lui avait rendu visite quelques semaines auparavant se trouvait là. On ne serait pas général si on n'allait pas droit au but avec un subordonné :

— On vous a confié un canton d'importance, pensez-vous que nous avons eu tort ?

Louyre regarda tour à tour les deux paires d'yeux braquées sur lui.

— Je le pense.

Le général s'attendait à une défense active.

— Vous le reconnaissez. Je passe sur l'histoire avec cette gamine qui m'a été rapportée et qui en dit beaucoup sur le civil qui sommeille sous l'uniforme, ainsi que sur la nouvelle concernant ce médecin que vous auriez prétendument poussé au suicide et qui s'est donné la mort. Pourquoi avons-nous eu tort ?

— N'est pas administrateur qui veut, mon général.

— Bien répondu. Votre souhait ?

— Être démobilisé.

— Vos états de service vous y autorisent. Vous serez relevé sous quinzaine. Avant cela, vous me permettez un conseil ?

— Je vous en prie.

— Vous devriez consulter.

— Consulter ?

Le général tapota son front du bout de son index. Puis il afficha un sourire qui fermait toute discussion.

Louyre lui rendit son sourire en se levant, salua pour la dernière fois de son existence et disparut.

14

Les yeux fermés, balancé par le rythme ternaire des rails, Louyre repensait au Monte Cassino où les balles traversaient les hommes comme elles traversaient l'air, sans plus de formalités. Monte Cassino qui avait fait de lui un héros aux yeux du monde et de personne. « L'héroïsme, pensa-t-il, est une invention de l'homme pour survivre à l'après-guerre, pour justifier du passage en masse de la vie au néant, le droit reconnu au héros de se croire immortel. Mais cette immortalité-là, à l'échelle du temps, n'est même pas le début du commencement de rien. »

Il n'avait jamais eu peur et se demandait pourquoi. Il n'avait pas songé à implorer Dieu qui n'est que ce que l'homme devrait être mais ce n'était pas assez pour lui. Entre le « sans commencement » et l'infini, il y avait mieux à espérer.

Curieusement, il se dit que ce n'était pas à Monte Cassino qu'il avait joué sa vie, mais tout à l'heure, sur le quai de la gare. Il était encore temps de la laisser, de l'abandonner, pourtant l'idée ne lui avait pas traversé l'esprit. Elle était certainement sa dernière grande aventure humaine.

Maria reposait, sa tête sur l'épaule de Louyre.

La porte du compartiment s'ouvrit sur deux hommes en uniforme.

— Papiers, s'il vous plaît.

Les voyageurs s'exécutèrent de bonne grâce, débarrassés de la mine inquiète d'un temps désormais révolu. Louyre tendit les deux papiers réunis dans la même main, sans un regard pour les militaires. Celui qui les prit salua ses galons puis, quand il vit les papiers de la jeune fille, il interrogea, surpris :

— Allemande ?

L'acquiescement de Louyre lui suffit. Les yeux des autres passagers se braquèrent sur Maria.

L'habitude de ne rien dire fut plus forte que l'émoi. Mais ils ne la quittèrent plus des yeux. Du coin de l'œil il regarda la jeune fille et sourit, rassuré à l'idée qu'elle ne penserait jamais comme tout le monde car il la sentait, entre autres, capable d'une grande lucidité. Le train s'essoufflait, rageur, à monter les premières collines des Ardennes rendues à la France. Maria affichait un visage détendu, celui du calme retrouvé, pour combien de temps, nul ne pouvait le savoir. La nature, derrière la vitre, dans une lumière de crépuscule, se faufilait entre des bâtiments défoncés, sinistre ponctuation qui finissait là où la forêt reprenait ses droits. Louyre la sentait lente à renaître, comme méfiante, et il se dit qu'elle avait raison.

« De toutes les formes d'expression, la littérature est sans doute celle qui donne le plus de liberté. Je ne m'arrêterai jamais d'écrire, parce qu'en littérature je n'ai besoin de rien pour créer tout un monde qui m'appartient. »

Marc Dugain

Diplômé de l'Institut d'études politiques de Grenoble, Marc Dugain a exercé diverses fonctions dans la finance puis dirigé une compagnie aérienne régionale. Alors que ses affaires prospèrent, il décide, à la quarantaine, de changer de vie : il se consacrera à l'écriture. Cette reconversion radicale est aussitôt couronnée de succès : son premier roman, *La Chambre des officiers* (paru dans Sélection du Livre en décembre 1999), est un best-seller et reçoit dix-huit prix littéraires. C'est pour rendre hommage à son grand-père, « gueule cassée » de la guerre 14-18, qu'il a souhaité prendre la plume. Dès lors, sa carrière littéraire est lancée. Après *Campagne anglaise* et *Heureux comme Dieu en France*, prix du meilleur roman français 2002 en Chine, il signe *La Malédiction d'Edgar*, un portrait fascinant de J. Edgar Hoover. L'auteur excelle à mêler vérité historique et fiction. *Une exécution ordinaire*, qui évoque les rouages du stalinisme ainsi que la tragédie du sous-marin *Koursk*, illustre combien les soubresauts de l'Histoire sont une source d'inspiration pour lui. Ce roman, il l'adapte lui-même au cinéma. Le travail de mise en scène est une nouvelle aventure qui l'enthousiasme et qu'il renouvellera (au cinéma, au théâtre et à la télévision). Il compte d'ailleurs porter à l'écran *L'Insomnie des étoiles*. Dans ce roman, en adoptant la forme du suspense, il traite d'un sujet peu abordé en littérature. Il en a eu l'idée après la visite bouleversante d'un hôpital psychiatrique lors des repérages d'*Une exécution ordinaire* : « Cela me travaillait beaucoup. Ensuite, j'ai vu un documentaire sur le compositeur allemand Stockhausen, dont la mère a été victime de la politique nazie d'euthanasie des handicapés mentaux. Tous ces éléments se sont soudés dans mon esprit, et j'ai commencé à écrire. » Ce livre a reçu le prix du roman historique des Rendez-vous de l'Histoire de Blois 2011.

La couleur des sentiments

Kathryn Stockett

Traduit de l'anglais (États-Unis) par Pierre Girard

« Je ne crois pas m'avancer en disant que personne,
dans ma famille, n'a jamais demandé à notre bonne Demetrie
ce que pouvait ressentir une Noire au service d'une famille blanche
dans le Mississippi. Ça ne nous est tout simplement jamais venu
à l'esprit. C'était comme ça, on n'y réfléchissait pas.
Pendant longtemps, j'ai regretté de n'avoir été ni assez âgée
ni assez délicate pour poser la question à Demetrie.
Elle est morte quand j'avais seize ans. Depuis, je tente d'imaginer
sa réponse. C'est ce qui m'a poussée à écrire ce livre. »

KATHRYN STOCKETT

Aibileen

Mae Mobley, elle est née de bonne heure un dimanche matin d'août 1960. Un bébé d'église, comme on dit. Moi, je m'occupe des bébés des Blancs, voilà ce que je fais, et en plus, de tout le boulot de la cuisine et du ménage. J'en ai élevé dix-sept de ces petits dans ma vie. Mais un bébé qui hurle comme Mae Mobley Leefolt, ça j'en avais jamais vu. Le premier jour que je pousse la porte, je la trouve toute rouge à éclater et qui braille et qui se bagarre avec son biberon. Miss Leefolt, elle a l'air terrifiée par son propre enfant.

— Qu'est-ce que j'ai fait de mal ? Pourquoi je ne peux pas arrêter ça ?

Ça ? Tout de suite, je me suis dit : Il y a quelque chose qui cloche ici.

Alors j'ai pris ce bébé tout rouge et hurlant dans mes bras. Je l'ai un peu chahuté sur ma hanche pour faire sortir les gaz et il a pas fallu deux minutes pour que Baby Girl arrête de pleurer et me regarde avec son sourire comme elle sait faire. Mais Miss Leefolt, elle a plus pris son bébé de toute la journée. Des femmes qui attrapent le baby blues après l'accouchement, j'en avais déjà vu des tas. Je me suis dit que ça devait être ça.

Mais il y a une chose avec Miss Leefolt : c'est pas seulement qu'elle fronce tout le temps les sourcils, en plus elle est toute maigre. Elle a des jambes tellement fines qu'on les dirait poussées de la semaine dernière. À vingt-trois ans, elle est efflanquée comme un gamin de quatorze. Même ses cheveux bruns sont tellement fins qu'on voit au travers. Et son menton, il est pointu. Pour tout dire, elle a le corps tellement plein de pointes et de bosses qu'il faut pas s'étonner si elle arrive jamais à calmer ce bébé. Les bébés, ils aiment les grosses. Ils aiment fourrer la tête sous votre bras pour s'endormir.

Elle a deux ans maintenant, Mae Mobley. Et des grands yeux noirs, et des boucles blondes comme du miel. Mais la plaque chauve à l'arrière de son crâne, ça gâche un peu. Elle a la même ride que sa mère entre les sourcils quand elle est pas contente. Ça sera pas une reine de beauté. Je crois que ça embête Miss Leefolt, mais Mae Mobley, c'est mon bébé.

J'AI perdu mon garçon, Treelore, juste avant de commencer chez Miss Leefolt. Il avait vingt-quatre ans. Il s'était pris un petit appartement dans Foley Street. Il sortait avec Frances, une gentille fille, et je pense qu'ils auraient pas tardé à se marier, mais il était un peu lent pour ces choses-là, Treelore. C'est pas qu'il voulait trouver mieux, mais plutôt qu'il était du genre qui réfléchit. Même qu'il avait commencé à écrire son livre sur comment les gens de couleur vivent et travaillent dans le Mississippi. Mais un soir il est resté tard à la scierie de Scanlon Taylor pour charger des grosses poutres sur le camion. Il était trop petit pour ce travail, mais il en avait besoin. Il était fatigué. Il a glissé du quai de chargement et il est tombé dans le passage. Le type qui conduisait le semi-remorque l'a pas vu et il lui a écrasé les poumons avant qu'il ait pu se bouger. Quand je l'ai su, il était mort.

C'est ce jour-là que tout est devenu noir. L'air était noir, le soleil était noir. Je me suis couchée et je suis restée à regarder les murs noirs de ma maison. Minny venait tous les jours voir si je respirais encore et me faire manger pour que je reste en vie.

Cinq mois après l'enterrement, je me suis levée. J'ai mis mon uniforme blanc et ma petite croix en or autour du cou et je suis entrée au service de Miss Leefolt. Mais j'ai pas tardé à comprendre que quelque chose avait changé. On m'avait planté dedans une graine d'amertume. Et j'acceptais plus les choses comme avant.

— FINISSEZ le ménage et ensuite vous préparerez la salade de poulet, dit Miss Leefolt.

C'est le jour du club de bridge. Chaque quatrième mercredi du mois. J'ai fait la salade de poulet ce matin, j'ai repassé le linge de table hier. Miss Leefolt m'a vue faire tout ça. Elle a que vingt-trois ans mais elle aime bien s'entendre me donner des ordres.

J'arrange tout bien pour ses copines. Je sors le cristal et l'argenterie. On dresse le couvert sur la table de la salle à manger, on met une nappe pour cacher la grosse fente en forme de L et on pousse le centre de table garni de fleurs rouges sur le côté à l'endroit où le bois est tout abîmé. Miss Leefolt, quand elle invite à déjeuner, elle aime que ça soit chic.

J'ai l'habitude de travailler pour de jeunes couples, mais je crois que cette maison, c'est la plus petite où j'aie été. Rien qu'un rez-de-chaussée. La chambre de Miss et Mister Leefolt, au fond, est assez grande, mais celle du bébé est toute petite. La salle à manger et le salon se touchent. Il y a que deux W-C, et ça, ça me va bien, vu que j'ai déjà travaillé dans des maisons avec cinq ou six. Miss Leefolt me donne que quatre-vingt-quinze cents de l'heure, moins que ce que j'ai gagné pendant des années. Après la mort de Treelore, j'ai pris ce que j'ai trouvé. Mon propriétaire voulait plus attendre. Et même si c'est petit, Miss Leefolt fait ce qu'elle peut pour que ça soit joli. Quand elle peut pas acheter du neuf, elle trouve du tissu et elle fait elle-même.

On sonne à la porte et j'ouvre.

— Bonjour, Aibileen, dit Miss Skeeter, parce qu'elle est du genre qui parle à la bonne. Comment ça va ?

— Bonjour, Miss Skeeter. Ça va. Mon Dieu, il fait chaud dehors !

Miss Skeeter est très grande et maigre, avec des cheveux jaunes coupés court au-dessus des épaules parce que sans ça ils frisent. Elle a dans les vingt-trois ans, pareil que Miss Leefolt et les autres. Elle porte un chemisier blanc qu'elle boutonne jusqu'en haut comme une bonne sœur et des souliers plats, pour pas être trop grande, je suppose. Miss Skeeter, on dirait toujours que c'est quelqu'un d'autre qui lui dit comment s'habiller.

J'entends Miss Hilly et Miss Walters, sa maman, qui s'arrêtent devant la maison avec un petit coup de klaxon. Miss Hilly habite à deux pas, mais elle vient toujours en voiture. Je la fais entrer, elle me passe devant, et je me dis que c'est le moment de réveiller Mae Mobley de sa sieste.

Dès que j'entre dans sa chambre, Mae Mobley me sourit et tend ses petits bras grassouillets.

— Déjà debout, Baby Girl ? Pourquoi tu m'as pas appelée ?

Elle rit en attendant que je la prenne. Je la serre bien fort dans mes bras. Ça doit pas lui arriver souvent, je pense, quand je suis pas là.

Je dis :

— Aibileen ?

Elle dit :

— Aib-i !

Je dis :

— Amour.

Elle dit :

— Amour !

Je dis :

— Mae Mobley.

Elle dit :

— Aib-i ?

Et elle rit, elle rit ! Elle est trop contente de parler, et je dois dire que c'est pas trop tôt ! J'emmène Mae Mobley à la cuisine et je l'assois sur sa chaise haute, en pensant aux deux corvées qui me restent avant que Miss Leefolt fasse une crise : mettre de côté les serviettes de table qui commencent à s'effilocher et ranger l'argenterie dans le buffet.

J'apporte le plateau d'œufs mimosa dans la salle à manger. Miss Leefolt est assise au bout de la table avec Miss Hilly Holbrook à gauche et à côté la maman de Miss Hilly, Miss Walters, que Miss Hilly traite pas avec le respect qu'elle devrait. Et à droite de Miss Leefolt, c'est Miss Skeeter.

Je fais tourner les œufs, en commençant par Miss Walters puisque c'est la plus vieille. Elle prend un œuf avec la cuillère et elle manque de le laisser tomber vu qu'elle commence à avoir la tremblote. Après, je passe à Miss Hilly, elle sourit et en prend deux d'un coup. Miss Hilly a une figure ronde et une choucroute de cheveux bruns. Elle a la peau couleur olive, avec des taches de rousseur et des grains de beauté. Elle porte souvent des tissus écossais rouges. Et elle a un gros derrière. Miss Hilly, c'est pas ma préférée.

Je m'approche de Miss Skeeter, mais elle me regarde en fronçant le nez et elle dit : « Non, merci », parce qu'elle mange pas d'œufs. Je le dis à Miss Leefolt chaque fois qu'elle reçoit le club de bridge et elle me fait faire quand même des œufs mimosa. Elle a peur que Miss Hilly soit déçue, sinon.

Et je finis par Miss Leefolt. Dès que j'ai fini, Miss Hilly dit : « Permettez », et elle attrape encore deux œufs, ce qui m'étonne pas du tout.

— Devinez sur qui je suis tombée au salon de beauté ? demande Miss Hilly aux autres dames. Celia Foote ! Et vous savez ce qu'elle m'a demandé ? Si elle pouvait aider pour la vente de charité, cette année.

— Bien, dit Miss Skeeter. On en a besoin.

— Pas tant que ça. Je lui ai répondu : « Celia, il faut être membre de la Ligue pour participer. »

— On n'acceptera pas de non-membres cette année ? demande Miss Skeeter.

— Ma foi, si, dit Miss Hilly. Mais ce n'était pas à *elle* que j'allais le dire !

— Je ne comprends toujours pas comment Johnny a pu épouser une fille aussi ordinaire, dit Miss Leefolt.

Miss Hilly hoche la tête et se met à distribuer les cartes.

Je sers la salade et les sandwichs au jambon. Quand j'arrive à Miss Walters, elle prend qu'une petite moitié de sandwich.

— Maman ! crie Miss Hilly, prends un autre sandwich, tu es maigre comme un clou !

Miss Hilly regarde les autres dames.

— Je ne cesse de le lui dire, si cette Minny ne sait pas cuisiner il faut tout simplement la renvoyer.

Je tends l'oreille. Minny, c'est ma meilleure amie.

— Minny cuisine très bien, dit la vieille Miss Walters. Mais je n'ai plus le même appétit, c'est tout.

Minny, c'est peut-être la meilleure cuisinière du comté de Hinds, ou même du Mississippi. La vente de la Ligue a lieu tous les ans à l'automne et elles vont bientôt lui demander de faire dix gâteaux au caramel pour les mettre aux enchères. Une bonne comme elle, tout le monde devrait se la disputer. Sauf que Minny, c'est une grande gueule. Faut toujours qu'elle réponde. Si elle est depuis si longtemps chez Miss Walters, c'est uniquement parce que Miss Walters est sourde comme un pot.

— J'estime que tu es mal nourrie, maman ! lui crie Miss Hilly. Cette Minny te fait mal manger pour me voler mes dernières miettes d'héritage ! (Elle se lève.) Je vais aux toilettes.

Dans la cuisine, Baby Girl est bien droite sur sa chaise haute avec du jus violet plein la figure. Dès qu'elle me voit arriver, elle sourit. Je sais qu'elle fixe la porte jusqu'à ce que je revienne.

Je lui donne une petite tape sur son petit crâne tout doux et je repars ranger l'argenterie. Miss Hilly est revenue s'asseoir.

— Oh ! Hilly, tu devrais plutôt aller dans les toilettes de la chambre d'amis, dit Miss Leefolt. Aibileen ne fait pas celles du fond avant le déjeuner.

Hilly lève le menton. Puis elle fait :

— Hum, hum. (C'est sa façon d'attirer délicatement l'attention.) Mais les toilettes de la chambre d'amis, c'est là que va la bonne.

Il y a un silence.

Alors Miss Walters hoche la tête.

— Elle est contrariée parce que la négresse va dans les mêmes toilettes que nous.

Mon Dieu, ça va pas recommencer ! Elles me regardent toutes pendant que je range les couverts en argent dans le tiroir de la desserte et je comprends que je dois sortir. Je traîne un moment dans la cuisine, mais j'ai plus rien à y faire. Je dois m'occuper du placard à linge mais il est dans le couloir, juste à côté de la salle à manger.

Finalement, je me glisse dans le couloir en priant le Ciel qu'on me voie pas.

Elles ont chacune une cigarette à la main et les cartes dans l'autre. J'entends Miss Hilly qui dit :

— Elizabeth, si vous aviez le choix, vous ne préféreriez pas qu'elles fassent leurs besoins dehors ?

J'ouvre le tiroir à serviettes tout doucement. Cette histoire de toilettes, c'est pas nouveau pour moi. Tout le monde, en ville, a des toilettes réservées aux gens de couleur. Je lève les yeux et je vois Miss Skeeter qui me regarde. Je me fige.

— Je ne sais pas..., dit Miss Leefolt. Il n'y a pas six mois que Raleigh a créé son entreprise, et on ne roule pas sur l'or en ce moment.

Miss Hilly parle lentement, comme si elle étalait le glaçage sur un gâteau.

— Tu n'as qu'à dire à Raleigh qu'il récupérera chaque penny dépensé pour ces toilettes le jour où il vendra cette maison. Comment a-t-on pu construire ces maisons sans toilettes pour les domestiques ? Tout le monde sait que ces gens ont d'autres maladies que nous.

Je prends une pile de serviettes. Je sais pas pourquoi mais je suis curieuse d'entendre ce que Miss Leefolt va répondre à ça.

— Ce serait bien, dit Miss Leefolt en tirant une petite bouffée de cigarette, si elle pouvait aller ailleurs. J'annonce trois piques.

— C'est pour cette raison, justement, que je présente une proposition de loi pour promouvoir les installations sanitaires réservées aux domestiques comme une mesure de prévention contre les maladies, dit Miss Hilly.

Miss Skeeter a pas du tout l'air de comprendre.

— Une proposition de loi… pour quoi ?

— C'est un projet qui vise à rendre obligatoires les toilettes séparées à l'usage des domestiques de couleur dans toute maison occupée par des Blancs. Je l'ai même adressé au directeur général de la Santé du Mississippi pour qu'il dise s'il est prêt à soutenir cette idée. Je passe.

Miss Skeeter regarde Miss Hilly et fronce les sourcils. Elle pose ses cartes à l'envers sur la table et elle lâche, calme comme pas deux :

— C'est peut-être pour toi qu'on devrait construire des toilettes à l'extérieur, Hilly.

Après ça, je vous dis pas le silence dans la pièce.

Miss Hilly répond :

— Tu ne devrais pas plaisanter à propos du problème noir. Pas si tu tiens à rester rédactrice en chef de la *Lettre*, Skeeter Phelan.

Miss Skeeter rit, enfin, ça y ressemble, mais je vois bien qu'elle trouve pas ça drôle.

— Quoi, tu… me renverrais ? Pour ne pas être de ton avis ?

Miss Hilly hausse les sourcils.

— Je ferai ce que j'aurai à faire pour protéger cette ville. À toi d'annoncer, maman.

QUAND je suis sûre que Miss Hilly est partie, je mets Mae Mobley dans son parc et je sors la poubelle pour le camion qui passe aujourd'hui.

Je trouve Miss Skeeter dans la cuisine. Elle s'appuie au comptoir et elle a un air encore plus sérieux que d'habitude.

— Miss Skeeter, je peux faire quelque chose pour vous ?

Elle regarde vers l'allée où Miss Leefolt est en train de parler à Miss Hilly par-dessus la vitre de la portière.

— Non. Je… j'attends.

J'essuie un plateau avec un torchon. Je la vois du coin de l'œil qui continue à regarder par la fenêtre avec son air tracassé. Elle est pas comme les autres dames, à cause de sa grande taille. Et de ses yeux bleus toujours baissés qui lui donnent l'air timide. On entend rien dans la pièce, sauf la petite radio posée sur le comptoir qui est branchée sur la station de gospel.

— C'est le sermon du pasteur Green que vous écoutez ? elle demande.

— Oui, ma'am, c'est ça.

Miss Skeeter fait un genre de sourire.

— Ça me rappelle ma bonne, quand j'étais petite.

— Ah ! je l'ai connue, Constantine, je dis.

Miss Skeeter se détourne de la fenêtre pour me regarder.

— C'est elle qui m'a élevée, vous le saviez ?

Je fais oui de la tête, mais je regrette d'avoir parlé. Je connais trop bien la situation.

— J'ai cherché à me procurer l'adresse de sa famille à Chicago, dit Miss Skeeter, mais personne n'a pu me renseigner.

— Je l'ai pas moi non plus, ma'am.

Miss Skeeter regarde encore par la fenêtre la Buick de Miss Hilly.

— Aibileen, cette discussion tout à l'heure… Ce qu'a dit Hilly. Enfin… Vous n'avez jamais envie de… changer les choses ?

C'est une des questions les plus idiotes que j'aie jamais entendues. Je me remets à frotter, comme ça elle me voit pas lever les yeux au ciel.

— Oh ! non, ma'am, tout va bien.

— Mais cette discussion, là, au sujet des *toilettes*…

Et pile sur ce mot, Miss Leefolt arrive dans la cuisine.

— Ah ! tu étais ici, Skeeter ! Excusez-moi si je vous ai interrompues…

On reste plantées toutes les deux à se demander ce qu'elle a entendu.

— Il faut que j'y aille, dit Miss Skeeter. À demain, Elizabeth. Merci, Aibileen, pour ce déjeuner.

Et la voilà partie.

Baby Girl tend les bras à sa maman pour qu'elle la prenne, mais Miss Leefolt fait comme si elle avait rien vu.

— Vous sembliez avoir une conversation des plus sérieuses, Miss Skeeter et vous.

— Non, ma'am, c'était juste qu'elle… m'a demandé si je voulais des vieux habits, je dis.

Miss Leefolt s'en va du côté du garage. Je parie qu'elle cherche où elle va mettre ces nouvelles toilettes pour la bonne.

Six jours par semaine, je prends le bus pour traverser le pont Woodrow Wilson et aller à l'endroit où habitent Miss Leefolt et ses amis, dans le quartier blanc de Belhaven. Après Belhaven en suivant la route il y a Woodland Hills, après ça on traverse la forêt de Sherwood et ses kilomètres de grands chênes avec la mousse qui pend. Personne habite cette forêt pour le moment, mais elle est là pour le jour où les Blancs auront envie de changement. Après c'est la campagne, là où Miss Skeeter habite sur sa plantation. Elle le sait pas, mais j'y cueillais le coton en 1931, pendant la Dépression.

Jackson, donc, c'est rien que des quartiers blancs les uns après les autres, plus la partie noire, notre grosse fourmilière entourée de terrains qui appartiennent à l'État et sont pas à vendre. On est de plus en plus nombreux mais on peut pas s'étendre. Alors on s'épaissit.

Cet après-midi je prends le 6, qui va de Belhaven à Farish Street. Il est plein de bonnes qui rentrent chez elles dans leur uniforme blanc. J'aperçois Minny à l'arrière. Minny est petite et grosse, avec des boucles brunes qui brillent. Elle allonge les jambes et croise ses gros bras. Elle a dix-sept ans de moins que moi. Pour une vieille dame comme moi, c'est une chance de l'avoir comme amie.

Le bus traverse le pont et fait un premier arrêt dans le quartier noir. Une douzaine de bonnes descendent. Je vais m'asseoir à la place libre à côté de Minny. Elle sourit.

— Qu'est-ce que t'as donné à manger à Miss Walters aujourd'hui, pendant la partie de bridge ? J'ai travaillé toute la matinée pour faire un gâteau au caramel à cette vieille folle et elle a pas voulu en manger une miette.

— Je crois bien que j'ai entendu Miss Hilly dire quelque chose à ce sujet, à cause de sa mère qui maigrit. Elle a dit que peut-être elle était mal nourrie.

Minny me regarde.

— Ça ? Elle a dit *ça* ? (Ses yeux se réduisent à deux fentes). Qu'est-ce qu'elle a dit encore, Miss Hilly ?

Autant aller jusqu'au bout.

— Je crois qu'elle t'a à l'œil, Minny. Fais très attention avec elle.

— C'est Miss Hilly qu'a intérêt à faire très attention avec *moi* ! Qu'est-ce qu'elle raconte ? Que je sais pas cuisiner ? Que ce vieux sac d'os mange pas parce que je la nourris mal ?

Minny se lève, remonte le sac sur son épaule et descend du bus.

Je la regarde à travers la vitre pendant qu'elle fonce à grands pas vers sa maison. Miss Hilly, c'est pas quelqu'un à qui se frotter. Seigneur, j'aurais peut-être mieux fait de me taire.

QUELQUES jours après, je descends du bus le matin et je vais à pied jusqu'au pâté de maisons de Miss Leefolt. Il y a un vieux camion vert avec du bois de charpente et deux Noirs à l'intérieur.

Mister Raleigh Leefolt est encore à la maison ce matin, c'est rare. Il fait une scène pour quelque chose qui l'a énervé. Je vais me planquer dans la buanderie.

— C'est ma maison, bon sang, et je paie pour tout ce qui s'y passe ! il crie. Je passe sur tes achats de vêtements, sur tes foutus voyages à La Nouvelle-Orléans, mais là, c'est le pompon !

— Mais ça va donner de la valeur à la maison. C'est Hilly qui le dit !

— On n'a pas les moyens ! Et c'est pas les Holbrook qui commandent ici !

Il y a un grand silence pendant une minute. Et puis j'entends le tap-tap de pieds nus d'une petite fille en pyjama.

— Papa ?

Je passe de la buanderie à la cuisine, vu que Mae Mobley, c'est mon boulot.

Mister Leefolt est déjà à genoux devant elle.

— Tu sais quoi, mon cœur ?

Mae Mobley lui sourit. Elle s'attend à une bonne surprise.

— Figure-toi que tu n'iras pas à la fac pour que les amies de ta maman ne soient pas obligées de se soulager dans les mêmes toilettes que la bonne !

Il se précipite vers la porte et la fait claquer tellement fort que Baby Girl cligne des yeux.

Miss Leefolt la regarde et agite le doigt.

— Mae Mobley, tu sais bien que tu ne dois pas sortir de ton lit !

Mais Baby Girl regarde la porte que son papa vient de claquer, puis sa maman qui lui fait les gros yeux. Mon bébé… Elle ravale sa salive, elle fait un gros effort pour pas pleurer.

— C'est la troisième fois que je la recouche depuis ce matin !

Je passe devant Miss Leefolt et je prends Baby Girl.

— Moi, je crois qu'il y a une petite fille qui a besoin qu'on la change, je dis.

Et Miss Leefolt :

— Ah ! je ne m'en étais pas rendu compte…

Je vais à l'arrière de la maison, tellement en pétard que je tape du pied. Baby Girl est dans ce lit depuis hier soir huit heures, évidemment qu'elle a besoin d'être changée ! Qu'elle essaye de rester douze heures dans sa couche sale, Miss Leefolt !

Baby Girl me regarde pendant que je lui enlève sa couche. Puis elle tend sa petite main. Elle touche mes lèvres tout doucement.

— Mae Mo vilaine, elle dit.

— Non, bébé, t'as pas été vilaine.

Je lui caresse les cheveux.

— T'as été gentille. Très gentille.

J'HABITE dans Gessum Avenue, où je loue depuis 1942. Les maisons sont petites mais les jardins, devant, sont tous différents. J'ai quelques massifs de camélias rouges devant la maison. La pelouse, c'est plutôt clairsemé, et j'ai pas d'arbres. Mais derrière, maintenant, c'est le jardin d'Éden. C'est là qu'Ida Peek, ma voisine, fait son potager.

Elle a plus de terrain libre derrière sa maison, Ida, avec toutes les saletés de son mari – des moteurs de voitures, des vieux frigos, des pneus… Alors j'ai dit à Ida de planter de mon côté. Comme ça j'ai pas besoin de tondre et elle me laisse cueillir tout ce qu'il me faut, et ça m'économise deux ou trois dollars chaque semaine.

Je me cueille une salade et une tomate dans le potager d'Ida. Je fais frire un peu de jambon. Je m'assois à ma table pour manger et j'allume la radio de la cuisine.

Memphis Minny chante à la radio que la viande maigre, ça frit pas, et en fait, c'est pour dire que l'amour dure pas. Par moments, je pense que je devrais me trouver un autre homme, quelqu'un de mon église. Le problème, c'est que j'ai beau aimer le Seigneur, les hommes qui vont à l'église me disent pas grand-chose. Ceux qui me plaisent sont pas du genre à rester une fois qu'ils ont claqué tout votre argent. C'est la bêtise que j'ai faite il y a vingt ans. Quand Clyde, mon mari, m'a quittée pour cette traînée de Farish Street, celle qu'on appelle Cocoa, je me suis dit que je ferais mieux de tirer le rideau sur ces affaires-là.

Je coupe la radio et je prends le cahier de prières. Mon cahier de prières, c'est rien qu'un carnet bleu que j'ai trouvé à la boutique. Mes prières, je les écris depuis le collège. Quand je suis arrivée en cinquième, j'ai dit à la maîtresse que je reviendrais plus parce que je devais aider ma maman. Miss Ross, elle a failli en pleurer.

— Tu es la plus intelligente de la classe, Aibileen, elle a dit, et si tu veux conserver ton acquis il n'y a qu'une façon : tu dois lire *et écrire* tous les jours.

Alors je me suis mise à écrire mes prières au lieu de les réciter. Mais personne m'a plus jamais dit que j'étais intelligente.

Je tourne les pages du cahier pour voir qui j'ai ce soir. Cette semaine, j'ai pensé deux ou trois fois à mettre Miss Skeeter dans ma liste. Je sais pas très bien pourquoi. Elle est toujours gentille quand elle vient. Ça m'inquiète, mais je peux pas m'empêcher de me demander ce qu'elle voulait dire dans la cuisine de Miss Leefolt quand elle m'a demandé si je voulais pas changer les choses.

Je relis ma liste. Ma Mae Mobley est en premier, après il y a Fanny Lou, de l'église, qui souffre de ses rhumatismes. Après, mes sœurs Inez et Mable à Port Gibson qui ont dix-huit gosses à elles deux et six qui ont attrapé la grippe.

Ma bouilloire commence à siffler sur le feu et ça me fait redescendre sur terre. Seigneur, je crois que je vais mettre Miss Skeeter sur ma liste, mais pourquoi, j'en sais rien. Et ça me ramène à ce que je veux me sortir de la tête, les histoires de Miss Leefolt qui veut construire des toilettes pour moi parce qu'elle pense que j'ai des maladies, et de Miss Skeeter qui me demande si je voudrais pas changer les choses. Comme si changer Jackson, Mississippi, c'était aussi simple que de changer une ampoule.

La sonnerie de mon téléphone me fait sursauter. J'ai même pas le temps de dire allô que j'entends Minny. Elle finissait tard ce soir.

— Miss Hilly va mettre Miss Walters à la maison de retraite. Va falloir que je me trouve une place. Et tu sais quand elle part ? La *semaine* prochaine !

— Oh ! *non*, Minny !

— J'ai commencé à chercher aujourd'hui, j'ai appelé une dizaine de dames. Rien !

Je regrette de le dire, mais ça m'étonne pas.

— T'en fais pas, Minny. On va t'en trouver une qui sera sourde comme un pot, genre Miss Walters.

— Miss Hilly me fait des avances pour que je vienne chez elle. Mais tu sais bien que je prendrais jamais sa place à Yule May. Allons, Miss Walters, faites-moi plaisir, mangez un peu de haricots !

Minny me dit au revoir et elle raccroche.

LES deux jours suivants, le vieux camion vert est encore là.

Ça creuse et ça tape dans le jardin. Je pose pas de questions à Miss Leefolt et Miss Leefolt me donne pas d'explications. Elle va juste jeter un coup d'œil à la porte de temps en temps pour voir où ils en sont.

À trois heures, le vacarme s'arrête et les deux hommes remontent dans leur camion et s'en vont. Elle prend sa voiture et s'en va je sais pas où, faire ce qu'elle fait quand elle est pas inquiète parce qu'il y a deux Noirs qui traînent autour de sa maison.

Au bout d'un moment, le téléphone sonne.

— Résidence de Miss Leef…

— Elle dit partout que je vole ! C'est pour ça que je trouve pas de travail ! Cette sorcière me fait passer pour la reine des voleuses !

— Attends, Minny, respire…

— Avant de prendre mon service, je suis allée chez les Renfroe et Miss Renfroe m'a presque chassée de chez elle. Elle a dit que tout le monde savait que j'avais volé un chandelier à Miss Walters !

— Minny, je sais bien que t'es honnête. Dieu sait que t'es honnête.

Elle prend une voix grave.

— Quand je suis arrivée chez Miss Walters, Miss Hilly était là et elle voulait me donner vingt dollars. « Prenez-les, elle fait, je sais que vous en avez besoin », et moi, encore un peu et je lui crache à la figure ! Mais je l'ai pas fait. Ah, que non ! J'ai fait *pire.*

— Qu'est-ce que t'as fait ?

— Je le dirai pas. Je parlerai à personne de cette tarte. Mais elle a eu ce qu'elle méritait.

Elle gémit maintenant et j'ai une peur bleue. On touche pas comme ça à Miss Hilly.

— Je trouverai plus jamais de travail, Leroy va me massacrer…

Minny raccroche sans dire au revoir. Je sais pas ce qu'elle racontait sur cette tarte. Mais connaissant Minny, ça peut rien être de bon.

J'ÉPLUCHE les haricots dans la cuisine de Miss Leefolt et le téléphone sonne. J'ai appelé tous les gens où j'ai déjà travaillé et ils m'ont tous répondu la même chose : « On prend personne. » Mais en vrai, ça voulait dire : « On prend pas Minny. »

Minny est chez elle depuis trois jours, mais la vieille Miss Walters l'a appelée en cachette hier soir pour lui demander de venir aujourd'hui parce que la maison fait trop vide. Ça, maintenant que Miss Hilly a emporté presque tous les meubles…

— Résidence Leefolt…

— Hum, bonjour. C'est… Bonjour, pourrais-je… pourrais-je parler à Elizabeth Leer-folt, s'il vous plaît ?

— Miss Leefolt est pas là pour le moment. Je peux prendre un message ?

— C'est… Celia Foote. Mon mari m'a donné ce numéro et je ne connais pas Elizabeth mais… bref, il m'a dit qu'elle était au courant pour la vente de charité et pour la Ligue des dames.

Je connais ce nom, mais j'arrive pas à la remettre.

— Je lui donnerai le message. C'est quoi votre numéro de téléphone ?

— Je suis assez nouvelle ici, enfin… pas vraiment, ça fait tout de même un moment, mince, plus d'un an maintenant ! Mais je ne connais personne. Je… je ne sors pas beaucoup.

Ça y est, je me rappelle ! Miss Hilly et Miss Leefolt lui cassent tout le temps du sucre sur le dos parce qu'elle a épousé l'ancien petit copain de Miss Hilly.

— Je vais lui donner le message. C'est quoi votre numéro de téléphone ? Si elle vous trouve pas, elle laissera un message à votre bonne.

— Je n'ai pas de bonne. En fait, je voulais lui demander ça aussi, si elle pouvait m'indiquer quelqu'un de bien.

— Vous cherchez une bonne ?

— J'ai du mal à trouver quelqu'un qui accepte de venir jusque dans le comté de Madison.

Qu'est-ce que vous dites de ça !

— Je connais quelqu'un de très bien. Elle sait cuisiner et elle peut s'occuper de vos enfants, aussi. Elle a même une voiture pour aller chez vous. Son nom c'est Minny Jackson, et son téléphone, Lakewood huit-quatre-quatre-trois-deux.

Baby Girl tire sur ma robe.

J'ai une idée. Je dis :

— Attendez, c'est Miss Leefolt qui arrive ? Attendez, je lui en parle.

Je rapproche le téléphone de ma bouche et je dis :

— Miss Leefolt vient d'arriver et elle dit qu'elle se sent pas bien mais que vous pouvez appeler Minny. Elle dit qu'elle vous téléphonera si elle a besoin d'aide pour la vente.

— Oh ! Remerciez-la de ma part. Et j'espère qu'elle va aller mieux. Qu'elle m'appelle quand elle voudra.

Je prends un biscuit et je le donne à Mae Mobley, et c'est un plaisir de me sentir aussi mauvaise. Je mens et ça me gêne même pas.

Je dis à Miss Celia Foote :

— Elle vous demande de dire à personne qu'elle vous a recommandé Minny, parce que toutes ses amies veulent l'embaucher et elles seraient vraiment pas contentes si elles savaient qu'elle a donné le tuyau à quelqu'un d'autre.

Dès qu'on a raccroché, je me dépêche d'appeler Minny. Juste au moment où Miss Leefolt pousse la porte. C'est la tuile. J'ai donné le numéro de Minny à cette femme, mais Minny travaille aujourd'hui pour que Miss Walters reste pas seule. Alors si la femme appelle chez elle, cet idiot de Leroy va lui donner le numéro de Miss Walters. Si c'est Miss Walters qui décroche le téléphone quand Miss Celia appellera, tout tombe à l'eau.

Miss Leefolt file dans sa chambre et ça rate pas, elle se met à téléphoner. D'abord elle appelle Miss Hilly. Après, le coiffeur. Et à peine elle raccroche la voilà qui vient me demander ce qu'ils vont manger le soir cette semaine. Je lui lis le menu.

Mae Mobley fait une petite danse pour que sa maman la regarde. Et juste au moment où Miss Leefolt se penche pour s'occuper d'elle, hop ! Miss Leefolt sort en courant parce qu'elle a oublié qu'elle avait une course à faire.

Mes doigts vont pas assez vite sur ce cadran de téléphone.

— Minny ! J'ai une place en vue pour toi. Mais faut que tu téléphones…

— Elle a déjà appelé, dit Minny. Leroy lui a donné le numéro.

— Et alors c'est Miss Walters qui a répondu, je dis.

— Elle est sourde comme une marmite et aujourd'hui, miracle, elle entend sonner le téléphone ! Moi, je trafiquais dans la cuisine sans faire attention et tout d'un coup j'entends mon nom.

— Ah ! Miss Walters a peut-être pas répété les mensonges de Miss Hilly ? On sait jamais ?

Mais je suis pas bête au point de croire ça.

— Même si elle a rien dit, Miss Walters sait très bien ce que j'ai fait à Miss Hilly. Tu le sais pas, toi, la Chose Abominable Épouvantable que je lui ai faite. Je suis sûre que Miss Walters a dit à cette femme que j'étais le diable en personne.

Elle a une voix bizarre, vraiment. Comme un disque qui tourne pas assez vite.

— Je prie pour toi.

On raccroche et je donne un coup de balai. Mae Mobley arrive en se tenant le ventre et elle dit :

— Enlève-moi le mal !

Elle se colle contre ma jambe. Je lui caresse les cheveux, longtemps, et à la fin on croirait qu'elle ronronne. Elle sent l'amour dans ma main. Et moi je pense à toutes mes amies, à tout ce qu'elles ont fait pour moi. À tout ce qu'elles font tous les jours pour les Blanches chez qui elles travaillent. À cette souffrance dans la voix de Minny. À Treelore qui est sous la terre. Je regarde Baby Girl et je sais, au fond de moi, que je pourrai pas l'empêcher de devenir comme sa mère. Je récite la prière au Seigneur. Mais je me sens pas mieux après. Que Dieu me vienne en aide, mais il va falloir faire quelque chose.

BABY GIRL s'accroche à mes jambes tout l'après-midi et je manque plusieurs fois de tomber.

Au bout d'un moment, on va dans le salon avec Mae Mobley. J'ai un tas de chemises à repasser pour Mister Leefolt. Miss Leefolt rentre et elle me regarde repasser. Elle fait ça de temps en temps. Elle fronce les sourcils et elle regarde. Et puis elle se dépêche de sourire si je lève les yeux.

— Aibileen, j'ai une surprise pour vous. Mister Leefolt et moi, nous avons décidé de construire de nouvelles toilettes rien que pour vous. C'est dehors, dans le garage.

— Oui, ma'am.

Où elle croit que j'étais, ces derniers jours ?

— Dorénavant, au lieu d'aller dans les toilettes de la chambre d'amis, vous irez chez vous dehors. Ce sera bien, non ?

— Oui, ma'am.

— Vous utiliserez celles du garage maintenant, vous comprenez ?

Je la regarde pas mais c'est plus fort qu'elle, faut qu'elle insiste.

— Vous ne voulez pas prendre du papier et aller les essayer ?

— Miss Leefolt, j'ai pas vraiment envie, tout de suite.

— Ah. C'est là que vous irez maintenant, et plus dans les autres je veux dire… n'est-ce pas ?

Je dis ce que je sais qu'elle a envie d'entendre :

— J'irai dans mes toilettes pour Noirs à partir de maintenant. Et je vais bien nettoyer celles des Blancs à l'eau de Javel.

— Oh ! ça ne presse pas, Aibileen. Quand vous voudrez.

Mais vu qu'elle reste là, à tripoter son alliance, elle veut que j'y aille tout de suite.

Je pose mon fer sans me presser et je sens cette mauvaise graine qui grossit dans ma gorge, celle qui s'est plantée après la mort de Treelore. J'ai chaud aux joues, et la langue qui me démange. Je sais pas quoi lui dire. Tout ce que je sais, c'est que je le dirai pas.

Minny

Sous le porche de cette Blanche, je me dis, tiens-toi bien, Minny. Ferme ta bouche sur tout ce qui pourrait t'échapper, et sur le reste aussi. Tâche d'avoir l'air d'une bonne qui fait ce qu'on lui dit. Je m'avance et j'appuie sur la sonnette.

Ça fait un long tintement aigu, pas fort du tout et qui paraît bizarre dans cette grande maison au milieu de la campagne. On dirait un château avec ses murs en brique grise qui montent vers le ciel. La pelouse est entourée d'arbres.

La porte s'ouvre et voilà Miss Marilyn Monroe.

— Bonjour ! Moi, c'est Celia. Celia Rae Foote.

La dame me tend la main et je la regarde. Elle est peut-être faite comme Marilyn, mais pas prête pour le bout d'essai. Elle a de la farine plein ses cheveux jaunes et sur son vilain tailleur-pantalon rose.

— Oui, ma'am. Je suis Minny Jackson.

Je passe la main sur les plis de mon uniforme blanc au lieu de serrer la sienne. Je veux pas de ces trucs-là.

— Vous étiez en train de cuisiner ?

— C'est une recette de gâteau renversé qui était dans le journal, elle soupire. Ça ne marche pas très bien.

Je la suis à l'intérieur et je constate que Miss Celia Rae Foote a été que légèrement touchée dans l'accident avec la farine. Mais toute la cuisine a morflé. Il y en a un bon centimètre sur les plans de travail, le frigo à deux portes et le mixer.

Miss Celia dit :

— Je crois que j'ai quelques petites choses à apprendre.

— Pour ça oui, je réponds.

Mais je me mords la langue.

Miss Celia sourit. Elle rince la pâte qui lui colle aux mains dans un évier plein de vaisselle sale. Je me demande si je suis pas encore tombée sur une sourde comme Miss Walters. Espérons.

— Apparemment, je n'arrive pas à maîtriser la cuisine, elle dit, et malgré la petite voix qui chuchote à la Marilyn, je sais tout de suite qu'elle vient de *très loin* dans le pays.

Je baisse les yeux et je vois que cette folle est pieds nus, comme n'importe quelle clocharde blanche.

Elle doit avoir vingt-deux ans peut-être, et elle est vraiment jolie, mais elle a besoin de se mettre tout ça sur la figure ? Elle en a deux fois plus que les autres dames. Et pour les seins, c'est pareil. En fait, elle est presque aussi grosse que moi, sauf qu'elle est maigre partout où je le suis pas.

— Vous voulez une boisson fraîche ? Asseyez-vous donc, je vous l'apporte.

Je la regarde fixement. C'est la première fois de ma vie qu'une Blanche me demande de m'asseoir pendant qu'elle m'apporte un rafraîchissement.

— Avant, on devrait peut-être jeter un coup d'œil à la maison, ma'am.

— Oh, bien sûr ! Venez, Maxie. Je vais vous montrer la belle salle à manger pour commencer.

— C'est Minny, mon nom, je dis.

Elle est ni folle ni sourde, si ça se trouve. Simplement idiote.

Et nous voilà parties à travers cette grande et vieille baraque, elle qui marche devant et qui parle, et moi qui suis. En bas il y a dix pièces, dont une avec un ours empaillé qui a l'air d'avoir dévoré la dernière bonne et d'attendre la suivante. On continue et ça commence à ressembler à n'importe quelle maison de Blancs. Sauf que celle-là est la plus grande où je suis jamais rentrée, avec des parquets crasseux et des tapis pleins de poussière – mais je sais reconnaître un meuble ancien quand j'en vois un.

— La mère de Johnny ne me laisse rien décorer. Si ça ne tenait qu'à moi, il y aurait de la moquette blanche et c'est tout. Plus aucune vieillerie.

— D'où vous venez ? je lui demande.

— Je suis de… Sugar Ditch.

Elle baisse un peu la voix. Sugar Ditch, c'est aussi loin qu'on peut aller dans le Mississippi. J'ai vu des photos une fois dans le journal, avec les bicoques des gens. Même les petits des Blancs, là-bas, avaient des têtes de gamins qui ont rien mangé depuis une semaine.

Miss Celia essaye de sourire et elle dit :

— C'est la première fois que j'embauche une bonne.

— Ça, il vous en faut une, pas de doute.

Attention, Minny.

— J'ai été très contente de la recommandation de Mrs Walters. Elle m'a longuement parlé de vous. Elle a dit que vous étiez la meilleure cuisinière de la ville.

— Elle a dit… elle a rien dit d'autre sur moi ?

Mais Miss Celia grimpe déjà le grand escalier. Je la suis à l'étage jusqu'à un long couloir où le soleil entre par des fenêtres.

— Nous avons cinq chambres et cinq salles de bains dans la maison principale.

Elle montre les fenêtres et j'aperçois une grande piscine bleue et derrière, *une autre* maison.

— Et voici la piscine, en bas, elle dit avec un soupir.

Dans une grande maison comme celle-là ça doit bien payer. Il y a beaucoup à faire mais ça m'est égal. Le travail me fait pas peur.

— Quand c'est que vous aurez des enfants, histoire de remplir un peu tous ces lits ?

Je tâche de sourire, d'avoir l'air aimable.

— Oh, nous allons en avoir ! (Elle se racle la gorge, elle hésite.) Les enfants, c'est la seule raison de vivre.

Elle regarde ses pieds et elle reste quelques secondes comme ça avant de repartir vers l'escalier.

De retour dans la salle à manger, Miss Celia secoue la tête.

— C'est vraiment beaucoup de travail, elle dit. Toutes les chambres, et les sols…

— Oui, ma'am, c'est grand. Mais je manque pas d'énergie.

— … et il y a toute cette argenterie à astiquer !

Elle ouvre un placard à argenterie grand comme mon salon, et je comprends pourquoi elle fait cette drôle de tête. Dis-le, madame. Dis à quoi tu penses à propos de ton argenterie.

— Vous avez une grande et belle maison, je dis. En pleine campagne comme ça, c'est beaucoup de travail.

Elle se met à tripoter son alliance.

— Je suis sûre que celle de Mrs Walters était plus facile à entretenir. Enfin, nous ne sommes que tous les deux pour le moment, mais quand les enfants vont arriver…

— Hum. Vous avez d'autres bonnes… en vue ?

Elle soupire, détourne les yeux.

— Il y en a beaucoup qui sont déjà venues. Mais je n'ai pas encore trouvé… la bonne. Je savais que j'aurais toutes les peines du monde à trouver quelqu'un, mais si j'étais vous, je n'aurais pas envie, moi non plus, de faire le ménage dans cette grande maison. Cinq bonnes m'ont déjà répondu que c'était trop de travail.

Je regarde mes soixante-quinze kilos et mon mètre soixante, tout ça pas loin d'éclater dans l'uniforme blanc.

— Trop ? Pour moi ?

— Vous… le feriez ?

— Vous croyez que je suis venue jusqu'ici pour le plaisir d'user de l'essence ?

Ferme-la, Minny ! Tu vas pas tout gâcher maintenant ! T'as vu ce qu'elle te propose ? Une place !

— Miss Celia, ça me ferait plaisir de travailler pour vous.

Elle rit, cette folle, et elle s'avance pour me serrer dans ses bras, mais je recule un peu pour qu'elle comprenne que c'est pas une chose à faire.

— Attendez, on a deux ou trois choses à voir avant de commencer. Faut me dire quels jours vous voulez que je vienne et… des trucs comme ça.

Combien tu payes, par exemple.

— Eh bien… Du lundi au vendredi, alors. De huit à quatre, avec un peu de temps pour déjeuner.

Miss Celia baisse les yeux.

— Mrs Walters m'a dit que vous étiez une excellente cuisinière. Combien vous payait-elle ?

— Un dollar de l'heure, je réponds.

Et j'ai un peu honte : c'était même pas le salaire minimum après cinq ans à son service.

— Alors je vous en donnerai deux.

Je sens que j'en perds ma respiration.

Je retourne à ma voiture. Je m'assois sur le siège défoncé de la Ford que Leroy continue à payer douze dollars par semaine à son patron. Soulagée. J'ai trouvé une place.

— POSE tes fesses, Minny, que je t'explique les règles qu'on doit respecter pour travailler chez une patronne blanche.

J'avais quatorze ans le jour même. Bientôt je quitterais l'école et je commencerais à travailler pour de bon. Je me suis assise devant la petite table dans la cuisine de ma mère en jetant des regards en coin vers le gâteau au caramel qui refroidissait sur une étagère avant de recevoir son glaçage. Le jour de mon anniversaire, je pouvais manger autant que je voulais. C'était le seul de l'année.

— Règle numéro un pour travailler chez une Blanche, Minny : c'est pas tes affaires. T'as pas à mettre ton nez dans les problèmes de la patronne, ni à pleurnicher sur les tiens. Rappelle-toi une chose : ces Blancs sont pas tes amis. Ils veulent pas en entendre parler.

» Règle numéro deux : cette patronne blanche doit *jamais* te trouver assise sur ses toilettes. Si elle en a pas pour les bonnes, tu trouves un moment où elle est pas là.

» Règle numéro trois : quand tu cuisines pour des Blancs, tu prends une cuillère rien que pour goûter. Si tu mets cette cuillère dans ta bouche et qu'après tu la remets dans la marmite et qu'on te voit, c'est tout bon à jeter.

» Règle numéro quatre : sers-toi tous les jours du même verre, de la même fourchette, de la même assiette. Tu les ranges à part et tu dis à cette Blanche qu'à partir de maintenant ça sera *tes* couverts.

» Règle numéro cinq : tu manges à la cuisine.

» Règle numéro six : tu frappes pas ses enfants. Les Blancs aiment faire ça eux-mêmes.

» Règle numéro sept : C'est la dernière, Minny. Tu écoutes ce que je te dis ? *Pas d'impertinence !* Si tu parles mal à une Blanche le matin, tu iras mal parler dehors l'après-midi. »

Premier jour chez ma patronne blanche. J'ai mangé mon sandwich au jambon dans la cuisine, rangé mon assiette dans mon coin de placard. Quand sa petite morveuse de fille a planqué mon sac dans le four, je lui ai pas crié après.

Mais quand la patronne blanche a dit : « Je tiens à ce que tu laves tout le linge à la main d'abord, puis que tu le mettes dans la machine », j'ai dit : « Pourquoi laver à la main alors que le lave-linge fait le travail ? Comme perte de temps, on fait pas mieux ! »

La patronne blanche m'a souri, et cinq minutes après j'étais dehors.

Si je travaille pour Miss Celia, je pourrai emmener mes gamins à l'école le matin, mais comme il y a pas de bus pour aller chez Miss Celia, il me faudra la voiture de Leroy.

— Dis donc, tu vas pas me la prendre tous les jours ? Si jamais j'ai besoin…

— Ils me payent soixante-dix dollars tous les vendredis, Leroy.

— Je peux peut-être prendre le vélo.

— Je suis là, Miss Celia !

Je passe la tête à la porte de sa chambre le lendemain de la rencontre avec Miss Celia, et elle est assise sur son lit, parfaitement maquillée et serrée dans sa tenue du vendredi soir alors qu'on est mardi, en train de lire les cochonneries du *Hollywood Digest* comme si c'était la Sainte Bible.

— Bonjour, Minny ! Je suis vraiment contente de vous voir !

D'entendre une Blanche me dire ça, j'en ai la chair de poule.

— À quand notre première leçon de cuisine ? elle demande.

— Dans quelques jours, je crois. Quand vous aurez fait les courses pour acheter ce qu'il nous faut.

Elle réfléchit une seconde et elle dit :

— Vous devriez peut-être y aller vous-même, Minny, puisque vous savez ce qu'il faut acheter.

Je la regarde. Les Blanches, en général, préfèrent s'occuper des courses.

— Très bien, j'irai dans la matinée, alors.

Dès qu'elle sort, j'ouvre un placard, et comme prévu je reçois cinquante trucs sur la tête. Après je regarde sous le lit, et vu la quantité de linge sale, elle a pas dû faire la lessive depuis des mois.

Cet après-midi-là, Miss Celia et moi on fait la liste des plats à préparer pendant la semaine, et le lendemain matin je vais aux courses. Mais ça me prend le double de temps, vu que je dois aller en voiture au Jitney Jungle, parce que je me dis qu'elle voudra pas manger des choses achetées dans un magasin de Noirs. J'arrive au travail prête à lui balancer toutes les raisons qui expliquent mon retard, mais je la retrouve au lit, et elle sourit avec l'air de dire que ça fait rien. Toute pomponnée pour aller nulle part. Elle y reste cinq heures à lire des magazines. Mais je pose pas de questions. Je suis la bonne.

À une heure de l'après-midi, Miss Celia rentre dans la cuisine en disant qu'elle est prête pour sa première leçon. Elle s'assoit sur un tabouret.

— Qu'est-ce vous savez déjà faire ? je lui demande.

— Je sais faire des pommes de terre bouillies. Et je sais faire le porridge, aussi... On n'avait pas l'électricité là où j'habitais avant.

Seigneur ! J'avais jamais rencontré un Blanc pire que moi. Et j'ai jamais dit à une Blanche ce qu'elle devait faire. Je sais vraiment pas par où commencer.

J'allume le feu sous la poêle et on regarde la graisse qui fond.

— Le poulet a bien trempé dans le babeurre. Maintenant, on va mélanger tout ça.

Je verse de la farine, j'ajoute du sel, du poivre, du paprika et une pincée de cayenne dans un sachet en papier.

— Voilà. Maintenant, mettez les morceaux de poulet dans le sachet et secouez bien.

Miss Celia met les cuisses de poulet cru dans le sachet et secoue.

— Comme ça ? Comme dans la publicité Shake'n Bake à la télé ?

— C'est ça, je réponds, et je tourne ma langue dans ma bouche pour pas en dire plus, parce que si ça c'est pas une insulte, je sais pas ce que c'est.

Je pose bien doucement les morceaux dans la poêle. Ça se met à grésiller, une vraie musique, pendant qu'on regarde les pattes qui brunissent dans la friture. Je lève les yeux et je vois Miss Celia qui me sourit. Elle pose la main sur mon bras.

— Je suis vraiment heureuse que vous soyez là.

Je retire mon bras.

— Miss Celia, vous avez beaucoup d'autres raisons d'être heureuse.

— Je le sais. Même en rêve, je n'aurais jamais cru avoir tout ça un jour. Je n'ai jamais été aussi heureuse de ma vie.

Elle a beau dire, je lui trouve pas l'air si heureuse que ça.

Le soir, j'appelle Aibileen et elle me dit :

— Miss Hilly était chez Miss Leefolt hier. Elle a demandé si quelqu'un savait où tu travailles.

— Bon Dieu, si elle me trouve là-bas, c'est foutu.

Il s'est passé deux semaines depuis la Chose Abominable Épouvantable que j'ai faite à cette femme. Je sais qu'elle serait trop contente de me faire virer.

— Et Leroy, qu'est-ce qu'il a dit quand il a su que tu avais la place ?

— Il s'est mis à tourner dans la cuisine comme un coq plumé parce qu'il y avait les enfants. Mais après, une fois au lit, j'ai cru que cette grande vieille carcasse allait se mettre à pleurer.

Aibileen éclate de rire.

— Il a beaucoup d'orgueil, Leroy.

PENDANT ma première semaine chez Miss Celia, je nettoie la maison de fond en comble jusqu'à ce qu'il reste plus un chiffon à poussière ni un vieux drap pour frotter et faire briller. La deuxième semaine, je recommence parce qu'on dirait que la crasse est revenue. La troisième, je suis contente de mon travail et je m'organise pour la suite.

Mon emploi du temps est toujours le même, où que je travaille : le lundi, je cire les meubles. Le mardi, je lave et je repasse les foutus draps, c'est le jour que je déteste. Le mercredi, je récure la baignoire à fond même si je la nettoie tous les matins. Le jeudi, je cire les parquets et j'aspire les tapis, sauf les plus vieux, je les fais au balai pour pas qu'ils s'effilochent. Le vendredi, c'est grosse cuisine pour le week-end. Et tous les jours serpillière, lavage du linge, repassage des chemises pour pas se laisser déborder et entretien général. L'argenterie et les vitres quand c'est nécessaire. Comme il y a pas d'enfants à s'occuper, il reste du temps pour les leçons de cuisine à Miss Celia.

Vu qu'elle reçoit jamais, on prépare simplement le dîner pour elle et Mister Johnny : côtes de porc, poulet frit, jambon au four, tomates frites, purée de pommes de terre, et des légumes… Ou plutôt, c'est moi qui cuisine toute seule et Miss Celia me tourne autour. Dès que la leçon est finie, elle va vite se recoucher. Miss Celia sort jamais de la maison sauf pour se faire friser et dépointer les cheveux. C'est arrivé une fois depuis trois semaines que je suis là.

— Vous trouvez que j'ai fait des progrès en cuisine ?

Je la regarde. Elle a des jolies dents, un sourire adorable, mais c'est la pire des cuisinières que j'aie jamais rencontrée.

— Décrochez le jambon, mettez assez d'eau là-dedans, c'est bien. Maintenant, allumez. Vous voyez les petites bulles ? Ça veut dire que l'eau est contente.

Et quand Miss Celia laisse brûler les haricots, je pense à ma mère qui me reprochait de manquer de sang-froid.

— Bon, je dis, en serrant les dents. On va en refaire une casserole avant que Mister Johnny arrive.

Miss Celia regarde par la fenêtre le Noir qui ratisse les feuilles mortes. Il y a tellement de fourrés d'azalées qu'au printemps prochain son jardin ressemblera à *Autant en emporte le vent*. J'aime pas les azalées et j'aime pas du tout ce film qui montre les esclaves comme une bande de joyeux invités qui viennent prendre le thé chez le maître. Si j'avais joué Mammy, j'aurais dit à cette brave Scarlett de se coller ces rideaux verts sur son petit cul blanc et de se la faire elle-même, sa robe provocante.

— Je pourrais faire fleurir ce rosier en le taillant, dit Miss Celia. Mais je commencerais par couper le mimosa. Je n'aime pas ces fleurs duveteuses.

Elle a le regard qui se brouille comme si elle allait s'endormir.

— On dirait des cheveux de bébé.

Ça me donne la frousse quand elle parle comme ça.

— Vous vous y connaissez en fleurs ?

Elle soupire.

— À Sugar Ditch, je m'occupais de mes plantes.

— Allez-y alors, je dis, en essayant de rester calme. Faites un peu d'exercice. Allez prendre l'air.

Sors, Bon Dieu !

— Non. (Elle soupire.) Je ne dois pas courir dans tous les sens. J'ai besoin de calme.

— Vous devriez peut-être faire des connaissances, je dis. Il y a des tas de dames de votre âge en ville.

Elle me regarde en fronçant les sourcils.

— J'ai essayé. J'ai appelé ces dames un nombre incalculable de fois pour leur proposer de les aider à leur vente de charité. Mais elles ne rappellent jamais. Aucune.

Je dis rien, parce que ça m'étonne pas. Avec ses seins à l'air et ses cheveux teints « Pépite d'or »...

— Allez faire les magasins, alors. Achetez-vous des toilettes. Faites ce que font les Blanches pendant que la bonne est à la maison.

— Non, je crois que je vais me reposer un peu.

Et deux minutes après je l'entends qui traîne à l'étage dans les chambres vides.

Miss Skeeter

Je rentre chez moi au volant de la Cadillac de ma mère, à toute allure sur la route semée de gravier. Maman serait furieuse, mais j'accélère encore. Je ne cesse de penser à ce que Hilly m'a dit aujourd'hui au club de bridge.

Hilly, Elizabeth et moi sommes amies depuis l'école. À la fac, j'ai partagé une chambre avec Hilly jusqu'à son mariage et j'y suis restée jusqu'au diplôme. Et elle menace de me chasser de la Ligue.

Je m'engage sur l'allée qui mène à Longleaf, la plantation de ma famille, et je ralentis pour que maman ne me voie pas arriver aussi vite. Je m'arrête devant la maison et sors de la voiture. Maman est dans son rocking-chair sur la véranda.

— Viens t'asseoir, ma chérie, dit-elle. Pascagoula vient de faire les sols. Laisse-leur le temps de sécher.

— Oui, maman.

J'embrasse sa joue poudrée. Mais je ne m'assois pas. Je m'accoude à la rambarde et regarde les grands chênes drapés de mousse qui se dressent devant la maison. Autour de notre jardin s'étendent les quatre mille hectares de coton de papa, aux plants drus et bien verts parmi lesquels je disparais jusqu'à la taille.

— Je te l'ai dit ? Fanny Peatrow s'est fiancée.

— Je suis contente pour Fanny.

— Moins d'un mois après avoir pris ce poste de caissière à la Farmer's Bank.

— C'est formidable, maman.

— Je sais, dit-elle.

Je me retourne et je vois le regard qui annonce la question.

— Pourquoi ne poserais-tu pas ta candidature à la banque pour un poste ?

— Je ne veux pas être caissière dans une banque, maman.

— Voilà quatre ans que ma fille va à la fac, et qu'est-ce qu'elle nous rapporte ?

— Un diplôme.

— Un joli bout de papier, dit maman.

— Je te l'ai déjà dit. Je n'ai rencontré personne que j'aie envie d'épouser.

Maman se lève de son fauteuil, approche tout près du mien son joli visage à la peau douce.

— J'en ai parlé avec la mère de Fanny, et elle m'a dit que sa fille a eu un nombre incroyable d'occasions dès qu'elle a pris ce poste.

Je n'ai jamais pu dire à maman que je voulais être écrivain. Et la voici maintenant cramponnée à la rambarde de la véranda, à se demander si je vais enfin me décider à faire ce que la grosse Fanny Peatrow a fait pour se sauver. Je vois dans le regard de ma propre mère à quel point elle est décontenancée par mon allure, ma haute taille, mes cheveux… Dire qu'ils frisent est un euphémisme. Ils sont d'un blond presque blanc et cassants comme de la paille. J'ai la peau très blanche, et si on me parle parfois de mon teint crémeux je sais qu'il est carrément cadavérique quand je suis sérieuse, autrement dit tout le temps. Et il y a aussi cette petite bosse sur l'arête de mon nez. Mais mes yeux sont d'un bleu très pur, comme ceux de maman, et il paraît que c'est ce que j'ai de mieux.

— Il s'agit simplement de te mettre en situation de rencontrer des hommes, pour…

— Maman, dis-je pour clore le débat, ce serait si terrible si je ne trouvais pas de mari ?

Ses mains se referment sur ses bras nus comme si cette idée lui donnait froid.

— Non ! Ne dis jamais cela, Eugenia ! Il ne se passe pas une semaine sans que je voie un garçon de plus d'un mètre quatre-vingts et que je me dise : « Si Eugenia voulait seulement essayer... »

Elle appuie la main sur son estomac, comme si cette seule pensée réveillait son ulcère.

Je descends les marches de la véranda. Je frissonne, avec ce sentiment d'abandon qui ne m'a pas quittée depuis que j'ai obtenu mon diplôme, il y a trois mois. Je me suis retrouvée dans un endroit où je me sens désormais étrangère.

Je n'étais pas un beau bébé. À ma naissance, Carlton, mon frère aîné, m'a regardée et a dit : « C'est pas un bébé, c'est un moustique ! » et le surnom de Skeeter[1] m'est resté. J'étais tout en jambes, maigre comme un moustique. Maman a lutté toute ma vie pour convaincre mes amis de m'appeler par mon nom de baptême, Eugenia.

À seize ans, non seulement je n'étais pas jolie mais j'étais catastrophiquement grande. Maman mesurait un mètre soixante-trois et avait été finaliste à l'élection de Miss Caroline du Sud.

« Le manuel de chasse au mari » de ma mère Mrs Charlotte Boudreau Cantrelle Phelan énonçait comme règle numéro un : une fille petite et jolie a pour atouts supplémentaires le maquillage et la façon de se tenir. Une grande, son compte d'épargne.

Je mesurais un mètre quatre-vingt-deux mais j'avais vingt-cinq mille dollars (de coton) sur mon compte, et celui qui n'était pas sensible à la beauté de ce nombre n'était pas assez intelligent pour entrer dans la famille.

La chambre que j'occupe depuis mon enfance se trouve au dernier étage de la maison de mes parents. C'est en fait le grenier, avec de longs murs obliques, et je n'y tiens pas debout partout. Et pourtant, c'est mon sanctuaire. La chaleur de la maison qui monte et s'y accumule n'a rien d'accueillant pour les visiteurs. Les parents ne se risquent guère dans l'escalier aussi étroit que malaisé.

Trois jours après cette discussion avec maman sur la véranda, j'ai étalé sur mon bureau la double page d'offres d'emploi du *Jackson Journal*. Maman m'avait poursuivie toute la matinée avec un nouvel appareil destiné à lisser les cheveux pendant que papa, planté sur la véranda,

1. Insecte volant haut sur pattes, de type moustique.

pestait et maudissait les champs de coton qui semblaient fondre comme neige au printemps. Avec l'anthonome, ou charançon du cotonnier, la pluie est ce qui peut arriver de pire au moment de la cueillette. Et les averses d'automne sont déjà là.

Je scrute la courte colonne d'annonces sous le titre OFFRES D'EMPLOI POUR FEMMES.

> Magasin, Kennington, cherche vendeuses aguerries, bien éduquées – et souriantes !
>
> Cherche jeune secrétaire présentant bien. Dactylographie non exigée. App. Mr Sanders.

Seigneur, s'il ne veut pas qu'elle tape, que veut-il qu'elle fasse ?

J'ai travaillé dur à la fac, personne ne pourra dire le contraire. Pendant que mes amies passaient leur temps à boire des rhums-Coca, j'écrivais pendant des heures – des dissertations, mais aussi des nouvelles, de mauvais poèmes, des lettres de protestation, toutes choses que je n'envoyais jamais à quiconque. Je rêvais bien sûr de sortir avec des joueurs de football, mais je rêvais surtout d'écrire un jour des choses que des gens liraient pour de bon.

Au quatrième trimestre de ma dernière année de fac, je n'avais posé ma candidature que pour un seul poste, mais un bon, puisqu'il se situait à plus de mille kilomètres du Mississippi. Ayant lu une petite annonce dans le *New York Times* à la bibliothèque de la fac pour un poste de rédactrice chez Harper & Row, j'avais envoyé le jour même mon curriculum vitae. Je n'avais même pas reçu de réponse.

— Miss Skeeter, un appel pour vous ! lance Pascagoula.

Je descends vers l'unique téléphone de la maison. Pascagoula me le tend. Elle a la taille et la corpulence d'un enfant – moins d'un mètre cinquante – et elle est d'un noir d'encre. Ses cheveux bouclés encadrent son visage et on a dû retailler sa tenue blanche à la mesure de ses petits bras et de ses jambes courtes.

— C'est Miss Hilly qui vous demande, dit-elle.

Je m'assois à la table en fer-blanc. La cuisine est surchauffée.

— Il vient le week-end prochain, dit Hilly. Samedi soir. Tu es libre ?

— Mince, laisse-moi jeter un coup d'œil à mon agenda, dis-je.

Dans la voix de Hilly, il n'y a plus trace de notre dispute le jour du bridge. Je suis méfiante mais soulagée.

— Je ne peux pas croire que ça arrive *enfin* ! dit-elle.

Voilà des mois qu'elle essaie d'arranger cette rencontre avec le cousin de son mari, alors qu'il est bien trop beau pour moi, et fils de sénateur, de surcroît.

— Tu ne crois pas qu'on devrait se… voir avant ?

— Il n'y a rien qui *cloche* chez lui, dit Hilly. Demande à Elizabeth, elle l'a rencontré l'année dernière. Sans compter qu'il est sorti très longtemps avec Patricia van Devender.

— Celle qui a été Miss Ole deux années de suite ?

— Et il a créé sa propre entreprise à Vicksburg. Donc si ça ne marche pas, tu ne le rencontreras pas tous les jours en ville.

Je soupire. La rencontre a déjà été reportée deux fois. J'espère seulement qu'elle le sera encore. Mais je trouve flatteur, tout de même, qu'Hilly croie que quelqu'un comme lui pourrait s'intéresser à quelqu'un comme moi.

— Ah ! et j'ai besoin que tu viennes récupérer ces notes, dit Hilly. Je tiens à ce qu'on parle de ma proposition de loi dans la prochaine *Lettre* de la Ligue.

J'hésite.

— Cette histoire de toilettes ?

— Ça s'appelle Proposition de loi pour promouvoir les installations sanitaires réservées aux domestiques et je veux que ça sorte cette semaine.

Je suis rédactrice en chef de la *Lettre.* Mais Hilly est la présidente.

Je mens :

— Je vais voir. Je ne sais pas s'il reste de la place.

Pascagoula, devant l'évier, me regarde du coin de l'œil. Comme si elle entendait ce que dit Hilly. Je regarde vers les toilettes de Constantine, qui sont désormais celles de Pascagoula. Elles se trouvent à l'extérieur de la cuisine. Comme la porte est entrouverte, je vois la pièce minuscule avec la cuvette, le cordon de la chasse qui pend au-dessus, une ampoule avec son abat-jour de plastique jauni. Je n'y suis jamais entrée, pas une seule fois. Quand on était petits, maman nous menaçait d'une fessée si on franchissait cette porte. Constantine me manque comme rien ni personne ne m'a jamais manqué.

— Dans ce cas, débrouille-toi pour faire de la place, dit Hilly, parce que c'est sacrément important.

Constantine habitait à un peu plus d'un kilomètre de chez nous, dans un petit quartier noir appelé Hotstack, du nom de l'usine de goudron qui s'y trouvait. Quand j'avais supplié maman et bien appris mon catéchisme, elle me permettait parfois d'accompagner Constantine chez elle le vendredi après-midi.

Après avoir marché sans se presser une vingtaine de minutes, on passait devant le bazar des Noirs, puis devant une épicerie derrière laquelle picoraient des poules. Une double rangée de maisons plus ou moins délabrées avec leurs toits de tôle ondulée s'étirait de chaque côté de la route. Il y avait quelque chose d'excitant à se trouver dans un monde si différent du mien, et je voyais avec une sorte de frémissement que j'avais de bonnes chaussures, que ma robe-tablier repassée par Constantine était d'une blancheur immaculée.

Il y avait toujours des chiens, efflanqués et galeux, couchés sur la route. Puis on arrivait à la maison de Constantine. Il y avait trois pièces au sol nu et je regardais l'unique photographie qu'elle possédait, celle d'une fille blanche dont, m'avait-elle dit, elle s'était occupée pendant vingt ans à Port Gibson. Je regardais toujours avec un peu de jalousie le sourire éclatant de cette gamine, en me demandant pourquoi Constantine n'avait pas de photo de moi.

Au bout d'une heure, papa arrivait, sortait de sa voiture et donnait un dollar à Constantine. Elle ne l'invita jamais à entrer. Je comprenais déjà qu'ici elle était la patronne et n'avait pas à se montrer aimable avec quiconque.

— Ne dis pas à ta maman que j'ai donné un petit pourboire à Constantine.

— D'accord, papa.

C'est sans doute l'unique secret que nous ayons jamais partagé.

La première fois qu'on m'a dit que j'étais laide, j'avais treize ans. C'était un ami de mon frère Carlton.

— Pourquoi tu pleures, petite ? m'a demandé Constantine dans la cuisine.

Je lui répétai ce que le garçon venait de me dire.

— Bon. Approche, Eugenia.

Constantine était la seule à m'appeler de temps en temps comme le voulait ma mère.

— La laideur, on l'a en dedans. Être laid, ça veut dire être méchant et faire du mal aux autres. Alors, t'es comme ça, toi ?

— Je ne sais pas… Je ne crois pas, sanglotai-je.

Constantine s'assit à côté de moi à la table de la cuisine. J'entendis craquer ses articulations enflammées. Je sentis son pouce s'enfoncer dans la paume de ma main, ce qui, nous le savions elle et moi, signifiait « Écoute. Écoute-moi bien ».

— Chaque jour, jusqu'à ce que tu sois morte et enterrée, tu devras te poser cette question et y répondre. *Est-ce que je vais croire ce que ces crétins diront de moi aujourd'hui ?*

Son pouce continuait à presser ma paume. Je hochai la tête pour dire que je comprenais. Et même si je me sentais très malheureuse et si je savais que j'étais très probablement laide, c'était la première fois qu'elle s'adressait à moi autrement qu'à la petite Blanche, fille de ma mère. On me disait depuis toujours ce que je devais penser. Mais à cet instant, le pouce de Constantine pressé dans ma main, je compris que je pouvais aussi penser par moi-même.

Constantine arrivait tous les jours chez nous à six heures du matin. À mon réveil, je la trouvais presque toujours dans la cuisine où la radio posée sur la table diffusait le prêche du révérend Green. Dès qu'elle m'apercevait, elle se mettait à sourire.

— Bonjour, ma beauté !

Maman prenait son petit déjeuner dans la salle à manger, puis passait au salon pour faire de la tapisserie ou écrire à des missionnaires en Afrique. De sa bergère verte à oreilles, elle voyait à peu près tout ce qui se passait dans la maison.

« Eugenia, tu sais qu'on ne doit pas mâcher de chewing-gum dans cette maison. »

« Eugenia, va mettre de l'alcool sur cette tache. »

J'avais appris qu'on se déplace plus discrètement en chaussettes qu'en chaussures. J'avais appris à passer par la porte de derrière. Mais surtout, j'avais appris à ne pas bouger de la cuisine.

Un mois d'été, à Longleaf, pouvait durer des années. Nous étions trop loin de tout pour fréquenter des voisins blancs. La présence de Constantine me semblait aller de soi, mais je crois que je savais tout de même quelle chance c'était pour moi de l'avoir à la maison.

Vers l'âge de quatorze ans, j'ai commencé à fumer. Je chipais des cigarettes dans les paquets de Marlboro que Carlton gardait dans un tiroir de sa commode. Maman m'avait dit que je pourrais fumer quand j'aurais dix-sept ans.

Je me glissais dans la cour derrière la maison et m'asseyais sur le pneu qui me servait de balançoire, cachée par le vieux chêne monumental. Ma mère avait des yeux de lynx, mais un odorat à peu près inexistant. Constantine, en revanche, savait tout de suite. Elle plissait les yeux avec un petit sourire, mais ne disait rien. Si maman se dirigeait vers la cour, Constantine se précipitait hors de la maison en cognant le manche de son balai contre la rampe de la véranda.

— Constantine, que faites-vous ? lui demandait maman, mais j'avais déjà écrasé la cigarette et fourré le mégot dans un trou de l'écorce.

— Je nettoie ce vieux balai, Miss Charlotte !

— Eh bien, tâchez de faire ça plus discrètement, s'il vous plaît. Ah ! Eugenia, que se passe-t-il ? Tu as encore pris quelques centimètres depuis hier ? File... va mettre une robe à ta taille !

— Oui, ma'am, répondions-nous, Constantine et moi, d'une même voix, avant d'échanger un petit sourire.

— On sera rien que toutes les deux ce week-end, me dit Constantine, un jour.

Maman et papa emmenaient Carlton visiter Louisiana State University (LSU) et Tulane. Mon frère irait à la fac à la rentrée prochaine. Le matin, papa avait tiré le lit pliant dans la cuisine, à côté des toilettes de Constantine. C'était là qu'elle dormait quand elle passait la nuit à la maison.

— Va voir ce que j'ai là-dedans, dit-elle en montrant du doigt le placard à balais.

J'allai l'ouvrir et vis, dépassant de son sac, un puzzle de cinq cents pièces représentant le mont Rushmore. C'était notre occupation préférée quand mes parents n'étaient pas là.

Ce soir-là, nous sommes restées des heures à grignoter des cacahuètes tout en fouillant parmi les pièces du puzzle éparpillées sur la table de la cuisine. Un orage grondait au-dehors, et on se sentait bien dans la cuisine.

— C'est qui, celui-là ? demanda Constantine en examinant le couvercle du coffret à travers ses lunettes à grosse monture noire.

— C'est Jefferson.

— Ah, bien sûr ! Et celui-là ?

— C'est... Je crois que c'est Roosevelt.

— Le seul que je reconnais, c'est Lincoln. Il ressemble à mon papa.

Je m'immobilisai, une pièce du puzzle entre les doigts.

— Parce que ton papa était aussi… grand ? demandai-je.

Elle partit d'un petit rire.

— Parce que mon papa était blanc. Ma taille, je la tiens de ma maman.

— Ton… père était blanc et ta mère était… noire ?

— Eh oui ! dit-elle, et elle sourit en casant une pièce.

J'avais tant de questions à poser. *Qui* était-ce ? *Où* était-il ? Je savais que ce Blanc n'était pas marié avec la mère de Constantine, parce que c'était contraire à la loi. Je pris l'une des cigarettes que j'avais sorties de ma cachette.

— Ah ! mon papa, il m'adoooorait ! Il disait toujours que j'étais sa préférée. Il venait à la maison le samedi après-midi, et une fois, il m'a donné une série de rubans de dix couleurs différentes. Je suis restée sur ses genoux de la minute où il est arrivé jusqu'au moment où il a été obligé de partir.

Je l'écoutais en ouvrant de grands yeux.

— Un jour je pleurnichais, alors il m'a pris la tête et il m'a serrée contre lui longtemps, longtemps. Quand j'ai levé les yeux, il pleurait lui aussi et il a fait ce que je te fais pour que tu saches que je parle sérieusement. Il a appuyé son pouce dans ma main et il a dit… qu'il était désolé.

On restait là, immobiles, les yeux rivés sur les pièces du puzzle. Maman n'aurait pas voulu que je sache que le père de Constantine était blanc, qu'il s'était excusé auprès d'elle parce que les choses étaient ainsi. C'était ce que je n'étais pas censée savoir. J'ai eu le sentiment que Constantine m'avait fait un cadeau.

— Pourquoi tu ne m'avais jamais dit ça ? demandai-je.

Elle me regardait, et je voyais dans son regard une tristesse profonde, absolue.

— Il y a des choses que je dois garder pour moi, c'est tout.

QUAND vint mon tour d'aller à la fac, maman pleura toutes les larmes de son corps en me voyant partir avec papa dans la camionnette. Mais je me sentais libre. J'échappais à la maison, et aux critiques.

J'écrivais une lettre par semaine à Constantine pour lui parler de ma classe, des cours, de la sororité, des clubs de filles sur les campus universitaires. Deux fois par mois, Constantine me répondait sur une feuille de parchemin repliée pour former une enveloppe. Elle me racontait la vie à Longleaf dans ses moindres détails : « Mes douleurs au dos me font souffrir, mais le pire, c'est mes pieds. » Ou : « Le bol s'est détaché du mixer et il est parti à travers la cuisine et le chat a hurlé et il s'est sauvé. Je ne l'ai pas revu depuis. » Nos lettres étaient comme une conversation qui se poursuivait à longueur d'année, avec questions et réponses, et que nous reprenions de vive voix aux vacances.

Les lettres de maman disaient : « Récite tes prières. Ne porte pas de talons hauts car ils te grandissent trop. » Un chèque de trente-cinq dollars y était agrafé.

Au mois d'avril de ma dernière année, je reçus une lettre de Constantine : « J'ai une surprise pour toi, Skeeter. Je me tiens plus tellement je suis excitée. Et inutile de me demander ce que c'est. Tu le verras par toi-même à ton retour. »

Les examens de fin d'année approchaient, la remise des diplômes aurait lieu dans un mois. Et ce fut la dernière lettre que je reçus de Constantine.

En m'accueillant à la maison, maman recula d'un pas pour m'examiner.

— Eh bien, tu as une peau magnifique, dit-elle. Mais tes cheveux…

Elle soupira, secoua la tête.

— Où est Constantine ? demandai-je. À la cuisine ?

Et maman répondit, comme si elle récitait un bulletin météorologique :

— Constantine ne travaille plus ici. Va vite défaire ces valises.

— Qu'est-ce que tu dis ?

Maman se redressa en lissant les plis de sa robe.

— Constantine est partie, Skeeter. Elle est allée vivre auprès des siens à Chicago.

— Mais… enfin ! Elle ne m'a jamais parlé de Chicago dans ses lettres !

Ce n'était pas cela, sa surprise, je le savais. Elle ne m'aurait jamais caché une nouvelle aussi épouvantable.

Maman prit une profonde inspiration.

— J'ai interdit à Constantine de te parler de son départ. Pas au milieu de tes examens de fin d'études. Imagine que tu échoues, et que tu sois obligée de redoubler ?

— Et… elle a accepté ?

Maman détourna le regard, poussa un nouveau soupir.

— Nous parlerons de cela plus tard, Eugenia.

En septembre, non seulement je n'espérais plus de réponse d'Harper & Row, mais j'avais renoncé à retrouver un jour Constantine. Elle avait disparu. Je devais me faire à l'idée que ma seule véritable alliée m'avait laissée seule pour affronter ces gens.

PAR une chaude matinée de septembre, je me réveille dans mon lit de petite fille, enfile les sandales *huaraches* que Carlton, mon frère, a rapportées de Mexico – un modèle pour homme, bien sûr, les Mexicaines ne chaussant pas du quarante et un. Maman les déteste et dit qu'elles font négligé.

Je passe par-dessus ma chemise de nuit une des vieilles chemises de papa et je sors. Je descends les marches pour voir si *L'Attrape-cœurs* que j'ai commandé par la poste n'est pas dans la boîte. Je commande les livres interdits à un vendeur au marché noir de Californie en me disant que, si l'État du Mississippi les a bannis, ils doivent être bons.

Dans la boîte aux lettres se trouve une enveloppe adressée à Miss Eugenia Phelan. On lit en lettres rouges dans le coin supérieur gauche *Harper & Row, Éditeurs*. Je l'ouvre aussitôt.

> 4 septembre 1962
>
> Chère Miss Phelan,
>
> Je réponds personnellement à l'envoi de votre curriculum vitae parce que j'ai trouvé admirable qu'une jeune personne dénuée de toute expérience se porte candidate à un poste de rédactrice dans une maison aussi prestigieuse que la nôtre. Un tel poste requiert au minimum une expérience de cinq ans.
>
> Toutefois, ayant été jadis, moi-même, une jeune personne pleine d'ambition, j'ai décidé de vous donner un conseil : rendez-vous au siège de votre journal local et faites-vous embaucher. Vous dites dans votre lettre que « vous prenez un plaisir immense à écrire ». Quand vous ne serez pas occupée à polycopier des papiers ou à préparer le café de votre patron,

regardez autour de vous, enquêtez, et *écrivez*. Ne perdez pas votre temps à des évidences. Écrivez sur ce qui vous dérange, en particulier si cela ne dérange que vous.

Avec mes sincères salutations,

Elaine Stein, Directrice éditoriale, département Littérature.

Sous le texte dactylographié, quelques lignes tracées à l'encre bleue d'une main hâtive :

P.S. Si vous êtes vraiment sérieuse, je souhaiterais jeter un coup d'œil à vos meilleures idées et vous donner mon avis. Si je fais cela, Miss Phelan, c'est tout simplement parce qu'un jour, quelqu'un l'a fait pour moi.

Un camion chargé de coton passe sur la route dans un grondement de moteur. Le Noir assis à la place du passager se penche pour regarder. J'ai oublié que je suis une Blanche en chemise de nuit légère. Et je dis à haute voix :

— Elaine Stein.

Je n'ai jamais rencontré une personne juive.

Je repars en courant dans l'allée. Je me précipite dans l'escalier tandis que maman me crie d'ôter ces affreuses sandales mexicaines, et je me mets à écrire tout ce qui me dérange dans la vie, en particulier ce qui ne semble gêner que moi.

Dès le lendemain, je suis prête à poster ma première lettre à Elaine Stein, avec la liste des idées que j'estime intéressantes d'un point de vue journalistique : l'illettrisme dans le Mississippi ; le taux élevé d'accidents de la route dus à l'excès de boisson dans notre comté ; le peu d'emplois offerts aux femmes.

Je respire un grand coup et pousse la lourde porte de verre. Une clochette me salue. Une réceptionniste me regarde entrer. Elle est énorme et semble mal à l'aise sur son petit fauteuil en bois.

— Bienvenue au *Jackson Journal*. Que puis-je faire pour vous ?

J'ai pris rendez-vous l'avant-veille, moins d'une heure après avoir reçu la lettre d'Elaine Stein.

— Je dois voir Mister Golden, s'il vous plaît.

La réceptionniste disparaît vers le fond puis revient.

— C'est par ici.

Je la suis entre les tables de quatre hommes qui me regardent à travers la fumée épaisse de leurs cigarettes, vers un bureau au fond.

— Refermez-moi ça ! hurle Mister Golden, à peine suis-je entrée. Ne laissez pas cette maudite fumée entrer ici !

Mister Golden est debout derrière son bureau. Quinze centimètres de moins que moi, plus jeune que mes parents. Il a un sourire menaçant, le cheveu brun et gras du méchant. Il se rassoit mais je reste debout, faute d'un autre siège dans la pièce.

— Bon, voyons ça.

Je lui tends mon curriculum vitae et quelques articles écrits à la fac. Mister Golden ne se contente pas de parcourir mes papiers, il y fait des marques à l'encre rouge.

— Trois ans rédactrice du *Murray High*. Trois ans au bulletin de Chi Omega, major en anglais et en journalisme… Bon Dieu, ma fille, vous n'avez pas dû beaucoup vous amuser !

Je m'éclaircis la voix.

— Est-ce… si important ?

Il lève les yeux vers moi.

— Vous êtes un peu grande, mais j'aurais parié qu'une jolie fille comme vous serait sortie avec toute l'équipe de basket.

Je me demande s'il se moque ou si c'est un compliment.

— Je suppose que vous savez faire le ménage…

Il se replonge dans mes articles, y jette de gros traits rouges.

Je sens mon visage s'empourprer.

— Je ne suis pas ici pour faire le ménage. Je suis ici pour *écrire*.

Il soupire, me tend une épaisse liasse de papiers.

— Je crois que vous ferez l'affaire. Miss Myrna nous en a fait voir de toutes les couleurs, elle a bu de la laque à cheveux ou je ne sais quoi d'autre. Lisez ses chroniques, rédigez des réponses à sa façon, on n'y verra que du feu.

Qui est cette Miss Myrna ? Je n'en ai pas la moindre idée.

— Combien… payez-vous ?

Il m'examine d'un regard appréciateur qui m'étonne, depuis mes souliers plats jusqu'à ma coiffure aplatie. Obéissant à quelque réflexe profondément enfoui, je souris, passe une main dans mes cheveux. Je me sens ridicule, mais je le fais.

— Huit dollars. Payés le lundi.

Il se penche vers moi.

— Vous connaissez Miss Myrna, bien sûr ?

— Bien sûr… Nous… toutes les filles sont ses lectrices, dis-je, et nous nous regardons assez longtemps pour qu'un téléphone sonne trois fois quelque part dans les bureaux.

— Alors, qu'est-ce qu'il y a ? Ce n'est pas assez ? Seigneur, femme, allez nettoyer les toilettes de votre mari pour pas un sou ! (Il lève les yeux au ciel.) D'accord, dix ! La copie est à remettre le jeudi. Et si votre style ne me plaît pas, je ne publie pas et je paie que dalle.

Je le remercie plus chaleureusement qu'il ne le faudrait sans doute. Arrivée à ma voiture, je me laisse choir sur le cuir souple de la Cadillac. Je feuillette le dossier d'articles en souriant.

Je viens de trouver du *travail*.

De retour chez moi, je me tiens plus droite qu'à l'âge de douze ans, avant que ma croissance ne s'emballe. Bien que chacune des cellules de mon cerveau me crie de n'en rien faire, je ne résiste pas à l'envie de tout raconter à maman. Je me rue au salon et lui annonce que je serai désormais chargée de la chronique hebdomadaire de conseils pratiques de Miss Myrna.

— Eh bien, voilà qui est cocasse ! Donner des conseils sur la façon de tenir une maison alors que…

Son soupir dit que la vie ne vaut guère d'être vécue dans ces conditions. Pascagoula lui apporte son thé glacé.

— Eugenia, tu ne sais même pas astiquer l'argenterie, comment donneras-tu des conseils aux femmes pour leur ménage ?

Je serre le dossier sur ma poitrine. Elle a raison, je ne saurai pas répondre à la moindre question. Tout de même, je pensais qu'au moins elle serait fière de moi.

— Et ce n'est pas en restant assise derrière une machine à écrire que tu trouveras quelqu'un, Eugenia. Un peu de bons sens, voyons !

La colère me prend. Je me redresse.

— Tu crois que j'ai *envie* de vivre ici ? Avec *toi* ?

J'aperçois l'éclair de souffrance dans son regard. Elle serre les lèvres. Mais je n'ai pas envie de retirer mes paroles parce qu'enfin, *enfin*, j'ai dit quelque chose qu'elle a écouté.

LE lendemain, je classe soigneusement les lettres adressées à Miss Myrna. J'ai trente-cinq dollars dans mon portefeuille – la somme que maman m'alloue chaque mois. Je descends avec un sourire de bonne chrétienne. Habiter à la maison m'oblige à emprunter la voiture de maman chaque fois que je veux quitter Longleaf. Si bien qu'elle me demande chaque fois où je vais. Et que je dois lui mentir jour après jour.

— Je vais à l'église, voir si elles n'ont pas besoin d'un coup de main pour l'organisation du catéchisme.

— Oh ! ma chérie, c'est formidable ! Prends ton temps.

J'ai décidé, hier soir, qu'il me fallait l'aide d'une professionnelle. J'ai d'abord pensé à Pascagoula, mais je ne supporterais pas que maman mette son nez dans ce que je fais. Yule May, la bonne de Hilly, est si timide que je la vois mal accepter de m'aider. La seule que je rencontre assez souvent est Aibileen, celle d'Elizabeth. Aibileen me rappelle un peu Constantine. Mais elle est plus âgée, et semble avoir beaucoup d'expérience.

En allant chez Elizabeth, je m'achète un bloc-notes, une boîte de crayons numéro deux et un calepin bleu. Je dois rendre ma première chronique demain, à deux heures de l'après-midi.

Elizabeth m'ouvre la porte.

— Entre donc, Skeeter !

Elizabeth a un peignoir de bain bleu et de gros rouleaux qui lui font une tête énorme et un corps encore plus fluet.

— Excuse-moi, je ne suis pas présentable ! Mae Mobley m'a tenue debout la moitié de la nuit.

J'entre dans le minuscule salon. La maison a des plafonds bas et de petites pièces. Tout semble acheté d'occasion. J'ai entendu dire que l'agence comptable de Raleigh n'était pas une réussite.

La voiture de Hilly est garée devant la maison, mais je ne la vois pas. Elizabeth s'assoit devant sa machine à coudre.

— J'ai presque fini, dit-elle. Encore quelques points pour cet ourlet…

Elle brandit une chasuble verte ornée d'un col rond.

— Est-ce que ça a l'air fait à la maison ?

L'ourlet est plus long d'un côté que de l'autre. Il fronce, et l'un des poignets s'effiloche déjà.

— Ça paraît venir de La Maison Blanche, dis-je en citant le nec plus ultra de la confection aux yeux d'Elizabeth : cinq niveaux de vêtements hors de prix dans Canal Street à La Nouvelle-Orléans.

Elizabeth me décoche un sourire reconnaissant.

La porte des toilettes s'ouvre. Hilly en sort en disant :

— Voilà qui est bien mieux. Chacun chez soi, désormais !

Elizabeth s'escrime sur l'aiguille de la machine qui semble lui poser des problèmes. Et ce que j'entends me frappe. Aibileen a désormais ses propres toilettes dans le garage.

Hilly me sourit et je sens qu'elle va parler de sa proposition de loi. Tout en sachant que c'est la dernière chose dont elle désire s'entretenir, je demande :

— Comment va ta mère ? Elle est bien installée dans sa maison de retraite ?

— Je crois.

Hilly tire le bas de son pull rouge sur le bourrelet de sa taille.

— Évidemment, rien de ce que je fais ne trouve grâce à ses yeux. J'ai dû renvoyer la bonne à sa place, après l'avoir surprise alors qu'elle tentait de voler de l'argenterie, pratiquement sous mon nez. Personne ne sait si cette Minny Jackson travaille quelque part, par hasard ?

Nous secouons la tête.

Je prends une profonde inspiration, pressée de leur dire ce qui m'arrive.

— J'ai trouvé du travail au *Jackson Journal.*

Le silence se fait dans la pièce. Puis soudain Elizabeth pousse un cri aigu. Hilly me sourit avec une telle fierté que je rougis.

— Ils auraient été idiots de ne pas te prendre, Skeeter Phelan, dit Hilly en levant son verre de thé glacé pour porter un toast.

— Oui... Hum, est-ce que l'une de vous a déjà lu la chronique de Miss Myrna ?

— Ma foi, non, répond Hilly, mais je suis sûre que toutes les pauvres filles des quartiers sud lisent ça comme si c'étaient les Évangiles.

— Cela ne t'ennuierait pas que j'en parle avec Aibileen, pour qu'elle m'aide à répondre à certaines lettres ?

Elizabeth se fige une seconde.

— Disons... Du moment que ça n'interfère pas avec son travail.

Je me tais, surprise par cette attitude. Mais je me rappelle qu'Elizabeth la paie, après tout.

— Et pas aujourd'hui, en tout cas, avec Mae Mobley qui va se lever. Il faudrait que je m'occupe d'elle.

— D'accord. Je pourrais peut-être venir demain matin, alors ?

Si je termine avec Aibileen en milieu de matinée, j'aurai le temps de rentrer chez moi en vitesse pour taper le texte et revenir en ville avant deux heures.

Elizabeth regarde sa bobine de fil vert en fronçant les sourcils.

— Quelques minutes, pas plus, n'est-ce pas ? Demain, c'est le jour où on fait l'argenterie.

Le lendemain matin à dix heures, Elizabeth vient m'ouvrir, me salue d'un hochement de tête comme une maîtresse d'école.

— Bon. Et pas trop longtemps. Mae Mobley va se réveiller d'une minute à l'autre.

J'entre dans la cuisine, mon bloc-notes et mes papiers sous le bras. Aibileen me sourit depuis l'évier et je vois briller ses dents en or. L'uniforme blanc immaculé fait ressortir sa peau d'un brun profond et luisant. Elle a les sourcils qui grisonnent alors que ses cheveux sont bien noirs.

— Bonjour, Miss Skeeter.

— Aibileen… Je me demandais si vous ne pourriez pas m'aider à faire quelque chose.

Je lui parle de la chronique, et constate avec soulagement qu'elle sait qui est Miss Myrna.

— Donc, je pourrais peut-être vous lire quelques lettres et vous… vous m'aideriez à répondre. Au début, et ensuite quand je comprendrai mieux…

Je me tais. Je ne serai jamais capable de répondre moi-même à toutes ces questions.

— C'est un peu injuste, n'est-ce pas, de prendre vos réponses et de faire comme si elles étaient de moi. Ou plutôt, de Myrna…

Je soupire. Aibileen secoue la tête.

— Ça m'est égal. Mais je suis pas sûre que Miss Leefolt dira rien.

— Elle m'a dit qu'elle était d'accord.

— Alors, ça va.

— On peut s'asseoir ? dis-je en montrant la table.

Aibileen jette un coup d'œil en direction de la porte.

— Allez-y, moi je suis bien debout.

Je pose mon calepin, le stylo à la main.

— Voici une lettre du comté de Rankin. « Chère Miss Myrna. Mon mari qui est un vrai cochon et qui transpire comme un cochon a des cols de chemise pleins de taches. Comment m'en débarrasser ? »

Magnifique. Une chronique sur le nettoyage et les relations conjugales. Deux choses auxquelles je ne connais absolument rien.

— Du vinaigre et du savon Pine-Sol. Puis laisser une heure au soleil. Le temps que ça sèche.

Je prends la lettre suivante et elle répond tout aussi vite. Après quatre ou cinq lettres, je souffle, soulagée.

— Merci, Aibileen. Vous ne pouvez pas savoir combien vous me rendez service.

— Il y a pas de problème. Du moment que Miss Leefolt a pas besoin de moi.

Je rassemble mes papiers. Aibileen prend une à une dans un sachet de jeunes crosses de fougère. On entend en sourdine, dans le silence de la pièce, le prêche du révérend Green à la radio.

— Aibileen, vous connaissiez bien Constantine ? Vous étiez parentes ?

— On... fréquentait la même église.

Aibileen change de position devant l'évier.

— Elle n'a même pas laissé une adresse. Je... Je ne peux pas croire qu'elle soit partie de cette façon.

Aibileen ne lève pas les yeux. Elle examine les crosses de fougère.

— Je suis sûre qu'elle a été renvoyée.

— Non, ma mère m'a dit qu'elle était partie. Au mois d'avril. Qu'elle était partie à Chicago vivre avec les siens.

— Non, ma'am, dit Aibileen après un silence.

Je mets quelques secondes à comprendre.

— Aibileen, dis-je en cherchant son regard, vous croyez vraiment qu'on a renvoyé Constantine ?

Mais Aibileen me présente un visage impénétrable.

— C'est sans doute que je me rappelle pas bien, répond-elle.

Et je vois qu'elle pense en avoir trop dit à une Blanche.

On entend Mae Mobley qui appelle, Aibileen s'excuse et sort.

Quand je rentre à la maison dix minutes plus tard, maman est en train de lire à la table de la salle à manger.

— Maman, dis-je en serrant le calepin contre ma poitrine. Tu as *renvoyé* Constantine ?

— J'ai… *quoi* ? Comme sa sœur était malade, elle est partie à Chicago vivre avec les siens. Pourquoi ? Quelqu'un t'a raconté autre chose ?

— Je l'ai entendu cet après-midi. En ville.

— Qui peut parler de ces histoires ? (Maman plisse les yeux derrière ses verres de lunettes.) Certainement une autre négresse.

— Que lui as-tu *fait*, maman ?

Elle se passe la langue sur les lèvres et me fixe longuement.

— Tu ne comprendrais pas, Eugenia. Tu ne comprendras pas tant que tu n'auras pas eu toi-même une bonne.

— Tu l'as virée ? Pourquoi ?

— C'est sans importance. C'est du passé pour moi et je ne veux plus y penser.

— Maman, elle m'a élevée ! Dis-moi tout de suite ce qui s'est passé !

J'ai honte de ma voix qui s'étrangle.

Maman hausse les sourcils, retire ses lunettes.

— Une histoire de nègres, c'est tout. Et c'est tout ce que je dirai.

Elle remet ses lunettes sur son nez et approche de ses yeux la *Lettre* des Filles de la Révolution[1].

Je tremble. Je suis hors de moi. Je grimpe les marches quatre à quatre et m'assois devant ma machine à écrire, stupéfaite que ma mère ait pu chasser quelqu'un qui lui avait rendu le plus grand service de son existence en élevant ses enfants, en m'apprenant la bonté et l'estime de soi. Constantine travaillait dans notre famille depuis vingt-neuf ans.

CETTE semaine-là, à deux reprises, je passe chez Elizabeth pour voir Aibileen. Elizabeth se montre de plus en plus contrariée. Et tandis que je m'attarde dans la cuisine, elle multiplie les apparitions avec de nouvelles tâches pour Aibileen : il faut astiquer les boutons de porte, nettoyer le dessus du réfrigérateur, couper les ongles de Mae Mobley… Aibileen est aimable avec moi, sans plus, et je la sens inquiète. Elle reste devant son évier et ne s'interrompt jamais dans son travail. Je ne tarde pas à avoir de l'avance dans mes chroniques et

1. Association des descendantes de la révolution américaine, de tradition très conservatrice

Mister Golden semble satisfait. Je n'ai pas mis plus de vingt minutes à rédiger les deux premières.

Semaine après semaine, j'interroge Aibileen au sujet de Constantine. Pourrait-elle me trouver son adresse ? A-t-elle une idée du motif de son renvoi ? Y a-t-il eu toute une histoire ? Je n'imagine pas Constantine disant « Oui, ma'am » et quittant la maison par la porte de derrière. Aibileen se borne à hausser les épaules en disant qu'elle ne sait rien.

Un après-midi, en rentrant à la maison, je passe devant le salon. La télévision marche et j'y jette un coup d'œil. Pascagoula a le nez à quinze centimètres de l'écran. J'entends les mots Ole Miss, le nom de mon université, et j'aperçois des Blancs en tenue sombre groupés face à la caméra, leurs crânes chauves luisants de transpiration. Je m'approche et vois un Noir, à peu près du même âge que moi, parmi les Blancs, avec des soldats derrière lui. L'image s'élargit et je découvre le bâtiment administratif de ma fac. Le gouverneur Ross Barnett se tient les bras croisés, et regarde le grand Noir dans les yeux. À côté de lui se trouve notre sénateur Stooley Whitworth, le père de ce garçon avec lequel Hilly veut me faire sortir.

Je regarde, fascinée. Je ne suis ni excitée ni déçue qu'on laisse un Noir entrer à Ole Miss – surprise, seulement. Mais Pascagoula, elle, respire si bruyamment que j'entends son souffle à côté de moi. Elle reste figée sur place, sans s'apercevoir que je suis derrière elle. Notre correspondant local est nerveux. Il parle vite, en souriant.

— Le président Kennedy a donné ordre au gouverneur d'accepter James Meredith. Je répète, le président des États…

— Eugenia, Pascagoula ! Éteignez cette télé immédiatement !

Pascagoula sursaute, se retourne et nous voit. Elle se précipite hors de la pièce, les yeux au sol.

— Je ne supporterai pas ça, Eugenia, dit maman à voix basse. Je ne te laisserai pas les encourager comme ça !

— Les encourager ? C'est le journal national, maman.

— Elle et toi ensemble pour regarder ça, c'est malvenu.

Par une chaude journée de septembre, alors que dans les champs tout le coton a été récolté, papa apporte un récepteur de télévision en couleur de marque RCA. Il installe le vieux poste noir et blanc dans la cuisine. Fier et souriant, il branche le nouveau dans le petit salon. Le match de football inter-universités Ole Miss contre LSU emplit la maison de son vacarme.

Ma mère, évidemment, est collée à l'image en couleur, soufflant et poussant des oh ! et des ah ! aux exploits des rouge et bleu de notre équipe. Je prends la Cadillac et file en ville. Maman ne comprend pas que je ne veuille pas regarder l'équipe de ma fac taper dans un ballon. Mais comme Elizabeth et sa famille sont chez Hilly pour le match, Aibileen doit être seule chez eux. J'espère qu'elle me dira quelque chose, aussi peu que ce soit, au sujet de Constantine.

Aibileen semble à peine plus détendue que lorsque Elizabeth est dans la maison. Elle regarde la table, aujourd'hui, comme si elle voulait s'y asseoir. Mais quand je l'y invite, elle répond :

— Non, je suis bien comme ça. Allez-y.

Elle s'empare d'une tomate et entreprend de l'éplucher avec un couteau au-dessus de l'évier.

Appuyée contre le plan de travail, je lui pose la dernière devinette : comment empêcher les chiens de fouiller vos poubelles ?

— Mettez simplement un peu d'ammoniaque dans ces ordures. Vous serez débarrassée des chiens en un clin d'œil.

Je note. Quand je relève la tête, Aibileen a un demi-sourire.

— C'est pas pour vous offenser, Miss Skeeter, mais… vous trouvez pas ça bizarre d'être la nouvelle Miss Myrna alors que vous savez rien faire dans une maison ?

Elle ne l'a pas dit comme maman il y a un mois. D'ailleurs j'éclate de rire, et je lui raconte ce que je n'ai révélé à personne, le curriculum vitae que j'ai envoyé chez Harper & Row ; mon désir d'être écrivain. C'est vraiment bien de pouvoir parler à quelqu'un.

Aibileen hoche la tête, fait tourner son couteau autour d'une nouvelle tomate bien mûre.

— Mon fils Treelore, il aimait ça, écrire.

— J'ignorais que vous aviez un fils.

— Il est mort. Ça fait deux ans.

— Oh ! je… vraiment, je suis désolée…

Pendant un moment, on n'entend plus que le révérend Green et le bruit mat des peaux de tomate tombant dans l'évier.

— Il avait rien que des A en anglais. Après, quand il a été plus grand, il s'est mis à travailler sur une idée…

— Quel genre d'idée ? Enfin, si ça ne vous gêne pas d'en parler…

Aibileen reste silencieuse un instant. Elle continue à peler ses tomates avec des gestes réguliers.

— Il disait qu'il allait écrire un livre pour montrer comment c'était d'être un Noir au service d'un Blanc dans le Mississippi.

Je regarde ailleurs, sachant que c'est le moment où ma mère changerait de conversation.

Aibileen cesse d'éplucher.

— S'il vous plaît, parlez-en à personne, dit-elle. Il voulait écrire sur son patron blanc.

Je suis frappée à l'idée qu'elle a encore peur pour lui.

— C'est bien que vous m'en ayez parlé, Aibileen. Je trouve que c'était… une idée courageuse.

Aibileen soutient mon regard un instant. Puis elle prend une autre tomate et approche son couteau. Mais elle s'arrête avant de trancher, regarde vers la porte de la cuisine.

— Je trouve que c'est pas juste que vous sachiez pas ce qui est arrivé à Constantine. Je suis… je suis désolée. Mais je me sens pas le droit de vous en parler.

Je ne dis rien, car je me demande ce qui la pousse à revenir sur le sujet, et je ne veux pas l'arrêter.

— Mais je vous le dis tout de même, c'est quelque chose qui avait à voir avec sa fille. Après qu'elle est venue chez votre maman.

— Sa fille ? Constantine ne m'a jamais dit qu'elle avait une fille ! Je l'ai connue pendant vingt-trois ans.

— C'était dur pour elle. Le bébé était sorti vraiment… clair.

Je me fige au souvenir de ce que Constantine m'a dit il y a des années.

— Qu'entendez-vous par « clair » ? Vous voulez dire… blanc ?

Aibileen hoche la tête, concentrée sur sa tâche.

— Il a fallu la cacher. Je crois qu'on l'a envoyée dans le Nord.

— Le père de Constantine était blanc, dis-je. Oh !… Aibileen… Vous ne croyez pas…

Une pensée terrible m'est venue à l'esprit. Le choc est si violent que je ne peux pas finir ma phrase.

Elle secoue la tête.

— Non, non, ma'am. Pas… ça. Connors, l'homme de Constantine, il était noir. Mais vu qu'elle avait du sang de son père, le Blanc, son bébé est sorti clair. Ça arrive.

J'ai honte d'avoir envisagé le pire. Mais je ne comprends toujours pas.

— Pourquoi ne m'a-t-elle rien dit ? Pourquoi s'en est-elle séparée ?

Le visage d'Aibileen se ferme. Terminé. Elle montre de la tête les lettres de Miss Myrna, me signifiant qu'elle n'en dira pas plus. Pour le moment, en tout cas.

CET après-midi-là, je passe chez Hilly qui reçoit pour le match. Il y a de longues Buick et des breaks garés tout le long de la rue. Je me force à entrer, sachant que je serai la seule célibataire. J'échange quelques mots avec les invités en me frayant un chemin vers la cuisine.

— Skeeter, te voici ! s'écrie Hilly. Écoute, j'ai du nouveau. (Elle m'adresse un sourire espiègle.) Il vient, cette fois, c'est sûr. Dans trois semaines.

Je soupire, car j'ai tout de suite compris de qui il s'agit.

— Je ne sais pas, Hilly... Tu as déjà essayé si souvent. C'est peut-être un signe. Le mois dernier, quand il s'est décommandé la veille, je m'étais un peu monté la tête. Je ne tiens pas à repasser par là.

— Quoi ? Ne dis pas des choses pareilles ! C'est *ton heure*, Skeeter. *Ton heure* a sonné. Et je ne te laisserai pas rater une telle occasion sous prétexte que ta mère a réussi à te persuader que tu n'es pas assez bien pour quelqu'un comme lui !

Je suis frappée par la dureté des mots, et leur franchise. Mais la ténacité dont mon amie fait preuve à mon égard m'effraie. Hilly et moi avons toujours été l'une envers l'autre d'une honnêteté sans faille. Avec les autres, elle manie le mensonge comme les presbytériens la culpabilité, mais cet accord tacite entre nous est peut-être ce qui nous a permis de rester amies.

Je repars vers la campagne avant la fin du match. Voilà des semaines que papa a achevé la récolte, mais les bas-côtés sont d'un blanc neigeux à cause du coton qui reste pris dans l'herbe.

Sans descendre de voiture, je jette un coup d'œil à la boîte aux lettres. J'y trouve un courrier de Harper & Row.

Miss Phelan,

Vous pouvez évidemment exercer vos talents d'écriture sur des questions aussi plates et consensuelles que l'illettrisme ou la conduite en état d'ivresse. J'avais espéré, toutefois, que vous choisiriez des sujets d'une actualité un peu plus brûlante. Continuez à chercher. Vous pourrez m'écrire à nouveau quand vous aurez trouvé quelque chose d'original.

Je passe furtivement devant maman dans la salle à manger, et Pascagoula l'invisible qui époussette les tableaux dans le couloir, et je m'élance sur les marches raides et dangereuses de mon escalier. Je retiens mes larmes. Le pire, c'est que je n'ai pas de meilleure idée.

Je me jette dans ma chronique d'art ménager, puis je passe à la *Lettre* de la Ligue. Pour la deuxième semaine consécutive, je mets de côté le projet de loi de Hilly. C'est alors que l'idée me vient.

Non. Je ne pourrais pas. Ce serait... franchir les limites.

Mais l'idée ne veut pas s'en aller.

Aibileen

La vague de chaleur a fini par passer vers la mi-octobre et on a un petit dix. Il est froid, le matin, ce siège de toilettes. Je sursaute un peu quand je m'assois. C'est juste une petite pièce qu'ils ont construite dans le garage, avec une cuvette et un petit lavabo fixé au mur. Le papier, il faut le poser par terre.

Un mardi à midi, je vais derrière sur les marches côté cuisine avec mon déjeuner et je m'assois sur le ciment bien frais. Il y a un grand magnolia qui fait de l'ombre presque sur toute la cour. Je sais déjà que cet arbre, plus tard, servira de cachette à Mae Mobley. D'ici cinq ans, pour échapper à Miss Leefolt.

Au bout d'un moment, Mae Mobley arrive sur les marches. Elle a une moitié de hamburger à la main. Elle me sourit et elle dit :

— Bon ça !

— Pourquoi t'es pas dedans avec ta maman ? je demande.

Mais je le sais, pourquoi. Elle préfère rester ici avec la bonne plutôt que regarder sa maman qui s'occupe de tout sauf de sa fille. Elle me fait penser à ces poussins qui perdent leur mère et suivent les canards.

— Mae Mobley ? Mae Mobley Leefolt !

Miss Leefolt vient de s'apercevoir que sa fille était plus avec elle.

— Elle est ici, avec moi, Miss Leefolt !

— Je t'ai dit de manger dans ta chaise haute, Mae Mobley. Pourquoi t'ai-je eue toi, alors que toutes mes amies ont des anges, je me le demande !

Puis le téléphone sonne et je l'entends qui va décrocher.

Je regarde Baby Girl, et je vois son front tout plissé.

Je lui touche la joue.

— Ça va, baby ?

— Mae Mo pas gentille, elle dit.

Rien qu'à sa façon de le dire, comme si c'était la vérité, ça me fait mal en dedans.

— Mae Mobley, je dis, t'es une fille intelligente ?

— Mae Mo intelligente !

— T'es une gentille fille ?

Elle fait oui de la tête et elle répète. Mais avant que je continue, elle se lève et part en courant tout autour de la cour, et elle rit, et alors je me demande, qu'est-ce que ça ferait si je lui disais tous les jours quelque chose de bien ?

À la fontaine où les oiseaux se baignent, elle crie très fort :

— Hé, Aibi, je t'aime, Aibi !

Et je sens comme un frisson aussi doux qu'un battement d'aile de papillon à la regarder jouer là-dehors. Ce que je sentais quand je gardais Treelore. Et ça me rend triste, de me souvenir.

Ensuite, Mae Mobley s'approche, elle appuie sa joue contre la mienne et elle reste sans bouger, comme si elle savait que j'ai de la peine. Je la serre fort contre moi, je dis tout doucement :

— Tu es une fille *intelligente*. Tu es une *gentille* fille, Mae Mobley. Tu m'entends ?

Et je le dis encore et encore jusqu'à ce qu'elle répète.

LES semaines suivantes sont vraiment importantes pour Mae Mobley.

C'est bizarre. Si on veut les faire aller dans les toilettes avant l'heure, ça les rend fous. Baby Girl, je sais qu'elle est prête. Mais mon Dieu, ce qu'elle me fait courir ! Je la cale bien sur son siège de bébé en bois pour pas que son petit derrière glisse et j'ai pas le dos tourné qu'elle est déjà partie en courant.

— T'as bu deux verres de jus de raisin. Je sais que t'as envie.

— Noooon !

— Si tu y vas, tu auras un biscuit.

On reste un moment à se regarder. Après ça, elle se tourne vers la porte. J'entends rien dans le pot. En général, ça me prend deux semaines pour les rendre propres. Mais ça, c'est quand leur maman m'aide.

— Fais un petit peu pour moi, Baby Girl.

Mae Mobley, elle secoue la tête et elle dit :

— Fais, toi !

C'est pas la première fois que j'entends ça, mais d'habitude je dis :

— J'ai pas besoin.

— Toi, fais !

Je sais qu'il faut que je le fasse. Mais comment ? Est-ce que je dois aller au garage dans mes toilettes, ou ici ? Qu'est-ce qui se passera si Miss Leefolt revient et qu'elle me trouve sur son trône ? Elle piquera une crise.

Je lui remets sa couche et on sort pour aller au garage.

— Voilà, Baby Girl, c'est ici. Les toilettes d'Aibileen.

Je baisse ma culotte et je fais pipi à toute allure, je m'essuie avec le papier et je remonte tout avant qu'elle voie quelque chose. Et puis je tire la chasse.

— Et c'est comme ça qu'on fait, je dis.

Elle reste la bouche ouverte comme si elle avait vu un miracle. Elle enlève sa couche et grimpe sur le siège comme un petit singe en se tenant comme il faut pour pas tomber, et je l'entends qui fait pipi toute seule.

— Mae Mobley ! Tu fais pipi ! C'est très bien !

Elle sourit et je l'attrape avant qu'elle tombe dans la cuvette. On rentre vite dans la maison.

À la fin de l'après-midi, Miss Leefolt revient avec les cheveux dressés sur la tête. Elle a fait une permanente.

— Devinez ce que Mae Mobley a fait aujourd'hui ? je dis. Elle est allée aux toilettes dans la cuvette !

— Oh ! c'est formidable !

Elle prend sa fille dans ses bras, une chose qu'elle oublie trop souvent. Je comprends qu'elle est sincère, vu qu'elle aime pas *du tout* changer les couches, Miss Leefolt.

Je dis :

— Voyons si elle peut faire encore une fois avant que je parte.

On va dans la salle de bains, je lui enlève sa couche et je la mets sur le siège. Mais Baby Girl arrête pas de secouer la tête.

— Allons, Mae Mobley, tu veux pas faire pipi pour maman ?

— Noooon !

Finalement, je la repose par terre. Avant que je lui aie remis sa couche, Baby Girl part en courant de toutes ses petites jambes. Elle traverse la cuisine, pousse la porte et file jusqu'au garage vers la porte de *mes* toilettes. Baby Girl remue la tête.

— Mes toilettes !

Miss Leefolt l'attrape et lui donne une tape sur la jambe.

— Miss Leefolt, elle sait pas ce qu'elle fait…

— Rentrez dans la maison, Aibileen !

Je voudrais pas, mais je retourne dans la cuisine. Je reste plantée au milieu, la porte ouverte derrière moi.

— Je ne t'ai pas élevée pour que tu ailles dans les toilettes des Noirs !

Elle chuchote, elle croit que j'entends pas, et moi je pense : *Mais madame, vous l'avez pas élevée du tout, votre fille.*

— C'est sale, là-bas, Mae Mobley ! Tu vas attraper des maladies !

Et j'entends les claques qui tombent, encore et encore, sur les petites jambes nues.

Miss Leefolt la ramène dans la maison en la traînant comme un sac de patates. Je peux rien faire, rien que regarder. J'ai le cœur qui me remonte à la gorge. Miss Leefolt jette Mae Mobley devant la télé, elle se précipite dans sa chambre et claque la porte. Je m'approche de Baby Girl et je la prends contre moi. Elle continue à pleurer et elle a l'air complètement perdue.

— Je suis vraiment désolée, Mae Mobley, je lui dis tout doucement à l'oreille.

Je m'en veux de l'avoir menée là-bas pour lui apprendre. Mais je sais pas quoi dire, alors je la serre bien fort contre moi.

On reste là à regarder un dessin animé, jusqu'à ce que Miss Leefolt ressorte de sa chambre et me demande si c'est pas l'heure de m'en aller. Je serre encore un peu Mae Mobley dans mes bras et je lui dis à l'oreille :

— T'es une fille *intelligente*. T'es une *gentille* fille.

Le bus file dans State Street. On passe le pont Woodrow Wilson et je serre les mâchoires à m'en casser les dents. J'ai envie de crier assez fort pour que Baby Girl m'entende, de crier que sale, c'est pas une couleur, que les maladies, c'est pas les Noirs. Je voudrais empêcher que le moment arrive – et il arrive dans la vie de tout enfant blanc – où elle va se mettre à penser que les Noirs sont moins bien que les Blancs.

PENDANT les semaines qui suivent, tout est calme. Mae Mobley met des culottes de grande maintenant. Depuis ce qui s'est passé dans le garage, Miss Leefolt a laissé Mae Mobley la regarder sur les toilettes, histoire de lui montrer le bon exemple blanc. Mais de temps en temps, quand sa maman est pas là, je surprends Baby Girl qui essaie d'aller dans les miennes.

J'entends la sonnette et je vois la voiture de Miss Skeeter devant la maison. Ça fait un mois que Miss Skeeter vient toutes les semaines pour me poser les questions de Miss Myrna. Elle me demande pour les traces de calcaire, et je lui dis crème de tartre. Elle me demande pour dévisser une ampoule cassée dans la douille, et je lui dis une pomme de terre crue. Elle me demande ce qui s'est passé avec son ancienne bonne, Constantine, et je dis plus rien. Je vois bien qu'elle arrive pas à comprendre pourquoi une Noire peut pas élever un enfant blanc de peau dans le Mississippi.

On parle aussi d'autre chose. C'est pas souvent que j'ai fait ça avec mes patronnes ou avec leurs amies. C'est comme ça que je lui ai dit que Treelore avait jamais eu de note en dessous de B+, ou que le nouveau diacre à l'église m'énerve parce qu'il zozote. Des petites choses, mais que d'habitude je dirais pas à un Blanc.

Miss Skeeter penche la tête de côté et elle fronce les sourcils.

— Aibileen, vous vous rappelez cette idée… que Treelore avait ?

Je sens un pincement quelque part. J'aurais jamais dû raconter ça à une Blanche.

— J'y ai réfléchi. Je voulais vous en parler…

Mais avant qu'elle finisse Miss Leefolt entre dans la cuisine et trouve Baby Girl en train de jouer avec le peigne que j'ai dans mon sac, et elle dit qu'il faudrait peut-être que Mae Mobley prenne son bain de bonne heure aujourd'hui. Je dis au revoir à Miss Skeeter.

Ça fait un an que j'en ai peur et le 8 novembre finit par arriver. Il y a trois ans aujourd'hui, Treelore est mort. Mais pour Miss Leefolt, c'est le jour du lessivage des sols. Je passe ma matinée à nettoyer et je rate le journal de midi. Je rate aussi mon feuilleton parce que les dames sont dans le salon pour une réunion en vue de leur vente de charité et j'ai pas le droit d'allumer la télé quand il y a du monde.

Vers quatre heures, Miss Skeeter rentre dans la cuisine. Elle a même pas le temps de dire bonjour que Miss Leefolt rapplique derrière elle.

— Aibileen, je viens d'apprendre que ma mère, Mrs Fredericks, arrive demain de Greenwood en voiture et qu'elle va rester ici pour Thanksgiving. Je veux que toute l'argenterie soit astiquée et toutes les serviettes propres.

Miss Leefolt regarde Miss Skeeter en secouant la tête, l'air de dire que personne a une vie de chien comme elle dans cette ville, et elle sort. Je vais chercher l'argenterie dans la salle à manger. Mon Dieu, je suis déjà fatiguée et il va falloir être prête pour travailler samedi soir pendant la vente ! Minny viendra pas. Elle a trop peur de tomber sur Miss Hilly.

Miss Skeeter m'attend toujours dans la cuisine quand je reviens. Je soupire.

— Vous avez une question de nettoyage ? Allez-y.

Je prends un peu de crème à récurer Pine Ola sur mon chiffon et je me mets à frotter l'argent. Seigneur, fais qu'on soit vite à demain. J'irai pas au cimetière. Je peux pas, c'est trop dur…

— Aibileen ? Vous ne vous sentez pas bien ?

Je me rends compte que Miss Skeeter me parle.

— Excusez-moi, c'est que… je pensais à quelque chose.

— Vous aviez l'air si triste…

— Miss Skeeter…

Je sens les larmes qui me montent aux yeux. Parce que trois ans, c'est pas assez long. Et cent ans, ça sera encore trop court.

— Ça vous dérangerait pas si on voyait ces questions demain, plutôt ?

Miss Skeeter va pour dire quelque chose mais elle se retient.

— Bien sûr. J'espère que vous irez mieux.

Je finis l'argenterie et les serviettes et je dis à Miss Leefolt que je dois rentrer chez moi bien qu'il reste encore une demi-heure, qu'elle me retiendra sur ma paye. Et comme elle ouvre la bouche pour protester, je lui lâche mon mensonge à voix basse : *j'ai vomi*. Et elle dit : « Allez-y ! » Parce qu'il y a rien qui fasse plus peur à Miss Leefolt que les maladies des Noirs.

— Bon. Je reviens dans une demi-heure, dit Miss Leefolt par la portière.

Elle me dépose au Jitney pour que je prenne tout ce qu'il faut pour Thanksgiving, demain.

— Et n'oubliez pas la dinde ! dit Miss Leefolt. Et les deux boîtes de sauce aux canneberges !

— Cesse de gigoter, Mae Mobley, dit Miss Fredericks.

— Miss Leefolt, laissez-moi la prendre avec moi.

Baby Girl est déjà en train de passer par-dessus les genoux de Miss Fredericks et elle me tend les bras pour que je l'attrape par la vitre. Je la cale sur ma hanche, et Baby Girl et moi on rigole comme deux gamines. Je prends un chariot et j'assois Mae Mobley devant avec les jambes à travers les trous. Du moment que je porte mon uniforme blanc, on me laisse faire les courses au Jitney.

— Allez, Baby Girl. Voyons de quoi on a besoin.

Je prends six patates douces, trois poignées de haricots verts, et après je vais chercher un jarret fumé chez le boucher. La boutique est illuminée avec la marchandise bien rangée sur les rayons. On est loin du magasin pour les Noirs avec de la sciure par terre. Il y a surtout des Blanches, elles se sourient, elles sont déjà passées chez le coiffeur pour la vente de demain. Et quatre ou cinq bonnes qui font leurs courses, toutes en uniforme blanc.

J'ajoute un kilo de sel dans le chariot pour faire macérer la dinde. Comme je laisse la volaille quatorze heures dans l'eau salée, je l'y mettrai vers trois heures de l'après-midi. Le lendemain je serai chez Miss Leefolt à cinq heures du matin et je ferai cuire la dinde pendant six heures. J'ai une tarte aux pommes prête à cuire et je ferai mes gâteaux secs dans la matinée.

— Prête pour demain, Aibileen ?

Je me retourne et je vois Fanny Coots. On va à la même église. Fanny baisse la tête et elle dit :

— T'es au courant de ce qui est arrivé au petit-fils de Louvenia Brown, ce matin ?

— Robert ?

C'est un beau garçon. Il allait au lycée avec Treelore. Ils étaient copains, ils jouaient au basket ensemble.

— Il est allé aux toilettes des Blancs chez Pinchan Lawn and Garden. Paraît qu'il y avait pas d'écriteau. Deux Blancs lui ont couru après et ils l'ont tabassé avec un démonte-pneu.

Oh, non ! Pas Robert.

— Il est…

— On sait pas. Il est à l'hôpital. Il paraît qu'il va rester aveugle.

— Mon Dieu, non !

Je ferme les yeux. Louvenia, c'est la plus gentille personne au monde. Elle a élevé Robert après la mort de sa fille.

Cet après-midi-là, je travaille comme une folle. J'arrête de cuisiner à six heures, deux heures plus tard que d'habitude. Je sens que j'aurai pas la force d'aller frapper à la porte de Louvenia. J'y passerai demain, quand j'aurai fini de préparer la dinde. Je me traîne jusqu'à l'arrêt de bus, j'ai du mal à garder les yeux ouverts. Il y a une grande Cadillac blanche garée devant ma maison. Et Miss Skeeter avec une robe rouge et des souliers rouges assise sur mes marches.

Je traverse mon jardin tout doucement, en me demandant ce qui va encore m'arriver. Miss Skeeter se lève. Les Blancs viennent jamais dans mon quartier, sauf pour chercher la bonne et la ramener, et c'est pas moi que ça gêne, au contraire.

— J'espère que je ne vous dérange pas en venant ici, elle dit. C'est simplement que… Je ne savais pas où on pourrait discuter.

Je m'assois sur la marche, et toutes mes vertèbres me font mal. La rue est pleine de gens qui vont chez Louvenia prier pour Robert, et il y a des gamins qui jouent au ballon sur le trottoir. Tout le monde nous regarde en se disant qu'on est sûrement en train de me renvoyer.

— Oui, ma'am, je soupire. Qu'est-ce que je peux faire pour vous ?

— J'ai une idée. Quelque chose que je voudrais écrire. Mais j'aurais besoin de votre aide.

Je reprends ma respiration. Je l'aime bien, Miss Skeeter, mais tout de même ! Un coup de téléphone avant, j'aurais trouvé ça mieux. Elle se permettrait jamais d'arriver sans prévenir chez une Blanche. Mais non, faut qu'elle me tombe dessus comme si elle avait le droit de débouler chez moi comme si de rien était.

— Je voudrais vous interviewer. Pas comme pour Miss Myrna. Je parle d'un livre.

Miss Skeeter est tout excitée.

— Avec des témoignages pour montrer ce que c'est de travailler pour une famille blanche. Ce que c'est de travailler, mettons, pour… Elizabeth.

Je la regarde. C'était donc ça qu'elle essayait de me dire dans la cuisine de Miss Leefolt !

— Vous croyez que Miss Leefolt serait d'accord avec ça ? Que je raconte des histoires sur elle ?

Miss Skeeter baisse les yeux.

— Ma foi… non. Je me disais qu'on ne lui en parlerait pas. Il faut aussi que je sois sûre que les autres bonnes acceptent de garder le secret.

Je commence à comprendre ce qu'elle demande.

— Les autres bonnes ?

— J'espérais en avoir quatre ou cinq. Pour bien montrer ce qu'être bonne à Jackson veut dire.

On est bien en vue là-dehors. Elle se rend pas compte que c'est dangereux de parler de ça ?

— C'est quel genre d'histoires, au juste, que vous voulez ?

— Combien vous gagnez, comment on vous traite, les toilettes, les bébés, tout ce que vous avez vu de bien et de moins bien.

— Miss Skeeter, je dis doucement, ça vous paraît pas dangereux ?

— Non, si nous sommes prudentes…

— Chut, s'il vous plaît. Vous savez ce qui se passerait si Miss Leefolt apprenait que j'ai parlé derrière son dos ?

— Nous ne lui dirons rien.

Je la regarde un moment sans rien dire. Elle est malade ?

— Vous savez ce qui est arrivé ce matin à ce jeune Noir ? Vous savez qu'ils l'ont frappé à coups de démonte-pneu parce qu'il était allé *par erreur* dans les toilettes des Blancs ? Et ma cousine Shinelle ? Ils ont mis le feu à sa voiture parce qu'elle était allée au bureau de vote !

— Personne n'a encore écrit un livre comme celui-ci, dit-elle tout bas. Nous pourrions ouvrir une nouvelle perspective.

Il y a un groupe de bonnes qui vient vers ma maison. Elles me voient assise devant la porte avec une Blanche. Je grince des dents. Je sais déjà que ce soir, mon téléphone va chauffer.

— Miss Skeeter, je dis, lentement, pour lui faire comprendre que c'est sérieux, si je fais ça avec vous, autant mettre tout de suite le feu à ma *propre* maison.

— Mais j'ai déjà…

Elle se tait et ferme les yeux. Je vais pour lui demander, vous avez déjà *quoi* ? Mais j'ai peur de ce qu'elle va répondre. Elle écrit son numéro de téléphone sur un bout de papier.

— Je vous en prie, vous voudrez bien, au moins, y réfléchir ?

Je soupire, et je dis aussi gentiment que possible :

— Non, ma'am.

Elle pose le bout de papier entre nous sur la marche, elle se lève et retourne à sa Cadillac. Je suis trop crevée pour me relever. Je reste là sans bouger, à la regarder pendant qu'elle roule doucement vers le bout de la rue.

Miss Skeeter

JE jette un coup d'œil dans le rétroviseur. Aibileen est toujours sur les marches de son porche dans son uniforme blanc. Elle ne m'a même pas regardée en disant « Non, ma'am ».

Je m'étais sans doute imaginé que les choses allaient se passer comme au temps où j'allais chez Constantine, quand les Noirs me saluaient de la main et me souriaient, contents de voir la petite Blanche dont le père possédait la grande plantation. Je cherche ce que je pourrais dire d'autre pour convaincre Aibileen.

Il y a une semaine, Pascagoula est venue frapper à la porte de ma chambre.

— On vous appelle au téléphone, Miss Skeeter. C'est une certaine Miss… *Stern*, elle dit ?

J'ai dévalé les marches à la suite de Pascagoula. Je tirais comme une idiote sur mes cheveux trop frisés, comme s'il s'agissait d'une rencontre et non d'un coup de téléphone.

Trois semaines plus tôt, j'avais tapé trois pages exposant l'idée, les détails, et le mensonge : je disais qu'une bonne noire, respectée et dure à la tâche, avait accepté que je l'interroge afin de montrer dans tous les détails ce qu'était une vie de domestique au service d'une patronne blanche dans notre ville.

J'ai déroulé le cordon du téléphone jusque dans la réserve et j'ai allumé l'unique ampoule. Mon vieux truc de lycéenne pour téléphoner en toute tranquillité.

— Allô ? C'est Skeet… Eugenia Phelan, dans le Mississippi.

— Je le sais, Miss Phelan. C'est moi qui vous appelle.

J'ai entendu le bruit sec d'une allumette qu'on craque, suivi d'une brève inspiration.

— J'ai reçu votre lettre la semaine dernière. Qu'est-ce qui vous a donné cette idée d'interroger des bonnes à tout faire ? Je suis curieuse de le savoir.

Je suis restée une seconde paralysée.

— C'est… enfin, j'ai été élevée par une femme de couleur. J'ai vu combien cela pouvait être simple et… et combien cela pouvait être compliqué entre les familles et leurs domestiques.

J'étais crispée, comme si j'avais parlé à un professeur.

— Continuez.

— Eh bien… (J'ai pris une seconde pour respirer.) Je voudrais écrire ceci en prenant le point de vue des bonnes. Les Noires d'ici. Elles élèvent un enfant blanc, et vingt ans après l'enfant devient leur employeur. Le problème, c'est qu'on les aime, et qu'elles nous aiment, et pourtant… (J'avais la gorge sèche et ma voix tremblait.) Nous ne les autorisons même pas à utiliser les toilettes de la maison.

Le silence se prolongeait. Je me suis sentie obligée de continuer.

— Chacun sait ce que nous, les Blancs, nous en pensons. On a chanté la figure magnifique de la Mammy qui se dévoue toute sa vie pour une famille blanche. Margaret Mitchell a traité de cela. Mais personne n'a jamais demandé à la Mammy ce qu'elle en pensait.

La sueur ruisselait sur ma poitrine, tachait mon chemisier en coton.

— Vous voulez donc montrer un aspect des choses dont personne n'a jamais rendu compte, a dit Mrs Stein.

— Oui. Parce que personne n'en parle jamais. Personne ne parle de quoi que ce soit, ici.

Le rire d'Elaine Stein était une sorte de grognement, et elle avait un accent yankee prononcé.

— Miss Phelan, j'ai vécu à Atlanta. Pendant six ans, avec mon premier mari.

C'était comme une perche qu'elle me tendait et je l'ai saisie.

— Alors… vous savez comment c'est.

— Assez pour en être partie, a-t-elle dit en soufflant la fumée de sa cigarette. Écoutez, j'ai lu votre projet. C'est sans aucun doute… original, mais quelle domestique dotée de bon sens accepterait jamais de vous dire la vérité ?

Je ne pouvais pas croire que Mrs Stein avait déjà deviné que je bluffais.

— La première que je veux interviewer est… impatiente de tout raconter.

— Miss Phelan, a dit Elaine Stein, cette Noire a vraiment accepté de vous parler en toute franchise ? Sur ce qu'est sa vie de domestique au sein d'une famile blanche ? Parce que ça semble rudement dangereux dans une ville comme Jackson, Mississippi.

Je sentais l'inquiétude me gagner à l'idée qu'Aibileen ne serait peut-être pas aussi facile à convaincre que je l'avais imaginé.

— Je les ai vus à la télé quand ils ont tenté d'occuper un arrêt de bus, chez vous, a repris Mrs Stein. On a entassé cinquante-cinq Noirs dans une cellule prévue pour en recevoir quatre.

J'ai serré les lèvres.

— Elle m'a donné son accord. Oui, elle est d'accord.

— Bien. C'est étonnant. Mais vous croyez vraiment qu'après elle d'autres domestiques voudront bien vous parler ? Que se passera-t-il si les patronnes l'apprennent ?

— Les entretiens auront lieu en secret. Étant donné que, comme vous le savez, les choses sont un peu dangereuses ici, en ce moment.

À vrai dire, je n'en savais pas grand-chose. Je venais de passer quatre ans enfermée derrière les murs de l'université, à lire Keats et à me concentrer sur mes dissertations.

— Un peu dangereuses ? (Elle a ri.) Les manifestations à Birmingham, Martin Luther King, les chiens lancés sur des enfants noirs… Ma chère, il n'y a pas de sujet plus brûlant dans l'actualité. Mais, je suis désolée, ça ne marchera jamais. Pas pour un article, parce qu'aucun journal du Sud ne voudra le publier. Et encore moins pour un livre. Un livre d'*entretiens* ne se vendra pas.

— Ah !… me suis-je entendue dire, et j'ai fermé les yeux.

— Je vous ai appelée parce que, très franchement, c'est une bonne idée. Mais… je ne vois pas comment on pourrait en faire un livre.

— Mais… Si…

— Enfin, a dit Mrs Stein avec un petit claquement de langue sceptique. Je suppose que je pourrai toujours lire ce que vous obtiendrez. Faites vos interviews, et je vous dirai si c'est la peine de continuer.

J'ai émis quelques sons inintelligibles pour finir par :

— Merci, Mrs Stein, vous ne pouvez pas savoir à quel point je vous suis reconnaissante.

— Ne me remerciez pas encore. Appelez Ruth, ma secrétaire, si vous avez besoin de me joindre.

Et elle a raccroché.

CE mercredi, j'arrive avec une vieille sacoche à la réunion du club de bridge chez Elizabeth. Elle est rouge. Elle est affreuse. Et pour aujourd'hui, elle fera l'affaire.

C'est le seul sac assez grand pour contenir les lettres à Miss Myrna que j'ai pu trouver. Le cuir est râpé et craquelé, l'épaisse bandoulière laisse une trace marron sur mon chemisier à l'endroit où elle frotte. C'était le sac de jardinière de grand-mère Claire.

— Deux semaines ! dit Hilly, deux doigts levés. Il vient !

Elle sourit, et je souris.

— Je serai là, dis-je.

Je file à la cuisine avec ma sacoche rouge. Aibileen est devant l'évier.

— 'Jour, dit-elle d'un ton calme.

On ne s'est pas revues depuis la semaine dernière, quand je suis allée la trouver chez elle.

Je reste une minute sans rien dire, à la regarder préparer le thé glacé. Je sens à son attitude qu'elle est mal à l'aise, qu'elle redoute peut-être le moment où je vais lui demander une nouvelle fois de m'aider à écrire mon livre. L'air le plus détaché possible, je sors une enveloppe de mon sac.

— Voici. Je voulais vous donner ceci.

— Qu'est-ce que c'est ? dit-elle sans prendre l'enveloppe.

— Pour votre aide, dis-je à mi-voix. J'ai compté cinq dollars par chronique. Ce qui fait trente-cinq dollars en tout.

Le regard d'Aibileen retourne aussitôt se fixer sur le thé.

— Non, merci, ma'am. Miss Leefolt va faire une crise si elle apprend que vous me donnez de l'argent.

— Elle n'a pas à le savoir.

— Je vous l'ai déjà dit, je regrette mais je ne peux pas vous aider pour ce livre, Miss Skeeter.

Hilly passe la tête à la porte.

— Viens, Skeeter, je vais distribuer !

Et elle disparaît.

— Je vous en supplie, dit Aibileen. Rangez cet argent, que Miss Leefolt ne le voie pas !

Je hoche la tête, affreusement gênée, et je remets l'enveloppe dans mon sac. Je sens que je viens de commettre une terrible erreur. Elle pense qu'il s'agit d'un pourboire pour qu'elle se laisse interviewer. Et maintenant, elle a pris peur pour de bon.

— CHÉRIE, essaie-le. Ça coûte onze dollars. À ce prix-la, ça doit marcher !

Maman m'a coincée dans la cuisine. Elle me pousse sur une chaise et presse avec un vilain bruit un tube de matière gluante au-dessus de mon crâne. Voilà deux jours qu'elle me poursuit avec son applicateur de gel défrisant. Elle frotte à deux mains dans mes cheveux. Je sens quasiment l'espoir dans ses doigts.

Elle recouvre mon crâne dégoulinant d'un bonnet en plastique, y ajuste un tuyau relié à un appareil en métal gris.

— Il y en a pour combien de temps, maman ?

Elle prend le mode d'emploi entre ses doigts poisseux.

— Ils disent : « Recouvrir du Bonnet miraculeux, mettre l'appareil en marche et attendre le miracle. »

— Dix minutes ? Un quart d'heure ?

J'entends un déclic, l'appareil se met à vrombir de plus en plus fort et une chaleur intense m'enveloppe la tête.

— « Le Bonnet miraculeux doit être maintenu sur la tête pendant deux heures. »

— Deux *heures* ?

— Je vais dire à Pascagoula de t'apporter un verre de thé glacé.

Elle me donne une petite tape sur l'épaule et sort de la cuisine.

Pendant deux heures, je me plonge dans *Life* et fume des cigarettes. Puis je feuillette le *Jackson Journal.* En page quatre, je lis : « Le jeune homme battu pour avoir utilisé des toilettes réservées restera aveugle. Des suspects interrogés. » Cela me dit quelque chose. Puis je me souviens. C'est certainement le voisin d'Aibileen.

À midi, maman retire le Bonnet miraculeux de ma tête, rince le gel pendant que je me penche sur l'évier de la cuisine. Elle place rapidement une dizaine de rouleaux et m'installe dans sa salle de bains sous son casque sèche-cheveux.

J'émerge une heure plus tard, le visage congestionné, le cuir chevelu douloureux et morte de soif.

Maman m'installe face au miroir pour défaire les rouleaux. Puis elle passe la brosse.

Nous regardons, stupéfaites.

— Merde alors ! dis-je.

Je n'ai qu'une seule pensée : *Le rendez-vous. C'est pour le week-end prochain.*

Maman ne me réprimande même pas pour le juron. Mes cheveux sont magnifiques. Le gel défrisant a tenu ses promesses.

LE samedi, jour de mon rendez-vous avec Stuart Whitworth, je passe encore deux heures sous la machine à défriser (l'effet, apparemment, ne résiste pas au lavage). Une fois mes cheveux séchés, je vais chez Kennington où j'achète les chaussures les plus plates que je peux trouver et une robe moulante en crêpe de Chine. Je fais mettre les quatre-vingt-cinq dollars sur le compte de maman, qui me supplie toujours d'acheter de quoi m'habiller. (« Quelque chose de flatteur pour ta *taille.* ») Je sais qu'elle ne serait absolument pas d'accord avec le décolleté de cette robe.

Il est trois heures passées quand je rentre à la maison avec mes achats. Je dois être chez Hilly à six heures pour y rencontrer Stuart. Je me regarde dans le miroir. Les boucles commencent à se défaire aux extrémités, mais le reste tient. Maman ne sait pas que je sors avec un garçon ce soir, et si jamais elle l'apprenait j'en aurais pour trois mois de questions épouvantables du genre : « Il n'a pas appelé ? » et « Qu'as-tu fait de mal ? » au cas où ça n'aurait pas marché.

Maman est en bas dans le petit salon avec papa. Mon frère est sur le canapé avec sa nouvelle petite amie. Ils sont arrivés de LSU en voiture cet après-midi.

Carlton me rejoint dans la cuisine. Il rit et me tire les cheveux comme quand on était gamins.

— Alors, sœurette, comment ça va ?

Je lui parle de mon travail au journal, et lui apprends que je suis également rédactrice en chef de la *Lettre* de la Ligue. Je lui dis aussi qu'il devrait revenir à la maison après ses études de droit.

— Tu mérites que maman s'occupe aussi de toi. J'en prends plus que ma part ici, dis-je entre mes dents.

Il rit d'un air entendu, mais comment pourrait-il réellement comprendre ? Il a trois ans de plus que moi et c'est un grand et beau garçon aux cheveux ondulés qui achève sa dernière année à LSU, protégé par trois cents kilomètres de mauvaises routes.

Tandis qu'il rejoint sa petite amie, je cherche les clés de la voiture de maman mais je ne les trouve nulle part.

— Où sont tes clés, maman ? Je suis en retard. Je dors chez Hilly.

Maman pousse un soupir.

— Ce qui veut dire, je suppose, que tu iras à l'église avec eux. Moi qui pensais qu'on s'y rendrait en famille.

— Maman, s'il te plaît, dis-je en fouillant dans le panier qui lui sert à ranger ses clés. Je ne *trouve pas* tes clés !

— Tu ne peux pas prendre la Cadillac ce soir. C'est notre voiture pour aller à l'église.

Stuart sera chez Hilly dans trente minutes. J'ai prévu de m'habiller et de me maquiller là-bas pour que maman ne se doute de rien. Je ne peux pas prendre la nouvelle camionnette de papa. Elle est pleine d'engrais et je sais qu'il en aura besoin demain de bonne heure.

— Très bien. Je prendrai donc la vieille camionnette.

Je me précipite dehors pour m'apercevoir que ladite camionnette a non seulement une remorque, mais qu'on a chargé sur cette remorque un tracteur d'une demi-tonne.

Pour ma première sortie avec un garçon depuis deux ans, je me rends donc en ville au volant d'une Chevrolet rouge 1941, accompagnée d'une niveleuse John Deere.

Le moteur pétarade et donne des à-coups et je me demande s'il ne va pas me lâcher. Puis il cale, projetant ma robe et mon sac sur le plancher sale.

À six heures moins trois, après une course folle à grands coups de klaxon saluée par les cris des gamins, je m'arrête dans une rue proche de celle de Hilly, étant donné que l'impasse dans laquelle elle habite ne permet pas de garer des machines agricoles. J'attrape mon sac et me rue à l'intérieur, transpirante et hors d'haleine, et ils sont là tous les trois, y compris mon chevalier servant, en train de siroter leur whisky dans le salon.

Je me fige sous leurs regards. William, le mari de Hilly, et Stuart se lèvent. Mon Dieu, il est grand, il me dépasse d'au moins dix centimètres ! Hilly ouvre de grands yeux et me prend par le bras.

— Les garçons, on revient tout de suite.

Elle m'entraîne dans son dressing.

— Skeeter, tu n'as même pas de rouge à lèvres ! Et tu es coiffée comme un épouvantail !

— Je le sais, regarde-moi !

Les effets du défrisant miracle ne sont plus qu'un souvenir.

— Il n'y a pas de climatisation dans le camion. J'ai été obligée de rouler avec les vitres baissées.

Je me lave le visage et Hilly me fait asseoir. Elle se met à me peigner comme ma mère, en tordant les mèches sur des rouleaux géants avant de les fixer à la laque.

— Alors ? Que penses-tu de Stuart ? demande-t-elle.

Je soupire et ferme les yeux.

— Il est beau.

Je commence à me maquiller. Hilly me regarde me démaquiller avec un mouchoir et me remaquille. J'enfile la robe noire au profond décolleté, glisse mes pieds dans les chaussures noires ultraplates. Hilly me brosse les cheveux. Je me lève, lisse les plis de ma robe.

— Bon, dis-je. Combien tu me donnes ? Sur dix ?

Hilly m'examine rapidement des pieds à la tête, s'arrête au décolleté. Elle hausse les sourcils. Je n'ai jamais, de toute ma vie, montré mon décolleté. J'avais plus ou moins oublié que j'en possédais un.

— Six, dit-elle comme si elle n'en revenait pas elle-même.

On se regarde une seconde sans rien dire. Hilly ne m'avait jamais donné plus que quatre.

Au moment où on entre dans le salon, William pointe son doigt sur Stuart.

— Je vais me présenter à cette élection, et avec l'aide de ton père…

— Stuart Whitworth, dit Hilly, je te présente Skeeter Phelan.

Il se lève, et un parfait silence se fait dans ma tête pendant une minute. Je m'offre à son regard, comme on s'inflige une torture à soi-même, tandis qu'il m'examine.

— Enchanté.

Stuart m'adresse un bref sourire. Puis il boit longuement, jusqu'à ce que j'entende le choc des glaçons contre ses dents.

— Alors, on va où ? demande-t-il en se tournant vers William.

Nous prenons l'Oldsmobile des Holbrook jusqu'à l'hôtel Robert E. Lee. Stuart m'ouvre la portière et s'assoit avec moi à l'arrière, mais se penche aussitôt vers l'avant pour parler de la saison de la chasse au daim avec William pendant toute la durée du trajet.

On se met à table. Il me tire ma chaise.

— Vous voulez boire quelque chose ? demande-t-il sans me regarder.

— Non, merci. Seulement de l'eau.

Il se tourne vers la serveuse et dit :

— Un double Old Kentucky et une carafe d'eau.

JE pense qu'il en est au moins à son cinquième bourbon, et je me lance.

— Hilly m'a dit que vous étiez dans le pétrole ? Ça doit être intéressant.

— Ça gagne bien. Si c'est ce que vous voulez savoir.

— Oh, je ne…

Mais je me tais, car il tend le cou pour regarder une femme blonde platine au rouge à lèvres écarlate, moulée dans une robe verte.

William pivote sur son siège pour suivre le regard de Stuart, mais se retourne très vite. Il secoue imperceptiblement la tête à l'intention de Stuart. Je vois qu'il s'agit de Celia Foote accompagnée de son mari Johnny, l'ancien petit ami de Hilly. Ils sortent et William et moi échangeons un regard de connivence, soulagés que Hilly ne les ait pas vus.

— Eh bien, en voilà une qui a chaud aux fesses, dit Stuart entre ses dents.

Et c'est à partir de là, je crois, que je commence à me moquer éperdument de ce qui peut arriver. À un moment, Hilly me regarde pour savoir si tout va bien. Je souris et elle sourit à son tour, rassurée.

— William ! s'exclame-t-elle. Le lieutenant-gouverneur vient d'arriver. Allons lui dire un mot avant qu'il s'assoie.

Ils se lèvent, laissant les deux tourtereaux attablés.

— Alors, dit Stuart presque sans tourner la tête, vous faites quoi de vos journées ?

— J'écris… une chronique de conseils ménagers pour le *Jackson Journal*.

Il fronce les sourcils, puis se met à rire.

— Vous voulez dire… pour faire le ménage ?

Je réponds d'un hochement de tête.

— Seigneur ! s'écrie-t-il en remuant son verre. Je ne vois pas de pire occupation que de lire une chronique sur la façon de récurer sa maison ! Sauf peut-être de l'écrire !

Je me contente de le regarder.

— C'est un truc pour trouver un mari, non ? Devenir spécialiste en art ménager ?

— Eh bien, vous êtes un génie. Vous m'avez percée à jour.

— C'est le genre de diplôme qu'on fait passer aux filles à Ole Major ? Doctorat de chasse aux maris ?

Je le regarde, stupéfaite. Il se prend pour qui ?

— Excusez-moi, mais vous n'êtes pas tombé sur la tête quand vous étiez bébé ?

Il cille, puis se met à rire franchement pour la première fois de la soirée.

— Je suppose que vous vous en fichez, dis-je. Mais il fallait bien que je commence par quelque chose si je veux être journaliste.

Je crois que je l'ai impressionné, mais il siffle son bourbon et son regard se dérobe.

Nous mangeons, et comme je le vois de profil je remarque qu'il a le nez un peu pointu, que ses sourcils sont trop épais et que ses cheveux châtains semblent très rêches. On ne se dit plus grand-chose, en tout cas. Stuart commande un autre verre.

Je me retrouve aux toilettes avec Hilly, et elle m'adresse un sourire plein d'espoir.

— Alors, qu'en penses-tu ?

— Il est… grand, dis-je, étonnée qu'elle n'ait pas vu que mon chevalier servant n'est pas seulement d'une grossièreté inexplicable, mais fin saoul par-dessus le marché.

Le repas s'achève enfin et les deux garçons partagent l'addition. Stuart se lève, m'aide à enfiler ma veste.

— Seigneur, je n'ai jamais vu une fille avec des bras aussi longs, dit-il.

— Et moi, je n'ai jamais vu personne qui tenait aussi mal l'alcool.

— Votre veste sent… (Il se penche, renifle, fait une grimace.) *L'engrais.*

Le retour en voiture ne prend que trois minutes, mais dans un silence insupportable qui dure une éternité.

On entre chez Hilly.

— Skeeter, tu ne veux pas raccompagner Stuart chez lui ? me demande William. Je suis claqué. Pas toi, Hilly ?

— Je suis venue en camionnette, dis-je. Je crains que vous…

— Allons donc ! rétorque William en donnant une claque dans le dos de Stuart. Il n'a rien contre les camionnettes ! N'est-ce pas, mon vieux ?

Finalement, je me dirige vers la porte. Stuart me suit sans rien dire et ne semble pas s'étonner que je ne me sois pas garée devant la maison de Hilly ou dans sa rue. En arrivant devant la camionnette, on s'arrête tous les deux et on contemple la remorque accrochée à mon véhicule et le tracteur de cinq mètres qui se trouve dessus.

— Vous êtes venue toute seule avec *ça* ?

Je soupire. D'accord, je suis grande et je ne me suis jamais sentie menue, ni particulièrement féminine, mais ce tracteur… c'est trop.

— Jamais rien vu d'aussi rigolo ! dit-il encore.

Je m'écarte de lui.

— Hilly peut vous raccompagner, dis-je.

Il se tourne vers moi et me regarde attentivement pour la première fois de la soirée. Je reste là à subir cet examen, et mes yeux s'emplissent de larmes. Je suis trop fatiguée, c'est tout.

— Et merde ! s'exclame-t-il. Écoutez, j'ai dit à Hilly que je n'étais pas prêt pour sortir avec une fille, quelle qu'elle soit.

— Ne vous excusez pas, dis-je en tournant les talons pour repartir vers la maison.

DIMANCHE matin je me lève de bonne heure, avant Hilly et William, avant les enfants et avant le départ pour l'église.

La veille, je suis revenue chez Hilly, Stuart toujours sur les talons. J'ai frappé à la porte de la chambre et j'ai demandé à William, qui avait déjà la bouche pleine de dentifrice, de bien vouloir raccompagner son cousin chez lui. Puis je suis montée à la chambre d'amis sans lui laisser le temps de répondre.

J'entre dans la maison de mes parents. Dès que je vois maman, je me précipite pour la serrer contre moi. Je me sens coupable parce que je voudrais que Constantine soit ici plutôt qu'elle.

Le lendemain matin à onze heures, le téléphone sonne. Par chance, je suis dans la cuisine et je décroche.

— Miss Skeeter ?

Je me fige, puis je regarde maman qui examine son chéquier sur la table de la salle à manger. Pascagoula est en train de sortir un rôti du four. Je file dans la réserve et referme la porte sur moi.

Je dis à voix basse :

— Aibileen ?

Elle reste silencieuse quelques secondes, puis lâche d'un trait :

— Et si… si ce que je vais vous raconter vous plaît pas ? Au sujet des Blancs, je veux dire ?

— Il ne s'agit pas de mon opinion. Ce que je pense n'a pas d'importance.

— Mais comment je peux savoir que vous allez pas vous mettre en colère et vous retourner contre moi ?

— Je crois qu'il va falloir… me faire confiance, c'est tout.

Je retiens ma respiration. J'espère. Il y a un long silence.

— Dieu me pardonne, je crois que je vais le faire. Mais Miss Skeeter, il faudra qu'on soit très prudentes. Et il faudra changer mon nom. Le mien, celui de Miss Leefolt, et tous les autres.

— Bien sûr !

J'aurais dû le lui dire.

— Quand peut-on se voir ? Et *où* ?

— Je pense que… Il va falloir venir chez moi.

— Connaissez-vous d'autres bonnes qui pourraient être intéressées ?

Aibileen reste silencieuse un instant.

— Je crois que je pourrais proposer à Minny. Mais elle tient pas tellement à parler des Blancs.

— Minny ? L'ancienne bonne de Mrs Walters, dis-je soudain consciente de la tournure dangereuse que prennent les choses.

Je vais non seulement mettre mon nez dans la vie privée d'Elizabeth, mais aussi dans celle de Hilly.

— Elle a des histoires à raconter, Minny. Alors, allons-y.

— Aibileen, merci. Oh ! merci !

Minny

C'EST lundi. Je vais au travail avec une seule idée en tête. J'arrête pas de penser au petit-fils de Louvenia Brown. Il est sorti de l'hôpital ce week-end et il est allé habiter chez Louvenia. Hier soir, quand je leur ai apporté un gâteau au caramel, Robert avait le bras dans le plâtre et un pansement sur les yeux. J'ai rien pu dire que « Oh ! *Louvenia !* » quand je l'ai vu. Il dormait sur le canapé. Ils lui avaient rasé la moitié du crâne pour l'opération. Et Louvenia, avec tous ses malheurs, elle voulait encore savoir si tout le monde allait bien chez moi. Et quand Robert a commencé à remuer, elle m'a demandé si ça me ferait rien de repartir parce que chaque fois qu'il se réveille il se met à crier. Il a peur et tout d'un coup il se rappelle qu'il est aveugle. Elle voulait pas que ça m'impressionne. Résultat, j'arrête pas d'y penser.

Je dis à Miss Celia :

— Je vais aller aux commissions.

Je lui montre la liste. On fait ça tous les lundis. Elle me donne l'argent pour les courses et quand je rentre je lui montre le ticket de caisse. Miss Celia hausse les épaules mais je garde tous ces tickets dans un tiroir au cas où il y aurait des questions.

Tous les deux jours, j'entends Miss Celia qui téléphone aux dames de la société. Ça fait à peine trois semaines qu'elles ont fait leur vente de charité et elle vise déjà celle de l'année prochaine.

— Vous voudrez bien lui dire que Celia Foote a encore appelé ? Je lui ai laissé un message il y a quelques jours…

Miss Celia prend une petite voix pointue, comme si elle était dans un jeu à la télé. Ça me donne envie de lui arracher le téléphone des mains et de lui dire qu'elle arrête de perdre son temps. Mister Johnny a laissé tomber Miss Hilly pour Miss Celia quand ils étaient à la fac, et Miss Hilly a jamais pardonné.

MERCREDI soir, j'entre dans l'église. C'est à moitié plein parce qu'il est que sept heures moins le quart et que le chœur commence pas à chanter avant la demie. Mais Aibileen m'a dit de venir de bonne heure. Je me demande de quoi elle veut parler.

J'aperçois Aibileen sur notre banc habituel au quatrième rang côté gauche, juste sous le ventilateur. Comme on est de bonnes paroissiennes on a droit aux bonnes places. C'est le 3 décembre et l'arbre de Noël est déjà là, à côté de l'autel, avec un tas de guirlandes et une étoile dorée à la pointe. Il y a des vitraux – la naissance du Christ, Lazare ressuscité d'entre les morts et le sermon à ces crétins de pharisiens –, mais il reste sept fenêtres avec des vitres ordinaires. On continue à ramasser de l'argent pour celles-là.

— Alors, pourquoi tu m'as fait venir si tôt ? je demande.

— C'est juste pour quelque chose qu'on m'a dit.

— Quoi ?

Aibileen regarde autour de nous si on nous écoute pas.

— Tu te rappelles la fois où j'ai trop parlé et où j'ai dit à Miss Skeeter que Treelore écrivait des histoires sur les Noirs et les Blancs ? Elle a eu le culot de me demander si j'avais pas des copines chez les autres bonnes qui voudraient raconter comment ça se passe quand on travaille chez les Blancs. C'est pour mettre dans un livre.

— Quoi ?

Aibileen hoche la tête et elle hausse les sourcils.

— Je lui ai dit qu'elle était cinglée. Je lui ai demandé, et si on disait la vérité ? Si on disait qu'on a trop peur pour demander le salaire minimum ? Que personne paye la Sécurité sociale pour nous ? Et ce que ça nous fait quand la patronne nous traite partout de…

Aibileen secoue la tête. Je suis contente qu'elle ait pas prononcé le mot. Elle continue :

— Et qu'on adore leurs gamins quand ils sont petits… puis qu'ils deviennent tout comme leur mère !

— Elle est folle si elle s'imagine qu'on va faire quelque chose d'aussi dangereux. Pour *elle* !

— On va pas dire la vérité à tout le monde !

— Non, sûrement pas, je dis.

Mais je m'arrête. Ce mot de *vérité*… Depuis l'âge de quatorze ans, j'essaye de dire la vérité aux Blanches sur mon travail chez elles.

— On veut rien changer ici, dit Aibileen.

Puis on se tait toutes les deux, en pensant à toutes ces choses qu'on veut pas changer. Et alors, je comprends ce qui se passe.

— T'es en train d'y réfléchir, pas vrai ?

Elle hausse les épaules et je comprends que j'ai raison. Je peux pas croire qu'Aibileen a envie de dire la vérité à Miss Skeeter.

La vérité. Ce mot-là me rafraîchit, comme de l'eau qui refroidirait la chaleur qui m'a brûlée toute ma vie.

La vérité, je me répète dans ma tête, juste pour sentir ça.

SANS raison, sauf pour m'embêter, on a une vague de chaleur en décembre. Je vais jamais nulle part sans mon éventail des pompes funèbres Farley. Ça marche bien et je l'ai eu gratuit. Miss Celia, elle s'installe à côté de la piscine, en peignoir de bain, avec ses affreuses lunettes de soleil à monture blanche. Dieu merci, elle reste pas dans la maison. D'abord, je me suis demandé si elle avait pas une maladie, et maintenant je me demande si c'est pas la tête.

Je la surprends presque tous les jours à traîner dans les chambres vides de l'étage. Je l'entends quand elle passe comme un fantôme sur ses petits pieds à l'endroit où le plancher grince dans le couloir. Mais un jour, elle fait ça, et puis elle recommence, et c'est cette façon *sournoise* qu'elle a d'attendre le moment où je suis occupée avec l'aspirateur ou en train de faire un gâteau qui me rend méfiante.

Après son petit tour en haut, Miss Celia vient s'asseoir à la table de la cuisine. Si elle pouvait sortir ! Je suis en train de désosser un poulet, j'ai mis le bouillon sur le feu et les boulettes sont prêtes.

Je me redresse, et je m'aperçois que Miss Celia est blanche comme un linge. Les gouttes de sueur qui dégoulinent sur son maquillage – ça vire au gris, maintenant – me montrent qu'elle va pas bien du tout. Je l'aide à se mettre au lit et je lui apporte la potion de Lady Pinkam. Sur l'étiquette rose on voit la vraie lady avec un turban sur la tête et elle sourit avec l'air de se sentir mieux.

Après, je me lave les mains. Je sais pas ce qu'elle a, mais espérons que ça s'attrape pas.

Le lendemain, c'est le jour des draps, celui que je déteste le plus. Normalement, Miss Celia va s'allonger dans le salon pour me laisser travailler. Mais neuf heures passent, et puis dix, et puis onze, et la porte de sa chambre est toujours fermée. À la fin, je frappe.

— Oui ? elle répond.

Non seulement Miss Celia est encore au lit, mais elle est en chemise de nuit, recroquevillée sur les couvertures, et elle a pas un gramme de maquillage sur la figure.

— J'ai les draps à laver et à repasser. Et après on a cuisine !

— Pas de leçon de cuisine aujourd'hui, Minny.

Elle sourit pas du tout comme elle fait d'habitude.

— Vous vous sentez pas bien ?

— Apportez-moi un peu d'eau, s'il vous plaît.

— Oui, ma'am.

Je vais à la cuisine. Elle doit se sentir mal pour de bon, elle m'avait jamais demandé de lui servir quelque chose.

Mais quand je reviens dans la chambre, Miss Celia est plus dans son lit et la porte de la salle de bains est fermée.

— Vous êtes malade ? je demande, à travers la porte.

— Ça va. Rentrez chez vous pour aujourd'hui, Minny.

Je reste où je suis et je tape du pied. Je veux pas rentrer chez moi. On est mardi, le jour où on change ces foutus draps. Si je le fais pas aujourd'hui, faudra le faire demain.

— Et si Mister Johnny rentre et qu'il trouve toute la maison en l'air ?

— Il est à la chasse au cerf ce soir. Minny, j'aurais besoin que vous me passiez le téléphone… (Elle a la voix qui tremble et je l'entends à peine.) Tirez le fil jusqu'ici et allez chercher mon répertoire que j'ai laissé dans la cuisine, s'il vous plaît.

— Ça va pas, Miss Celia ?

Mais elle répond pas, alors je vais chercher le carnet et le téléphone. Je pose tout devant la porte et je frappe.

— Laissez-le là. Et rentrez chez vous.

On dirait qu'elle pleure, maintenant.

— Mais je dois…

— J'ai dit, rentrez chez vous, Minny !

Je recule devant la porte fermée. Je sens la chaleur qui me monte à la figure. Et si ça brûle, c'est pas parce qu'on m'avait jamais crié dessus. C'est juste parce que *Miss Celia* m'avait jamais crié dessus.

Le lendemain matin, Miss Celia est pas couchée quand j'arrive. Elle s'est assise à la table de la cuisine et elle regarde par la fenêtre.

— 'Jour, Minny, elle dit sans me regarder.

Moi je réponds juste de la tête. Miss Celia se lève et s'approche de l'évier. Elle me prend le bras.

— Je suis désolée pour hier. J'étais malade et je sais que ce n'est pas une excuse, mais je me sentais vraiment mal et…

Et la voilà qui se met à sangloter, comme si de crier après sa bonne était la pire chose qu'elle avait jamais faite.

— Bon, je dis. On va pas en faire une montagne.

Alors elle me met les bras autour du cou. Je lui donne des tapes dans le dos et je me dégage et je lui dis :

— Allons, asseyez-vous. Je vais vous faire un café.

J'essaye de me concentrer sur la semaine qui vient. Demain, il y a un tas de choses à cuisiner, samedi le repas de l'église et dimanche la messe. Et le ménage chez moi, je vais le faire quand ? Et la lessive des gosses ? Et Aibileen… Elle m'a encore appelée hier soir pour me demander si j'allais les aider, Miss Skeeter et elle. Je l'adore, Aibileen. Vraiment. Mais je crois qu'elle fait une énorme bêtise en donnant sa confiance à cette Blanche. Et je lui ai dit.

Seigneur, je ferais mieux de m'occuper de mon travail.

Miss Skeeter

Ce soir, je vais chez Aibileen pour un premier entretien. J'ai le cœur qui bat. Je roule à toute allure vers le quartier noir. Je ne me suis jamais assise à une table avec une Noire qui n'était pas payée pour cela. L'entretien a été repoussé de plus d'un mois. D'abord, à l'approche de Noël, Aibileen travaillait tous les soirs très tard pour emballer les cadeaux et préparer le repas de fête d'Elizabeth. En janvier, je me suis affolée quand elle a attrapé la grippe.

La Cadillac roule dans l'obscurité jusqu'à Gessum Avenue. J'aurais préféré prendre la vieille camionnette mais maman aurait eu des soupçons, et papa en avait besoin. Je m'arrête devant un bâtiment abandonné qui a des airs de château hanté, à trois maisons de celle d'Aibileen comme nous en sommes convenues. Je sors de la voiture. Je verrouille les portières et m'éloigne rapidement.

Un chien aboie, mes clés tombent par terre. Je jette un coup d'œil alentour avant de les ramasser. Il y a deux groupes de Noirs sur leurs porches. On voit mal, dans cette rue sans réverbères. J'avance avec l'impression d'être aussi voyante que ma voiture : grande et blanche.

J'arrive au numéro 25 et je frappe doucement. J'entends des pas, une porte qui claque. Aibileen ouvre.

— Entrez, dit-elle à voix basse avant de refermer très vite derrière moi et de donner un tour de clé.

Je n'ai jamais vu Aibileen autrement que dans son uniforme blanc.

Ce soir, elle porte une robe verte ourlée de noir. Je ne peux m'empêcher de remarquer que, chez elle, elle se tient plus droite.

— Mettez-vous à l'aise. J'en ai pour une minute.

Malgré l'unique lampe allumée, la pièce est obscure, envahie par les ombres. Les rideaux sont tirés et retenus par des attaches pour ne pas laisser passer la lumière. Je ne sais pas si c'est toujours comme ça, ou seulement pour moi. Je m'assois sur l'étroit canapé. Le sol est nu. Je m'en veux d'avoir mis une robe aussi chère.

Quelques minutes plus tard, Aibileen revient avec sur un plateau une théière, deux tasses dépareillées et des serviettes en papier pliées en triangle. Je sens le parfum de cannelle des biscuits qu'elle a préparés. Le couvercle de la théière glisse quand elle verse le thé.

— Désolée, dit-elle en le rattrapant. C'est la première fois que j'ai une personne blanche chez moi.

Je souris, même si je sais qu'elle n'essayait pas d'être drôle. Je bois une gorgée de thé. Il est fort et amer.

— Ce thé est excellent, dis-je.

Elle s'assoit, croise les mains sur ses genoux et me regarde, attendant la suite.

— J'ai pensé que nous pourrions commencer par quelques éléments de votre itinéraire, dis-je en prenant mon calepin. Bon. Pour commencer, hum… quand et où êtes-vous née ?

Elle déglutit, hoche la tête.

— En 1909. Sur la plantation Piedmont, dans le comté de Cherokee.

— Saviez-vous, petite fille, que vous seriez bonne un jour ?

— Oui, ma'am. Oui, je le savais.

Je souris, attendant qu'elle continue. Rien ne vient.

— Et vous le saviez… parce que… ?

— Maman était bonne. Ma grand-maman était esclave chez des gens.

— Esclave chez des gens…, dis-je.

Mais elle se contente de hocher la tête. Elle garde les mains croisées sur ses genoux. Regarde les mots que je jette sur la page.

— Avez-vous déjà… rêvé de faire autre chose ?

— Non, dit-elle. Non, ma'am. Jamais.

Le silence est tel que je nous entends respirer.

— Bien. Que ressent-on quand on élève un petit Blanc pendant que son propre enfant est chez soi… (J'hésite, gênée par la question.) et que quelqu'un d'autre s'occupe de lui ?

— Ce que je ressens… (Elle se tient si droite que j'ai mal pour elle.) Hum… On… pourrait peut-être passer à la question suivante.

— Ah. Bon. (Je regarde mes questions.) Qu'est-ce que vous préférez en tant que bonne, et qu'est-ce qui vous plaît moins ?

Elle lève les yeux et me regarde comme si je lui demandais d'expliquer un gros mot.

— Je… je crois que ce que je préfère, c'est m'occuper des petits, dit-elle dans un murmure.

— Vous ne voulez… rien… ajouter à cela ?

— Non, ma'am.

— Aibileen, vous n'avez pas à m'appeler ma'am. Pas ici.

— Oui, ma'am. Oh ! pardon…

Elle porte la main à sa bouche.

On entend des voix fortes dans la rue et nos deux regards se tournent vers la fenêtre. Que se passerait-il si des Blancs apprenaient que j'étais ici un samedi soir en train de parler avec Aibileen et qu'elle ne portait pas sa tenue de domestique ? Appelleraient-ils la police pour signaler une rencontre suspecte ? J'en ai soudain la certitude. On nous arrêterait, parce que c'est ce qu'ils font dans ces cas-là. On nous accuserait d'avoir violé la loi sur l'intégration – je lis cela tous les jours dans le journal. On méprise les Blancs qui se réunissent avec des Noirs pour soutenir le Mouvement des droits civiques. Pour quelle autre raison nous rencontrerions-nous ? Je n'ai même pas pensé à apporter quelques lettres à Miss Myrna pour nous couvrir.

Aibileen a peur et ne cherche pas à le cacher, je le vois sur son visage. Les voix diminuent peu à peu en s'éloignant dans la rue. Je pousse un soupir de soulagement mais Aibileen reste tendue.

Je me penche sur ma liste de questions, à la recherche de ce qui pourrait dissiper la tension que je sens chez elle, et chez moi.

— Qu'est-ce qui vous déplaît dans votre travail, disiez-vous ?

Elle fait un effort pour parler, mais rien ne vient.

— Voulez-vous qu'on parle de la question des toilettes ? Ou d'Eliz… de Miss Leefolt ? Du salaire qu'elle vous donne ? Est-il arrivé qu'elle vous réprimande durement devant Mae Mobley ?

Aibileen prend une serviette en papier et s'éponge le front.

— Je regrette, je…

Elle se lève et sort en courant. Une porte se ferme, les tasses tremblent sur le plateau.

Cinq minutes passent. Quand elle revient, elle presse une serviette sur son front, comme quand l'ulcère de maman la fait vomir.

— Je regrette. Je croyais que j'étais… prête à parler.

Je hoche la tête. Je ne sais que faire.

— C'est juste que… Je sais que vous avez dit à cette dame de New York que j'allais… mais… (Elle ferme les yeux.) Désolée. Je crois pas que je pourrai.

Elle secoue la tête, la main crispée sur sa serviette.

Je reprends ma voiture. Je jette un coup d'œil à mon calepin sur le siège de cuir blanc. À côté de son lieu de naissance, j'ai noté une douzaine de mots. Dont un *oui, ma'am* et un *non, ma'am*.

Je gare la Cadillac et regarde la maison blanche de Hilly et son architecture délirante. Il y a quatre jours qu'Aibileen a vomi au beau milieu de notre entretien et je suis sans nouvelles d'elle depuis.

J'entre. La table de bridge est prête dans le salon de style ancien avec son horloge à la sonnerie assourdissante et les rideaux à festons dorés. Elles sont toutes assises – Hilly, Elizabeth et Lou Anne Templeton qui remplace Mrs Walters. Lou Anne fait partie de ces filles qui affichent *en permanence* un grand sourire plein d'entrain. Cela me donne envie de lui planter une épingle quelque part. Et dès que Hilly ouvre la bouche, elle est d'accord avec elle.

Hilly brandit un numéro de *Life* pour nous montrer une maison en Californie.

— Ils appellent ça une tanière, comme l'endroit où vivent les bêtes sauvages !

— Ah ! quelle horreur ! s'exclame Lou Anne, tout sourire.

On voit sur la photo le sol recouvert d'un mur à l'autre par un tapis de laine à longues mèches, des canapés bas au dessin aérodynamique, des fauteuils en forme d'œuf et des postes de télévision semblables à des soucoupes volantes.

— Voilà. C'est exactement comme ça chez Trudy ! dit Elizabeth.

Trudy, sa sœur aînée, est mariée à un banquier et ils viennent de s'installer à Hollywood.

— Eh bien, c'est du mauvais goût caractérisé, laisse tomber Hilly. Sans te vexer, Elizabeth.

— C'est comment, Hollywood ? demande Lou Anne.

— Oh ! c'est comme un rêve ! Et la maison de Trudy… la télé dans toutes les pièces, un mobilier ultramoderne… On est allés dans tous les grands restaurants fréquentés par les stars, on a bu des Martini et du vin de Bourgogne. Et en plus, elle a une bonne à demeure, chez elle, à *toute heure* de la journée. Je n'avais même pas à me préoccuper de Mae Mobley !

Je tressaille intérieurement à ces mots, mais personne ne semble réagir. Hilly regarde Yule May, sa bonne, qui nous ressert du thé. Grande et mince, presque altière, elle a une silhouette qui l'emporte de loin sur celle de sa patronne. Sa vue réveille mon inquiétude au sujet d'Aibileen. J'ai appelé en vain deux fois chez elle pendant la semaine.

— Je me disais que l'an prochain on pourrait prendre *Autant en emporte le vent* comme thème de notre vente, dit Hilly.

— Quelle bonne idée ! s'exclame Lou Anne.

— Ah ! Skeeter, continue Hilly, je sais que tu as été bien malheureuse de rater l'événement, cette année.

J'opine de la tête, l'air navrée. J'ai prétendu que j'avais la grippe pour ne pas y aller seule.

Elizabeth me donne une tape sur le bras.

— J'allais oublier de te remettre ceci. C'est de la part d'Aibileen, pour votre truc de Miss Myrna, je suppose ?

Je déplie la feuille qu'elle me tend, écrite à l'encre bleue, d'une très jolie cursive. « Je sais comment empêcher la théière de trembler. »

— Mais qui, au nom du ciel, se soucie d'empêcher une théière de trembler ? demande Elizabeth.

Elle a lu, évidemment.

Il me faut deux secondes et un verre de thé glacé avant de comprendre.

— Tu ne peux pas savoir comme c'est difficile, lui dis-je.

DEUX jours plus tard, à huit heures du soir, je me rends chez Aibileen, chargée d'une machine à écrire Corona de vingt-cinq kilos. Je frappe doucement, Aibileen vient ouvrir, et je me glisse à l'intérieur.

— On pourrait peut-être… s'asseoir dans la cuisine, cette fois ? Si cela ne vous dérange pas.

— D'accord. Il y a rien à voir, mais venez.

La cuisine est deux fois plus petite que le salon, et il y fait plus chaud. Le linoléum noir et blanc est usé à force d'être frotté.

Je pose la machine à écrire sur une table rouge au plateau rayé, sous la fenêtre. Aibileen s'apprête à verser l'eau dans la théière.

— Oh ! pas pour moi, merci, dis-je en attrapant ma sacoche. Je nous ai apporté quelques bouteilles de Coca, si ça vous dit ?

J'ai réfléchi aux moyens de la mettre à l'aise. Règle numéro un : qu'elle ne se sente pas obligée de me servir.

— C'est gentil. Je ne bois jamais mon thé si tôt, d'ailleurs.

Elle prend un décapsuleur et deux verres. Je bois directement au goulot. En me voyant, elle écarte les verres et fait de même.

J'ai appelé Aibileen après qu'Elizabeth m'a transmis son mot, et je l'ai écoutée, pleine d'espoir, m'exposer son idée : elle propose d'écrire elle-même et de me soumettre ensuite ce qu'elle aura écrit. J'ai tenté de me montrer enthousiaste, mais je sais qu'il me faudra tout réécrire, et donc perdre encore plus de temps.

Aibileen a un cahier à spirale devant elle.

— Vous voulez… que je lise ?

— Bien sûr.

Elle commence à lire d'une voix ferme et assurée.

— Le premier bébé blanc dont je me suis occupée s'appelait Alton Carrington. C'était en 1924 et je venais tout juste d'avoir quinze ans. Alton était un bébé grand et maigre avec des cheveux aussi fins que la soie sur un épi de maïs…

Je tape pendant qu'elle parle et sa parole est rythmée, plus claire que dans les échanges ordinaires.

— Toutes les fenêtres de cette maison crasseuse avaient des vitres qu'on pouvait pas ouvrir parce qu'elles étaient collées par la peinture alors que c'était une grande maison avec une grande pelouse. Je savais que l'air y était mauvais, et je m'y sentais mal.

— Attendez, dis-je.

J'ai tapé *une grande palouse.* Je recouvre de liquide effaceur et retape le mot.

— Bien. Continuez.

— Quand la maman est morte de la tuberculose six mois plus tard, on m'a gardée pour élever Alton jusqu'à ce que la famille parte s'installer à Memphis. J'adorais ce petit et il m'adorait, et c'est alors que j'ai compris que rendre les enfants fiers d'eux mêmes, c'était mon truc…

Soucieuse de ne pas offenser Aibileen, j'avais tenté de la raisonner au téléphone :

— Ce n'est pas si facile d'écrire. Et d'ailleurs vous n'en aurez pas le temps, Aibileen, avec un travail à temps complet.

— Ça peut pas être si différent de ce que je fais tous les soirs en écrivant mes prières.

— Vous ne priez pas à haute voix, alors ?

— Je l'ai jamais dit à personne. Même à Minny. Je trouve que je dis mieux les choses que je pense en les écrivant. J'écris tous les jours pendant une heure, quelquefois deux. Il y a un tas de gens qui souffrent, qui sont malades, dans cette ville.

J'étais impressionnée. Moi-même, je n'écrivais pas autant. Je lui ai donc dit que nous allions essayer de relancer le projet.

Elle boit une gorgée de Coca et se remet à lire. Elle évoque son tout premier emploi à l'âge de treize ans, quand elle astiquait l'argenterie à la résidence du gouverneur. Elle raconte comment, dès la première matinée, elle s'est trompée en notant la liste des pièces du service servant à vérifier que les domestiques n'avaient rien volé.

— Je suis revenue à la maison ce matin-là, après qu'on m'a renvoyée, et je suis restée dehors avec mes chaussures de travail toutes neuves. Les chaussures qui avaient coûté autant à ma mère qu'un mois d'électricité. C'est à ce moment, je crois, que j'ai compris ce qu'était la honte, et la couleur qu'elle avait. La honte n'est pas noire, comme la saleté, comme je l'avais toujours cru. La honte a la couleur de l'uniforme blanc tout neuf quand votre mère a passé une nuit à repasser pour gagner de quoi vous l'acheter et que vous le lui rapportez sans une tache, sans une trace de travail.

Je pousse le chariot et la machine à écrire tinte. Nous échangeons un regard. Je crois que ça va peut-être marcher.

Tous les deux jours, pendant les deux semaines qui suivent, je dis à ma mère que je vais à l'église presbytérienne de Canton pour servir un repas aux nécessiteux. Heure après heure, dans sa cuisine, Aibileen lit et je tape. Les détails s'accumulent, des visages d'enfants apparaissent. L'écriture d'Aibileen est claire, franche. Je le lui dis.

— Eh oui, mais vous savez bien à qui j'écris… (Elle glousse.) À Dieu !

Avant ma naissance, elle cueillait le coton à Longleaf, la plantation de ma famille. Elle s'est laissée aller un jour à parler de Constantine sans même que je le lui demande.

— Mon Dieu qu'elle chantait bien, Constantine ! Comme un ange du ciel debout devant l'autel. Ça nous donnait la chair de poule quand on entendait cette voix comme de la soie, puis elle a plus voulu chanter après qu'on l'a obligée à donner son bébé à…

Elle se tait. Me regarde.

« N'insiste pas », me dis-je. Je voudrais entendre tout ce qu'elle sait au sujet de Constantine, mais j'attendrai que nous ayons achevé ces entretiens. Je ne veux mettre aucun obstacle entre nous.

— Des nouvelles de Minny ? Si ça plaît à Mrs Stein, je voudrais bien être prête pour le prochain entretien.

Aibileen secoue la tête.

— Je lui en ai parlé trois fois et elle continue à dire qu'elle le fera pas. Je pense qu'il faut la croire, maintenant. Il y en a encore quelques-unes à qui je pourrais demander. Mais il va lui falloir combien de temps, à cette dame, pour vous dire si ça lui plaît ?

— Je n'en sais rien.

Aibileen serre les lèvres, regarde les pages couvertes de son écriture. Il y a chez elle quelque chose que je n'avais pas remarqué. De l'anticipation, un peu d'excitation. J'étais tellement enfermée en moi-même qu'il ne m'est pas venu à l'esprit qu'elle pourrait être sensible au fait qu'une éditrice de New York lise son histoire.

À la cinquième séance, Aibileen lit ce qu'elle a écrit sur la mort de Treelore. Elle raconte comment le contremaître blanc a jeté son corps brisé à l'arrière d'une camionnette.

— Et ils l'ont fait tomber en arrivant à l'hôpital des Noirs. C'est une infirmière qui me l'a dit. Elle était dehors. Ils l'ont fait rouler sur le plateau de la camionnette, il est tombé par terre, et le Blanc est reparti.

Aibileen ne pleure pas, elle laisse simplement passer un instant pendant que je fixe le clavier de ma machine à écrire et elle, le linoléum.

À la sixième séance, elle dit :

— Je suis entrée chez Miss Leefolt en 1960 quand Mae Mobley avait deux semaines.

Je sens qu'elle commence à être en confiance. Elle raconte l'installation des toilettes dans le garage, reconnaît qu'elle est contente de les avoir là désormais. C'est toujours mieux que d'entendre Miss Hilly se plaindre parce qu'elle doit partager les toilettes avec la bonne.

Un soir, elle dit :

— J'étais en train de penser…

Puis elle se tait.

Je lève les yeux au-dessus de la machine, j'attends. Il a fallu qu'elle vomisse pour me faire comprendre que je devais la laisser prendre son temps.

— Je me disais que je devrais un peu plus lire. Ça m'aiderait pour écrire.

— Allez donc à la bibliothèque de State Street. Ils ont des salles entières d'écrivains du Sud. Faulkner, Eudora Welty…

— Vous savez bien qu'on admet pas les Noirs.

Je me sens idiote.

— Comment ai-je pu l'oublier ?

La bibliothèque des Noirs ne doit pas valoir grand-chose. Ils ont manifesté pacifiquement en s'asseyant devant celle des Blancs voici quelques années, et les journaux en ont parlé. À leur arrivée, la police s'est contentée de lâcher ses bergers allemands.

— Je me ferai un plaisir d'y prendre des livres pour vous, dis-je.

Aibileen se précipite dans la chambre et revient avec une liste. Je la regarde mettre des marques à côté des titres qu'elle voudrait.

— Vous voulez un livre… de Sigmund Freud ?

— Ah ! les fous…, dit-elle. J'adore lire des choses sur la façon de fonctionner de la tête. Vous êtes déjà tombée dans un lac en rêve ? Il dit que c'est une façon de rêver de sa naissance. Miss Frances, chez qui je travaillais en 1957, avait tous ses livres.

— Aibileen, depuis combien de temps vouliez-vous me demander cela ? D'emprunter ces livres pour vous ?

— Ça fait un moment. Je crois que j'osais pas en parler.

— Vous pensiez que… je pourrais refuser ?

— Avec toutes ces règles des Blancs… Comment savoir lesquelles vous suivez et lesquelles vous suivez pas ?

Je reste quatre jours de suite dans ma chambre face à la machine à écrire. Les vingt pages bourrées de ratures et de passages barrés ou cerclés de rouge donnent trente et un feuillets proprement dactylographiés sur du beau papier Strathmore blanc. Je rédige une courte biographie de Sarah Ross, nom emprunté par Aibileen à son institutrice décédée depuis plusieurs années. J'indique son âge, le métier de ses parents. Et je complète avec ses récits, exactement comme elle les a écrits elle-même, dans son style clair et direct.

Je lis et relis, puis j'apporte les pages à Aibileen dans la soirée et elle fait de même. Je suis moi-même surprise par tout ce qu'on trouve dans ces récits, depuis les réfrigérateurs séparés dans la résidence du gouverneur jusqu'aux Blanches faisant des crises dignes de gamines de deux ans pour un faux pli sur une serviette de table, et aux bébés blancs appelant Aibileen « maman ».

Je glisse le manuscrit dans une enveloppe jaune, et je le poste.

Il est une heure et quart. Hilly, Elizabeth et moi attendons que Lou Anne veuille bien se montrer. Je n'ai encore rien avalé de la journée et je suis nerveuse, au bord de la nausée. Je suis ainsi depuis dix jours, depuis que j'ai envoyé le témoignage d'Aibileen à Elaine Stein.

— Vous ne trouvez pas que c'est un peu fort ?

Hilly consulte sa montre et fronce les sourcils. C'est la deuxième fois que Lou Anne est en retard. Elle n'en a plus pour longtemps à faire partie de notre groupe, on peut compter sur Hilly.

— Eh bien, en attendant, j'ai une nouvelle à vous annoncer, dit Elizabeth. Je suis enceinte.

Elle sourit, sa bouche tremble un peu.

— C'est formidable ! dis-je. C'est pour quand ?

— Octobre.

— Eh bien, il était temps ! dit Hilly en la serrant dans ses bras. Mae Mobley est pratiquement élevée.

Pendant qu'on joue quelques parties sans noter le score, Hilly et Elizabeth discutent prénoms. Je m'efforce de participer.

— J'opte pour Raleigh si c'est un garçon, dis-je.

Hilly en vient à la campagne de William. Il se présente aux sénatoriales de mars prochain, bien qu'il n'ait aucune expérience politique. À mon grand soulagement, Elizabeth dit à Aibileen de servir le déjeuner.

Quand Lou Anne Templeton arrive enfin, nous avons fini les crevettes et la purée de maïs et attaquons le dessert. Hilly est d'une indulgence renversante. Lou Anne s'est mise en retard, après tout, parce qu'elle avait quelque chose à faire pour la Ligue.

Au moment de partir, je félicite une nouvelle fois Elizabeth. Alors que je me dirige vers ma voiture, Hilly me rattrape à grandes enjambées, une enveloppe à la main.

— C'est pour la *Lettre* de la semaine prochaine. Tu n'oublieras pas de le passer ?

Ce soir-là, je travaille à la *Lettre* de la Ligue. Je parcours le compte rendu de la dernière réunion et j'ouvre l'enveloppe de Hilly.

> Hilly Holbrook présente sa proposition de loi pour des installations sanitaires réservées aux domestiques. Une mesure de prévention des maladies. Installation de toilettes à bon marché dans votre garage ou dans un appentis extérieur pour les maisons ne disposant pas encore de cet important équipement.
>
> Mesdames, savez-vous que :
>
> – 99 % des maladies des Noirs sont transmises par l'urine.
>
> – Les Blancs peuvent être handicapés à vie par la plupart de ces maladies, faute d'être protégés par les facteurs d'immunité que les Noirs possèdent en raison de leur pigmentation plus foncée.
>
> – Les Blancs sont porteurs de certains germes qui peuvent également être nocifs pour les Noirs. Protégez-vous. Protégez vos enfants. Protégez votre bonne.

Le téléphone sonne dans la cuisine et je manque de tomber en me précipitant pour décrocher.

— Eugenia à l'appareil ! dis-je très vite.

— Elaine Stein.

Je reprends ma respiration.

— Oui, madame. Vous avez bien reçu ce que je vous ai envoyé ?

— Oui, dit-elle. Mais je continue à penser qu'un livre d'entretiens, normalement, ne devrait pas marcher. Ce n'est pas de la fiction, mais ce n'est pas non plus de la non-fiction. C'est peut-être de l'anthropologie, mais c'est affreux d'être classé sous cette étiquette.

— Mais vous… cela vous a plu ?

— Eugenia, dit-elle en soufflant la fumée de sa cigarette dans le téléphone. Avez-vous vu la couverture de *Life* cette semaine ? Martin Luther King vient d'annoncer une marche sur Washington et il appelle tous les Noirs d'Amérique à le rejoindre. Tous les Blancs aussi, d'ailleurs. On n'avait pas vu autant de Noirs et de Blancs ensemble depuis *Autant en emporte le vent*.

— Oui, j'ai entendu parler de… cet événement.

Je mens. Je regrette de ne pas avoir lu le journal cette semaine. J'ai l'air d'une idiote.

— Alors écrivez, et écrivez vite, c'est le conseil que je vous donne. La marche aura lieu en août. Il faudrait que vous ayez terminé début janvier. Et quatre ou cinq entretiens ne feront pas un livre. Il vous en faudra une douzaine, peut-être plus. Vous en avez déjà prévu d'autres, je présume ?

— … Quelques-uns.

— Bien. Alors allez-y. Avant que cette affaire de droits civiques ne retombe.

Ce soir-là, je vais chez Aibileen. Je lui remets trois livres figurant sur sa liste. J'ai mal au dos pour être restée trop longtemps courbée sur ma machine à écrire. J'ai noté les noms de toutes les personnes ayant une bonne (c'est-à-dire toutes mes connaissances) et les noms de leurs bonnes. Mais je ne me souviens pas de tous.

— Merci. Ah ! regardez-moi ça !

Elle sourit en tournant la première page de *Walden* de Thoreau, comme si elle était prête à le lire séance tenante.

— J'ai eu Mrs Stein au téléphone cet après-midi, dis-je.

Les mains d'Aibileen s'immobilisent sur le livre.

— Je savais qu'il y avait un problème. Je l'ai vu à votre tête.

Je prends ma respiration.

— Elle dit qu'elle aime beaucoup ce que vous avez écrit. Mais… elle ne dira pas si elle veut le publier tant que nous n'aurons pas *tout* écrit. (Je m'efforce de paraître optimiste.) Et il faut qu'on ait fini d'ici la nouvelle année. Elle dit aussi qu'il nous faut interroger au moins douze bonnes avant qu'elle prenne une décision. Je n'ai personne à qui demander, Aibileen. (Je parle de plus en plus fort.) À qui pourrais-je m'adresser ? Pascagoula ? Si je lui en parle, ma mère le saura.

Aibileen évite mon regard avec une telle promptitude que j'ai envie de pleurer. *Bon Dieu, Skeeter !*

— Ne m'en veuillez pas, dis-je précipitamment. Ne m'en veuillez pas d'avoir élevé la voix.

— Non, non, c'est normal. C'était à moi de trouver les autres.

— Pourquoi pas Yule May, la bonne de Hilly ?

— Elle dit qu'elle a déjà trop à faire parce qu'elle veut envoyer ses deux garçons à la fac l'année prochaine.

— Et les autres bonnes qui fréquentent votre église ? Vous ne leur avez pas demandé ?

Aibileen lève enfin les yeux.

— Elles ont toutes des excuses. Mais en fait, elles ont peur.

— Combien en avez-vous sollicité ?

— Trente et une. Je voulais pas vous le dire avant qu'on ait des nouvelles de cette dame… (Elle ôte ses lunettes. Je lis une profonde inquiétude sur ses traits.) J'ai plus qu'à leur redemander, dit-elle.

QUELQUES jours plus tard, je suis dans la cuisine en train de fumer une cigarette. Le téléphone sonne comme une alarme d'incendie. J'attrape le récepteur.

— Minny va nous aider, dit Aibileen à voix basse.

Je me glisse dans la réserve et me laisse choir sur un bidon de farine. Je reste cinq secondes sans pouvoir articuler un mot.

— Quand ? Quand veut-elle commencer ?

— Jeudi prochain. Mais elle pose… des conditions.

— Lesquelles ?

Aibileen marque une pause.

— Elle dit qu'elle veut pas voir votre Cadillac de ce côté du pont Woodrow Wilson. Et elle dit… elle dit que vous devez pas vous asseoir à côté d'elle. Elle veut vous voir toujours de face.

— Je prendrai la camionnette et je m'assiérai où elle voudra.

La voix d'Aibileen se fait plus douce.

— C'est qu'elle vous connaît pas, c'est tout. En plus, il lui est arrivé une sale histoire avec des Blanches.

DEUX jours plus tard, Aibileen vient m'ouvrir et j'entre. Minny est debout dans l'angle le plus reculé du salon, les bras croisés sur son ample poitrine. Je l'ai vue à quelques reprises, les rares fois où Hilly laissait Mrs Walters recevoir le club de bridge chez elle. Minny et Aibileen ont gardé leurs uniformes blancs.

— Bonjour, dis-je, de l'autre extrémité de la pièce. Contente de vous revoir.

— Miss Skeeter.

Minny fait un signe de tête. Elle s'assoit et la chaise en bois qu'Aibileen est allée chercher à la cuisine grince sous son poids. Je m'assois le plus loin possible, à une extrémité du canapé, et Aibileen à l'autre, entre nous deux.

Je m'éclaircis la voix, tente un sourire. Minny n'y répond pas. Elle est petite, grosse et musclée. Sa peau est nettement plus foncée que celle d'Aibileen, tendue et luisante comme le cuir d'une paire de chaussures neuves.

— J'ai déjà expliqué à Minny comment on fait pour écrire les témoignages, me dit Aibileen. Vous m'avez aidée à écrire le mien. Et elle va vous raconter des histoires pendant que vous écrirez.

— Et, Minny, dis-je, tout ce que vous dites restera confidentiel. Vous lirez ensuite tout ce que nous…

— Pourquoi vous croyez que les Noirs ont besoin de votre aide ?

La chaise grince et elle se lève brusquement.

— Qu'est-ce que ça peut vous faire tout ça ? À vous, la *Blanche* ?

Je regarde Aibileen. Jamais une Noire ne m'a parlé sur ce ton.

— Si ça se trouve, vous voulez me faire parler pour m'attirer des ennuis !

J'ai le visage en feu.

— Nous voulons montrer les choses de votre point de vue… De cette façon les gens comprendront peut-être comment c'est de votre côté. Nous… nous espérons que certaines choses pourront changer autour de nous.

— Qu'est-ce que vous croyez changer avec ça ? Vous allez changer la loi pour qu'on soit gentil avec sa bonne ?

— Attendez, dis-je. Je ne veux pas changer de loi. Je parle seulement de comportement et…

— Vous savez ce qui va arriver si on se fait prendre ? Ils vont me braquer chez moi avec leurs *pistolets* !

Un silence tendu règne dans la pièce pendant un instant.

— On ne te force pas à faire ça, Minny, dit Aibileen. Tu peux changer d'avis.

Lentement, avec lassitude, Minny se rassoit sur sa chaise.

— Je vais le faire. Je veux être sûre qu'elle comprend que c'est pas un *jeu*, c'est tout.

Je jette un coup d'œil à Aibileen. Elle me répond d'un hochement de tête. J'ai les mains qui tremblent.

Je commence par les questions sur ses antécédents et on en vient à parler de son travail. Elle répond sans quitter Aibileen des yeux, comme si elle voulait oublier ma présence dans la pièce.

Je note tout ce qu'elle dit et mon stylo court sur le papier. Nous avons pensé que ce serait moins impressionnant que d'utiliser la machine à écrire.

Minny aime bien parler de nourriture. Un jour, après avoir dit : « … j'avais un bébé blanc dans un bras, les haricots verts dans la marmite, et… » elle se tait soudain. Me regarde. Tape du pied.

— La moitié de ce que je raconte a rien à voir avec les droits des Noirs. C'est des trucs de tous les jours. (Elle m'examine de la tête aux pieds.) On dirait que c'est *la vie*, que vous écrivez.

Mon stylo reste en suspens au-dessus de la feuille. Elle a raison. Je comprends que c'est exactement ce que je voulais. Je lui réponds :

— J'espère bien.

Elle se lève et déclare qu'elle a d'autres choses à faire, et bien plus importantes, que de se soucier de ce que j'espère.

Le lendemain soir, alors que je travaille dans ma chambre, j'entends soudain maman qui monte l'escalier en toute hâte. Deux secondes plus tard, elle entre.

— Eugenia, dit-elle à voix basse. Ne t'affole pas, mais il y a en bas un homme – *très grand* – qui te demande. Il dit qu'il s'appelle Stuart Whitworth.

— Comment ?

— Il dit que vous avez passé une soirée ensemble il y a quelques temps, mais comment est-ce possible ? Je n'en savais rien !

— Bon Dieu !

— N'invoque pas le nom du Seigneur en vain, Eugenia Phelan. Mets plutôt un peu de rouge à lèvres.

Je me brosse les cheveux, ils sont affreux. Je nettoie même les taches d'encre sur mes mains et mes coudes. Mais je ne changerai pas de tenue, pas pour lui.

Maman m'examine rapidement dans ma salopette et la vieille chemise blanche de papa.

— C'est un Whitworth de Greenwood ou un Whitworth de Natchez ?

— C'est le fils du sénateur.

La mâchoire de maman tombe si brusquement qu'elle heurte son rang de perles.

Je sors. Il est là. Trois mois après notre rencontre. Stuart Whitworth en personne, debout sur ma véranda en pantalon kaki, veste bleue et cravate rouge comme pour un dîner du dimanche.

— Que faites-vous ici ?

Je ne souris pas. Pas à lui.

— Je… je passais.

— Ah ! Je vous offre un verre ? À moins que vous ne préfériez toute la bouteille d'Old Kentucky ?

Il se rembrunit.

— Écoutez, je sais que… qu'il y a déjà un certain temps, mais je suis venu vous faire mes excuses.

— Qui vous envoie ? Hilly ? William ?

Il y a huit rocking-chairs inoccupés sur la véranda. Je ne lui propose pas de s'asseoir.

— Je sais que j'ai été… grossier, ce soir-là, j'y ai beaucoup pensé depuis et…

Je ris. Je suis gênée. Pourquoi venir me rappeler cela ?

— Écoutez, dit-il. J'avais dit cent fois à Hilly que je n'étais pas prêt pour sortir à nouveau avec une fille. J'en étais même très loin…

Je serre les dents. Je n'en reviens pas, mais les larmes me montent aux yeux ; c'était il y a des mois. Pourtant, je me souviens de l'humiliation que j'ai éprouvée à me sentir comme un produit de remplacement après m'être emballée de façon aussi ridicule.

— Pourquoi êtes-vous venu, alors ?

— Je ne sais pas… Vous savez comment c'est avec Hilly.

Il se passe la main dans les cheveux. Il a l'air fatigué.

Je regarde ailleurs parce qu'il est plutôt mignon avec ses airs de petit garçon et ce n'est pas le moment d'avoir ce genre d'idées. Je m'entends demander :

— Qu'entendez-vous par « je n'étais pas prêt » ?

— Je n'étais pas prêt, c'est tout. Pas après ce qui m'était arrivé.

Je le regarde.

— Vous voulez que je devine ?

— Avec Patricia van Devender. On s'était fiancés l'année dernière, et… Je croyais que vous étiez au courant.

Il se laisse tomber dans un rocking-chair. Je ne m'assieds pas à côté de lui.

— Quoi, elle vous a laissé tomber pour un autre ?

Il baisse les yeux et murmure :

— Si ce n'était que ça…

Je me retiens pour ne pas lui dire qu'il méritait certainement ce qu'elle lui a infligé, car il fait vraiment peine à voir.

— On sortait ensemble depuis l'âge de quinze ans. Vous savez ce que c'est, quand on est resté aussi longtemps avec quelqu'un.

— À vrai dire, je l'ignore. Je n'ai jamais eu de petit ami.

Il me regarde, et il a une sorte de rire.

— Eh bien, ça doit être ça, alors.

— Quoi, « ça » ?

— Vous êtes… différente. Je n'ai jamais rencontré quelqu'un qui dise exactement ce qu'il pense. Aucune fille, en tout cas.

— Croyez-moi, j'aurais pu en dire *beaucoup* plus.

Il soupire.

— Quand j'ai vu votre visage, là-bas, devant la camionnette… Je ne suis pas celui que vous croyez. Je ne suis pas ce pauvre type.

Je regarde ailleurs, gênée. Je commence à comprendre ce qu'il voulait dire : que si je suis différente, ce n'est pas forcément au sens d'anormale, comme une géante. Mais peut-être dans le bon sens.

— Je suis venu voir si vous accepteriez de m'accompagner en ville pour dîner. On pourrait discuter. On pourrait… je ne sais pas, moi, on pourrait s'écouter l'un l'autre, cette fois.

Il me fixe de ses yeux bleu clair comme s'il attendait vraiment quelque chose de ma réponse. Puis je me rappelle la façon dont il m'a traitée comme une moins que rien. Au point de se saouler à mort tellement il se sentait mal avec moi. Je l'entends encore me dire que je sentais l'engrais. Il m'a fallu trois mois pour cesser d'y penser.

— Non, dis-je d'une traite. Merci. Une soirée avec vous ? Je ne peux rien imaginer de pire.

Il hoche la tête. Puis il descend les marches de la véranda.

— Je regrette. C'est ce que j'étais venu dire. Eh bien, c'est fait.

Stuart monte en voiture et la portière claque. La vitre est descendue. Mais il garde les yeux baissés.

Je lance :

— Laissez-moi une minute, je vais passer un pull !

On ne nous dit pas, à nous les filles qui ne sortons jamais avec des garçons, que le souvenir peut être aussi délicieux que ce qui s'est réellement passé.

Hier soir, nous sommes allés au Robert E. Lee pour dîner. J'avais passé un petit pull bleu pâle et une jupe blanche moulante. J'avais même laissé maman me brosser les cheveux.

Tout en brossant et aplatissant, brossant et aplatissant, maman ne cessait de me demander comment j'avais fait sa connaissance et ce qui s'était passé à notre premier rendez-vous, mais j'ai réussi à lui échapper et à filer dans l'escalier. Quand Stuart et moi sommes arrivés à l'hôtel et nous sommes assis, le serveur nous a annoncé qu'ils ne tarderaient pas à fermer. On pouvait seulement nous servir un dessert.

— Qu'est-ce qui vous ferait plaisir, Skeeter ? m'a demandé Stuart, et je me suis crispée, espérant qu'il n'avait pas l'intention de se saouler à nouveau.

— Un Coca avec des glaçons.

— Non, a-t-il dit en souriant. Je veux dire… dans la vie. Qu'attendez-vous ?

Maman m'aurait conseillé de répondre : avoir de beaux enfants pleins de santé, m'occuper de mon mari, une cuisine bien équipée pour préparer des repas sains et néanmoins savoureux.

— Je veux être écrivain, ai-je répondu. Journaliste. Romancière, peut-être. Ou les deux.

Il m'a regardée droit dans les yeux.

— J'aime ça, a-t-il dit, et il a continué à me regarder. J'ai beaucoup pensé à vous. Vous êtes intelligente, vous êtes jolie, vous êtes… (Il a souri.) grande.

Jolie ?

Nous avons mangé des soufflés à la fraise et bu un verre de chablis chacun. Il m'a expliqué comment on faisait pour détecter du pétrole sous un champ de coton et je lui ai appris que la réceptionniste et moi étions les seules femmes à travailler pour le journal.

— J'espère que vous écrivez quelque chose de vraiment bien. Quelque chose… qui vous tient à cœur.

— Merci. Je… je l'espère aussi.

Le serveur bâillait dans un coin de la salle mais nous l'avons ignoré et sommes restés encore un peu pour discuter. J'en étais à regretter d'avoir pris un bain le matin sans me laver les cheveux quand soudain il m'a embrassée, lentement, à pleine bouche, et j'ai senti comme une décharge électrique dans mon corps tout entier.

UN lundi après-midi, quelques semaines après ma soirée avec Stuart, je passe à la bibliothèque avant la réunion de la Ligue. Je suis venue chercher des livres pour Aibileen et essayer de savoir si quelqu'un avait déjà écrit quelque chose sur la condition des bonnes.

J'épluche les fiches rangées dans les boîtes, parcours les rayonnages, mais ne trouve rien. Au rayon des ouvrages documentaires, je tombe sur *La Vie de Frederick Douglass, esclave américain*. Je le prends, mais je m'aperçois en l'ouvrant que la partie centrale a été arrachée. Et quelqu'un a écrit « livre de nègre » au stylo sur la page de garde. Je suis moins choquée par les mots que par l'écriture, qui est visiblement celle d'un gamin. Je fourre le livre dans ma sacoche. Mieux vaut cela, me semble-t-il, que de le remettre sur l'étagère.

Dans la salle consacrée à l'histoire du Mississippi, je cherche quelque chose qui évoque de près ou de loin les relations interraciales. Je ne trouve que des ouvrages sur la guerre de Sécession, des cartes et de vieux annuaires téléphoniques. Je me dresse sur la pointe des pieds pour inspecter la plus haute étagère et j'aperçois une plaquette. Une personne de taille normale ne l'aurait pas vue. C'est une mince plaquette imprimée sur du papier pelure qui rebique, retenu par des agrafes. On lit sur la couverture *Recueil des lois Jim Crow pour le Sud*. Je l'ouvre, et le papier crisse sous mes doigts.

Il s'agit simplement d'une liste de lois fixant ce que les Noirs peuvent faire et ne pas faire dans différents États du Sud.

> Nul ne doit demander à une femme blanche d'exercer le métier d'infirmière dans un pavillon ou dans une salle où se trouvent des hommes noirs.
>
> Il est illégal pour une personne de race blanche d'épouser une personne de race noire. Tout mariage contrevenant à cette loi sera déclaré nul.
>
> Aucun coiffeur de race noire ne peut coiffer des filles ou des femmes de race blanche.
>
> Le préposé aux inhumations ne doit pas enterrer de personnes de race noire dans un terrain servant à l'inhumation de personnes de race blanche.

Les livres ne doivent pas être échangés entre écoles blanches et écoles noires mais continuer à servir à la race qui les a utilisés en premier.

Je lis rapidement les premières pages, stupéfaite par le nombre de lois qui n'existent que pour nous séparer. Les Noirs et les Blancs n'ont pas le droit de boire aux mêmes fontaines, de fréquenter les mêmes salles de cinéma, d'utiliser les mêmes terrains de jeux, les mêmes toilettes publiques, les mêmes cabines téléphoniques, d'assister aux mêmes spectacles de cirque. Nous connaissons tous ces lois, mais nous n'en parlons jamais. C'est la première fois que je les vois écrites.

Après quelques minutes, je cesse de lire et je m'apprête à remettre la plaquette en place, en me disant que je n'écris pas un livre sur la législation dans les États du Sud. Mais soudain je me rends compte que rien ne différencie ces lois de la volonté de Hilly de construire des toilettes pour Aibileen dans le garage, sinon les dix minutes nécessaires pour apposer quelques signatures au bas d'un document dans la capitale de l'État.

Je griffonne ma révélation sur un bout de papier que je glisse entre les pages : « Jim Crow ou la proposition de loi de Hilly pour des toilettes séparées, quelle différence ? » et je fourre la plaquette dans ma sacoche.

Je fonce vers la sortie. J'ai une réunion de la Ligue dans une demi-heure.

MES amies et moi avons toutes notre place de prédilection. Elizabeth, penchée sur sa machine à coudre, s'efforce de faire de sa vie un vêtement de confection sans coutures apparentes. Je tape à la machine des phrases bien senties que je n'aurais jamais le culot de prononcer à haute voix. Et Hilly, sur une estrade, explique à soixante-cinq femmes que trois boîtes par personne ne suffiront pas à rassasier tous ces PEAA – traduisez : pauvres enfants africains affamés. Mary Joline Walker, toutefois, trouve que trois, c'est beaucoup.

— Et ça ne coûte pas un peu cher d'expédier ces conserves à l'autre bout du monde ? demande Mary Joline. Il ne serait pas plus raisonnable d'envoyer un chèque, tout simplement ?

Hilly a décidé d'une séance exceptionnelle. En juillet, elle descend sur la côte pour trois semaines. Elle va devoir faire confiance à toute une ville pour fonctionner correctement en son absence, et ce ne sera pas facile.

Hilly lève les yeux au ciel.

— On ne peut pas donner d'argent à ces tribus, Mary Joline. Ils seraient capables de prendre notre argent pour s'offrir un tatouage satanique sous la tente du prêtre vaudou du coin !

Je me fraie un chemin à travers la salle pleine à craquer et une sensation de chaleur m'accompagne comme si on braquait un projecteur sur moi pour attirer l'attention. Autour de moi on mange des gâteaux et on fume des cigarettes. Toutes ces femmes sont à peu près du même âge que moi. J'en vois qui discutent à voix basse en me lançant des regards en coin.

— Skeeter, dit Liza Presley au moment où je passe devant les pichets de café, on m'a dit que tu avais dîné au Robert E. Lee la semaine dernière ?

— Tu sors vraiment avec Stuart Whitworth ? enchaîne Frances Greenbow.

Ces questions sont plutôt amicales. J'essaie tout de même de ne pas penser que lorsqu'une fille comme les autres sort avec un garçon, c'est de l'information, mais quand il s'agit de Skeeter Phelan, cela devient un *événement*.

C'est pourtant vrai. Je sors avec Stuart Whitworth, depuis trois semaines maintenant. Et le projecteur blanc de l'étonnement général me suit tandis que je rejoins Hilly.

— Quand allez-vous vous revoir ? m'interroge Elizabeth.

— Demain soir. Dès qu'il pourra venir.

— Bien.

Hilly a le sourire d'un gros gamin devant des cornets de glace. Le bouton qui retient la veste de son tailleur rouge menace de craquer sous la pression.

— On pourrait sortir à quatre, alors ?

Je ne réponds pas. Je ne veux pas d'Hilly et William avec nous. Je veux rester tranquille avec Stuart, tandis qu'il me regarde, et moi seulement. Il a par deux fois, alors que nous étions seuls, repoussé en arrière la mèche qui me tombait sur les yeux. Il ne repoussera plus ma mèche s'ils sont là.

— William appellera Stuart ce soir. Allons au cinéma ensemble !

— D'accord, dis-je dans un soupir.

Hilly frappe du marteau pour annoncer le début imminent de la réunion. Je vais m'asseoir, ma sacoche sur les genoux. Je la palpe à la recherche de la plaquette des lois Jim Crow que j'ai dérobée à la bibliothèque. La sacoche, en fait, contient tout le travail que nous avons fait – les témoignages d'Aibileen et de Minny, le cahier avec le plan des questions, une liste des bonnes à contacter, une réponse cinglante et jamais postée à la proposition de loi de Hilly sur les toilettes, tout ce que je ne peux pas laisser chez moi de peur que maman ne vienne fouiller dans mes affaires. Je garde le tout dans une pochette à fermeture Éclair qui fait une bosse à travers la toile du sac.

Je glisse la sacoche sous mon siège. La réunion commence. Je note les rendez-vous de la Ligue, les noms de celles qui n'ont pas encore apporté leurs boîtes de conserve. Le calendrier des activités est plein de réunions de commissions et de fêtes de naissance, et je m'agite sur ma chaise en bois. Je dois rapporter la voiture à ma mère avant trois heures.

Il est déjà moins le quart lorsque, une heure et demie plus tard, je m'éclipse et rejoins en courant la Cadillac. Qu'y a-t-il de pire, le courroux de maman ou celui de Hilly ?

J'arrive à la maison avec cinq minutes d'avance. Je crie dans l'entrée :

— Maman, je suis là !

Je prends un Coca dans le frigo, je me sens bien, je me sens forte. Je me dirige vers la porte pour prendre ma sacoche, prête à rédiger les dernières histoires de Minny. Elle n'est pas là. Je sors pour regarder dans la voiture, mais elle n'y est pas non plus. Un frisson de panique court le long de mon épine dorsale. Il y a *tout* dans cette sacoche.

Je pense « Maman ! » et dévale les marches pour regarder dans le petit salon. Et je comprends soudain que ce n'est pas elle qui l'a. J'ai laissé la sacoche au siège de la Ligue. Et quand le téléphone se met à sonner, je sais que c'est Hilly qui appelle.

J'arrache le récepteur à son support. Maman me lance un au revoir sur le seuil de la maison.

— Comment as-tu fait pour oublier ce truc qui pèse si lourd ? demande Hilly.

Fouiller dans les affaires des autres ne lui pose aucun problème. À vrai dire, elle adore ça.

Je crie à travers la cuisine :

— Maman, attends une seconde !

— Pour l'amour du ciel, Skeeter, qu'est-ce qu'il y a là-dedans ? demande Hilly.

Il faut que je rattrape maman, mais la voix de Hilly est étouffée, comme si elle était déjà penchée pour ouvrir la sacoche.

— Rien ! Seulement… toutes les lettres à Miss Myrna, tu sais.

— Eh bien, je l'ai rapportée chez moi. Viens la récupérer quand tu pourras.

Dehors, maman fait ronfler le moteur.

— Garde-la-moi. J'arrive dès que possible.

Je me précipite dehors, et je bondis sur le siège du passager.

— Emmène-moi chez Hilly, j'ai quelque chose à y prendre.

— Écoute, dit maman. J'ai certaines affaires personnelles à régler et je ne tiens pas à te traîner avec moi.

— Tu en auras pour cinq minutes. Démarre, maman !

Elle laisse ses mains gantées de blanc sur le volant.

— Il se trouve que j'ai quelque chose d'important et de confidentiel à faire.

— Quoi ?

Maman soupire et dit :

— Bon…

On descend l'allée à moins de dix à l'heure.

— Maman, dis-je. Laisse-moi conduire.

Soupir. À ma grande surprise, elle s'arrête sur le bas-côté. Je sors et fais le tour de la voiture pendant qu'elle se glisse du côté passager. J'accélère en priant : « S'il te plaît, Hilly, résiste à la tentation de fouiller dans mes affaires personnelles… »

— Alors, c'est quoi ce grand secret, qu'as-tu donc de si important à faire aujourd'hui ?

— Je… je vais voir le Dr Neal pour des tests. Ce sont des examens de routine, mais je ne veux pas que ton père le sache.

— Quelle sorte de tests ?

— C'est comme chaque année, on mesure le taux d'iode que j'ai dans le sang, pour mon ulcère. Tu n'as qu'à me déposer à la Clinique baptiste, et tu pourras aller chez Hilly avec la voiture.

Je la regarde pour savoir si elle m'a tout dit, mais elle se tient bien droite dans sa petite robe bleu pâle. Je ne me souviens pas qu'elle ait subi des tests l'an passé. Je me trouvais à la fac, mais Constantine m'en aurait informée dans ses lettres.

Nous arrivons à la Clinique baptiste. Je fais le tour de la voiture et l'aide à sortir.

— Eugenia, je t'en prie. Ce n'est pas parce que ce bâtiment est une clinique que moi, je suis invalide. Je t'ai dit que c'était de la *routine*. Va chez Hilly et reviens ici dans une heure.

Une minute et demie plus tard, je sonne à la porte de Hilly. En temps normal, je lui parlerais de maman. Mais je ne veux pas détourner son attention. Ce premier contact me dira tout. Hilly est une menteuse hors pair, sauf à l'instant où elle va parler.

Elle ouvre la porte. Bouche close, les lèvres serrées. Je regarde ses mains. Elles sont serrées aussi, les doigts noués comme des cordes. J'arrive trop tard.

— Eh bien, tu as fait vite, dit-elle, tandis que je la suis à l'intérieur. Voilà cet horrible machin. J'espère que tu ne m'en voudras pas, j'ai dû vérifier quelque chose dans le compte rendu de la réunion.

Je regarde ma meilleure amie, je cherche à deviner ce qu'elle a lu. Mais son sourire est professionnel, voire éclatant.

— Je t'offre à boire ?

— Non, ça va. Tu ne voudrais pas échanger quelques balles au club, tout à l'heure ? Il fait si beau dehors.

— William a une réunion pour sa campagne, et ensuite on ira voir *Un monde fou, fou, fou, fou*.

Je l'observe. Ne m'a-t-elle pas proposé, il y a deux heures, une sortie à quatre demain soir pour aller voir un film ?

— Oui. Hum… Il paraît que Spencer Tracy y est divin, dis-je.

Je fourrage, l'air détaché, dans les papiers qui sont à l'intérieur de mon sac. Les notes des interviews d'Aibileen et de Minny sont toujours au fond de la poche latérale, couvercle rabattu sur le fermoir. Mais le projet « Toilettes » de Hilly est bien en vue au milieu du sac avec la feuille sur laquelle j'ai écrit « Jim Crow ou la proposition de loi de Hilly pour des toilettes séparées – quelle différence ? » À côté se trouve le brouillon de la *Lettre*, dont Hilly a déjà pris connaissance. Mais la plaquette – les lois – a disparu.

Hilly penche la tête de côté, me scrute.

— Tu sais, je pensais à l'instant que le père de Stuart était avec le gouverneur Barnett quand ils ont manifesté pour empêcher cet étudiant noir d'entrer à Ole Miss.

J'ouvre la bouche pour dire quelque chose, n'importe quoi, mais

William Junior, deux ans, entre en titubant sur ses petites jambes.

— Te voilà, toi ! s'écrie Hilly.

Elle le prend dans ses bras, l'embrasse dans le cou.

— Tu es parfait, mon garçon, parfait !

— Alors, bon film ! dis-je en me dirigeant vers la porte.

— C'est ça, dit-elle.

Je descends les marches. Hilly, sur le seuil, agite la main de William pour qu'il fasse au revoir. Elle claque la porte avant que j'aie atteint ma voiture.

Aibileen

DES situations tendues, j'en ai connu. Mais avec Minny d'un côté de mon salon et Miss Skeeter de l'autre en train de parler de ce que ça fait d'être une Noire qui travaille chez une Blanche... Seigneur, c'est un miracle qu'il n'y ait eu personne de blessé.

On est pas passé loin, tout de même. La semaine dernière par exemple, quand Miss Skeeter m'a expliqué pourquoi Miss Hilly veut des toilettes séparées pour les Noirs.

— On se croirait au Ku Klux Klan, j'ai dit à Miss Skeeter.

Minny était allée dans la cuisine et elle s'était plantée devant le frigo.

— Hilly veut que je publie ce texte dans la *Lettre* de la Ligue, a dit Miss Skeeter en secouant la tête d'un air dégoûté. Je suis désolée, sans doute que je n'aurais pas dû vous le montrer. Mais à part vous, je n'ai personne à qui en parler.

Une minute après, Minny revient de la cuisine. Je lance un regard à Miss Skeeter, et elle glisse la feuille sous son calepin. Minny était plus en pétard que jamais.

— Minny, il vous arrive de parler des droits civiques avec Leroy ? demande Miss Skeeter. Quand il rentre du travail ?

Minny avait un gros bleu au bras, à cause de ce que fait Leroy en rentrant du travail. Il la bouscule, disons.

— Non, a répondu Minny.

— Vraiment ? Il ne vous dit pas ce qu'il pense de la ségrégation et des marches pour les droits civiques ? Peut-être qu'à son travail, le patr...

— Laissez tomber Leroy.

Minny a croisé les bras. J'ai donné un coup de pied discret à Miss Skeeter. Mais elle avait cet air qu'elle prend quand elle pense à quelque chose.

— Aibileen, vous ne croyez pas qu'il serait intéressant de montrer un peu le point de vue des maris ? Vous, Minny, peut-être que...

Minny s'est relevée si brusquement que l'abat-jour a tremblé.

— J'arrête ! Ça devient trop personnel ! J'ai pas envie de dire aux Blancs tout ce que je pense !

— Minny, d'accord, excusez-moi, a dit Miss Skeeter.

— Non ! J'ai changé d'avis. Trouvez quelqu'un d'autre pour vendre la mèche !

Minny a pris son sac à main et elle a dit :

— Je regrette, Aibi. Mais je peux pas continuer.

Alors je me suis penchée pour tirer une feuille cachée sous le calepin de Miss Skeeter. Je l'ai mise sous le nez de Minny.

Elle a pris la feuille. L'a parcourue. Bientôt, j'ai vu toutes ses dents de devant. Mais elle souriait pas. Puis elle a regardé Miss Skeeter, longtemps. Et elle a dit :

— Bon. On va peut-être continuer. Mais vous vous mêlez pas de mes affaires, d'accord ?

Miss Skeeter a fait oui de la tête. Elle apprend, à force.

APRÈS le déjeuner, j'emmène Mae Mobley dehors et je remplis la petite piscine en plastique vert. Il fait déjà trente-cinq dans le jardin. Dans le Mississippi, on a le temps le plus impossible de tout le pays. En février, on aura moins dix degrés et on priera pour que le printemps arrive, et le lendemain, il se mettra à faire trente pour les neufs mois suivants.

Miss Leefolt sort et elle dit :

— Alors, on s'amuse bien ? Je vais appeler Hilly pour qu'elle nous amène Heather et le petit William.

Et en moins de temps qu'il en faut pour le dire, me voilà avec trois petits qui jouent à s'éclabousser et qui s'amusent comme des fous.

Nous les adultes, on reste à l'ombre du magnolia pendant que les petits jouent. Je laisse quelques mètres entre les dames et moi, c'est plus convenable. Elles ont des serviettes sur leurs fauteuils en fer forgé qui deviennent brûlants au soleil.

Moi je me trouve bien sur le fauteuil pliant en plastique. Ça me garde les jambes au frais.

Je regarde Mae Mobley qui saute par-dessus le bord de la piscine. Mais je garde un œil sur les dames, aussi. J'ai remarqué que Miss Hilly grimace dès qu'elle se tourne vers Miss Leefolt.

— Aibileen, apportez-moi encore du thé glacé, vous voulez bien ? demande Miss Hilly.

Je me lève et je vais chercher le pichet dans le réfrigérateur. Quand je reviens, je l'entends qui dit :

— C'est ce que je ne comprends pas, vois-tu. Personne n'a envie de s'asseoir sur des toilettes qu'il faut partager avec eux !

— Ce n'est pas faux, dit Miss Leefolt, puis elle lui fait signe de se taire en me voyant approcher pour remplir leurs verres.

— Merci, dit Miss Hilly.

Après ça elle me regarde d'un air vraiment perplexe.

— Aibileen, vous êtes contente d'avoir vos propres toilettes, n'est-ce pas ?

— Oui, ma'am.

— Séparés mais égaux, dit Miss Hilly en se tournant vers Miss Leefolt. C'est ce que prône le gouverneur Ross Barnett, et on ne discute pas avec le *gouvernement*.

Miss Leefolt se tape sur la cuisse comme si elle avait la chose la plus intéressante du monde à dire, histoire de changer de sujet.

— Je t'ai raconté ce que Raleigh a dit l'autre jour ?

Mais Miss Hilly secoue la tête.

— Aibileen, vous ne voudriez pas aller dans une école pleine de Blancs, n'est-ce pas ?

— Non, ma'am, je marmonne.

Je me lève pour retirer le machin qui tient la queue-de-cheval de Baby Girl. Ces boules en plastique vert s'emmêlent quand elle a les cheveux mouillés. Mais c'est surtout pour lui mettre les mains sur les oreilles et l'empêcher d'entendre ce qu'elles disent. Et, pire, moi qui approuve. Alors je me dis : Pourquoi ? Pourquoi il faudrait que je reste là et que j'approuve ? Et si Mae Mobley doit entendre, elle entendra quelque chose de bon sens. J'ai le cœur qui bat. Et je dis aussi poliment que je peux :

— Pas dans une école avec seulement des Blancs. Mais dans une école où les Blancs et les Noirs sont ensemble.

Miss Hilly et Miss Leefolt me regardent. Je regarde les enfants.

— Mais Aibileen (le sourire de Miss Hilly est glacial), les Noirs et les Blancs sont si… *différents* !

Bien sûr qu'on est différents ! Les Noirs et les Blancs se ressemblent pas. Mais on est tous des humains ! Mais c'est pas grave, vu que Miss Hilly pense déjà à autre chose. Elle a repris ses messes basses avec Miss Leefolt.

— … le gouvernement a mieux à faire, et si Skeeter s'imagine qu'elle peut s'en sortir avec ces stupidités au sujet des N…

— Maman ! Maman ! Regarde-moi ! crie Heather.

— Je te vois ! Et si William se présente aux élections l'année proch…

— Maman, donne-moi ton peigne ! Je veux jouer à la coiffeuse !

— … je ne peux pas me permettre qu'on nous découvre des amis qui soutiennent les Noirs…

— Mamaaaan ! Ton peigne ! Je veux ton peigne !

— Je l'ai lu. Je l'ai trouvé dans son sac et ça ne va pas se passer comme ça.

Puis Miss Hilly se tait pendant qu'elle cherche le peigne dans son sac à main. On entend le tonnerre au-dessus des quartiers sud et plus loin la cloche qui annonce l'orage. J'essaie de comprendre ce que Miss Hilly vient de dire. *Son sac. Je l'ai lu.*

Je sors les petits de la piscine, je les emmitoufle dans des serviettes. L'orage se rapproche.

La nuit vient de tomber. Assise dans ma cuisine, je tourne et retourne le stylo entre mes doigts. Mon exemplaire de *Huckleberry Finn*, sorti de la bibliothèque des Blancs, est posé devant moi, mais j'arrive pas à le lire. J'ai un mauvais goût dans la bouche, amer comme le marc de café qu'on avale avec la dernière gorgée. Je prends mon carnet, avec l'idée de me mettre à mes prières, mais voilà, je suis trop inquiète au sujet de Miss Hilly. Je me demande ce qu'elle a voulu dire par : « Je l'ai lu. Je l'ai trouvé dans son sac. »

Au bout d'un moment, mes pensées m'emmènent où je voulais pas aller. Je sais très bien ce qui se passerait si les patronnes blanches découvraient qu'on écrit sur elles, et qu'on dit la vérité sur ce qu'elles sont vraiment.

La patronne blanche commence par vous mettre à la porte. Vous avez un mois de loyer de côté. Les voisins vous apportent des gratins de courge. Mais une semaine après le renvoi, vous trouvez une petite enveloppe jaune glissée sous la porte. Il y a un papier dedans qui dit « avis d'expulsion ». À Jackson, tous les propriétaires sont des Blancs et ils ont tous une femme blanche qui a des amies. Partout où vous vous présentez, on vous claque la porte au nez. Et maintenant, vous avez plus d'endroit où habiter.

Après ça les choses s'accélèrent.

Si vous avez oublié de payer une contravention, vous allez en prison. Si vous avez une fille, vous pourrez peut-être aller vivre chez elle. Elle est placée chez des Blancs. Mais au bout de quelques jours, elle rentre en disant : « Maman ? On vient de me renvoyer. » Vous êtes bien obligée de lui dire que c'est à cause de vous. Au moins, son mari a encore du travail. Ils peuvent nourrir le bébé. Puis on met le mari à la porte. Ils vous accusent tous les deux, ils pleurent, ils se demandent ce que vous avez fait. Vous vous rappelez même pas. Les semaines passent et rien, pas de travail, pas d'argent, pas de maison.

Un soir, tard, un coup à la porte. Ça sera pas une dame blanche. Elle fait pas elle-même ce genre de chose. Mais pendant le cauchemar, avec les torches, ou les couteaux, ou les coups de pied, vous comprenez que vous avez toujours su : la Blanche oublie jamais.

Et elle continuera tant que vous serez pas morte.

Le lendemain, après le dîner, le téléphone sonne.

— Allô, Aibileen ? dit Miss Skeeter. Excusez-moi d'appeler si tard.

— Je suis bien contente que vous appeliez.

— Aibileen… Je dois vous dire quelque chose. J'ai… oublié ma sacoche. À la Ligue. Hilly l'a ramassée.

Je ferme les yeux.

— La rouge ?

— Les interviews étaient à l'intérieur dans une pochette. Sur le côté, dans une chemise. Je crois qu'elle n'a vu que les lois Jim Crow, un… livre que j'avais pris à la bibliothèque, mais je n'en suis pas sûre.

— Oh, Miss Skeeter !

Je ferme les yeux. Dieu me protège, Dieu protège *Minny*…

— Je sais, je *sais*, dit Miss Skeeter.

Et la voilà qui se met à pleurer.

— Allons, allons…

Je fais ce que je peux pour ravaler ma colère. C'était un accident, je me dis. C'est pas de la frapper qui nous aidera. Mais *quand même.*

— Ça s'est passé quand ? je demande.

— Il y a trois jours. Je voulais trouver ce qu'elle savait avant de vous en parler.

— Vous avez vu Miss Hilly ?

— Très vite, quand je suis allée récupérer la sacoche. Mais j'ai vu Elizabeth et Lou Anne et trois ou quatre autres filles qui connaissent Hilly. Personne n'a fait la moindre allusion.

Je respire un grand coup, je suis malade de ce que j'ai à lui dire.

— Hier, Miss Hilly parlait de ça à Miss Leefolt. Elle parlait de Mister Holbrook qui veut se présenter aux élections, et de vous qui soutenez les Noirs, et elle a dit… qu'elle avait lu quelque chose.

Rien que de le dire, je tremble.

— Elle n'a pas parlé de bonnes ? demande Miss Skeeter. Je veux dire, c'était seulement à moi qu'elle en voulait, ou elle a mentionné Minny, ou vous ?

— Non, rien… que vous.

— Bon.

J'entends Miss Skeeter souffler dans le téléphone. Elle sait pas ce qui risque de nous arriver, à Minny et à moi.

Je… je ne peux pas l'affirmer à cent pour cent, dit Miss Skeeter, mais si Hilly savait quelque chose sur le livre, sur vous et *surtout* sur Minny, elle l'aurait déjà dit à tout le monde.

Je réfléchis, je voudrais bien la croire.

— C'est vrai que Minny Jackson, elle l'aime pas beaucoup.

— Aibileen, dit Miss Skeeter. On peut tout laisser tomber. Si vous voulez arrêter, je le comprendrai tout à fait.

Si je dis que je veux plus le faire, tout ce que j'ai écrit et que j'ai encore à écrire existera jamais. Je pense « Non. Je veux pas qu'on arrête. » Je le pense si fort que j'en reviens pas moi-même.

— Si Miss Hilly est au courant, elle est au courant, je dis, et c'est pas d'arrêter maintenant qui nous sauvera.

Je suis obligée de rester très tard ce soir-là. Je fais manger Baby Girl et je la mets au lit, vu que Mister et Miss Leefolt sont allés voir un film au Lamar. Quand ils reviennent, ils bâillent et je traîne un peu en me disant que Mister Leefolt va proposer de me ramener chez moi en voiture, mais il file tout droit se coucher.

Je marche dans le noir jusqu'à Riverside. Le bus arrive. Il y a que quatre hommes dedans, deux Noirs et deux Blancs. Je m'assois derrière un Noir gringalet. Il est à peu près de mon âge.

On traverse le pont, direction l'hôpital des Noirs, où le bus repart dans l'autre sens. Je sors mon carnet de prières pour écrire deux ou trois choses.

Je lève les yeux. Le bus est arrêté au milieu de la chaussée. Il y a un peu plus loin des lumières bleues qui clignotent, des gens debout tout autour, un barrage. Le chauffeur blanc coupe le moteur et saute de son siège.

— Bougez pas. Je vais voir ce qui se passe.

On bouge pas, on dit rien, on attend. J'entends un chien qui aboie. Pas un chien comme on en a chez soi mais un de ces molosses qui ont toujours l'air de vous aboyer dessus. Le chauffeur revient dans le bus, remet le contact. Il donne un petit coup de klaxon, fait un signe de la main par la fenêtre et part très lentement en marche arrière.

— Qu'est-ce qui se passe là-bas ? lui demande le Noir assis devant moi.

Le chauffeur répond pas. Il fait demi-tour dans Farish Street. Au coin de la rue suivante il s'arrête et il gueule sans se retourner :

— Les Noirs, terminus pour vous ! Les Blancs, vous me dites où vous voulez aller. Je vous rapprocherai le plus possible.

Le passager devant moi se retourne et me regarde. Je crois qu'on a tous les deux un mauvais pressentiment. Comme il se lève, je me lève aussi. Je le suis vers l'avant. Il y a un silence effrayant. On entend que le bruit de nos pieds. Un Blanc se penche vers le chauffeur.

— Qu'est-ce qui se passe ?

Je descends du bus derrière le gringalet. Le chauffeur dit :

— C'est un nègre qui a pris une balle. Vous allez où ?

Pas un bruit dans Farish Street, personne à part nous deux. Le type me regarde.

— Ça va ? Vous êtes près de chez vous ?

— Ça va aller, je suis pas loin.

Ma maison est à sept rues d'ici.

— Vous voulez que je vous accompagne ?

Plutôt, oui. Mais je secoue la tête.

— Non, merci. Ça va aller.

Une camionnette de la télé traverse à toute allure le carrefour où le bus a fait demi-tour. Je vois WLBT-TV sur la portière.

— Mon Dieu, j'espère que c'est pas aussi grave que…

Le type est plus là. Me voilà seule, pas un chat en vue. Les gens disent qu'ils ont senti quelque chose comme ça juste avant de se faire agresser. J'aperçois trois personnes, devant, qui marchent aussi vite que moi. Elles bifurquent toutes les trois, entrent dans des maisons, ferment la porte.

Vrai, j'ai pas envie d'être seule une seconde de plus. Je coupe entre les maisons et je vois enfin la maison de Minny. Il y a de la lumière dans la cuisine. La porte de derrière est ouverte mais la porte moustiquaire fermée. Leroy est parti au travail. Minny est assise à la table avec les cinq gamins. Ils ont les yeux fixés sur la grosse radio au milieu de la table. On entend tout d'un coup le type de la radio qui braille :

— … « presque dix ans comme secrétaire de la section locale de la NAACP. L'hôpital n'a encore communiqué aucune information mais les blessures seraient apparemment… »

— Qui c'est ? je demande.

Minny me regarde comme si j'avais plus toute ma tête.

— Medgar Evers. Où t'étais ?

— Medgar Evers ? Qu'est-ce qui s'est passé ?

J'ai rencontré Myrlie Evers, sa femme, à l'automne dernier, quand elle est venue à notre église. Je me rappelle qu'elle m'a regardée dans les yeux en souriant comme si elle était vraiment contente de me voir. Medgar Evers, c'est un peu une célébrité dans le coin, vu son importance à la NAACP, la National Association for the Advancement of Colored People (Association de défense des droits civiques des Noirs).

— Assieds-toi, dit Minny. C'est le KKK qui l'a descendu. Devant sa maison. Il y a une heure.

Je sens un picotement dans ma colonne vertébrale.

— Il habite où ?

— Dans Guynes Street, répond Minny. Les docteurs l'ont transporté à notre hôpital.

— Je… j'ai vu, je dis, en pensant au bus.

Guynes Street est à cinq minutes d'ici en voiture.

— … « les témoins parlent d'un seul homme, un Blanc, qui est sorti des fourrés. La rumeur parle du Ku Klux Klan… »

Tout le monde se met à parler en même temps dans la radio, il y a des gens qui crient, toute une agitation. Je me crispe comme si quelqu'un nous regardait de dehors. Quelqu'un de blanc. Le KKK était ici, il y a quelques minutes, pour traquer un Noir. J'ai envie de fermer cette porte.

— « On m'annonce à l'instant que Medgar Evers est mort », dit le journaliste

Minny se tourne vers Leroy Junior. Elle dit d'une voix calme :

— Emmène tes frères et tes sœurs dans la chambre. Mettez-vous au lit. Et restez-y.

Ça fait toujours peur quand quelqu'un qui crie tout le temps se met à parler doucement.

Minny serre les poings. Et les dents.

— Ils l'ont descendu *devant ses enfants*, Aibileen !

— On va prier pour les Evers, on va prier pour Myrlie…

J'étouffe. Les larmes coulent. Ce qui me tue, c'est tous ces Blancs autour du quartier noir. Des Blancs avec des armes à feu pointées sur les Noirs. Qui va protéger les nôtres ? Il y a pas de policiers noirs.

— Et à nous, qu'est-ce qu'ils nous feront, Aibileen ?

Je reprends ma respiration. Elle parle du livre.

Je coupe la radio et je prends la main de Minny dans la mienne. Au fond des yeux de Minny, toute la solitude du monde. Elle murmure :

— Je voudrais que Leroy soit là.

Je crois pas que ces mots aient déjà été prononcés dans cette maison.

PENDANT des jours et des jours, Jackson, Mississippi, est comme une casserole d'eau bouillante. À la télé, chez Miss Leefolt, des foules noires défilent dans High Street le lendemain des obsèques de Mister Evers. Trois cents arrestations. Le journal des Noirs dit que des milliers de gens sont venus assister au service funèbre, mais les Blancs se comptaient sur les doigts d'une main. Les policiers savent qui a fait le coup, mais ils donneront son nom à personne.

J'apprends que les Evers n'enterreront pas Medgar dans le Mississippi. Son corps va aller à Washington et il reposera au cimetière d'Arlington, et je pense que Myrlie en est très fière. Je lis dans le journal que même le président des États-Unis a dit à Thompson, le maire, qu'il devait faire mieux. Nommer une commission avec des Noirs et des Blancs pour arranger les choses. Mais le maire a répondu au *président Kennedy* :

— Je ne nommerai pas de commission biraciale. Ne nous racontons pas d'histoires. Je crois à la séparation des races, et ça sera comme ça et pas autrement.

C'est la seconde fois que Jackson, Mississippi, est dans *Life*. Mais cette fois, on fait la couverture.

Tous les après-midi on s'assoit dans le fauteuil à bascule, Baby Girl et moi, pour qu'elle fasse sa sieste. Je lui dis, tu es gentille, tu es intelligente, tu es importante. Mais elle grandit et je sais que bientôt, ces mots-là suffiront pas.

On se balance un moment dans notre fauteuil. Je dis une prière pour Myrlie Evers. Je me balance et je prie, je suis affreusement triste, et tout d'un coup, je sais pas comment, les mots me viennent.

— Il était une fois deux petites filles. L'une avait la peau noire, l'autre la peau blanche.

Mae Mobley lève les yeux vers moi. Elle écoute.

— La petite fille noire dit à la petite fille blanche : « Pourquoi as-tu la peau si claire ? » La petite fille blanche répondit : « Je n'en sais rien. Pourquoi ta peau est-elle si noire ? À ton avis, qu'est-ce que ça veut dire ? » Mais aucune de ces petites filles ne connaissait la réponse. Alors, la petite fille blanche dit : « Eh bien, voyons. Tu as des cheveux, j'ai des cheveux. »

J'ébouriffe un peu les cheveux de Mae Mobley.

— La petite fille noire dit : « J'ai un nez, tu as un nez. »

Je lui pince doucement le nez. Elle tend la main et me fait pareil.

— La petite fille blanche dit : « Tu as des doigts de pied, j'ai des doigts de pied », et je chatouille les doigts de pied de Mae Mobley, mais elle peut pas me faire la même chose parce que j'ai mes chaussures de travail.

— « Donc, on est pareilles ! On n'est pas de la même couleur et c'est tout », dit la petite fille noire. La petite fille blanche dit qu'elle était d'accord et elles devinrent amies. Fin.

Baby Girl se contente de me regarder. Seigneur, c'était une histoire triste ou je m'y connais pas. Même pas une histoire, d'ailleurs, il s'y passe rien. Mais Mae Mobley sourit et elle dit :

— Raconte-la encore.

Alors je recommence. La quatrième fois, elle s'endort.

Miss Hilly a appelé pour demander à Miss Leefolt si elle voulait venir se baigner au Jackson Country Club avec Baby Girl, et une invitation comme celle-là, Miss Leefolt a dû en avoir une ou deux fois, pas plus.

Je mets son bikini jaune à Baby Girl.

— Il faut garder ton haut, aujourd'hui. On accepte pas les bébés tout nus au Jackson Country Club.

Ni les Nègres, ni les Juifs. J'ai été placée chez les Goldman. Les Juifs de Jackson vont se baigner au Colonial Country Club, les Nègres au lac May.

Miss Hilly attend sur une chaise longue. Elle regarde nager ses enfants. Je vois pas Yule May.

Miss Leefolt se met sur une chaise longue à côté de Miss Hilly et moi à la table, sous un parasol, pas très loin des deux dames. Je suis bien placée pour entendre ce qu'elles se disent.

— Yule May… (Miss Hilly secoue la tête.) Elle a encore pris sa journée. Crois-moi, cette fille exagère.

Bon, voilà déjà un mystère d'expliqué. Miss Hilly a invité Miss Leefolt à la piscine parce qu'elle savait qu'elle viendrait avec moi.

Les gamins crient pour aller dans le grand bassin. Je prends la bouée de Mae Mobley dans le sac, je la gonfle et je la passe autour de son petit ventre. Miss Hilly m'en donne deux autres pour William et Heather. Ils sautent dans le grand bassin et ils flottent comme trois bouchons au bout d'un fil de pêche.

Au bout d'un moment, Miss Hilly m'envoie au snack chercher du Coca à la cerise pour tout le monde, même pour moi. Et voilà que j'aperçois Miss Skeeter, de l'autre côté du bassin, derrière la clôture. Elle a sa jupe de tennis et sa raquette à la main. Elle regarde Miss Hilly et Miss Leefolt comme si elle cherchait à comprendre quelque chose. Je la vois qui s'approche de la clôture, puis qui fait le tour de la piscine.

— Salut, vous deux ! dit Miss Skeeter. Hilly, Yule May t'a dit que j'avais appelé ?

Hilly sourit, un peu crispée.

— Elle n'est pas venue aujourd'hui.

— Je t'ai appelée hier, aussi.

— Écoute, Skeeter, je n'avais pas le temps. Depuis mercredi je ne quitte pas le quartier général de campagne. J'ai rempli des enveloppes pour tout ce que Jackson compte de Blancs, à peu de chose près.

— D'accord, fait Miss Skeeter en hochant la tête.

Puis elle regarde Miss Hilly en face et elle dit :

— Hilly, est-ce que j'ai… fait quelque chose qui t'a déplu ?

— Écoute. J'ai trouvé ce truc.

J'ai la gorge serrée. Miss Hilly essaye de parler doucement, mais c'est pas son fort.

— Dans ta sacoche, en cherchant le procès-verbal de la réunion. Skeeter… Je n'arrive pas à y croire. Je ne sais plus…

— Hilly, de quoi parles-tu ? Qu'as-tu vu dans ma sacoche ?

— Ces lois que tu trimballais ? Sur…

Miss Hilly se retourne vers moi. Je regarde la piscine et rien d'autre.

— … ce que *ces gens* peuvent et ne peuvent pas faire, et franchement, siffle-t-elle, je trouve que c'est vraiment stupide de ta part de te croire plus maligne que notre gouvernement. Tu n'es pas une politicienne, Skeeter Phelan.

— Ma foi, toi non plus, Hilly.

Et voilà Miss Hilly qui se lève.

— Je devrais devenir sous peu femme de politicien, si tu ne t'en mêles pas. Comment William sera-t-il jamais élu à Washington si on nous découvre des amis intégrationnistes ?

— À Washington ? (Miss Skeeter lève les yeux au ciel.) William se présente au sénat de cet État, Hilly. Et il n'est pas sûr de l'emporter.

Oh ! mon Dieu ! Je regarde Miss Skeeter. Pourquoi vous faites ça ? Pourquoi vous la cherchez ?

Malheur, elle est furieuse maintenant, Miss Hilly. Elle redresse la tête d'un coup sec.

— Tu sais aussi bien que moi qu'il y a dans cette ville d'honnêtes citoyens, des Blancs, qui paient leurs impôts et qui te combattront à mort là-dessus. Tu voudrais laisser ces gens se baigner dans nos piscines ? Mettre leurs pattes sur tout dans nos épiceries ?

Miss Skeeter regarde Miss Hilly, longtemps, avec insistance. Puis elle me jette un bref coup d'œil et elle voit la prière dans mes yeux. Ses épaules retombent un peu.

— Oh ! Hilly, ce n'est qu'une brochure ! Je l'ai trouvée à la bibliothèque. Je l'ai prise pour la *lire*, c'est tout.

Miss Hilly comprend tout de suite.

— Mais à partir du moment où tu t'intéresses à ces lois, je suis bien obligée de me demander ce que tu fais d'*autre*.

— Hilly, tu es la personne au monde qui me connaît le mieux. Si j'étais engagée dans quelque chose, tu le saurais à la seconde.

Miss Hilly se contente de la regarder. Miss Skeeter lui prend la main et la serre dans les siennes.

— Je m'inquiète pour toi. Tu disparais toute une semaine, tu te tues au travail pour cette campagne.

Alors, tout doucement, les muscles tendus de Miss Hilly se relâchent.

— On a mis tellement d'argent dans cette campagne… si William ne gagne pas… je travaille jour et nuit et…

Miss Skeeter met la main sur l'épaule de Miss Hilly et lui dit quelque chose. Miss Hilly fait oui de la tête et elle lui sourit.

Puis Miss Skeeter leur dit qu'elle doit s'en aller. Elle me regarde. Autour de nous, tout le monde se prélasse et rit et discute, et personne se doute que la Noire et la Blanche à la raquette de tennis pensent la même chose : on est folles de se sentir soulagées ?

UN an après la mort de Treelore, à peu près, j'ai commencé à assister aux réunions de paroissiens à mon église. Ces derniers temps, on parle plus des droits civiques que de garder les rues propres ou de qui va s'occuper de la Bourse aux vêtements. Il y a rien d'agressif, on discute, on prie. Mais depuis qu'on a tué Mister Evers, il y a une semaine, la colère gronde chez beaucoup de Noirs de cette ville.

Je descends au sous-sol. Je regarde autour de moi si je connais quelqu'un, avec l'idée de demander à d'autres bonnes de venir nous aider pour le livre maintenant qu'on a feinté Miss Hilly, à ce qu'on dirait. Ça en fait déjà trente-cinq qui disent non et j'ai l'impression de vendre quelque chose que personne veut acheter.

Le diacre est debout devant nous. On ferme les yeux et il conduit notre prière pour Myrlie, pour ses fils. Une force tranquille remplit la salle. Je dis mes prières pour moi-même.

Yule May, la bonne de Miss Hilly, est assise devant moi. On la reconnaît facilement, même de dos, avec ses cheveux magnifiques. Il paraît qu'elle est instruite, qu'elle a presque fini la fac. C'est vrai qu'on a un tas de gens intelligents avec des diplômes d'université dans notre église. Des médecins, des avocats, et Mr Cross, le propriétaire du *Southern Times*, le journal des Noirs.

— Diacre Thoroughgood !

Une grosse voix fracasse le silence. Tout le monde se retourne. C'est Jessup, le petit-fils de Plantain Fidelia, debout sur le seuil. Il serre les poings.

— On veut savoir ce qu'on va *faire* pour ça !

— Ce soir, nous allons élever nos prières vers le Seigneur. Nous marcherons pacifiquement dans les rues de Jackson mardi. Et en août, je vous emmènerai à Washington pour marcher avec le Dr King.

— Ça suffit pas ! dit Jessup. Ils l'ont abattu comme un chien !

— Jessup ! Ce soir, on prie. Pour les siens. Pour les avocats qui s'occupent de l'affaire. Je comprends ta colère, mon fils, mais…

— Vous croyez tous que la prière va empêcher les Blancs de nous tuer ?

Personne répond, même pas le diacre. Jessup s'en va.

La salle est complètement silencieuse. Le diacre fixe quelque chose au-dessus de nos têtes. Tout le monde se demande ce qui fait qu'il peut pas nous regarder. Puis je vois Yule May qui secoue la tête, à peine, mais quand même, et je me dis que le diacre et Yule May sont en train de penser la même chose. Ils pensent à la question qu'a posée Jessup. Et Yule May, elle, elle y répond.

La réunion se termine à huit heures. Ceux qui ont des petits à la maison s'en vont, et les autres, on va se servir du café dans la pièce du fond. Je vais y rejoindre Yule May.

— On m'a dit que les jumeaux iront à l'université de Tougaloo, l'an prochain ? Félicitations.

— J'espère. Il faut qu'on mette encore un peu d'argent de côté.

— T'es allée à l'université toi-même, non ?

Yule May hoche la tête.

— À Jackson.

— Moi, j'ai adoré les études. Lire, écrire… sauf les maths.

Yule May sourit.

— Moi, c'était l'anglais ma matière préférée. L'écriture.

— J'écris… un peu, moi aussi.

Yule May me regarde dans les yeux et je comprends qu'elle sait ce que je vais lui dire. Je vois en une seconde la honte qu'elle subit tous les jours en travaillant dans cette maison. Et la peur. Je suis trop gênée pour continuer. Mais Yule May attend pas que je continue.

— Je suis au courant de ce que vous faites avec cette amie de Miss Hilly.

— C'est bon, Yule May, je sais que tu peux pas…

— C'est… un risque que je ne peux pas prendre en ce moment. On est tout près d'avoir assez d'argent.

— Je comprends.

Je souris, pour qu'elle sache que je vais pas insister. Mais elle bouge pas.

— Les noms… Vous changez les noms, on m'a dit ?

— Bien sûr. Et aussi le nom de la ville.

— Donc, si je lui racontais mes histoires de bonne, elle les écrirait ? Et elle les publierait ? Est-ce qu'on pourrait… en reparler ? Quand j'aurai un peu de temps ?

— N'importe quand. Quand tu voudras.

Elle pose la main sur mon bras et me regarde encore une fois droit dans les yeux. C'est comme si elle attendait depuis longtemps que je lui demande.

Minny

VOILÀ neuf mois que je suis ici et je sais toujours pas si Miss Celia est malade dans son corps ou si elle est cramée dans sa tête à force de se teindre les cheveux. Elle a pas l'air d'aller mieux que quand j'ai commencé. Elle a pris un peu de ventre, elle a les joues moins creuses. À un moment, Miss Celia passait son temps à travailler au jardin mais maintenant, elle recommence à traîner au lit.

Quand j'arrive pour prendre mon service, Miss Celia sort de sa chambre. Je me dis qu'elle va traîner dans les pièces du premier, et puis je l'entends qui parle au téléphone dans la cuisine et demande Miss Hilly. Je me sens mal pour de bon.

— Je voulais simplement savoir si on pourrait se retrouver pour une partie de bridge, elle dit, toute joyeuse.

Je reste sans bouger jusqu'à ce que je comprenne que c'est pas à Miss Hilly qu'elle parle mais à Yule May, sa bonne.

Et trente secondes après elle appelle un autre numéro qu'elle lit au dos de ce foutu journal, comme elle le fait un jour sur deux. C'est la *Lettre* des dames de la Ligue, qu'elle a dû ramasser par terre dans un parking. Elle appelle même chez Miss Skeeter, ce qui me plaît pas du tout. Je l'ai dit à Miss Skeeter : la rappelez pas, surtout. C'est déjà assez embrouillé comme ça.

Pour le moment, personne l'a encore rappelée.

Vers la fin du mois de juin, une vague de chaleur à trente-huit degrés nous tombe dessus et elle reste. Du côté du comté de Madison, la chaleur fait officiellement de Miss Celia la personne la plus paresseuse des États-Unis d'Amérique.

— Minny, vous voulez bien aller me chercher le courrier ?

Elle demande alors qu'elle est toute habillée et que j'ai les mains pleines de beurre et le mixer qui tourne.

Je me lave les mains et je vais à la boîte, un demi-litre de sueur aller-retour. Il fait jamais que trente-sept degrés dehors, si vous voyez ce que je veux dire. Il y a deux paquets dans l'herbe au pied de la boîte aux lettres. Je l'ai déjà vue avec ces gros cartons marron, je suppose que c'est des produits de beauté qu'elle commande. Mais quand je les soulève, ça me paraît bien lourd. Et ça tinte dedans, comme si je portais des bouteilles de Coca.

— Quelque chose pour vous, Miss Celia !

Je pose les cartons par terre dans la cuisine.

Je l'ai jamais vue se lever aussi vite.

— Ah ! c'est mon…

Elle bredouille quelque chose, soulève la boîte, file jusqu'à sa chambre et j'entends claquer la porte.

Une heure plus tard, je vais dans la chambre. Pas de Miss Celia dans le lit ni dans la salle de bains. Je sais qu'elle est pas non plus dans la cuisine ni dans le living-room ou à la piscine et je viens juste de passer l'aspirateur dans le petit salon et dans le bar. Ça veut dire qu'elle est quelque part en haut. Dans ces pièces qui me filent la chair de poule. Je me dis qu'il est temps d'y aller voir par moi-même.

Le lendemain, je surveille Miss Celia du coin de l'œil. Vers deux heures de l'après-midi, elle passe la tête à la porte de la cuisine et elle me fait un drôle de sourire. Une minute plus tard, j'entends des craquements au-dessus de ma tête.

Je file tout doucement vers l'escalier. Une fois en haut, je prends le long couloir. Je passe devant des portes de chambres ouvertes. La quatrième, celle du fond, est tirée mais il reste une fente de deux ou trois centimètres. Je m'approche. Et je la vois à travers la fente.

Elle est assise sur un lit à côté de la fenêtre et elle sourit plus du tout. Le carton que j'ai rapporté de la boîte aux lettres est ouvert et je vois sur le lit une dizaine de bouteilles pleines d'un liquide foncé. Ces bouteilles plates, je les connais. J'ai passé douze ans à m'occuper d'un bon à rien buveur de bière et quand mon père, ce fainéant qui me bouffait la vie, est enfin mort, j'ai juré devant Dieu avec des larmes plein les yeux que j'en épouserais jamais un comme lui. Et pourtant c'est ce que j'ai fait.

Et me revoilà avec une ivrogne sur les bras. Ces bouteilles-là sont bouchées à la cire rouge et ressemblent à celles que mon oncle Toad utilisait pour son eau-de-vie de contrebande. Miss Celia prend une bouteille et elle la regarde comme si elle voyait Jésus-Christ en personne dedans et qu'elle pouvait pas attendre une seconde de plus pour être sauvée. Elle la débouche, elle siffle trois grandes gorgées d'affilée et elle retombe sur ses beaux oreillers.

Je serre les dents pour pas lui crier dessus.

Quand Miss Celia arrive en bas dix minutes après, elle s'assoit à la table de la cuisine et me demande si je suis prête à manger.

— Il y a des côtes de porc dans le frigo. Moi je déjeune pas aujourd'hui, je réponds.

Et je sors.

Le premier jeudi de juillet, à midi, Miss Celia se lève et descend pour sa leçon de cuisine. Elle a mis un pull blanc tellement moulant qu'elle est toute boudinée. Aucun doute, de semaine en semaine elle est de plus en plus serrée dans ses vêtements.

On reste chacune à sa place, moi à la cuisinière, elle sur son tabouret. Je lui ai à peine dit un mot depuis que j'ai vu ces bouteilles la semaine dernière. Je suis pas en colère. Je suis hors de moi. Mais je me suis juré six fois pendant les six jours qui sont passés depuis d'appliquer la règle numéro un de maman. C'est pas mes affaires.

Je regarde grésiller le poulet en essayant d'oublier qu'elle est là. Le poulet frit me redonne toujours goût à la vie. J'oublie presque que je travaille pour une saoularde. Quand c'est cuit, j'en mets la plus grande partie au réfrigérateur pour le repas du soir. Et le reste dans une assiette pour notre déjeuner. Elle s'installe en face de moi à la table de la cuisine, comme d'habitude.

— Prenez le blanc, elle dit.

— Je mange la patte et la cuisse, je réponds en les prenant.

J'ouvre le *Jackson Journal* à la page des informations locales. Puis je le lève devant moi, comme ça pas besoin de la regarder.

— Eh bien, elle dit en prenant le blanc, je crois que nous sommes faites pour manger du poulet ensemble. Vous savez, Minny, c'est une chance pour moi de vous avoir comme amie.

J'abaisse mon journal et je la regarde.

— Non, ma'am. On est pas des amies.

— Enfin… bien sûr que si !

— Non, Miss Celia.

Arrête, Minny, me dit la petite voix dans ma tête. Mais je sais déjà que je vais pas pouvoir.

— C'est… (Elle baisse les yeux sur son poulet.) Parce que vous êtes noire ? Ou parce que… vous ne voulez pas être amie avec moi ?

— Il y a tellement de raisons… que vous soyez blanche et moi noire ça en fait partie.

— Mais… pourquoi ?

— Parce que ça me rend folle de vous voir traîner dans cette maison vingt-quatre heures sur vingt-quatre. Moi qui vous croyais en train de mourir du cancer ou malade de la tête ! Je vous ai vue là-haut avec ces bouteilles. Vous dites que vous voulez des gosses mais avec ce que vous picolez on pourrait empoisonner un éléphant !

Elle a les larmes aux yeux.

— Si vous touchez à ces bouteilles, je vous renvoie immédiatement !

Mais le sang m'est monté à la tête et je peux plus me taire.

— Me renvoyer ? Qui d'autre viendra travailler ici pendant que vous vous saoulez à longueur de journée ?

— Vous croyez que je ne peux pas vous renvoyer ? Vous finissez votre service aujourd'hui, Minny ! (Elle crie en pointant le doigt sur moi.) Mangez votre poulet et rentrez chez vous !

Elle ramasse son assiette de blanc et elle se précipite hors de la cuisine. J'entends l'assiette qui claque sur la belle table de la salle à manger. *Je viens encore de perdre ma place.*

LE samedi matin je me réveille avec le mal au crâne et la langue à vif. J'ai dû me la mordre toute la nuit. Je nettoie ma cuisine comme jamais. Puis je vais chez Aibileen. Elle habite à deux rues de chez nous.

Je la trouve assise à sa table en train de lire un des livres que Miss Skeeter lui apporte de la bibliothèque des Blancs. Elle lève la tête en entendant la porte moustiquaire. Je crois qu'elle voit tout de suite que je suis furieuse.

— Seigneur, qu'est-ce qui se passe, Minny ?

— Celia Rae Foote.

Je m'assois en face d'elle. Elle se lève pour me verser du café.

— Qu'est-ce qu'elle a fait ?

Je lui raconte l'histoire des bouteilles.

— Et alors elle m'a virée. Elle a dit qu'elle allait trouver une autre bonne. Mais qui va aller travailler chez elle ?

— Cette Miss Celia, à mon avis, c'est la pire que tu as jamais eue. Mais comment elle te traite ? Combien elle te paye ?

— Tu sais bien qu'elle me paye double.

— Ah ! c'est vrai. Mais bon, avec tous ses amis qui viennent, et toi qui passes ton temps à nettoyer derrière…

Je me contente de la regarder.

— Et leurs dix gamins ! Ils doivent te rendre folle à mettre du désordre partout dans cette vieille baraque…

— Je crois que tu t'es fait comprendre, Aibileen.

Elle sourit et me donne une petite tape sur le bras.

— Excuse-moi, ma chérie. Mais tu es ma meilleure amie. Et je crois que tu tiens quelque chose de pas mal du tout, là-bas. Alors, qu'est-ce que ça peut faire si elle boit un ou deux petits coups pour passer le temps ? Tu vas aller la voir lundi.

Je rentre chez moi. Je dis pas à Leroy ce qui me tracasse, mais j'y pense toute la journée et tout le week-end. J'ai été virée plus de fois que j'ai de doigts. Je prie Dieu pour garder ma place.

LE lundi matin, je pars au travail et je répète en conduisant pendant tout le trajet. « Je sais que j'ai été insolente… » J'entre dans la cuisine, et… et… Là, c'est le plus dur. « Excusez-moi. »

Je rassemble tout mon courage en entendant Miss Celia qui arrive à travers la maison. Je sais pas à quoi m'attendre.

— 'Jour, elle dit.

Elle est encore en chemise de nuit. Elle pousse un gémissement, se passe les mains sur le ventre.

— Vous… êtes pas bien ?

— Non.

— Miss Celia, je voulais vous dire…

Mais elle ressort pendant que je parle et je comprends que mes affaires vont pas s'arranger. Je me mets au travail. Peut-être que je suis idiote de faire comme si j'étais toujours employée ici. Peut-être qu'elle me payera pas ma journée. Après le déjeuner, j'allume la télé et j'attaque le repassage. D'habitude Miss Celia vient la regarder avec moi, mais pas aujourd'hui.

Finalement, je frappe à la porte de la chambre. Pas de réponse. Je me décide à ouvrir. Mais le lit est vide. Me voilà devant la porte de la salle de bains. Je la sens derrière cette porte. Je transpire. Je veux en finir avec ces foutues excuses.

Je fais le tour de la chambre et je ramasse un week-end de linge sale. Je tire bien sur le couvre-lit pour le défroisser.

Finalement, je m'arrête et je fixe la porte. Je suis virée ou pas ? Et si je le suis pas, qu'est-ce que je dois faire si elle est tellement saoule qu'elle m'entend pas ?

— Miss Celia, dites quelque chose, si vous êtes toujours vivante !

— Je vais bien.

Mais à sa voix, elle a pas l'air.

La poignée tourne. Tout doucement, la porte s'ouvre. Miss Celia est assise par terre. Elle a les genoux pliés sous sa chemise de nuit.

J'avance un peu. Elle a le teint blanc-bleu, la même couleur que l'adoucisseur de linge. Et je vois aussi le sang dans la cuvette des toilettes. Beaucoup de sang.

— Vous avez mal au ventre, Miss Celia ? je demande tout doucement. Vous voulez que j'appelle Mister Johnny ?

J'ai beau essayer, je peux pas m'empêcher de regarder tout ce sang plein la cuvette. Parce qu'il y a quelque chose qui flotte là-dedans. Quelque chose… de solide.

— *Non !* dit Miss Celia. Apportez-moi… mon répertoire.

Je fonce jusqu'à la cuisine, j'attrape le carnet sur la table, je reviens à toute vitesse.

— S'il vous plaît, appelez, elle dit. À T, pour le Dr Tate.

Je sais qui c'est, le Dr Tate. Il soigne presque toutes les femmes chez qui j'ai travaillé. Une Blanche répond.

— Celia Foote, route 22, comté de Madison, j'arrive à lui dire tout d'une traite. Oui, ma'am, beaucoup, beaucoup de sang qui coule… Il va savoir venir ici ?

Elle répond que oui, bien sûr, et elle raccroche.

— Il arrive. Si je vous aidais à vous recoucher, Miss Celia ? Vous croyez que vous pouvez vous mettre debout ?

Miss Celia se penche en avant, essaye de se lever. Je m'avance pour l'aider et je vois tout le sang qui a coulé sous sa chemise de nuit. Au moment où je l'aide à se remettre sur ses pieds, Miss Celia glisse dans la flaque de sang, se rattrape au bord de la cuvette.

— Laissez-moi. Je veux rester ici.

— D'accord. Le Dr Tate va pas tarder à arriver.

— Restez avec moi, Minny, s'il vous plaît !

— Venez par ici, Miss Celia, il vous faut un peu d'air frais.

— Je ne veux pas mettre de sang sur le tapis… Johnny le verrait.

Sa figure est encore plus blanche.

— Ça fait combien de temps que vous saignez ?

— Depuis ce matin.

Elle se met à pleurer sur son bras.

— C'est bon, ça va aller mieux, je dis.

— Il y a tellement de sang, elle gémit, en s'appuyant sur moi. Pourquoi tant de sang cette fois ?

Je regarde, juste un peu, dans la cuvette. Mais je détourne vite les yeux.

— Vous étiez à combien, d'après vous ?

— Cinq mois ? Je ne sais pas…

Miss Celia se cache la figure avec une serviette.

— J'étais en train de prendre ma douche et j'ai senti que ça tirait vers le bas. Ça faisait mal, aussi. Alors je me suis assise sur les toilettes et il a glissé. Comme s'il voulait être *hors de moi*.

Elle se remet à sangloter.

— Attendez, c'est la volonté de Dieu et c'est tout. Vous avez quelque chose qui va pas à l'intérieur, mais c'est la loi de la nature. La deuxième fois vous y arriverez.

— Ce n'était pas la première fois. On s'est mariés parce que j'étais enceinte, dit Miss Celia. Mais… il a glissé aussi.

Je pense aux bouteilles et je sens la colère qui revient.

— Mais alors, ma parole, pourquoi vous buvez comme ça ?

— Le Dr Tate dit que c'est rien que de l'eau et du sirop. Mais il fallait bien que j'essaie. Il le *fallait.*

Ma foi, j'en reviens pas, c'est tout mon corps qui se détend tellement je suis soulagée.

— Vous pouvez prendre votre temps, Miss Celia, y a rien de mal à ça. Vous pouvez me croire, j'ai eu cinq gosses.

— Mais Johnny en veut tout de suite. Oh ! Minny… (Elle secoue la tête.) Qu'est-ce qu'il va faire de moi ?

— Il s'en remettra. Il aura qu'à attendre le suivant.

— Il n'était pas au courant, pour celui-ci. Ni pour le précédent.

— Vous m'avez dit qu'il vous avait épousée à cause de ça.

— Pour le premier, oui. Mais aujourd'hui c'est… la quatrième fois.

Elle s'arrête de pleurer et j'ai plus rien de gentil à lui dire. On reste une minute à se demander pourquoi les choses sont comme elles sont et pas autrement.

— Je me disais toujours que si je ne bougeais pas et que je prenais quelqu'un à la maison pour le ménage et la cuisine je pourrais peut-être le garder. (Et elle pleure dans la serviette.) Je vais…

J'attrape la poubelle et je regarde Miss Celia vomir dedans. Chaque fois qu'elle veut se lever, le sang coule plus fort. Elle est en boule à côté de moi et je peux rien faire que trembler et attendre.

Les minutes passent. Puis j'entends la sonnette. Je pose la tête de Miss Celia sur une serviette, je retire mes chaussures pour pas laisser des traces de sang dans toute la maison et je me précipite.

— Elle s'est évanouie ! je dis au docteur.

L'infirmière me bouscule au passage et file au fond de la maison avec l'air de savoir où elle va. Elle sort les sels pour les mettre sous le nez de Miss Celia et Miss Celia sursaute, pousse un petit cri et ouvre les yeux. L'infirmière m'aide à lui enlever sa chemise de nuit pleine de sang. Elle a les yeux ouverts mais elle tient pas debout. Je mets des vieilles serviettes sur le lit et on l'allonge.

Au moment où le Dr Tate ouvre la porte de la chambre, je le prends par le bras.

— Elle veut pas le dire à son mari. Il saura rien, d'accord ?

Il me regarde comme une négresse et il répond :

— Vous ne croyez pas que ça le regarde ?

Puis il me claque la porte au nez.

Je marche de long en large dans la cuisine. Une demi-heure se passe, puis une heure, et j'ai une peur affreuse que Mister Johnny rentre et découvre tout. Finalement, le Dr Tate pousse la porte.

— Elle va mieux ?

— Elle est en pleine crise de nerfs. Je lui ai donné un cachet pour la calmer.

L'infirmière nous passe devant et sort par la cuisine avec une boîte en fer-blanc. Je respire, il me semble que c'est la première fois depuis des heures.

— Surveillez-la demain, il dit.

Il me tend un sachet en papier blanc.

— Donnez-lui un autre cachet si elle est trop agitée. Elle va encore saigner. Mais ne m'appelez que si c'est grave.

Et il s'en va en faisant claquer la porte.

Cinq heures à la pendule de la cuisine. Mister Johnny sera là dans une demi-heure. J'attrape l'eau de Javel, les chiffons et un seau.

Miss Skeeter

Nous sommes en 1963. L'Ère de l'espace, dit-on. Un homme a tourné autour de la Terre dans un vaisseau spatial. On a inventé une pilule pour que les femmes mariées ne tombent pas enceintes. Mais la maison de mes parents est aussi chaude qu'en 1899, année où mon arrière-grand-père l'a construite.

— Maman, s'il te plaît, quand aurons-nous l'air conditionné ?

— Nous avons vécu jusqu'ici sans fraîcheur électrique et je n'ai aucune intention de mettre ces affreux appareils à mes fenêtres.

Et c'est ainsi qu'en cette fin du mois de juillet je suis forcée de quitter ma chambre sous les toits pour un divan sur la véranda qui se trouve à l'arrière de la maison. Quand Carlton et moi étions petits, Constantine y dormait avec nous pendant l'été. À côté de mon lit, la machine à écrire trône sur une table de toilette rouillée. Ma sacoche rouge est dessous. Il fait trente-sept degrés. Le témoignage de Minny est terminé et déjà dactylographié. Il y a une quinzaine de jours, Aibileen m'a annoncé que Yule May, la bonne de Hilly, allait peut-être se joindre à nous. Mais après le meurtre de Medgar Evers, les arrestations de Noirs et les passages à tabac par les policiers, je suis certaine qu'elle est morte de peur.

La couverture de *Life* frémit au passage d'un faible courant d'air. Je prends la revue et feuillette les pages froissées, m'arrête sur la photo de Carl Roberts, un instituteur noir de Pelahatchie, à une quarantaine de kilomètres d'ici. « En avril dernier, Carl Roberts a dit à des journalistes ce qu'était la condition d'un Noir dans le Mississippi, en décrivant le gouverneur comme "un individu pitoyable, avec la morale d'une prostituée". On a retrouvé Roberts pendu à un pacanier, son corps marqué au fer rouge. »

On a tué Roberts parce qu'il avait *parlé*. Quand je pense combien il me semblait facile, il y a trois mois, de trouver une douzaine de bonnes pour les faire parler… Quelle idiote j'étais !

Quand la chaleur devient insupportable, je me réfugie dans la Cadillac, remonte ma robe et règle la ventilation à la puissance maximale. La tête renversée en arrière, je laisse le monde s'éloigner. J'entends une camionnette qui s'arrête dans l'allée mais n'ouvre pas les yeux. Une seconde plus tard, la portière du passager s'ouvre.

— Bon Dieu, ce qu'il fait frais là-dedans !

Je rabats précipitamment ma robe.

— Que fais-tu ici ?

Stuart referme la portière, pose un baiser rapide sur mes lèvres.

— Je n'ai qu'une minute. Je file sur la côte pour une réunion. Tu veux venir ?

Il pose la main sur ma jambe et je sens la fraîcheur de sa paume. Je baisse les yeux sur sa main, puis les lève pour m'assurer que maman n'est pas en train de nous épier.

— Allez ! Je vais loger à l'Edgewater, juste sur la plage.

Je ris et c'est bon de rire après m'être tant inquiétée ces dernières semaines.

— Tu veux dire à l'Edgewater… ensemble ? Dans la même chambre ?

Il hoche la tête.

Elizabeth serait horrifiée à l'idée qu'on puisse partager une chambre avec un homme avant le mariage. Hilly me dirait que je suis idiote de seulement y penser. Elles se sont cramponnées à leur virginité avec l'énergie d'un enfant qui refuse de partager son jouet. N'empêche, j'y réfléchis.

Stuart sent le pin, le tabac blond et les savonnettes de luxe.

— Maman ferait une crise, Stuart, et j'ai du travail…

— C'est sûr ? murmure-t-il.

Et il m'embrasse, sur la bouche, moins poliment cette fois. Sa main repose toujours sur le quart supérieur de ma cuisse et je me demande une fois de plus s'il était pareil avec son ex-fiancée Patricia. Je ne sais même pas s'ils ont couché ensemble.

— Je ne peux pas… C'est tout, dis-je. Tu sais que je ne pourrais pas dire la vérité à ma mère.

Il pousse un long soupir désolé, et j'adore la tête qu'il fait, la déception qui se peint sur ses traits. Je comprends maintenant pourquoi les filles résistent, pour le plaisir que leur donnent ces mines déconfites.

— Ne lui mens pas, dit-il. Tu sais bien que j'ai horreur du mensonge. Ah, et j'ai failli oublier ! Maman et papa vous invitent tous à dîner samedi soir dans trois semaines.

— Mais… pourquoi nous tous ?

— Mes parents veulent les connaître. Et je veux qu'ils te connaissent.

— Mais…

— Désolé, baby, dit-il en repoussant une mèche derrière mon oreille. Il faut que j'y aille. Je t'appelle demain soir ?

Je reste seule dans la Cadillac. Un dîner chez le sénateur du Mississippi. Avec maman posant un millier de questions. L'air désespéré par mon attitude. Parlant de mon compte d'épargne…

Après trois nuits étouffantes et interminables, sans nouvelles de Yule May ni d'aucune autre bonne, Stuart revient, directement de sa conférence sur la côte. Je me précipite dans l'escalier et il me serre contre lui comme si on ne s'était pas vus depuis des semaines.

Stuart tout bronzé sous sa chemise blanche froissée dans le dos après une longue route, les manches retroussées… Assis bien droits, face à face dans le petit salon, nous nous regardons. Nous attendons que maman aille se coucher. Papa est déjà monté, à la tombée de la nuit.

À neuf heures et demie, enfin, maman lisse sa jupe.

— Bon, je crois qu'il est temps d'aller au lit. Je vous laisse, jeunes gens. Eugenia ? (Elle me regarde.) Pas trop tard, n'est-ce pas ?

Je souris gentiment. J'ai vingt-trois ans, bon Dieu ! Un instant plus tard nous entendons la porte de sa chambre qui se referme. Stuart se lève et dit :

— Viens.

Il traverse la pièce en deux enjambées, plaque mes mains sur ses hanches et prend ma bouche comme si j'étais la source à laquelle il a attendu de boire toute la journée. J'ai entendu des filles dire qu'elles se sentaient fondre. Mais moi j'ai l'impression de m'élever, de devenir encore plus grande et d'apercevoir au-delà d'une haie des paysages et des couleurs que je n'avais jamais vus.

Je suis obligée de m'écarter. Nous voilà côte à côte sur le canapé. Il veut encore m'embrasser, mais je tourne la tête.

— Stuart… (Je m'éclaircis la voix.) Quand tu as rompu tes fiançailles, tes parents ont-ils été déçus ? Quelle qu'en soit la cause ?

Sa bouche se crispe. Il me regarde bien en face.

— Maman a été déçue. Elles étaient proches.

— Et donc… elle va me comparer à Patricia ?

— Sans doute.

— Où est Patricia maintenant ? Elle vit toujours ici, ou… ?

— Non. Elle est partie. Elle s'est installée en Californie. On ne pourrait pas parler d'autre chose, maintenant ?

Je soupire, me laisse aller contre le dossier du canapé.

— Tes parents savent-ils ce qui s'est passé ? Autrement dit, suis-je censée le savoir ?

Je sens monter une bouffée de colère devant sa réticence à me parler d'un sujet aussi important.

— Skeeter, je te l'ai déjà dit, je déteste parler de… (Mais il serre les dents, baisse la voix.) Papa ne connaît qu'une partie de l'histoire. Maman sait tout, comme les parents de Patricia. Et *elle*, bien sûr.

— Stuart, je voudrais seulement être au courant, pour ne pas faire la même chose.

Il me regarde et tente de rire, mais n'émet qu'un grognement.

— En un milliard d'années tu ne ferais jamais ce qu'elle a fait.

— Quoi ? Qu'a-t-elle fait ?

— Skeeter, je suis fatigué. Je ferais mieux de rentrer chez moi.

Le lendemain matin, j'entre dans la cuisine.

— 'Jour, Pascagoula.

— 'Jour, Miss Skeeter. Vous voulez votre petit déjeuner ?

— Oui, s'il vous plaît.

Elle pose le café devant moi. Elle ne me le tend pas. Aibileen m'a dit que cela ne se faisait pas, car alors les mains risquent de se toucher. Je ne me rappelle pas comment faisait Constantine.

— Merci, dis-je, merci beaucoup.

Elle me regarde une seconde, cille, sourit légèrement.

— De... rien.

Je me rends compte que je viens de la remercier sincèrement pour la première fois.

Je parcours le *Jackson Journal* posé sur la table. On parle dans les pages d'informations générales d'une nouvelle pilule, le Valium, qui aide les femmes à affronter les problèmes du quotidien. Seigneur, j'en prendrais bien tout de suite une dizaine.

Je lève les yeux et ai la surprise de voir Pascagoula à côté de moi.

— Vous... vous voulez quelque chose, Pascagoula ?

— Il faut que je vous dise, Miss Skeeter. Yule May, c'est ma *cousine*, dit-elle.

— Je... je ne le savais pas.

— On est proches parentes et elle vient chez moi tous les quinze jours pour savoir si tout va bien. Elle m'a dit ce que vous faites.

Elle ferme à demi les yeux, et je pense qu'elle va me demander de laisser sa cousine tranquille.

— Samedi elle m'a dit qu'elle va vous aider. Je voulais vous prévenir plus tôt mais...

Elle jette un coup d'œil vers la porte.

Je suis stupéfaite.

— Elle va m'aider ? Vous dites qu'elle veut... ? Pascagoula, vous... vous ne voulez pas m'aider vous aussi ? Pas avec maman, dis-je, très vite. Dans vos autres places, avant celle-ci.

— C'est la première fois que je travaille dans une famille. J'ai commencé en servant le déjeuner à la maison de retraite. Avant qu'ils déménagent à Flowood.

— Et maman a accepté de vous prendre alors que c'était votre première place chez des particuliers ?

Pascagoula fixe le linoléum. Sa timidité a repris le dessus.

— Personne veut travailler chez elle, dit-elle. Depuis ce qui s'est passé avec Constantine.

— Qu'avez-vous pensé de… ça ?

Pascagoula m'offre un visage totalement inexpressif.

— Je sais rien là-dessus. Je voulais juste vous prévenir de ce que Yule May a dit.

Je pousse un long et profond soupir. Une chose à la fois.

Ce soir-là, Aibileen décroche à la première sonnerie.

— Elle va nous aider, Aibileen. Yule May, oui ! C'est Pascagoula qui me l'a dit ce matin. Yule May n'est pas arrivée à vous joindre.

— Seigneur, mon téléphone était coupé parce que je suis un peu en retard ce mois-ci. Vous avez parlé à Yule May ?

— Non. J'ai pensé préférable que vous lui parliez d'abord.

— Ce qui est bizarre, c'est que j'ai appelé chez Miss Hilly cet après-midi, de chez Miss Leefolt, mais elle a dit que Yule May travaillait plus là. J'ai essayé de me renseigner, mais personne ne sait rien.

— Hilly l'a renvoyée ?

— Je sais pas. C'est peut-être elle qui est partie… J'espère.

— Je vais appeler Hilly pour savoir. Mon Dieu, j'espère qu'il n'y a rien de grave.

J'appelle Hilly, quatre fois, mais le téléphone sonne dans le vide.

Malgré nos différends, Hilly reste l'une de mes amies les plus proches. Mais le livre, désormais, est plus important que tout.

Le lendemain, je voudrais interroger Pascagoula à propos de Yule May, mais Pascagoula a appelé ce matin pour prévenir qu'elle avait un problème et viendrait plus tard

L'après-midi, j'entends la porte d'entrée s'ouvrir. Une minute passe et Pascagoula entre dans le petit salon.

— Maman est derrière sur la véranda, dis-je.

Pascagoula ne sourit pas, ne lève même pas les yeux. Elle se contente de me tendre une petite enveloppe.

— Elle voulait la mettre à la poste mais je lui ai dit que je vous la donnerais.

J'ouvre la lettre. Elle est écrite à l'encre noire sur les lignes bleues d'un papier d'écolier.

Chère Miss Skeeter,

Je veux que vous sachiez combien je suis désolée de ne pas pouvoir vous aider pour votre projet de livre. Comme vous le savez, j'étais placée chez une amie à vous. Je n'aimais pas travailler chez elle et j'ai souvent voulu la quitter mais je n'osais pas. J'avais peur de ne plus trouver de travail à cause de ce qu'elle dirait ensuite.

Vous ignorez sans doute qu'après le lycée je suis allée à la fac. J'aurais obtenu mon diplôme si je n'avais pas décidé de me marier. C'est l'un de mes rares regrets dans l'existence, de ne pas avoir eu ce diplôme. Mais j'ai des jumeaux grâce auxquels cette vie mérite d'être vécue. Mon mari et moi avons économisé pendant dix ans pour les envoyer à l'université de Tougaloo mais, bien qu'on ait travaillé dur lui et moi, on n'avait pas encore assez pour les deux. Mes garçons sont aussi intelligents et aussi avides de s'instruire l'un que l'autre. Mais nous n'avions assez d'argent que pour un, et je vous le demande, comment choisir lequel de vos fils ira faire des études et lequel devra étaler du goudron sur les routes ? Vous ne pouvez pas faire cela. Il faut trouver un moyen. N'importe lequel.

Je crois que vous pouvez considérer cette lettre comme un aveu. J'ai volé cette femme. Une affreuse bague ornée d'un rubis, avec l'espoir que son prix couvrirait ce qui nous manquait pour inscrire nos deux fils à la fac. Elle ne la portait jamais et j'avais le sentiment qu'elle m'était redevable pour tout ce que j'avais subi à son service. Maintenant aucun de mes fils ne pourra faire d'études. L'amende fixée par le tribunal représente presque toute la somme que nous avions économisée.

Sincères salutations,
Yule May Crookle
Quartier des femmes n° 9, pénitencier d'État du Mississippi

Le *pénitencier*. Je frissonne. Je cherche Pascagoula des yeux mais elle a quitté la pièce. Je me sens malade, au bord de la nausée.

J'imagine Yule May dans sa prison en train d'écrire cette lettre. Je crois même savoir de quelle bague il s'agit – la mère d'Hilly la lui avait offerte pour ses dix-huit ans. Hilly l'avait fait estimer quelques années plus tard, pour découvrir que la pierre n'était même pas un rubis, tout juste un grenat, et ne valait pratiquement rien. À dater de ce jour elle ne l'avait plus jamais portée. Je serre les poings.

À HUIT heures du soir, je suis sur le porche d'Aibileen. J'ai quasiment traîné Pascagoula dans l'escalier pour que maman ne nous entende pas parler et je l'ai interrogée.

— Yule May avait un très bon avocat, m'a-t-elle répondu, mais tout le monde a dit que la femme du juge était une amie de Miss Holbrook. Pour un petit vol comme celui-là, la peine est d'habitude de six mois, mais Miss Holbrook a réussi à obtenir quatre ans. Le procès était bouclé avant d'avoir commencé.

— Je pourrais en parler à mon père. Il pourrait essayer de lui trouver un avocat… blanc.

Pascagoula secoue la tête.

— *C'était* un avocat blanc.

Je frappe à la porte d'Aibileen, et je me trouve face à un homme. Le col de sa chemise d'ecclésiastique brille. J'entends Aibileen dire :

— Ça va, révérend.

Il a une brève hésitation, mais s'écarte pour me laisser entrer.

Je m'avance d'un pas et découvre une bonne vingtaine de personnes entassées dans le minuscule salon et jusque dans l'entrée. Aibileen est allée chercher les chaises de la cuisine, mais la plupart des gens sont debout. J'aperçois Minny dans un angle. Je reconnais à côté d'elle Louvenia, la bonne de Lou Anne Templeton, mais toutes les autres me sont inconnues.

— Bonjour, Miss Skeeter, murmure Aibileen.

Elle a son uniforme blanc et ses chaussures orthopédiques.

— Je… (Je me retourne vers la porte.) Je peux revenir plus tard.

Aibileen secoue la tête.

— Il est arrivé quelque chose de terrible à Yule May.

— Je sais, dis-je.

Le silence règne dans la pièce, à part quelques toux vite étouffées.

— Je l'ai appris seulement aujourd'hui, dit Aibileen. Elle a été arrêtée lundi, et mise en prison mardi. Il paraît que le procès a duré quinze minutes.

— Elle m'a fait passer une lettre, dis-je. Elle me parle de ses fils.

— Elle vous a dit qu'il lui manquait soixante-dix dollars pour inscrire ses fils ? Alors elle a demandé un prêt à Miss Hilly, vous voyez. Elle la rembourserait en lui donnant une certaine somme toutes les semaines. Mais Miss Hilly a refusé. Elle lui a dit qu'un vrai chrétien faisait pas la charité à ceux qui sont valides et bien portants. Elle lui a dit qu'il valait mieux qu'ils apprennent à se débrouiller.

Seigneur, j'imagine Hilly en train de débiter ces horreurs. J'ai du mal à regarder Aibileen en face.

— Mais les églises se sont mises ensemble pour envoyer les gosses à la fac.

Le silence règne, et je discute à voix basse avec Aibileen.

— Vous croyez que je pourrais faire quelque chose ? Aider d'une manière ou d'une autre ? De l'argent ou…

— Non. L'église organise une collecte pour payer l'avocat. Et pour qu'il continue à la défendre. Le tribunal l'a condamnée à quatre ans et à cinq cents dollars d'amende.

— Je suis tellement désolée, Aibileen !

J'observe les gens massés dans la pièce, qui baissent les yeux comme s'ils craignaient de se brûler en me regardant.

— Elle est mauvaise, cette femme ! lance Minny depuis l'autre côté du canapé. Hilly Holbrook nous a été envoyée par le diable pour détruire des vies et faire le plus de mal possible !

Puis elle s'essuie le nez d'un revers de manche.

Le silence retombe, insupportable. L'air est brûlant et sent le café. Je sens quelque chose de très particulier dans cet endroit où j'avais fini par être presque à l'aise. Je sens l'hostilité et l'accusation.

Le révérend au crâne chauve s'essuie les yeux avec un mouchoir.

— Merci, Aibileen, de nous avoir accueillis dans ta maison pour prier.

Les gens commencent à s'agiter, à se dire bonsoir avec des hochements de tête solennels. On ramasse les sacs, on remet les chapeaux. Le révérend ouvre la porte, laissant s'engouffrer un air chargé d'humidité. Une femme aux cheveux blancs bouclés, vêtue d'un imperméable noir, le suit de près, mais s'arrête soudain à l'endroit où je me tiens avec ma sacoche rouge. Son imperméable s'entrouvre sur l'éclat de l'uniforme blanc.

— Miss Skeeter, dit-elle sans un sourire, je vais vous aider pour ces témoignages.

Je regarde Aibileen. Elle hausse les sourcils, ouvre la bouche. Je me retourne vers la femme mais elle se dirige déjà vers la porte.

— Euh, merci…, dis-je.

— Moi aussi, Miss Skeeter. Je vais vous aider.

Une femme en manteau rouge s'éloigne très vite, sans même croiser mon regard.

Je commence à compter. Cinq. Six. Sept. Je hoche la tête chaque fois, incapable de dire autre chose que merci. Merci. Oui, merci, à chacune.

Huit. Neuf. Dix. Onze. Aucune ne sourit en m'offrant son aide. La pièce se vide, à l'exception de Minny. Elle se tient dans l'angle le plus éloigné, les bras croisés. Quand tout le monde est sorti, elle lève les yeux et son regard croise le mien une fraction de seconde. C'est grâce à Minny, tout cela.

Comme tout le monde est en voyage, notre groupe ne s'est plus réuni depuis un mois pour jouer au bridge. Nous nous retrouvons le mercredi chez Lou Anne Templeton, avec force « comme je suis contente de te voir » et autres petites tapes amicales.

— Ma pauvre Lou Anne, avec ces manches longues par une chaleur pareille ! C'est encore ton eczéma ? demande Elizabeth à Lou Anne qui nous reçoit dans une grande robe de laine grise.

Lou Anne baisse la tête, visiblement embarrassée.

— Oui, c'est de pire en pire.

Je recule sous l'étreinte d'Hilly mais elle ne semble pas le remarquer. Pourtant, pendant la partie, elle ne cesse de me regarder avec attention.

— Je le savais. J'ai su que cette fille était une voleuse le jour où elle a commencé chez moi.

En racontant l'histoire de Yule May, Hilly décrit un grand cercle avec son index pour indiquer une grosse pierre, et la valeur inestimable de ce « rubis ».

— Je l'ai surprise en train de prendre le lait dont la date de péremption était dépassée, et c'est toujours comme ça que ça commence, vous savez. D'abord la poudre à laver, puis on passe aux serviettes de table et aux vêtements. Le temps de vous en apercevoir et ce sont les bijoux de famille qu'elles vont mettre au clou pour se payer à boire. Dieu sait ce qu'elle aura pris d'autre !

Je lutte contre l'envie de casser l'un après l'autre ces doigts qui volettent, je me tais. Laissons-lui croire que tout est pour le mieux. C'est plus sûr pour tout le monde.

À SIX heures du soir, je suis assise à la table dans la cuisine d'Aibileen. Nous sommes convenues que je viendrai tous les soirs jusqu'à ce que nous ayons terminé. Tous les deux jours, une nouvelle bonne viendra frapper à la porte d'Aibileen, s'asseoir à cette table avec moi et me livrer son témoignage. Onze femmes ont accepté de nous parler, sans compter Aibileen et Minny. Ce qui nous en fait treize alors que Mrs Stein en a demandé douze. Aibileen écoute, debout au fond de la cuisine. La première des bonnes s'appelle Alice.

J'explique qu'il s'agit d'un recueil de témoignages authentiques sur les bonnes et leur travail dans des familles blanches. Je tends une enveloppe qui contient quarante dollars provenant de ce que j'ai économisé sur les piges de Miss Myrna et sur l'argent que je reçois chaque mois.

— Il y a un risque que ça ne soit jamais publié, dis-je à chacune. Et même si ça l'est, ça ne rapportera que très peu d'argent.

— Aibileen nous l'a bien dit, répondent plusieurs d'entre elles. C'est pas pour ça qu'on le fait.

Aibileen me prépare avant chaque entretien. Elle craint autant que moi que je ne les effraie avant même de commencer.

— Eula, elle va rester fermée comme une mauvaise huître. Vous énervez pas si elle dit pas grand-chose.

Eula ne s'est pas encore assise qu'elle est déjà en train de parler avant que je ne lui explique quoi que ce soit, et elle continue ce soir-là jusqu'à dix heures. Alice, Fanny Amos et Winnie sont timides, ont besoin qu'on les guide, parlent les yeux baissés. Flora Lou et Cleontine ouvrent grandes les vannes et les mots se bousculent tandis que je tape aussi vite que je peux, en leur demandant toutes les cinq minutes : « S'il vous plaît, moins vite, ralentissez ! » Mais il y a aussi un nombre surprenant de témoignages positifs. Et toutes, à un moment, se tournent vers Aibileen comme pour demander : « Tu en es sûre ? Je peux vraiment dire ça à une Blanche ? »

— Aibileen ? Qu'est-ce qui arrivera si… si c'est publié et que des gens découvrent qui on est ? demande la timide Winnie.

— On peut pas savoir à l'avance, Winnie, dit Aibileen doucement.

Mais ça sera pas comme ce qu'on voit à la télé. Une Blanche agit pas comme un Blanc.

Je regarde Aibileen. Elle ne m'a jamais dit comment elle voyait les choses, concrètement. Je veux changer de sujet. Il n'en sortira rien de bon.

STUART étant absent, je peux me concentrer sur les entretiens. Les femmes sont grandes, petites, la peau d'un noir de jais ou d'un brun caramel. Quand on est trop claire, m'explique-t-on, on n'a aucune chance de trouver une place. Plus on est noire, mieux c'est.

Il y a une haine clairement affichée pour les Blanches, et il y a aussi un amour inexplicable. Faye Belle, qui a le teint gris et souffre de tremblements, ne se souvient plus de son âge. Elle raconte ses histoires comme on déplie une étoffe délicate. Elle se revoit cachée dans une malle-cabine avec une petite fille blanche tandis que les soldats yankees vont et viennent à travers la maison. Il y a vingt ans, la même petite fille devenue une vieille femme est morte dans ses bras. Chacune parlait d'amour et de meilleure amie. La mort n'y pouvait rien changer. La couleur ne comptait pas. Le petit-fils de la Blanche verse toujours une pension à Faye Belle.

Le cinquième entretien a lieu avec Louvenia, la bonne de Lou Anne Templeton. Louvenia me raconte que son petit-fils, Robert, a perdu la vue après avoir été battu par un Blanc qui l'avait surpris dans les toilettes des Blancs. Pas la moindre trace de colère dans sa voix. J'apprends que Lou Anne, que je trouve ennuyeuse et sans saveur et à qui je n'ai jamais prêté attention, lui a offert deux semaines de congés payés pour qu'elle puisse s'occuper de son petit-fils. Elle lui a apporté des plats tout préparés pendant cette période. Sitôt prévenue de ce qui était arrivé à Robert, elle a conduit Louvenia à la clinique des Noirs et y est restée six heures avec elle pour attendre la fin de l'opération. Lou Anne n'a jamais parlé de cela à aucune d'entre nous. Et je comprends parfaitement pourquoi.

Il y a de la colère aussi quand elles parlent des Blancs qui ont tenté de les toucher. Winnie a été forcée maintes et maintes fois. Cleontine raconte qu'elle s'est défendue avec tant de rage que l'homme a eu le visage en sang et n'a plus jamais essayé.

Nous restons plusieurs minutes incapables de prononcer un mot après le départ de Gretchen, la cousine de Yule May. Elle était présente à la séance de prière, mais elle fréquente une autre église.

J'ai expliqué les « règles » à Gretchen, exactement comme je l'ai fait avec toutes les autres. Elle s'est calée contre le dossier de sa chaise. J'ai pensé qu'elle réfléchissait à une histoire qu'elle voulait me raconter. Mais elle a dit :

— Regardez-vous. Encore une Blanche qui essaye de se faire du fric sur le dos des Noirs ! Vous croyez que quelqu'un va lire ce truc ?

Gretchen s'est mise à rire. Elle avait un air bien net dans son uniforme blanc. Elle avait mis du rouge à lèvres du même rose que le mien et celui de mes amies. Elle était jeune. Elle parlait d'un ton calme et détaché, comme une Blanche. Je ne saurais dire pourquoi, mais cela rendait les choses pires.

— Elles ont été bien gentilles, n'est-ce pas, toutes les Noires que vous avez fait parler ?

— Oui, ai-je dit. Très gentilles.

Gretchen m'a regardée droit dans les yeux.

— Elles vous détestent. Vous le savez, n'est-ce pas ? Elles détestent tout ce que vous êtes. Mais vous êtes tellement bête que vous croyez leur faire une faveur.

Aibileen a quitté son tabouret.

— Ça suffit, Gretchen. Rentre chez toi.

— Et toi, Aibileen, tu veux que je te dise ? Tu es aussi bête qu'elle !

— *Sors de chez moi*, a sifflé Aibileen en montrant la porte.

Gretchen est partie, mais elle m'a jeté à travers la moustiquaire un regard de colère qui m'a glacé le sang.

DEUX jours plus tard, je suis assise face à Callie. Ses cheveux sont presque blancs. Elle a soixante-sept ans et a gardé son uniforme. Elle est si corpulente que son corps déborde de la chaise.

Callie se met à parler, lentement, et je commence à taper. Elle regarde au loin comme si elle voyait un film défiler derrière moi avec les scènes qu'elle décrit.

— J'ai travaillé trente-huit ans chez Miss Margaret. Sa fille a eu la colique quand elle était bébé et il fallait la porter pour qu'elle ait plus mal, c'était la seule façon. Alors je me suis mis un tissu autour de la taille et je l'ai portée toute l'année comme ça. Ça me cassait le dos.

Je mettais des glaçons tous les soirs pour me soulager, et je le fais encore aujourd'hui. Mais cette petite, je l'adorais. Et j'adorais Miss Margaret. Miss Margaret, elle me faisait toujours mettre un foulard sur la tête, elle prétendait que les Noirs se lavaient pas les cheveux. Quand elle est morte de problèmes de femmes des années après, je suis allée aux obsèques. Son mari m'a serrée dans ses bras, il a pleuré sur mon épaule. À la fin, il m'a donné une enveloppe. J'ai trouvé dedans une lettre que Miss Margaret avait écrite et qui disait : « Merci d'avoir empêché mon bébé de souffrir. Je ne l'ai jamais oublié. »

Callie ôte ses lunettes à grosse monture et s'essuie les yeux.

— Si les Blanches lisent mon histoire, je veux qu'elles sachent ça. Dire merci quand on se rappelle que quelqu'un a vraiment fait quelque chose pour vous, ça fait tellement de bien.

Callie lève les yeux vers moi, mais je ne peux pas croiser son regard.

— J'ai besoin d'une minute, dis-je.

Je me presse le front. Je ne peux pas m'empêcher de penser à Constantine. Je ne l'ai jamais remerciée, pas comme je l'aurais dû. L'idée que je n'en aurais peut-être pas toujours l'occasion ne m'a jamais effleurée.

— Ça va, Miss Skeeter ?

— Ça… va, dis-je. Reprenons.

Callie entame une autre histoire. La boîte à chaussures jaune est posée derrière elle sur le comptoir, pleine d'enveloppes. À part Gretchen, toutes les femmes ont demandé que l'argent serve à financer les études des jumeaux de Yule May.

LA famille Phelan, tendue, attend sur les marches en brique de la maison du sénateur Stooley Whitworth. C'est en plein centre-ville, dans North Street, une grande bâtisse à la façade ornée de colonnes, entourée de buissons d'azalées parfaits. Je porte une nouvelle jupe bleu pâle avec la veste assortie. Papa a le complet noir qu'il met pour les enterrements, maman, une robe blanche toute droite. Je me trouve l'air d'une fille de la campagne qui a ressorti sa tenue de noces et je pense soudain, affolée, que nous sommes tous trop habillés pour la circonstance.

Une Noire en uniforme blanc nous ouvre.

— Bonsoir. Vous êtes attendus.

Nous pénétrons dans le hall d'entrée et je vois d'abord le grand lustre qui brille de toutes ses lumières. Je suis du regard la courbe majestueuse de l'escalier monumental. Nous sommes à l'intérieur d'une coquille Saint-Jacques géante.

— Eh bien, bonsoir !

Mrs Whitworth vient vers nous, les bras tendus, accompagnée du claquement de ses talons. Elle porte le même ensemble que le mien mais, Dieu merci, en rouge foncé. Quand elle hoche la tête, ses cheveux blonds grisonnants ne bougent pas d'un millimètre.

— Bonjour, Mrs Whitworth. Je suis Charlotte Boudreau Cantrelle Phelan. Merci de nous avoir invités.

— Tout le plaisir est pour moi, dit Mrs Whitworth en serrant la main de mes parents. Moi, c'est Francine. Soyez les bienvenus ! (Elle se tourne vers moi.) Et vous devez être Eugenia ? Eh bien, je suis contente de vous connaître enfin !

Elle me prend le bras et me regarde dans les yeux. Les siens sont bleus, très beaux, comme de l'eau glacée. Le visage est charnu. Elle est presque aussi grande que moi sur ses talons.

— Enchantée de faire votre connaissance, dis-je. Stuart m'a beaucoup parlé de vous et du sénateur Whitworth.

— La voilà donc !

Derrière Mrs Whitworth, un individu de haute taille au torse épais se précipite vers moi. Il m'empoigne, me serre violemment contre sa poitrine et me repousse aussitôt.

— J'ai dit à mon petit Stuart il y a un mois de nous amener sa copine. Mais pour tout dire... il n'est pas très vaillant, depuis l'autre.

Je cille.

— Enchantée de vous connaître.

Le sénateur part d'un grand rire.

— Je vous taquine, n'est-ce pas ! dit-il.

Et me revoilà écrasée contre sa poitrine.

— Sénateur, dit papa en lui secouant vigoureusement la main, nous vous remercions pour votre intervention au sujet de cette loi agricole. Ça fait une sacrée différence.

— Venez donc, dit le sénateur. Je ne peux pas parler de politique si je n'ai pas un verre à la main !

Il s'achemine lourdement vers le salon.

— Stuart n'est pas encore rentré de Shreveport, dit-il de sa voix puissante. Je crois qu'il a une grosse affaire qui s'annonce.

Nous entrons dans une pièce de réception décorée de moulures compliquées. Il y a des canapés de velours vert et une telle accumulation de gros meubles qu'on voit à peine le sol.

— Que puis-je vous offrir à boire ?

Mr Whitworth sourit.

Papa demande une tasse de café, maman et moi du thé glacé. Le sourire du sénateur s'efface, il se retourne et, d'un regard, demande à la bonne de servir ces boissons tristement banales. Puis il va dans un angle de la pièce emplir deux verres d'un liquide ambré pour lui et pour sa femme. Le canapé en velours grince sous son poids quand il s'assoit.

— Votre maison est absolument ravissante. On m'a dit que c'était le clou de la visite historique.

Maman fait partie depuis toujours du Conseil des bâtiments historiques du comté de Ridgeland, mais elle qualifie la visite guidée du Jackson historique de « nec plus ultra » quand elle la compare à celle qu'organise le Conseil.

Le sénateur et Mrs Whitworth échangent un regard. Puis Mrs Whitworth sourit.

— Nous nous sommes retirés du programme cette année. C'était… trop, tout simplement.

— Vous devez certainement vous sentir des obligations vis-à-vis de l'histoire…, insiste maman.

Tout le monde se tait, puis le sénateur éclate d'un gros rire.

— Il y a eu une embrouille, dit-il. La mère de Patricia van Devender est présidente du Conseil, alors après tout ce… grabuge avec les enfants, on a décidé d'arrêter les visites.

Je regarde la porte en priant pour que Stuart arrive vite. C'est la deuxième fois qu'*elle* surgit dans la conversation. Mrs Whitworth fusille du regard le sénateur.

— Mais enfin, qu'est-ce qu'on doit faire, Francine ? Ne plus jamais prononcer son nom ? On avait fait construire un pavillon dans le jardin spécialement pour le mariage !

Mrs Whitworth laisse échapper un long soupir excédé.

— Eugenia, dit-elle en souriant, je crois savoir que vous voulez devenir écrivain. Quelle sorte de choses aimez-vous écrire ?

Je remets mon sourire.

— Je rédige la chronique de Miss Myrna dans le *Jackson Journal.*

— Stuart nous a dit que vous vouliez traiter des sujets plus sérieux. Il y en a un en particulier ?

Tous m'observent maintenant, y compris la bonne, en me tendant un verre de thé. J'évite de regarder son visage, trop effrayée de ce que je pourrais y voir.

— Je travaille sur… plusieurs sujets.

— Eugenia écrit sur la vie de Jésus-Christ, intervient soudain maman.

Je me rappelle le mensonge que j'ai fait récemment en parlant de « recherches » à propos de mes sorties quotidiennes.

— Bien, dit Mrs Whitworth en opinant gravement du chef. Voilà un sujet tout à fait sérieux.

La porte d'entrée claque, faisant tinter le lustre en cristal.

— Excusez-moi, je suis en retard !

Stuart s'approche à grandes enjambées en enfilant sa veste bleue sur sa chemise froissée après le trajet en voiture. Nous nous levons tous et sa mère tend les bras, mais il vient directement vers moi, pose les mains sur mes épaules et m'embrasse sur la joue.

— Désolé, murmure-t-il.

Et je commence un peu à me détendre. Je me retourne et vois sa mère qui sourit comme si je venais de lui arracher sa plus belle serviette pour y essuyer mes mains sales.

— Sers-toi un verre, dit le sénateur.

Après s'être exécuté, Stuart s'assoit à côté de moi sur le canapé, me prend la main et ne la lâche plus.

Mrs Whitworth regarde nos mains enlacées et dit :

— Charlotte, voulez-vous que je vous fasse visiter la maison à toutes les deux ?

Je suis pendant un quart d'heure Mrs Whitworth et maman à travers une succession de pièces trop richement meublées. Des lettres de soldats confédérés sont posées sur un bureau du XIXe siècle, ainsi que des lunettes et des mouchoirs de l'époque. Au deuxième étage, maman s'extasie devant le lit à baldaquin dans lequel Robert E. Lee a dormi. Nous redescendons enfin par un escalier « dérobé » et je m'attarde devant les photos de famille qui décorent le couloir. Stuart tout petit tenant un ballon rouge, en compagnie de ses deux frères. Stuart dans sa robe de baptême.

Maman et Mrs Whitworth s'éloignent dans le couloir, mais je continue à regarder. Petit garçon, Stuart avait les cheveux blond paille. Le revoici, à neuf ou dix ans, posant avec un fusil et un canard. À quinze ans, à côté d'un cerf abattu. C'est déjà un beau garçon à l'air décidé. Dieu fasse qu'il ne voie jamais mes photos d'adolescente.

Un peu plus loin, c'est une cérémonie de remise de diplômes, Stuart très fier dans son uniforme du lycée militaire. Je remarque au milieu du mur un espace vide avec un rectangle de papier peint légèrement plus foncé. On a retiré un cadre.

J'entends la voix tendue de Stuart :

— Papa, ça suffit avec…

Et tout de suite après, le silence.

— Le dîner est servi, annonce une bonne.

Et je passe dans la salle à manger où nous nous retrouvons tous autour d'une longue table. Les Phelan sont assis d'un côté, les Whitworth de l'autre. Je suis placée en diagonale par rapport à Stuart, aussi loin de lui que possible. On sert la salade Waldorf. Stuart regarde dans ma direction et me sourit toutes les deux minutes. Le sénateur Whitworth se penche vers mon père et dit :

— Je suis parti de rien, vous savez. Mon père faisait sécher des cacahuètes pour onze cents la livre dans le comté de Jefferson.

Il n'y a pas plus pauvre que le comté de Jefferson.

— Ces *jeunes gens* se plaisent beaucoup ensemble, dit maman en souriant. Stuart vient nous voir au moins deux fois par semaine.

Le sourire de Mrs Whitworth se crispe.

— Deux fois par semaine ? Stuart, je ne me doutais absolument pas que tu venais en ville aussi souvent ?

Stuart jette un regard craintif à sa mère.

— Vous êtes bien jeunes, sourit Mrs Whitworth. Amusez-vous. Vous avez tout le temps d'être sérieux.

Le sénateur s'appuie des deux coudes sur la table.

— Et celle qui vous dit ça a quasiment fait elle-même la demande en mariage la dernière fois, tellement elle était pressée !

— *Papa !* dit Stuart, les dents serrées.

La bonne dépose dans nos assiettes du poulet en gelée surmonté d'une bonne quantité de mayonnaise et nous sourions tous, enchantés de cette diversion. Pendant que nous mangeons, papa et le sénateur parlent prix du coton, parasites du coton. Je vois à sa tête que Stuart en veut encore à son père d'avoir parlé de Patricia. Je le regarde toutes les dix secondes, mais sa colère ne retombe pas.

Le sénateur se renverse contre le dossier de son siège.

— Vous avez vu dans *Life* cet article sur… c'était quoi, son nom … Carl… Roberts ?

Je lève les yeux, surprise, car c'est à moi que le sénateur a posé la question. Je bats des paupières pour cacher ma confusion, et j'espère qu'il en parle à cause de mon travail au journal.

— Oui, ils… on l'a lynché. Pour avoir dit que le gouverneur était…

Je m'arrête, non parce que j'ai oublié les mots mais parce que je me les rappelle.

— Un individu *pitoyable*, complète le sénateur, *avec la morale d'une prostituée.*

Mon père s'éclaircit la voix.

— Je vais être franc, dit-il lentement. Ça me rend malade quand j'entends parler de ce genre de brutalités.

Papa a posé sa fourchette sans faire de bruit. Il regarde le sénateur Whitworth bien en face.

— J'ai vingt-cinq nègres qui travaillent dans mes champs et si quelqu'un posait seulement la main sur eux ou sur leur famille…

Le regard de papa ne lâche pas celui du sénateur. Puis il baisse les yeux.

— J'ai honte, parfois, sénateur. Honte de ce qui se passe dans le Mississippi.

Maman le regarde avec de grands yeux. Je suis sidérée par ce que je viens d'entendre. Et encore plus sidérée qu'il ait exprimé son opinion à la table de ce politicien. Je me sens fière de mon père, soudain. Et je jurerais même que, l'espace d'une seconde, maman l'est aussi, malgré sa crainte qu'il n'ait compromis mon avenir. Je regarde Stuart. Ses traits trahissent l'inquiétude. Mais la nature de cette inquiétude, je ne la connais pas.

Le sénateur se tourne vers papa en clignant des yeux.

— Je vais vous dire une chose, Carlton. C'était pas très malin de dire ça de notre gouverneur. Mais ces derniers temps, je me suis posé la question. Est-ce que c'était vrai ?

— *Stooley !* siffle Mrs Whitworth.

— Laisse-moi dire ce que je pense, Francine. Je n'en ai pas le droit de neuf heures du matin à cinq heures du soir, alors laisse-moi dire ce que je pense dans ma propre maison !

Le sourire de Mrs Whitworth demeure, mais ses joues se colorent de rose. Stuart contemple son assiette avec la même colère froide. Puis quelqu'un relance la conversation en parlant du temps.

Le repas achevé, on nous invite à nous rendre sur la véranda pour le café. Stuart et moi restons en arrière dans le couloir. Je lui touche le bras mais il s'écarte.

— J'étais sûr qu'il allait se saouler et parler à tort et à travers !

— Tout va bien, Stuart, dis-je en pensant qu'il fait allusion aux propos du sénateur sur la politique.

Mais Stuart semble fiévreux.

— Patricia par-ci et Patricia par-là pendant toute la soirée ! Il en a parlé combien de fois ?

— Oublie ça, Stuart. Ça ne fait rien.

Il se passe la main dans les cheveux et regarde tout sauf moi. Je sens que pour lui, je ne suis peut-être même pas là. Et je comprends ce que je savais depuis le début de la soirée. C'est à *elle* qu'il pense. Elle est partout.

Je lui dis que j'ai besoin d'aller à la salle de bains.

En revenant je passe par le salon, où le sénateur est en train de se servir un autre verre. Je tente de passer sur la pointe des pieds avant qu'il m'aperçoive.

— Vous voilà ! Venez par ici, petite.

Il m'entoure de son bras et les effluves de bourbon me brûlent les yeux.

— Vous vous amusez bien ?

— Oui, monsieur. Merci.

Il soupire.

— Ça a été vraiment dur, avec Stuart. Je suppose qu'il vous a dit ce qui s'était passé.

Je fais oui de la tête. J'ai des picotements sur la peau.

— Voilà. Ils disent tous que je parle trop quand j'ai un peu bu mais… je veux vous dire une chose. Nous étions malades d'inquiétude l'année dernière après cette histoire. Avec l'autre… (Il secoue la tête, baisse les yeux sur son verre.) Stuart… Il est carrément parti en laissant son appartement de Jackson, il a tout emporté dans la maison de campagne de Vicksburg. Depuis l'histoire avec cette fille, il... n'est plus le même. Il ne veut rien me dire. Et moi je veux savoir s'il va bien.

Je commence à me dire que je ne connais pas Stuart. S'il a été à ce point blessé, et s'il ne peut même pas m'en parler, alors que suis-je pour lui ? Une simple diversion ?

Je fais le tour de la maison à la recherche de Stuart. Des éclairs strient le ciel, et le jardin surgit de l'obscurité.

Stuart pose la main sur mon épaule. Il a l'air d'aller mieux, moi je vais plus mal.

— Stuart, ton père m'a dit... Il m'a dit combien tu avais souffert. À cause de Patricia.

Il s'adosse au mur, croise les bras, et je vois la colère qui s'empare à nouveau de lui et l'enferme dans sa violence.

— Stuart. Tu n'es pas obligé de tout me dire maintenant. Mais il faudra bien, tôt ou tard, qu'on discute de tout ça.

Il me regarde longuement dans les yeux, hausse les épaules.

— Elle a couché avec un autre. Voilà.

— Quelqu'un... que tu connaissais ?

— Personne ne le connaissait. C'était l'un de ces parasites qui traînent à la fac et qui harcèlent les profs à propos des lois d'intégration. Bref, voilà ce qu'elle a fait.

— Tu veux dire... que c'était un activiste ? Pour les droits civiques ?

— C'est ça. Un Yankee venu de New York comme ceux qu'on voit à la télé avec leurs cheveux longs et leurs insignes pour la paix. Et tu sais ce qu'il y avait de plus insensé, Skeeter ? J'aurais pu passer l'éponge. Elle me l'a demandé, elle m'a dit combien elle regrettait. Mais je savais que si jamais on apprenait qui était ce type, et que la belle-fille du sénateur Whitworth avait couché avec un putain d'activiste yankee, il ne s'en relèverait pas. Terminée, sa carrière !

— C'est donc à cause de ton père que tu as rompu avec elle ?

— Non, j'ai rompu avec elle parce qu'elle m'avait trompé. Mais je n'ai pas renoué à cause... de mon père.

— Stuart... es-tu encore amoureux d'elle ?

Je m'efforce de sourire comme s'il s'agissait d'une question anodine. Il se tasse un peu. Sa voix se fait plus douce.

— Tu ne ferais jamais cela, toi. Mentir. Ni à moi, ni à quiconque.

Il ne se doute pas du nombre de personnes auxquelles je mens. Mais c'est un autre problème.

— Réponds-moi, Stuart. Tu l'aimes encore ?

Il se frotte les tempes, les paupières.

— Je crois que nous devrions faire une pause, murmure-t-il. J'ai besoin de temps, Skeeter. Et d'espace, sans doute. J'ai besoin de travailler, d'extraire du pétrole et… de remettre de l'ordre dans ma tête.

J'entends les voix assourdies de nos parents qui nous appellent. Il est temps de repartir.

J'emboîte le pas à Stuart. Les Whitworth s'arrêtent dans le grand hall d'entrée tandis que les Phelan se dirigent vers la porte. Je leur dis bonsoir, merci, et ma voix sonne étrangement à mes oreilles. Stuart agite la main et me sourit sur les marches du perron pour que nos parents ne se doutent de rien.

NOUS sommes dans le petit salon, maman, papa et moi, et nous regardons la boite métallique argentée fixée à la fenêtre. C'est gros comme un moteur de camion, étincelant de chromes, rutilant comme l'espoir des temps modernes. Je mets le bouton sur 1. Au-dessus de nos têtes, le lustre clignote. Je regarde quelques petites mèches qui se soulèvent sur la tête de maman.

— Oh ! mon Dieu… dit maman en fermant les yeux.

Elle est très fatiguée ces derniers temps et son ulcère empire. Le Dr Neal a déclaré que de l'air frais dans la maison lui ferait du bien.

— Il n'est même pas au maximum, dis-je.

Je mets le bouton sur 2. L'air souffle un peu plus fort, devient un peu plus frais et nous sourions tous les trois tandis que la sueur s'évapore sur nos fronts.

— Eh bien, essayons jusqu'au bout, dit papa.

Il tourne jusqu'à 3, qui est le maximum, le plus froid, le plus merveilleux des réglages, et maman laisse fuser un petit rire. Nous sommes plantés devant la chose, la bouche ouverte comme prêts à la manger. La lumière retrouve toute son intensité, le vrombissement s'accentue, nos sourires s'élargissent. Et tout s'arrête d'un coup. L'obscurité.

— Que… mais que se passe-t-il ? demande maman.

Papa regarde au plafond. Il va dans l'entrée.

— Cet engin de malheur a fait sauter les plombs !

Maman s'évente la gorge avec son mouchoir.

— Pour l'amour du ciel, Carlton, remets-le en marche !

J'entends pendant une heure papa aller et venir sur la véranda, actionner des interrupteurs et ferrailler avec divers outils. La réparation effectuée, et après avoir écouté un laïus de papa nous recommandant de ne jamais régler l'appareil sur 3 sinon il ferait sauter toute la maison, maman et moi regardons une brume glacée recouvrir les fenêtres. Maman s'assoupit dans son fauteuil bleu après avoir tiré une couverture verte sur sa poitrine. Je vais sur la pointe des pieds éteindre tout ce que le rez-de-chaussée compte de dévoreurs de courant à l'exception du réfrigérateur. Je me mets devant la fenêtre, déboutonne mon chemisier, et tourne lentement le bouton jusqu'à 3. Je ne veux plus rien sentir. Je veux geler à l'intérieur. Que le froid me frappe directement au cœur.

Trois secondes s'écoulent et le compteur saute.

PENDANT les deux semaines qui suivent, je me plonge dans les entretiens. Je laisse ma machine à écrire sur la véranda où je dors et travaille pratiquement toute la journée et une partie de la nuit. Je me retrouve par moments en train de contempler les champs mais je ne suis pas là. Je suis dans les vieilles cuisines de Jackson avec les bonnes.

— Skeeter, voilà des semaines que nous sommes sans nouvelles de Stuart, me dit maman pour la énième fois. Vous n'êtes pas fâchés, n'est-ce pas ?

— Il va bien, maman. Il n'est pas obligé d'appeler toutes les cinq minutes !

Mais j'adoucis ma voix. Maman semble plus maigre de jour en jour.

— Il voyage, maman, c'est tout.

Cela paraît la calmer pour le moment et je dis la même chose à Elizabeth, comme à Hilly en y ajoutant quelques détails et en me pinçant le bras pour supporter son sourire insipide. Mais à moi-même, je ne sais que dire. Stuart a besoin d'« espace » et de « temps » comme s'il s'agissait de sciences physiques et non d'une relation humaine.

Aussi, plutôt que de m'apitoyer sur moi-même à longueur de journée, je travaille. Je tape. Je transpire.

Un soir, l'un des rares où je suis à la maison, je m'attable pour dîner avec mes parents. Maman chipote dans son assiette. Elle a tenté tout l'après-midi de me cacher qu'elle vomissait.

— Je me disais que le 25, peut-être… ce serait trop tôt, à votre avis, pour les inviter ici ?

Je ne peux toujours pas me résoudre à lui dire que Stuart et moi avons rompu. Mais je devine à son teint que maman est vraiment très mal ce soir. Elle est blême et je vois les efforts qu'il lui en coûte pour rester assise. Je lui prends la main.

— Voyons… Je suis certaine que le 25 serait parfait, maman…

Elle sourit pour la première fois de la journée.

On est début août et, même si nous ne devons rendre le manuscrit qu'à la fin janvier, il nous reste cinq entretiens avant de finir. J'ai, avec l'aide d'Aibileen, mis en forme, raccourci et rédigé cinq chapitres dont celui de Minny, mais ils ont encore besoin d'être revus. Celui d'Aibileen, heureusement, est terminé. Il fait vingt et une pages. C'est simple, et magnifiquement écrit.

Il y a plusieurs dizaines de faux noms, de Blancs comme de Noirs. Notre ville s'appelle Niceville, Mississippi, parce qu'elle n'existe pas.

J'ai fait exprès d'arriver cinq minutes en retard à la réunion de la Ligue, ce lundi soir. C'est la première depuis un mois : Hilly, de retour de vacances, est bronzée et fin prête pour présider. Elle tient son marteau comme une arme.

Les visages des femmes qui m'entourent me rendent nerveuse. J'en ai vite repéré sept qui ont un lien avec quelqu'un dans le livre, quand elles n'y figurent pas elles-mêmes. Je veux sortir d'ici au plus vite et me remettre au travail, mais deux heures, longues et pénibles, s'écoulent avant que Hilly n'abatte enfin son marteau. À ce stade, elle-même semble fatiguée d'entendre sa propre voix. Mais avant que je n'aie pu m'échapper, Elizabeth croise mon regard et me fait signe. Elle est enceinte de six mois et tient mal sur ses jambes à cause des tranquillisants qu'on lui fait prendre.

— Comment te sens-tu, Elizabeth ? Ça se passe mieux cette fois ?

— Non, mon Dieu, c'est affreux, et j'en ai encore pour trois mois ! J'ai appris, pour Stuart et toi. Je suis vraiment désolée.

Je baisse les yeux. Je ne m'étonne pas qu'elle sache, mais plutôt qu'il ait fallu aussi longtemps pour que tout le monde soit au courant. Je n'ai rien dit à quiconque, mais Stuart a sans doute parlé. Ce matin encore, j'ai dû mentir à maman et lui expliquer que les Whitworth ne seraient pas en ville le 25.

— Excuse-moi de ne pas te l'avoir dit, Elizabeth. Mais je n'aime pas en parler.

Je rassemble prestement mes notes et me dirige vers la sortie. À la seconde où je vais passer la porte, j'entends qu'on m'appelle.

— Une seconde, tu veux bien, Skeeter ?

Je soupire, me retourne et fais face à Hilly. Elle porte un costume marin bleu foncé, le genre de chose qu'on achète pour une gamine de cinq ans. Les plis bâillent autour de ses hanches comme un soufflet d'accordéon.

— Je t'ai dit il y a *cinq mois* de publier ma proposition de loi, et tu n'as toujours pas suivi mes instructions. Je veux la voir dans la *Lettre* avant les élections. (Elle pointe le doigt vers le plafond.) Sinon, j'en référerai à qui de droit, ma chère.

— Si tu essayes de me faire expulser de la Ligue, j'appellerai moi-même Genevieve von Hapsburg à New York, dis-je.

Genevieve est la plus jeune présidente de l'histoire de la Ligue, et peut-être la seule personne qui inspire de la crainte à Hilly.

— Pour lui dire quoi, Skeeter ? Que tu ne fais pas ton boulot ? Que tu te promènes avec de la propagande d'activistes noirs ?

Je suis bien trop furieuse pour me laisser démonter par ces propos.

— Tu vas me rendre ce que tu m'as pris, Hilly. Ça ne t'appartient pas.

— Bien sûr que je te l'ai pris. Tu n'as pas à avoir de telles choses sur toi. Si quelqu'un l'avait vu ? Pas étonnant que Stuart Whitworth t'ait laissée tomber.

Je serre les dents pour ne pas lui laisser voir l'effet de ces paroles sur moi.

— Je veux récupérer ces textes, dis-je d'une voix tremblante.

— Alors, mets cette proposition de loi dans la *Lettre*.

La lumière est éteinte chez maman quand j'arrive à la maison, et j'en suis soulagée. Je traverse le hall sur la pointe des pieds jusqu'à la véranda arrière et referme en douceur la porte moustiquaire qui grince. Puis je m'assieds devant ma machine à écrire. Mais je ne peux pas taper. Je sens quelque chose qui cède en moi. Je suis folle. Et sourde. Sourde à ce téléphone imbécile qui reste muet. Sourde à ma mère qui vomit quelque part dans la maison. À sa voix qui me parvient par la fenêtre ouverte :

— Ça va, Carlton, c'est passé !

J'entends tout et pourtant, je n'entends rien. Rien qu'un bourdonnement strident dans mes oreilles.

Je prends mon sac, en sors la proposition de loi de Hilly. La feuille pend, déjà ramollie par l'humidité de l'air.

Je commence à taper les textes de la *Lettre* en frappant lentement, brutalement sur chaque touche : « Sarah Shelby épouse Robert Pryor. », « Vous êtes invitées au défilé de vêtements d'enfants de Kathryn Simpson », « Un thé en l'honneur de nos fidèles donateurs ». Puis je tape la proposition de loi de Hilly. Je la mets en page deux, face aux photos des dernières activités de la Ligue. Là, chacun la verra après s'être admiré soi-même au cours de la kermesse d'été. Tout en tapant, je ne pense qu'à une chose : « Et Constantine, que penserait-elle de moi ? »

Aibileen

— Quel âge tu as aujourd'hui, grande fille ?

Mae Mobley est encore au lit. Elle me tend deux doigts, à moitié endormie, et elle dit :

— Mae Mo deux !

— Eh non, c'est trois aujourd'hui !

Je redresse un de ses doigts. Elle fronce le nez parce qu'il va falloir qu'elle se rappelle de dire Mae Mobley trois, alors qu'elle a dit toute sa vie à tout le monde Mae Mobley deux. Quand on est petit, on vous pose deux questions, toujours les mêmes : « Comment tu t'appelles ? » et « Quel âge tu as ? » Alors vous avez intérêt à répondre juste.

— Je suis Mae Mobley trois, elle dit.

Puis elle saute du lit, la tignasse en bataille.

Cette tache sans cheveux qu'elle avait bébé est en train de revenir. Ça me dérange pas si elle est pas jolie, mais j'essaye de bien l'arranger pour sa maman.

— Viens dans la cuisine, je dis. On va te faire un petit déjeuner d'anniversaire.

Miss Leefolt est chez le coiffeur. Ça la gêne pas de pas être là le matin où sa fille se réveille pour le premier anniversaire qu'elle se rappellera. Mais elle m'a appelée dans sa chambre pour me montrer une grande boîte posée par terre.

— Elle va être contente, non ? Elle marche, elle parle et elle pleure.

C'est une boîte à pois roses avec de la cellophane sur le devant, et dedans une poupée grande comme Mae Mobley. Nom, Allison. Elle a des boucles blondes et les yeux bleus. Et une robe rose à fanfreluches. Chaque fois que la publicité passe à la télé, Mae Mobley se précipite dessus, attrape les deux côtés de l'écran, met sa figure tout près et regarde. Miss Leefolt fait une tête comme si elle allait se mettre à pleurer. Je crois que sa mère lui a jamais donné ce qu'elle voulait quand elle était petite.

Je vais dans la cuisine pour préparer un peu de purée de maïs et je pose des petits marshmallows dessus. Je mets tout ça au four pour que ça soit un peu croustillant, et j'ajoute une fraise coupée en morceaux. C'est tout ce que c'est le maïs, un support. Pour tout ce qui se mange.

Les trois petites bougies roses que j'ai apportées de chez moi sont dans mon sac. Je les allume, je pose l'assiette sur la petite table recouverte de linoléum blanc au milieu de la pièce et j'avance le mini fauteuil de Mae Mobley. Je dis :

— Bon anniversaire, Mae Mobley deux !

Elle rit et elle dit :

— Je suis Mae Mobley trois !

— Et comment ! Souffle les trois bougies maintenant, Baby Girl.

Elle les éteint d'un coup. Elle suce le maïs collé sur les bougies et elle se met à manger. Au bout d'un moment, elle me sourit et elle dit :

— Quel âge t'as ?

— Aibileen a cinquante-trois ans.

Elle ouvre de grands yeux.

— T'as… des anniversaires ?

— Oui ! (Je ris.) C'est malheureux, mais j'en ai. C'est la semaine prochaine, mon anniversaire.

Je peux pas croire que je vais avoir cinquante-quatre ans. Ils sont passés où ?

J'attaque la vaisselle. Il y aura la famille ce soir au repas d'anniversaire et je dois faire les gâteaux. Je nettoie l'assiette de maïs et je donne à Baby Girl un peu de jus de raisin. Elle a apporté sa vieille poupée dans la cuisine, celle qu'elle appelle Claudia, qui a les cheveux peints et qui ferme les yeux. Elle pousse aussi un petit gémissement à fendre l'âme quand on la laisse tomber par terre.

— C'est ton bébé, je dis.

Elle lui donne des tapes dans le dos. Puis elle dit :

— Aibi, t'es ma vraie maman.

Elle me regarde même pas, elle le dit comme si elle parlait de la pluie et du beau temps.

— Ta maman est chez le coiffeur. Baby Girl, tu sais bien qui est ta maman.

Mais elle secoue la tête en serrant la poupée dans ses bras :

— Je suis *ton* bébé !

C'EST pas encore huit heures et demie, lundi, et le téléphone sonne déjà sans arrêt.

— Résidence de Miss…

— *Passez-moi Elizabeth !*

Je vais chercher Miss Leefolt. Elle se lève et arrive dans la cuisine en chemise de nuit. C'est à croire que Miss Hilly parle dans un mégaphone plutôt que dans un téléphone, tellement j'entends tout.

— *Tu es passée devant ma maison ?*

— Quoi ? De quoi parles…

— *Elle a mis la proposition de loi pour les toilettes dans la* Lettre. *J'avais dit très exactement qu'il fallait déposer les vieux vêtements chez moi, mais pas… Si je la trouve, je la tue de mes propres mains !*

J'ai l'impression que le téléphone s'écrase dans l'oreille de Miss Leefolt : Miss Hilly a raccroché. Elle reste une seconde à le regarder, puis elle enfile une robe de chambre par-dessus sa chemise de nuit.

— Il faut que j'y aille, elle dit en cherchant ses clés. Je reviens tout de suite.

Elle sort en courant, tout enceinte qu'elle est, se cale au volant de sa voiture et démarre comme un boulet de canon. Je regarde Mae Mobley et elle me regarde.

— Me demande pas, Baby Girl. Je sais rien moi non plus.

Tout ce que je sais, c'est que Miss Hilly, son mari et ses enfants sont revenus ce matin d'un week-end à Memphis. Chaque fois que Miss Hilly s'en va, Miss Leefolt parle que de ça : où elle est partie et quand elle va revenir…

Au bout d'un moment je dis :

— Viens, Baby Girl, on va faire un tour pour savoir ce qui se passe.

On remonte Devine Street, on tourne à gauche et encore à gauche, et on prend Myrtle Street où Miss Hilly a sa maison. Même au mois d'août, c'est une promenade agréable vu qu'il fait pas encore trop chaud. Mae Mobley lâche pas ma main, on balance les bras en marchant, on est contentes toutes les deux. Un tas de voitures nous dépassent aujourd'hui, et je trouve ça bizarre vu que Myrtle est une impasse.

On longe le dernier virage avant la grande maison blanche de Miss Hilly, et là… Mae Mobley montre la maison du doigt et elle rit.

— Regarde, regarde, Aibi !

J'ai jamais vu une chose pareille de ma vie. Il y en a des dizaines. Des cuvettes de toilettes ! Au beau milieu de la pelouse de Miss Hilly. De toutes les formes et de toutes les tailles. Des bleues, des roses, des blanches… Des modernes, des vieilles avec la chaîne.

On s'approche encore un peu, et je vois qu'il y en a plein le jardin et encore deux dans l'allée du garage, comme un couple. Et une autre sur les marches du perron qui a l'air d'attendre que Miss Hilly lui ouvre la porte.

Cette fois, Baby Girl m'a lâché la main, elle court dans le jardin vers la cuvette rose et elle soulève la lunette. J'ai pas le temps de faire un geste qu'elle a déjà baissé sa culotte et s'est assise dessus pour faire pipi, et me voilà en train de lui courir après pendant qu'une dizaine de voitures klaxonnent et qu'un type prend des photos.

La voiture de Miss Leefolt est dans l'allée derrière celle de Miss Hilly, mais on les voit pas. Elles sont sûrement dedans à se lamenter et à se demander ce qu'elles vont faire de tout ça. Les rideaux sont tirés et je vois rien qui bouge. Je croise les doigts, pourvu qu'elles aient pas vu Baby Girl en train de faire ses besoins devant tout Jackson ! Il faut vite repartir.

Quand j'arrive chez Miss Leefolt, le téléphone sonne et ça dure toute la matinée. Je réponds pas.

J'attends que ça s'arrête un moment pour appeler Minny. Mais Miss Leefolt déboule à ce moment-là, elle décroche et elle se met à parler comme une mitraillette. Moi j'écoute, et il me faut pas longtemps pour comprendre toute l'histoire.

Miss Skeeter a bien mis la proposition de loi de Miss Hilly dans leur *Lettre*. Ça expliquait pourquoi les Blancs et les Noirs devaient pas se servir des mêmes toilettes. Et dessous, elle a mis l'appel pour la collecte de vêtements. Sauf qu'au lieu de vieux vêtements, elle a tapé quelque chose comme « Déposez vos vieilles toilettes au 228 Myrtle Street. Nous serons absents, mais laissez-les devant la porte. » Elle a juste mis un mot pour un autre. Je pense que c'est ce qu'elle dira, en tout cas.

Le lendemain, la photo de la maison de Miss Hilly avec toutes ses cuvettes de toilettes est sur la première page du *Jackson Journal*. Le titre dit : « Prenez un siège ! » et il y a pas d'article avec. Rien que la photo et deux lignes de légende : « La maison de Hilly et William Holbrook ce matin, un spectacle à ne pas manquer. »

Le jeudi matin arrive et je suis toujours sans nouvelles de Miss Skeeter. Je me mets à mon repassage dans le salon. Miss Leefolt arrive avec Miss Hilly et elles s'assoient à la table de la salle à manger. J'ai pas revu Miss Hilly ici depuis l'affaire des toilettes.

— Voilà ce dont je t'ai parlé.

Miss Hilly prend un petit livre et elle l'ouvre. Elle lit en suivant avec le doigt. Miss Leefolt secoue la tête.

— Je ne peux pas prouver que c'est elle qui a mis toutes ces cuvettes chez moi. Mais *ça* (Elle soulève le livre et le frappe du doigt), c'est bien la preuve qu'elle mijote quelque chose. Et j'ai l'intention d'en parler à Stuart Whitworth.

— Mais c'était peut-être une simple erreur, dans la *Lettre*. Peut-être qu'elle…

— *Elizabeth*. Je ne parle pas des cuvettes de toilettes. Je parle des lois de ce grand État. Et je te pose la question : Veux-tu voir Mae Mobley à côté d'un petit Noir en cours d'anglais ?

Miss Hilly me regarde repasser du coin de l'œil et elle baisse la voix. Mais parler doucement, c'est pas son fort.

— Tu veux que des nègres viennent habiter à côté de chez toi ? William a piqué une colère en voyant ce que Skeeter avait fait chez nous. J'ai déjà demandé à Jeanie Caldwell de prendre sa place au club de bridge. Et j'ai songé à l'expulser de la Ligue, aussi. Mais j'ai réfléchi, et je préfère qu'elle vienne et qu'elle voie à quel point elle s'est ridiculisée.

Au bout d'un moment, elles se lèvent et partent en voiture. Je suis contente de plus voir leurs têtes.

À midi, Mister Leefolt revient pour déjeuner, ce qui est rare.

— Aibileen, préparez-moi quelque chose, s'il vous plaît. Un peu de rôti.

— Oui, monsieur.

Je mets un set de table et des couverts.

— Il paraît que vous connaissez Skeeter Phelan. La vieille amie d'Elizabeth.

Je baisse la tête et je commence à couper des tranches de viande, lentement, lentement. J'ai le cœur qui bat trois fois plus vite.

— Elle me demande des trucs de nettoyage de temps en temps. Pour ses articles.

— Ah bon ?

— Oui, monsieur. Elle me demande des trucs, c'est tout.

— Je ne veux plus que vous parliez à cette femme, ni pour lui donner des trucs, ni même pour lui dire bonjour, vous m'entendez ?

— Oui, monsieur.

— Si j'apprends que vous vous êtes parlé, vous aurez des ennuis. C'est compris ?

— Oui, monsieur, je murmure.

Je me demande ce qu'il sait.

— Mettez-moi cette viande dans un sandwich. Avec un peu de mayonnaise. Et ne faites pas trop griller le pain, je ne l'aime pas sec.

CE soir-là on s'assoit Minny et moi à la table de ma cuisine. J'ai les mains qui se sont mises à trembler dans l'après-midi et ça s'est pas arrêté depuis.

— Sale crétin de Blanc ! dit Minny.

— Si seulement je savais à quoi il pensait.

On frappe à la porte de derrière et on se regarde, Minny et moi. Je connais qu'une personne pour frapper comme ça, toutes les autres entrent directement. J'ouvre et c'est Miss Skeeter.

— Bonjour, Minny, elle dit en entrant.

Minny regarde vers la fenêtre.

— Bonjour, Miss Skeeter.

Avant que j'aie sorti un mot, Miss Skeeter s'assoit et elle se met à parler.

— J'ai réfléchi pendant mon absence, Aibileen. Je pense que nous devrions commencer par votre chapitre. Et, Minny, je crois vraiment qu'on finira avec vous.

— Miss Skeeter… j'ai des choses à vous dire, je commence.

— Je vais y aller, dit Minny.

Elle sort, mais en passant elle donne une petite tape sur l'épaule de Miss Skeeter, très vite, en regardant droit devant elle comme si de rien n'était. Et la voilà partie.

Je me frotte la nuque. Je lui raconte comment Miss Hilly a sorti ce petit livre pour le montrer à Miss Leefolt. Et Dieu sait à combien de gens elle l'a fait voir depuis.

Miss Skeeter hoche la tête et elle dit :

— Hilly, j'en fais mon affaire. Cela ne vous concerne pas, ni vous ni les autres bonnes, et le livre non plus.

Alors je lui répète ce que Mister Leefolt m'a dit, comme quoi je dois plus parler avec elle pour les articles de Miss Myrna. Elle écoute et elle pose quelques questions. Quand j'ai fini, elle dit :

— Il est très remonté, Raleigh. Il va falloir que je redouble de prudence quand j'irai chez Elizabeth.

Je vois bien que ça la touche pas beaucoup, ce qui se passe. Le problème avec ses amies. Le fait qu'on doit craindre le pire. Je lui répète ce que Miss Hilly a dit, comme quoi elle voulait la voir souffrir à la prochaine réunion de la Ligue. Je lui dis qu'elle est renvoyée du club de bridge, et aussi que Miss Hilly va en parler à Mister Stuart au cas « où il serait tenté de renouer » avec elle.

Skeeter regarde ailleurs, elle essaye de sourire.

— Rien de tout ça ne me touche, je m'en fiche de toute façon.

Elle rit, et ça me fait mal de l'entendre. Parce que personne s'en fiche, qu'il soit blanc ou noir.

— C'est juste que… je voulais vous le dire avant que vous l'entendiez en ville, je dis. Pour que vous fassiez attention.

Elle se mord la lèvre et elle hoche la tête.

— Merci, Aibileen.

L'ÉTÉ roule derrière nous comme une épandeuse à goudron. Tout ce que Jackson compte de Noirs se retrouve devant les écrans de télé pour regarder Martin Luther King qui se dresse dans la capitale de la nation et nous dit qu'il a fait un rêve. Je le regarde moi aussi, dans le sous-sol de notre église. Notre révérend Johnson est monté là-bas pour la marche et je scrute la foule à la recherche de son visage. Je peux pas croire qu'ils sont aussi nombreux – *deux cent cinquante mille!* Et le plus fort, c'est qu'il y a soixante mille *Blancs* là-dedans.

— Le Mississippi et le reste du monde, c'est pas la même chose, dit le diacre.

Et tout le monde est d'accord parce que c'est bien vrai.

Août et septembre passent et chaque fois que je vois Miss Skeeter, elle a l'air un peu plus maigre et c'est un peu plus difficile de la regarder dans les yeux. Elle essaye de sourire comme si c'était pas si dur de plus avoir d'amies.

Un jour, en octobre, Miss Hilly vient chez Miss Leefolt et elle se met à la table de la salle à manger. Elle boit son thé avec le petit doigt en l'air et elle dit :

— Skeeter s'est crue maligne en faisant jeter toutes ces cuvettes de toilettes devant chez moi, mais en fait, c'est une opération qui marche bien. On en a déjà installé trois dans des garages et dans des abris de jardin. Même William dit que, mine de rien, elle nous a rendu service.

Je répéterai pas ça à Miss Skeeter. Je lui dirai pas que, finalement, elle a servi la cause qu'elle voulait combattre.

Comme on est déjà au troisième mercredi d'octobre, c'est à Miss Leefolt de recevoir le club de bridge. Tout a changé depuis que Miss Skeeter a été renvoyée. Il y a Miss Jeanie Caldwell, celle qui appelle tout le monde mon chou, et Miss Lou Anne, qui a remplacé Miss Walters, et elles sont toutes bien polies et comme il faut. C'est plus très amusant de les écouter.

Au moment où je sers le dernier thé, *dring*, on sonne à la porte. J'ouvre, et le premier mot qui me vient, c'est : *rose.* Je l'ai jamais vue mais j'en ai assez souvent parlé avec Minny pour savoir que c'est elle. Vous en connaissez beaucoup qui sont capables de mettre des pulls roses ultramoulants sur d'aussi gros seins ?

— Bonjour, elle fait, en passant sa langue sur son rouge à lèvres.

Comme elle me tend la main, je crois qu'elle veut me donner quelque chose. Je fais pareil et elle me donne une drôle de petite poignée de main.

— Je suis Celia Foote et je voudrais voir Miss Elizabeth Leefolt, s'il vous plaît.

Je reste tellement baba devant tout ce rose que je mets un moment à réaliser la catastrophe que ça risque d'être pour moi. Et pour Minny. D'accord, ça commence à faire longtemps, mais les mensonges, ça a la vie dure.

Je me retourne et je vois les quatre dames qui regardent vers la porte, bouche ouverte, comme pour gober les mouches. Miss Caldwell dit quelque chose à l'oreille de Miss Hilly. Miss Leefolt se lève tant bien que mal et elle y va d'un sourire.

— Bonjour, Celia, elle dit. Ça faisait longtemps…

Miss Celia se racle la gorge et elle dit un peu trop fort :

— Bonjour, Elizabeth ! Je suis venue vous voir pour…

Elle regarde les autres dames autour de la table.

— Je suis venue vous proposer mon aide pour la vente en faveur des enfants d'Afrique.

Miss Leefolt sourit et elle fait :

— Ah. Eh bien…

— Je suis assez douée pour arranger les fleurs, enfin, c'est ce que tout le monde disait à Sugar Ditch. Même ma bonne l'a dit, après avoir dit que j'étais la pire des cuisinières qu'elle ait jamais vue.

Elle glousse un peu et je retiens ma respiration au mot *bonne*.

Miss Hilly se lève.

— Vraiment, nous n'avons plus besoin d'aide, mais nous serions ravies si Johnny et vous pouviez venir à la vente, Celia. C'est un vendredi soir, le 15 novembre, à…

— … à l'hôtel Robert E. Lee, dit Miss Celia. Je suis au courant.

— Et nous serions ravies de vous vendre des billets. Johnny viendra avec vous, n'est-ce pas ? Va chercher les billets, Elizabeth.

Miss Leefolt revient avec une enveloppe. Miss Hilly prend deux billets et rend l'enveloppe à Miss Leefolt qui retourne la ranger.

— Attendez que je vous fasse un chèque. C'est une chance, j'ai sur moi ce vieux chéquier qui prend tellement de place. J'ai promis à Minny, ma bonne, de lui rapporter un jambon.

Je fais tout ce que je peux pour rester calme, en priant le Ciel que Miss Hilly ait pas entendu ce qu'elle vient de dire. Mais Miss Hilly a la figure toute chiffonnée tellement elle réfléchit.

— Qui ? Qui est votre bonne, vous disiez ?

— Minny Jackson. Ah ! zut ! Elizabeth m'a fait jurer de ne jamais dire que c'était elle qui me l'avait recommandée…

— Elizabeth… a recommandé Minny Jackson ?

Miss Leefolt revient alors de la chambre. Miss Hilly est en train de refermer la porte d'entrée. Elle a la tête du chat qui vient de croquer le canari.

Miss Leefolt dit :

— Aibileen, allez préparer la salade, maintenant.

Je vais dans la cuisine. Quand je reviens, les assiettes pour la salade tremblent sur mon plateau.

— … tu veux dire celle qui a volé à ta mère tous ses couverts en argent et…

— … je pensais que toute la ville savait que cette négresse est une voleuse…

— … pour rien au monde je ne l'aurais recommandée…

— … vous avez vu ce qu'elle avait sur elle ?

— … Je le saurai, quoi qu'il m'en coûte, dit Miss Hilly.

Minny

Je suis devant l'évier de la cuisine et j'attends le retour de Miss Celia. Cette folle s'est réveillée ce matin, a enfilé son pull rose le plus serré, et c'est rien de le dire, et elle a crié :

— Je file tout de suite chez Elizabeth Leefolt pendant que j'en ai le courage, Minny !

Elle est partie dans sa Bel Air décapotable avec sa jupe coincée dans la portière.

J'avais déjà les nerfs en pelote quand ça a sonné. Aibileen était tellement affolée qu'elle en bégayait au téléphone. Non seulement Miss Celia a dit aux dames que je travaille pour elle, mais elle leur a dit que c'était Miss Leefolt qui m'avait recommandée.

Alors maintenant, j'ai plus qu'à attendre. Attendre pour savoir si ma meilleure amie au monde va se faire virer pour m'avoir trouvé une place. Et si Miss Hilly a raconté tous ses mensonges à Miss Celia, comme quoi je serais une voleuse. Je regrette pas cette Chose Abominable Épouvantable que je lui ai faite. Mais maintenant qu'elle a envoyé Yule May en prison, je me demande ce que cette dame va me faire à moi.

C'est seulement à quatre heures dix, alors que je devrais être partie depuis une heure, que je vois arriver la voiture de Miss Celia. Elle se dépêche pour remonter l'allée comme si elle avait quelque chose à me dire.

— Vite, allez-vous-en, s'il vous plaît ! On en parlera demain.

Le lendemain matin, Aibileen me téléphone avant que je parte au travail.

— J'ai appelé cette pauvre Fanny ce matin parce que je savais que t'avais dû te ronger les sangs toute la nuit.

Cette pauvre Fanny, c'est la nouvelle bonne de Miss Hilly. On devrait l'appeler cette folle de Fanny pour être allée travailler là-bas.

— D'après ce qu'elle les a entendues dire, Miss Leefolt et Miss Hilly pensent que c'est toi qui as téléphoné à Miss Celia pour te recommander toi-même en te faisant passer pour une autre.

Eh bien… Je souffle.

— Je suis contente pour toi, je dis. C'est pas toi qui vas avoir des ennuis. Et maintenant, Miss Hilly peut me traiter de menteuse *et* de voleuse.

— T'en fais pas pour moi, dit Aibileen. Essaye seulement d'empêcher Miss Hilly de parler à ta patronne.

En arrivant, je croise Miss Celia qui va s'acheter une robe pour la vente du mois prochain. C'est pas comme avant quand elle était enceinte. Maintenant elle pense plus qu'à sortir de la maison.

Le téléphone se met à sonner.

— Résidence de Miss Celia.

— Ici Hilly Holbrook. Qui est à l'appareil ?

Mon sang fait qu'un tour. Je prends une grosse voix.

— C'est Doreena. La bonne de Miss Celia.

Doreena ? Qu'est-ce qui me prend, c'est le prénom de ma sœur !

— Doreena… Je croyais que c'était Minny Jackson, la bonne de Miss Celia ?

— Elle… est partie.

— Ah bon ? Passez-moi Mrs Foote.

— Elle… est pas là non plus. Sur la côte.

— Bon, quand elle rentrera, dites-lui que j'ai appelé. Hilly Holbrook, Emerson trois-soixante-huit-quarante.

— Oui, ma'am. Je lui dirai.

Dans environ cent ans.

Quatre heures plus tard, Miss Celia arrive avec cinq gros cartons sur les bras. Je l'aide à les porter dans sa chambre et je reste derrière la porte sans faire de bruit pour savoir si elle appelle toutes ces dames comme elle fait tous les jours. Je l'entends décrocher le téléphone. Mais elle raccroche vite. Elle écoute la tonalité, cette idiote, pour être sûre que ça marche au cas où on essayerait de la rappeler.

ÇA fait trois jours que Miss Hilly a appelé. J'arrive une heure plus tôt que d'habitude. Le percolateur dernier cri moud le café, l'eau coule dans le pichet. Je m'adosse au comptoir. Du calme. C'est ce que j'ai attendu toute la nuit.

— Mais vous êtes très en avance, Minny !

J'ouvre le frigo et j'y plonge la tête la première.

— Bonjour, je dis.

Je tripote les artichauts qui me piquent les doigts. Quand je reste penchée comme ça, j'ai encore plus mal à la tête.

— Je vais faire un rôti pour Mister Johnny et pour vous et je vais… préparer…

Mais j'ai la voix qui déraille.

— Minny ! Que s'est-il passé ?

J'ai même pas vu que Miss Celia avait contourné la porte du frigo. J'ai la figure toute crispée. La plaie s'est rouverte, c'est du sang chaud qui coule et ça pique comme un coup de rasoir. D'habitude, les traces de coups se voient pas.

— Ça va, je dis en me tournant pour qu'elle voie pas.

Mais elle suit le mouvement et elle regarde la blessure en écarquillant les yeux comme si elle avait jamais rien vu d'aussi horrible. Je prends un tampon en coton dans ma poche pour le mettre sur ma joue.

— C'est rien, je dis. Je me suis cognée dans la baignoire.

— Minny, ça saigne ! Je crois qu'il vous faut des points.

Elle attrape le téléphone sur le mur.

— Les docteurs, ils voudront pas venir pour une Noire, Miss Celia.

Je me retourne vers l'évier. Je pense, « Ça regarde personne, fais ton boulot et c'est tout. » Mais j'ai pas fermé l'œil de la nuit. Leroy a pas arrêté de me crier dessus, il m'a jeté le sucrier à la figure, il a balancé mes habits sur la véranda. Qu'il aille boire au Thunderbird, passe encore, mais… *oh !* J'ai tellement honte que j'en tomberais par terre. Il était pas allé au Thunderbird cette fois. Il était pas saoul quand il m'a frappée. D'abord, j'ai cru qu'il avait découvert que je travaillais avec Miss Skeeter. Mais il a pas dit un mot là-dessus. Il m'a frappée pour le plaisir.

— Minny ? dit Miss Celia en regardant la blessure. Vous vous êtes vraiment fait ça dans la baignoire ?

— Je vous l'ai dit.

Elle me regarde avec un air de pas y croire et elle pointe son doigt sur moi.

— Bon. Mais je vais vous préparer une tasse de café, et vous prendrez votre journée, d'accord ?

CET après-midi, j'ai fait quelque chose d'affreux. J'étais dans ma voiture et j'ai dépassé Aibileen qui rentrait chez elle à pied. Elle m'a fait signe, et moi, j'ai fait semblant de pas voir ma meilleure amie au bord de la route dans son uniforme blanc.

En arrivant chez moi, je me suis mis un sachet de glace sur l'œil. Les gosses étaient pas là et Leroy dormait encore dans la chambre du fond. Je sais plus quoi faire avec tout ça : Leroy, Miss Hilly…

— Alors, Minny *Jackson* ? Tu te crois trop bien pour prendre cette brave Aibileen dans ta voiture ?

Je soupire et je me tourne pour qu'elle voie ma tête.

— Oh ! elle fait. Viens chez moi. Je te ferai un café.

Ce pansement blanc sur mon œil, on voit que ça. Avant de sortir, je l'enlève et je le fourre dans ma poche avec le sachet de glace. Il y en a dans le voisinage pour qui un coquard, ça se remarque même pas. Mais j'ai de bons enfants, des pneus à ma voiture et un congélateur. Je suis fière de ma famille et la honte que j'ai de cet œil, c'est bien pire que la douleur.

Dans sa petite cuisine, Aibileen met le café en route pour moi, le thé pour elle.

— Alors, qu'est-ce que tu vas faire pour ça ?

Je comprends qu'elle parle de l'œil. La question, c'est pas de savoir si je vais quitter Leroy. Chez les Noirs, il y a beaucoup d'hommes qui abandonnent leur famille comme on jette ses ordures à la poubelle, mais les femmes font pas ça. On doit penser aux gosses.

— Je me disais que je pourrais aller chez ma sœur. Mais je pourrais pas prendre les enfants avec moi. Faut qu'ils aillent à l'école.

— Ils peuvent manquer quelques jours, c'est pas grave. Si c'est pour te protéger.

Je remets le pansement et j'appuie sur le sachet de glace pour que l'enflure se voie moins quand mes gosses vont rentrer ce soir.

— Tu as encore dit à Miss Celia que tu avais glissé dans la baignoire ?

— Oui, mais elle a compris. Comment ça se fait que Miss Celia coure après Miss Hilly comme si elle cherchait les coups !

Ça me fait du bien de parler de la vie complètement ratée de quelqu'un d'autre.

Aibileen sourit.

— On croirait presque que ça te touche.

— Elle les voit pas, c'est tout. Les *limites*, je veux dire. Ni entre elle et moi, ni entre elle et Hilly.

Aibileen boit une longue gorgée de thé.

— Tu parles de quelque chose qui existe pas.

— Non seulement il y a des limites, mais tu sais aussi bien que moi où elles passent.

— Avant, j'y croyais. Plus maintenant. On les a dans la tête, c'est tout. C'est les gens comme Miss Hilly qui passent leur temps à nous faire croire qu'elles existent. Mais c'est faux.

— Je sais bien qu'elles existent, puisqu'on est puni quand on les dépasse, je dis. Moi, en tout cas.

— Un tas de gens pensent que si on répond à son mari, on passe la limite. Tu y crois, à celle-là ?

— Tu sais bien que c'est pas de ce genre de limite que je parle.

— Parce qu'elle existe pas. Sauf dans la tête de Leroy. Les limites entre les Blancs et les Noirs, c'est pareil. Il y a des gens qui les ont tracées, il y a longtemps.

— Donc, je passe pas la limite si je dis la vérité à Miss Celia ? Qu'elle est pas assez bien pour Miss Hilly ?

Aibileen se met à rire.

— Tout ce que je dis, c'est que la bonté n'a pas de frontières.

— Bon, je vais peut-être essayer de lui expliquer. Avant qu'elle aille à cette vente et qu'elle se ridiculise avec tout son rose.

— Tu y vas cette année ?

— S'il doit y avoir dans la même pièce Miss Celia avec Miss Hilly qui lui dit des horreurs sur moi, je veux être là.

— Moi aussi, j'y serai, dit Aibileen. J'ai de la peine pour Miss Skeeter. Je sais qu'elle a pas envie d'y aller, mais Miss Hilly lui a dit que si elle y était pas, elle perdrait son boulot pour la Ligue.

Je finis le café d'Aibileen en regardant le soleil qui se couche.

— Je crois que je vais y aller, je dis.

Mais je resterais bien ici pour le reste de mon existence, tellement on est bien dans la petite cuisine d'Aibileen pendant qu'elle vous explique le monde.

ÇA m'a pris quelques jours, mais maintenant j'ai un plan. Ce matin, j'ai vu la liste de Miss Celia à côté de son lit. Elle a marqué les choses à penser pour la vente : se faire faire les ongles. Aller chercher des collants. Faire nettoyer le smoking. Appeler Miss Hilly.

— Minny, ça ne fait pas trop vulgaire, cette teinte de cheveux ?

Elle est assise à la table de la cuisine et elle a étalé une poignée d'échantillons de teinture comme des cartes à jouer.

— Qu'est-ce qui est mieux à votre avis ? « Beurre frais » ou « Marilyn Monroe » ?

— Pourquoi vous aimez pas votre couleur naturelle ?

Non pas que j'aie la moindre idée de ce que ça peut être.

— Je trouve que ce « Beurre frais » fait un peu plus habillé.

— Si vous voulez vous faire une tête de grosse dinde…

Miss Celia part d'un petit rire. Elle croit que je plaisante.

— Ah, il faut que je vous montre ce nouveau vernis à ongles !

Elle fouille dans son sac, trouve un flacon d'un rose tellement rose qu'on en boirait.

— Regardez, c'est joli, non ? Et j'ai trouvé deux robes qui vont parfaitement avec !

Elle sort et revient avec deux robes rose vif. Elles tombent jusque par terre et elles sont couvertes de paillettes et de sequins et fendues jusqu'en haut de la jambe, avec des bretelles aussi fines que de la ficelle à coudre la volaille. Elles vont la massacrer, les autres, à cette soirée.

— Laquelle vous préférez ?

Je montre celle qui a pas le grand décolleté.

— Ah !… Je choisirais plutôt l'autre, voyez-vous. Écoutez le joli *sshhh* qu'elle fait quand on marche.

Elle balance la robe d'un côté et de l'autre pour que j'écoute.

Je la vois d'ici avec ça sur le dos, en train de faire *sshhh* à cette soirée. Elles vont la traiter de poule ou de fille à soldats, et elle se rendra compte de rien.

— Vous savez, Miss Celia, je commence, en parlant pas trop vite comme si ça me venait à mesure, au lieu d'appeler toutes ces dames vous feriez peut-être mieux de téléphoner à Skeeter Phelan. Il paraît qu'elle est très gentille.

J'en ai parlé à Miss Skeeter il y a quelques jours et je lui ai demandé comme un service d'essayer d'être gentille avec Miss Celia et de pas la laisser entre les pattes de ces dames.

— Je pense que vous pourriez bien vous entendre, Miss Skeeter et vous, je dis.

— Oh, non ! Les membres de la Ligue ne peuvent pas la souffrir, cette Skeeter. J'en ai entendu parler chez Fanny Mae. Il paraît que c'est elle qui a mis toutes les cuvettes de toilettes devant la maison de Hilly Holbrook.

Je serre les dents pour retenir les paroles qui me viennent.

— Vous l'avez déjà rencontrée ?

— Ma foi, non. Mais pour que toutes ces filles la détestent, il faut qu'elle soit... bref, elle...

Elle baisse la voix comme si elle se rendait compte de ce qu'elle est en train de dire.

Mal au cœur, dégoût, incrédulité... Tout ça se mélange comme un roulé au jambon et m'étouffe. Je me retourne vers l'évier. Je savais qu'elle était bête, mais je l'aurais jamais crue hypocrite, en plus.

— Minny ? dit Miss Celia, derrière moi.

Elle parle doucement, mais j'entends la honte dans sa voix.

— Elle ne m'ont même pas proposé d'entrer. Elles m'ont laissée sur les marches comme un marchand d'aspirateurs.

Je me retourne. Elle a les yeux baissés.

— Pourquoi, Minny ?

Je me rappelle ce qu'Aibileen a dit au sujet des limites et de la bonté. Et je me rappelle ce qu'Aibileen a entendu chez Miss Leefolt quand les dames de la Ligue disaient pourquoi elles l'aimaient pas.

— Parce que la première fois que vous êtes tombée enceinte, elles l'ont su. Ça les a énervées qu'un de leurs copains vous mette en cloque. Surtout que Miss Hilly et Mister Johnny étaient ensemble depuis longtemps. À mon avis, c'est quand il vous a rencontrée qu'ils ont rompu.

J'attends un moment pour lui laisser le temps de comprendre que sa vie mondaine, elle peut faire une croix dessus. Mais son visage s'éclaire comme si elle avait trouvé la solution.

— Mais alors, je la comprends si elle ne peut pas me souffrir ! elle dit. Eh bien, il va falloir que je m'explique avec Hilly et qu'elle sache que je ne suis pas une voleuse de maris.

Elle sourit comme si elle venait de découvrir le remède contre la polio. À ce stade, j'ai plus la force de me battre.

Le vendredi de la vente, je travaille tard pour faire le ménage à fond dans toute la maison. À quatre heures et demie, je donne un dernier coup d'éponge sur le plan de travail puis je rejoins Miss Celia dans la chambre où elle se prépare depuis des heures.

— Mais enfin, Miss Celia, qu'est-ce qui se passe ici ?

Il y a des bas qui pendent sur les dossiers des fauteuils, des sacs à main par terre, assez de bijoux pour décorer une armée entière de courtisanes, quarante-cinq paires de souliers à talons hauts, des sous-vêtements, des manteaux, des culottes, et une bouteille de vin blanc à moitié vide sur la commode sans rien dessous.

— Quelle heure est-il, Minny ? elle demande.

— C'est même pas cinq heures, je réponds, mais je vais être obligée de partir bientôt.

— Ah, Minny, ce que je suis excitée !

J'entends la robe qui fait *sshhh* derrière moi.

— Alors, qu'en pensez-vous ?

Je me retourne.

— Oh ! mon Dieu !

Je suis aveuglée. Les sequins rose vif et argent descendent de ses nichons XXL jusqu'à ses doigts de pied rose vif.

— Miss Celia, remontez un peu tout ça avant que ça tombe pour de bon.

Elle clignote des faux cils. La permanente bouffante lui fait une tête de loup beurre frais. La jupe est fendue jusqu'à la cuisse. Tout ça suinte le sexe, le sexe et encore le sexe.

— Oh ! Minny, je suis tellement nerveuse, j'ai le trac !

Elle s'envoie une grande rasade de vin blanc.

— Miss Celia, je dis, et je ferme les yeux en priant pour trouver les mots qu'il faut. Ce soir, quand vous allez rencontrer Miss Hilly…

Elle se sourit dans la glace.

— J'ai tout prévu ! Pendant que Johnny sera aux toilettes, j'irai lui parler. Je lui dirai qu'ils avaient déjà rompu quand Johnny et moi avons commencé à sortir ensemble.

Je soupire.

— C'est pas ce que je voulais… C'est… qu'elle risque de vous parler de… moi.

— Vous voulez que je salue Hilly de votre part ?

— Non, ma'am. Lui dites rien.

Je soupire. *Reste chez toi, idiote.* C'est tout ce que j'ai envie de lui dire, mais je me tais. C'est trop tard. Avec Miss Hilly à la barre, c'est trop tard pour Miss Celia, et allez savoir si c'est pas trop tard pour moi.

La Vente

Le bal et la vente de charité annuels de la Ligue sont connus comme « La Vente » par tous ceux qui habitent dans un rayon de dix kilomètres autour du centre de Jackson. À sept heures, un soir du mois de novembre, les invités arrivent pour le cocktail à l'hôtel Robert E. Lee. À huit heures, on ouvre les portes de la salle de bal. On a tendu les fenêtres de tissu vert piqué de bouquets de houx.

Les listes d'objets proposés aux enchères sont posées sur les tables, le long des fenêtres, avec leur prix de départ. Ils ont été offerts par les membres de la Ligue et par les commerçants locaux, et on espère que la vente rapportera cette année six mille dollars, soit cinq cents de plus que celle de l'an passé. Le produit ira aux pauvres enfants d'Afrique victimes de la famine.

Au centre de la salle, sous un gigantesque lustre, vingt-huit tables sont dressées pour le dîner qui sera servi à neuf heures. Une piste de danse et une estrade pour l'orchestre se trouvent sur le côté, face au podium du haut duquel Hilly Holbrook doit prononcer son discours. Après le dîner, on dansera.

À sept heures précises, les couples franchissent la grande porte d'entrée de l'hôtel. On donne les imperméables et les manteaux de fourrure aux Noirs en complet gris. Hilly, qui est là depuis six heures, porte une robe longue en taffetas puce. Un haut col de dentelle monte à l'assaut de sa gorge, la coupe ample dissimule ses formes et les manches serrées recouvrent ses bras jusqu'aux poignets. On ne voit de sa personne que le visage et les doigts.

Quelques femmes portent des robes plus osées et l'on aperçoit ici et là des épaules nues, mais les longs gants de cuir fin indiquent clairement qu'elles n'ont qu'un nombre limité de centimètres carrés de chair à montrer.

Celia Foote et Johnny arrivent plus tard que prévu, à sept heures vingt-cinq. En rentrant du travail, Johnny est venu sur le seuil de la chambre, a regardé attentivement sa femme avant même d'avoir posé sa serviette.

— Celia, tu ne crois pas que cette robe risque d'être un peu trop… hum… dénudée ?

— Oh ! Johnny, vous ne connaissez rien à la mode, vous les hommes ! Dépêche-toi de te préparer.

Johnny a renoncé à la faire changer d'avis. Ils étaient déjà en retard.

Ils entrent derrière le docteur et Mrs Ball. Les Ball se dirigent vers la gauche, Johnny fait un pas vers la droite, et Celia reste un instant seule sous les bouquets de houx dans sa robe rose étincelante.

Dans la salle, le temps se suspend. Les maris qui sirotaient leur whisky s'arrêtent à mi-gorgée en voyant cette apparition toute rose à la porte. Tous semblent penser la même chose : *Enfin…* Mais ils se rembrunissent en sentant les ongles de leurs épouses, qui regardent aussi, s'enfoncer dans leurs bras. Une lueur de regret passe dans leur regard (elle ne me laisse jamais m'amuser), on se rappelle sa jeunesse (pourquoi ne suis-je pas allé en Californie cet été-là ?), on pense à ses premières amours (Roxanne…). Tout cela ne dure que cinq secondes, puis c'est terminé et ils continuent à regarder.

William Holbrook renverse la moitié de son Martini-gin sur une paire de souliers vernis. Les pieds qui occupent ces souliers sont ceux du plus gros contributeur à sa campagne.

— Oh ! Claiborne, excusez mon mari, il est tellement maladroit ! s'écrie Hilly. William, donne-lui donc un mouchoir !

Mais aucun des deux hommes ne bouge. Hilly suit leurs regards. Le centimètre carré de peau visible sur son cou se tend.

Celia prend le bras de Johnny tandis qu'ils se fraient un chemin à travers la salle. Elle avance d'un pas mal assuré, sans qu'on sache si c'est à cause de l'alcool ou de ses talons hauts. Ils échangent quelques mots avec d'autres couples au passage. Elle rougit à plusieurs reprises, en baissant les yeux pour regarder sa tenue.

— Johnny, tu ne crois pas que je fais un peu trop habillée ?

Johnny lui adresse un sourire bienveillant. Il ne lui répondrait pour rien au monde : « Je te l'avais bien dit. » Il se contente de chuchoter :

— Tu es superbe.

Il lui prend la main pour la presser dans la sienne, va lui chercher un autre verre au bar – son cinquième, mais il l'ignore.

— Essaye de faire des connaissances. Je reviens tout de suite.

Il part vers les toilettes.

Celia reste seule. Elle cherche du regard une tête connue. Dressée sur la pointe des pieds, elle fait soudain de grands gestes par-dessus la foule des invités.

— Bonjour, Hilly ! Hou-hou !

Hilly, en pleine conversation à quelques mètres de là, lève la tête, sourit, mais à l'instant où Celia va la rejoindre, elle s'éloigne.

Celia s'immobilise, boit une gorgée. Elle appelle :

— Hé, Julia !

Elles se sont rencontrées l'une des rares fois où Johnny et elle sont sortis dans le monde aux premiers temps de leur mariage.

— Celia, Celia Foote, vous vous souvenez ? Comment ça va ? J'adore cette robe, où l'avez-vous trouvée ? Chez Jewel Taylor ?

— Non, nous sommes allés à La Nouvelle-Orléans, Warren et moi.

Julia regarde autour d'elle mais il n'y a personne à proximité pour la secourir.

— Et vous êtes vraiment… éclatante, ce soir.

Celia se rapproche.

— Euh… J'ai posé la question à Johnny, mais vous savez comment sont les hommes. Vous ne me trouvez pas un peu trop habillée ?

Julia rit, mais son regard fuit celui de Celia.

— Oh non ! Vous êtes absolument *parfaite*.

Une amie de la Ligue prend Julia par le bras.

— Julia, venez par ici une seconde, on a besoin de vous, excusez-nous.

Elles s'éloignent, leurs têtes se rapprochent, et Celia est à nouveau seule.

Quelques minutes plus tard, les portes de la salle à manger s'ouvrent. La foule s'avance. Les invités cherchent et trouvent leur place grâce aux petites cartes qu'on leur a remises, et des « Oh ! » et des « Ah ! » fusent autour des tables disposées le long des murs. Elles sont chargées de pièces d'argenterie, de tabliers d'enfants brodés main, de linge de table monogrammé. Il y a même un service à thé miniature importé d'Allemagne.

Minny essuie des verres. Elle dit en baissant la voix :

— Aibileen, la voilà.

Aibileen lève les yeux et reconnaît la jeune femme qui est venue un mois plus tôt frapper à la porte de Miss Leefolt.

— Eh bien. Ces dames ont intérêt à tenir leurs maris.

Minny manie le torchon avec des gestes vifs.

— Préviens-moi si tu la vois parler avec Miss Hilly.

— Compte sur moi. J'ai fait une super prière pour toi aujourd'hui.

— Regarde, voilà Miss Walters. Une vraie chauve-souris ! Et Miss Skeeter qui arrive.

Skeeter a une robe de velours noir à manches longues et col montant qui fait ressortir la blondeur de ses cheveux, et elle a mis du rouge à lèvres. Elle est venue seule et se tient à l'écart des invités. Puis elle aperçoit Minny et Aibileen. Toutes les trois détournent le regard en même temps.

Skeeter jette quelques notes sur son carnet pour l'article à paraître dans la *Lettre*. Elle parcourt la salle du regard, voit non loin d'elle Elizabeth qui a accouché il y a moins d'un mois et semble épuisée. Skeeter regarde Celia Foote qui s'approche d'Elizabeth. En la voyant, celle-ci se met à tousser, porte la main à la gorge, comme pour se protéger de quelque agression.

— Tu ne sais plus très bien vers où te tourner, Elizabeth ?

— Quoi ? Ah ! Skeeter, comment vas-tu ? dit Elizabeth avec un bref sourire. J'étais… Je crois que j'ai besoin de respirer un peu d'air frais.

Skeeter suit des yeux Elizabeth qui s'enfuit et Celia qui la poursuit dans son affreuse robe. « Le voilà, le véritable article, songe Skeeter. Cette année, ce sera Celia Foote ou la Catastrophe vestimentaire. »

Quelques instants plus tard on annonce le dîner et chacun rejoint la place qui lui est assignée. La salle s'emplit du bruit des conversations. Après le plat principal, Hilly grimpe sur le podium. Les applaudissements éclatent. Elle sourit.

— Bonsoir. Et merci mille fois d'être venus ce soir. Avant d'attaquer les annonces, je voudrais remercier aussi tous ceux qui ont œuvré pour faire de cette soirée une réussite.

Sans quitter le public des yeux, Hilly fait un grand geste vers la partie gauche de la salle, où deux dizaines de Noires sont alignées dans leur uniforme blanc. Il y a une dizaine de Noirs derrière elles, en smoking gris et blanc.

— Applaudissons tout particulièrement les bonnes, pour le magnifique repas qu'elles ont cuisiné et servi, et pour les desserts qu'elles ont préparés en vue des enchères.

Hilly prend une carte et lit.

— Elles soutiennent, à leur façon, les efforts de la Ligue en faveur des pauvres enfants d'Afrique victimes de la famine, une cause qui est aussi, je n'en doute pas, chère à leur cœur.

Les Blancs attablés applaudissent les bonnes et les serveurs. Certains serveurs sourient en remerciement. Mais la plupart regardent dans le vide par-dessus les têtes des invités.

Hilly continue à saluer et à remercier les uns et les autres d'une voix musicale aux accents patriotiques. On sert le café et les maris boivent le leur mais la plupart des femmes gardent les yeux rivés sur Hilly. Elle conclut :

— Enfin, un grand merci au généreux anonyme qui nous a offert, hum, du *matériel* afin de soutenir notre proposition de loi pour les installations sanitaires réservées aux domestiques.

Quelques rires nerveux saluent ces derniers mots, et les têtes se tournent pour voir si Skeeter Phelan a eu le culot de venir.

— J'aurais aimé que vous vous leviez pour accepter notre reconnaissance. Sans vous, nous n'aurions pas pu procéder à un si grand nombre d'installations.

Skeeter, stoïque, le visage inexpressif, ne détourne pas les yeux du podium. Hilly sourit à son mari et ajoute un ton plus bas :

— Et n'oubliez pas de voter Holbrook !

Des rires amicaux saluent le spot publicitaire.

Le repas et le discours achevés, les gens se lèvent pour danser, les maris prennent le chemin du bar. Deux aïeules se disputent le service à thé miniature. Le prix grimpe très vite de quinze à quatre-vingt-cinq dollars.

Johnny bâille dans un coin à côté du bar. Celia aperçoit Hilly qui, à cet instant, n'a qu'un petit nombre de personnes autour d'elle.

— Je reviens tout de suite, Johnny.

— Oui, et après on se tire. J'en ai marre de ce déguisement.

Richard Cross, qui est membre de la même société de chasse que Johnny, lui donne une claque dans le dos. Ils échangent quelques mots et éclatent de rire en parcourant la salle du regard.

Celia parvient presque à rejoindre Hilly, mais celle-ci se glisse derrière le podium. Celia recule, comme si elle craignait de l'approcher à l'endroit où Hilly est apparue un instant plus tôt dans toute sa puissance. Elle s'engouffre dans les toilettes des dames et Hilly reparaît aussitôt à l'angle du podium.

— Alors, Johnny Foote ? dit-elle. Je suis surprise de te voir ici. Tout le monde sait que tu as horreur des grandes soirées.

Elle lui a pris le bras et le serre. Johnny pousse un soupir.

— Tu sais que c'est demain l'ouverture de la chasse au cerf ?

— Tu peux tout de même te priver d'une journée de chasse, Johnny Foote ! Tu en as manqué plus d'une pour moi.

Johnny lève les yeux au ciel.

— Celia, en tout cas, n'aurait manqué cette soirée pour rien au monde.

— Mais *où* est donc passée ta femme ? demande Hilly.

Elle n'a pas lâché le bras de Johnny et le serre un peu plus fort.

— Ne me dis pas qu'elle est au stade de la fac en train de servir des hamburgers !

Johnny se rembrunit. C'est là qu'ils se sont connus jadis.

— Ah ! je te taquine ! On est sortis assez longtemps ensemble pour que je me le permette, n'est-ce pas ?

Avant que Johnny ne puisse répondre, quelqu'un tape sur l'épaule de Hilly et elle se retourne en riant vers un couple d'invités. Johnny soupire en voyant Celia qui revient vers lui.

— Bon, dit-il à Richard, on va pouvoir rentrer chez nous.

Richard regarde fixement Celia qui approche. Elle s'arrête et se penche pour ramasser la serviette qu'elle vient de laisser tomber, offrant une vue plongeante sur sa poitrine.

— Ça a dû te changer, Johnny, de passer de Hilly à Celia.

— Disons que je suis passé de l'Antarctique à Hawaii.

Celia s'approche et soupire avec un sourire désappointé.

— Salut, Celia, comment vas-tu ? demande Richard. Tu es vraiment superbe, ce soir.

— Merci, Richard.

Elle tente d'étouffer un violent hoquet et fronce les sourcils en mettant un mouchoir sur sa bouche.

— Tu es pompette ? demande Johnny.

— Elle s'amuse, c'est tout, n'est-ce pas, Celia ? dit Richard. D'ailleurs, je vais te préparer quelque chose que tu vas adorer. Ça s'appelle un Alabama Slammer.

— Et après, on s'en va, dit Johnny à son ami.

Trois Alabama Slammer plus tard, on proclame les gagnants des enchères muettes. Chaque gagnant reçoit son prix avec enthousiasme comme s'il ne l'avait pas payé deux ou trois fois sa valeur marchande. Puis viennent les desserts : gâteaux, carrés de praline, meringues... Et bien sûr la tarte de Minny.

— ... et la gagnante de la tarte au chocolat mondialement célèbre de Minny Jackson est... Hilly Holbrook !

On applaudit, non seulement parce que Minny Jackson est connue pour ses pâtisseries, mais parce que le nom de Hilly provoque automatiquement des applaudissements.

Hilly, qui était en pleine conversation, se retourne.

— Quoi ? Mais je n'ai pas participé aux enchères !

— Hilly, vous avez gagné la tarte de Minny Jackson ! dit une femme.

Hilly scrute la foule.

Minny, qui a entendu son nom associé à celui de Hilly, tend soudain l'oreille. Elle tient une tasse à café sale d'une main et de l'autre un lourd plateau en argent. Mais elle reste figée.

Hilly la voit mais ne bouge pas non plus, se contentant d'un mince sourire.

— Bon... C'est gentil, n'est-ce pas ? Quelqu'un m'a sans doute inscrite pour cette tarte.

Elle ne quitte pas Minny des yeux et Minny sent ce regard sur elle.

Elle finit d'empiler les tasses sur son plateau et file à la cuisine aussi vite qu'elle le peut.

— Eh bien, félicitations, Hilly, je ne savais pas que vous aimiez tellement les tartes de Minny !

La voix de Celia est anormalement aiguë. Hilly ne l'a pas vue arriver derrière elle. En s'approchant, Celia accroche un pied de chaise et trébuche. Quelques rires fusent.

— Celia, c'est une plaisanterie ?

— Hilly, dit Celia en lui saisissant le bras. J'essaye de vous parler depuis le début de la soirée. Je crois qu'il y a eu un manque de communication entre nous, et je suis sûre que si je vous *explique*…

— Qu'avez-vous fait ? Lâchez-moi, dit Hilly entre ses dents.

Mais Celia la tient par la manche et ne lâche pas.

— Non, attendez ! Vous devez m'écouter…

Hilly s'écarte, mais Celia tient bon. On entend distinctement le bruit d'un tissu qui se déchire. Celia a arraché la manche, dénudant le bras de Hilly jusqu'au coude.

Hilly regarde, porte la main à son poignet.

— Que cherchez-vous ? dit-elle d'une voix qui n'est plus qu'un grondement. C'est cette négresse qui vous a poussée à faire ça ? Parce que quoi qu'elle ait pu vous dire et quoi que vous ayez répété à tout le monde…

Plusieurs personnes se sont approchées. Les gens écoutent, regardent Hilly, et la tension se lit sur tous les visages.

— Ce que j'ai répété ? Je ne sais pas de quoi vous…

C'est au tour de Hilly de saisir le bras de Celia.

— À *qui* l'avez-vous dit ? aboie-t-elle.

— Minny m'a expliqué pourquoi vous ne voulez pas qu'on soit amies.

Susie Pernell, qui annonce les gagnants, parle plus fort au micro, obligeant Celia à élever elle aussi la voix.

— Je sais que vous croyez qu'on vous a trompée dans votre dos, Johnny et moi ! crie-t-elle.

Quelqu'un, dans le groupe des curieux, lâche un commentaire aussitôt salué par des rires. Il y a des applaudissements à l'autre bout de la salle. À l'instant où Susie Pernell pose le micro pour jeter un coup d'œil à ses notes, Celia s'écrie encore plus fort :

— C'est *après* votre rupture que je suis tombée enceinte !

Les mots résonnent à travers la salle, suivis par quelques secondes d'un lourd silence.

Les femmes qui les entourent font des mines dégoûtées. Certaines se mettent à rire.

— La femme de Johnny est *saoule* ! lance quelqu'un.

Celia regarde autour d'elle. Elle essuie la sueur qui perle sur son front.

— Je ne vous en veux pas de ne pas m'aimer, si vous croyez que Johnny vous a trompée avec moi.

— Johnny n'aurait jamais…

— … et je suis désolée de ce que j'ai dit, pour la tarte… Je pensais que vous étiez contente de l'avoir gagnée.

Hilly vient suffisamment près de Celia pour que celle-ci soit la seule à l'entendre.

— Dites à votre négresse que si elle parle à quiconque de cette tarte, je m'occuperai d'elle. Vous vous êtes crue maligne en prenant cette enchère à mon nom, n'est-ce pas ? Pourquoi ? Vous croyez qu'en me faisant chanter vous pourrez entrer à la Ligue ? Dites-moi *immédiatement* à qui d'autre vous avez p…

— Je n'ai parlé d'une tarte à personne, je…

— *Menteuse !* dit Hilly.

Mais elle se redresse aussitôt et sourit.

— Voici Johnny. Johnny, je crois que votre femme a besoin de *soins.*

Et elle fusille du regard les femmes qui l'entourent, comme si elles étaient toutes impliquées dans le complot.

— Celia, qu'y a-t-il ? demande Johnny.

Celia se tourne vers Hilly, l'air furieux.

— Elle dit n'importe quoi, elle me traite de… menteuse et elle m'accuse d'avoir signé à sa place pour cette tarte, et…

Celia se tait, cherche du regard quelqu'un de connu. Elle a des larmes plein les yeux. Puis elle gémit, secouée par un haut-le-cœur, et vomit sur la moquette.

— Et merde ! lâche Johnny en la tirant en arrière.

Celia le repousse. Elle court vers les toilettes et Johnny la suit.

Hilly reste figée, les poings serrés. Elle a le visage cramoisi, quasi de la couleur de sa robe. Elle fait quelques pas pour prendre un serveur par le bras.

— Nettoyez avant que ça ne sente.

Elle est soudain entourée de femmes aux mines bouleversées qui posent des questions, tendent les bras comme pour la protéger.

— On m'avait dit que Celia avait un problème d'alcoolisme, mais elle ment, en plus ? dit-elle. Comment appelle-t-on cela ?

— De la mythomanie ?

— Exactement. Voilà, c'est une mythomane !

Hilly s'éloigne avec sa suite.

— Celia a forcé Johnny à l'épouser en lui disant qu'elle était enceinte. Je crois qu'elle était déjà mythomane à cette époque.

La fête s'achève. Les épouses qui font partie de la Ligue semblent épuisées à force de sourire. On parle surtout de Celia Foote vomissant au beau milieu de la soirée.

— Hilly, je rentre chez toi.

Hilly lève les yeux. C'est Mrs Walters, sa mère, plus frêle que jamais dans sa longue robe bleu ciel ornée de perles qui date des années quarante. Une orchidée blanche est épinglée sur sa clavicule. Une Noire en uniforme blanc ne la quitte pas d'une semelle.

— Écoute, maman, n'ouvre pas le réfrigérateur ce soir. Je ne tiens pas à m'occuper de toi toute la nuit pour cause d'indigestion. Tu rentres et tu te couches, d'accord ?

— Je pourrai tout de même avoir un peu de la tarte de Minny ?

Hilly fixe sa mère entre ses paupières à demi fermées.

— Cette *tarte* est dans la poubelle.

— Mais pourquoi l'as-tu jetée ? C'est pour toi que je l'ai gagnée !

Hilly reste quelques secondes sans faire un geste.

— *Toi ?* Tu as signé pour moi ?

— Je ne me rappelle peut-être pas mon nom ou le pays dans lequel je vis, mais toi et cette tarte, c'est quelque chose que je n'oublierai jamais.

— Espèce de vieille…

Hilly jette les feuilles qu'elle tient à la main et qui s'envolent dans toutes les directions.

Mrs Walters s'éloigne en claudiquant vers la sortie, l'infirmière noire sur ses talons.

— Eh bien, tous aux abris, Bessie. Ma fille est à nouveau furieuse contre moi.

Minny

Le samedi matin, je suis crevée et j'ai mal partout. Le téléphone sonne. C'est Mister Foote.

— Je suis à la chasse mais je voulais vous dire que Celia ne va pas bien du tout. Ça s'est mal passé pour elle, hier soir.

— Oui, monsieur, je sais.

— Faites attention à elle cette semaine, vous voulez bien, Minny ? Je ne serai pas là et… Je reviendrai plus tôt s'il le faut.

J'ai pas vu ce qui s'est passé à la soirée, mais on me l'a raconté pendant que j'étais à la cuisine.

Le lundi, quand j'arrive, Miss Celia est encore au lit avec le drap sur la figure.

— 'Jour, Miss Celia !

Mais elle roule sur le côté et elle me répond même pas.

Le mardi matin, Miss Celia est toujours au lit. Le plateau de sandwichs de la veille est resté par terre et elle y a pas touché.

Un peu plus tard, je lui apporte un peu de tourte au poulet.

— Miss Celia, je sais bien que c'était affreux ce qui s'est passé à la vente mais tout de même, vous pouvez pas rester toute votre vie à vous apitoyer sur vous-même.

Elle se lève et elle va s'enfermer dans la salle de bains.

Je commence à défaire le lit. Puis je ramasse tous les mouchoirs sales et les verres qui traînent sur la table de nuit. Il y a une pile de courrier sur la petite table. Je vois les lettres HWH en haut d'une carte. J'ai même pas le temps de réfléchir que j'ai déjà tout lu :

> Chère Celia
>
> Nous serions heureux à la Ligue si, plutôt que de me rembourser pour la robe que vous avez déchirée, nous recevions une donation d'au moins deux cents dollars. Veuillez par ailleurs, à l'avenir, vous abstenir de proposer votre aide en tant que non-membre, votre nom figurant désormais sur une liste probatoire.
>
> Vous voudrez bien rédiger le chèque à l'ordre du comité local de la Ligue.

Sincères salutations,
Hilly Holbrook,
Présidente et directrice générale

Le mercredi matin, Miss Celia est toujours sous les couvertures. Le téléphone sonne toute la matinée et Miss Celia répond pas.

Le lendemain après-midi, je me dis que je supporterai pas ça une minute de plus. Miss Celia a pas bougé de son lit de la semaine. Je parie qu'elle s'est pas lavée depuis vendredi.

— Miss Celia ?

Je l'entends qui renifle, puis elle a une espèce de hoquet et elle se met à pleurer toutes les larmes de son corps.

— Rien de tout ça ne serait arrivé si j'étais restée à ma place. Il aurait dû faire un bon mariage. Il aurait dû épouser… *Hilly !* Comment elle m'a regardée, Hilly… comme si j'étais *rien du tout.* Un tas de saleté au bord de la route ! Pourquoi me déteste-t-elle autant ? Elle ne me connaît même pas ! elle crie. Elle m'a traitée de menteuse, elle m'a accusée de lui avoir fait gagner… cette *tarte !* (Elle frappe avec ses poings sur ses genoux.) Sans ça, je n'aurais jamais vomi !

— Quelle tarte ?

— C'est Hi… Hi… Hilly qui a gagné votre tarte. Et elle m'a accusée d'avoir signé à sa place. Pour lui… faire une farce ! (Elle gémit, elle sanglote.) Pourquoi aurais-je inscrit son nom sur une liste ?

J'y mets le temps mais je commence à comprendre ce qui se passe Je sais pas qui est la personne qui a signé à la place de Hilly pour cette tarte, mais je sais pourquoi elle est prête à lui arracher les yeux.

— Miss Celia… Je sais pourquoi Miss Hilly vous en veut tant pour cette tarte, je dis.

— Quoi ? (Elle renifle.) Que s'est-il passé, Minny ?

— Miss Hilly, elle m'a appelée chez moi l'année dernière, quand je travaillais encore chez Miss Walters. Pour me dire qu'elle mettait Miss Walters à la maison de retraite des vieilles dames. Ça m'a fait peur, j'ai cinq gamins à nourrir, vous savez. Et Leroy qui faisait déjà les deux huit à l'usine.

Miss Celia s'assoit sur le lit et elle s'essuie le nez. Elle a l'air de m'écouter, maintenant.

— J'ai passé trois semaines à chercher du travail. Tous les jours. Je suis allée chez Miss Child. Elle a dit non. Je suis allée chez les Rawley, ils m'ont pas voulue non plus. Chez les Riches, chez les Smith, et même chez les Thibodeaux, les catholiques qui ont sept enfants. Rien !

— Oh ! Minny... C'est affreux !

Je serre les dents.

— Quand j'ai vu qu'il me restait plus que deux jours chez Miss Walters et que j'avais toujours pas de travail, j'ai commencé à avoir peur pour de bon. C'est là que Miss Hilly est venue me voir chez Miss Walters.

» "Venez travailler chez moi, Minny. Je vous donnerai vingt-cinq cents de plus que maman." Comme si j'avais eu dans l'idée de prendre sa place à ma copine Yule May Crookle ! Moi je réponds : "Non, merci, Miss Hilly." Alors elle dit qu'elle me payera cinquante cents de plus et je répète : "Non, ma'am, merci bien." Alors elle se met à dire qu'elle sait que je suis allée chez les Child et chez les Rawley et chez tous les autres et que personne a voulu de moi. Elle dit que c'est parce qu'elle a prévenu tout le monde que j'étais une voleuse. J'ai jamais rien pris de ma vie mais elle a raconté ça dans toute la ville et personne veut plus embaucher une négresse voleuse avec une grande gueule. Et voilà pourquoi j'ai fini par faire ça. »

Miss Celia me regarde en cillant.

— Quoi, Minny ?

— Je lui ai dit qu'elle pouvait toujours manger ma merde.

Miss Celia a l'air de plus en plus ahurie.

— Après ça, je rentre chez moi. Je fais une tarte au chocolat. J'y mets du sucre, du chocolat de chez Baker et de la vraie vanille que ma cousine m'a rapportée du Mexique. Je retourne chez Miss Walters, parce que je sais que Miss Hilly y est toujours. Elle attend que la maison de retraite vienne chercher sa maman et comme ça elle pourra vendre la maison et prendre l'argenterie et tout ce qui lui revient.

» En me voyant poser la tarte sur le comptoir, Miss Hilly sourit. Elle croit que c'est pour faire la paix. Je la regarde la manger. Deux gros morceaux. Elle s'empiffre comme si elle avait jamais rien mangé d'aussi bon. Puis elle dit : "Je savais bien que vous changeriez d'avis, Minny. Je savais que je finirais par avoir ce que je voulais." Et elle rit. Alors Miss Walters dit qu'elle en voudrait bien un morceau, de cette tarte. Et moi je lui dis : "Non, ma'am, je l'ai faite avec une recette spéciale pour Miss Hilly."

» Miss Hilly dit : "Maman peut en manger un peu si elle veut. Mais seulement un petit morceau. Qu'est-ce qui donne ce bon goût, Minny?"

» Moi je réponds : "C'est la bonne vanille du Mexique", et je continue. Je lui explique tout ce que j'y ai mis d'autre spécialement pour elle. »

Miss Celia est muette comme une pierre mais j'ose pas la regarder en face.

— Miss Walters, elle en est restée la bouche ouverte ! Personne disait plus rien. J'aurais pu sortir avant qu'elles s'aperçoivent que j'étais plus là. Mais alors Miss Walters se met à rire. Elle rit tellement qu'elle manque d'en tomber de sa chaise. Elle dit : "Hilly, voilà ce que tu as gagné. Et à ta place, je n'irais plus raconter partout des horreurs, parce que tout le monde saura que tu es la patronne qui a mangé *deux* tranches de merde de Minny !"

Je regarde Miss Celia. Elle écarquille les yeux, dégoûtée.

— Miss Hilly a cru que vous connaissiez l'histoire et que vous vous moquiez d'elle. Elle vous serait jamais tombée dessus si j'avais pas fait ça.

Miss Celia me regarde. Elle dit rien.

— Mais vous devez savoir une chose. Si vous quittez Mister Johnny, c'est Miss Hilly qui aura gagné. Elle aura gagné sur vous et elle aura gagné sur moi…

Je secoue la tête en pensant à Yule May qui est en prison et à Miss Skeeter qui a plus d'amis.

Miss Celia reste encore un moment sans rien dire. Après, elle ouvre la bouche pour parler, elle la referme. Finalement, elle dit :

— Merci. De… m'avoir dit ça.

Elle se laisse retomber sur son lit. Mais avant de refermer la porte, je vois qu'elle a les yeux bien ouverts.

Le lendemain matin quand j'arrive, Miss Celia a réussi à se lever, elle s'est lavé les cheveux et elle s'est maquillée. Comme il fait froid dehors, elle a remis un de ses pulls trop serrés.

Mais Miss Celia dit pas grand-chose. Elle est fatiguée, ça se voit à ses yeux. Elle sourit plus pour tout et n'importe quoi. Elle montre quelque chose du doigt à travers la fenêtre.

— Je crois que je vais planter une rangée de rosiers. Le long de la clôture.

Je pense que c'est bon signe.

Le lendemain matin en arrivant je la trouve dans la cuisine. Elle a pris le journal mais elle regarde le mimosa dehors. Il fait frisquet.

— 'Jour, Miss Celia.

— Salut, Minny.

Elle continue à regarder cet arbre, un stylo entre les doigts. Il s'est mis à pleuvoir.

Elle se lève, elle enlève un de ses souliers rouges à talons hauts, puis l'autre. Elle s'étire, sans quitter le mimosa des yeux. Puis elle sort.

Je me laisse tomber sur la chaise où elle était assise pour lire son journal. Et en soulevant le journal, je vois le mot de Miss Hilly et le chèque de deux cents dollars de Miss Celia. Et en bas du chèque, dans la petite case réservée pour la correspondance, Miss Celia a écrit de sa jolie écriture ronde : « Deux tranches pour Hilly. »

Miss Skeeter

Je regarde le téléphone dans la cuisine. Personne n'a appelé depuis si longtemps que ce n'est plus qu'une chose morte fixée au mur. Il y a partout une sorte d'attente silencieuse – à la bibliothèque, à la pharmacie quand je vais chercher les médicaments de maman, dans notre propre maison. L'assassinat du président Kennedy, il y a moins de deux semaines, a laissé le monde comme abasourdi.

Les rares fois où le téléphone a sonné, c'était le Dr Neal qui appelait avec de nouveaux résultats d'analyses pour maman, toujours mauvais, ou bien des membres de la famille qui voulaient de ses nouvelles. Et pourtant, il m'arrive encore de penser « Stuart » en entendant la sonnerie, alors qu'il ne s'est plus manifesté depuis cinq mois. Si bien que j'ai fini par craquer et dire à maman que nous avions rompu.

Je prends une profonde inspiration, compose le zéro et m'enferme dans la réserve. Je donne le numéro à l'opératrice et attends.

— Elaine Stein à l'appareil.

Je cligne des yeux, surprise. Ce n'est pas sa secrétaire.

— Mrs Stein, excusez-moi, c'est Eugenia Phelan. De Jackson, Mississippi.

— Ah… Eugenia.

Elle soupire, visiblement contrariée d'avoir décroché elle-même.

— J'appelle pour vous dire que le manuscrit sera prêt au début de l'année.

Un silence. Je l'entends souffler la fumée de sa cigarette.

— Janvier, ça ne va pas. La dernière réunion des éditeurs a lieu le 21 décembre. Si vous voulez avoir une chance d'être lue, il faut que j'aie votre manuscrit en main d'ici là.

— Mais… vous m'aviez dit janvier… Je ne sais pas si…

— Je me disais à l'instant qu'il vous faudrait un chapitre sur votre ancienne bonne.

— Oui, ma'am, dis-je, alors que je ne sais absolument pas comment je pourrai achever les deux entretiens qui manquent encore, et à plus forte raison ajouter un chapitre sur Constantine.

Je sors de la réserve, accablée. Je sais que je dois me mettre tout de suite au travail, mais je vais d'abord voir maman dans sa chambre. Depuis trois mois, son état ne fait qu'empirer.

Elle me regarde du fond de son lit.

— Tu ne vas pas à ton club de bridge, aujourd'hui ?

— C'est annulé. Le bébé d'Elizabeth a la colique.

Un mensonge. Maman ignore toujours que j'ai été expulsée du club de bridge, ou que Patsy Joiner a une nouvelle partenaire de tennis. On ne m'invite plus aux cocktails, aux fêtes de naissance, ni dans tous les endroits où Hilly risque de se trouver. Sauf aux réunions de la Ligue. Dans ces cas-là, les conversations sont des plus brèves : elles se limitent aux sujets concernant la *Lettre*. Je me dis que c'est ce qu'on gagne à déposer trente et une cuvettes de toilette devant la maison de la femme la plus populaire de la ville. Non pas que j'aie sous-estimé les conséquences de mon acte. Je n'aurais pas cru que ça durerait aussi longtemps, c'est tout.

La voix de Hilly au téléphone était grave, et basse, comme si elle avait hurlé toute la matinée.

— Tu es malade, m'a-t-elle dit. Ne me parle plus, ne me regarde pas. Ne dis plus bonjour à mes enfants.

— C'était une coquille d'imprimerie, Hilly.

— Tu as fait de mon jardin un parc d'attractions. Depuis combien de temps attendais-tu l'occasion de nous humilier ?

Ce que Hilly ne comprenait pas, c'était que je n'avais rien prémédité. En commençant à taper sa proposition de loi pour la *Lettre*, avec des mots comme *maladie* et *protégez-vous*, j'avais senti quelque chose céder en moi, un peu comme une pastèque qui se fend, fraîche et douce et apaisante. J'avais toujours pensé que la folie est quelque chose de sombre et d'amer, mais elle peut être comme une pluie bienfaisante si on s'y abandonne. J'avais offert vingt-cinq dollars aux frères de Pascagoula pour transporter ces cuvettes au rebut sur la pelouse de Hilly.

— Et tu te dis *chrétienne* ! a conclu Hilly.

En novembre, Stooley Whitworth a été élu. Mais William Holbrook ne l'a pas été. Je suis certaine que Hilly me tient pour responsable de cet échec.

QUELQUES heures après avoir eu Mrs Stein au téléphone, j'entre dans la chambre de maman sur la pointe des pieds pour voir comment elle va. Papa dort déjà à côté d'elle.

— Je peux t'apporter quelque chose, maman ?

— Je suis là uniquement parce que le Dr Neal m'a dit de me reposer. Où vas-tu, Eugenia ? Il est presque sept heures.

— Je ne resterai pas longtemps dehors. Je vais faire un tour en voiture, c'est tout.

Je l'embrasse, en espérant qu'elle ne posera pas d'autre question. Quand je referme la porte, elle s'est déjà assoupie.

Je me précipite dans la cuisine d'Aibileen. Rien qu'à la tête que je fais, elle doit se douter que quelque chose ne va pas.

— Qu'est-ce qu'il y a ? On vous a vue ?

— Non, dis-je en sortant les feuilles de ma sacoche. J'ai eu Mrs Stein au téléphone ce matin.

Je lui rapporte notre conversation, sans oublier de mentionner le délai.

— Ce n'est pas tout, dis-je. Elle… veut que j'écrive sur Constantine. Je ne peux rien écrire si je ne sais pas ce qui s'est passé, Aibileen. Si vous ne pouvez pas me le dire… Je me demandais si quelqu'un d'autre le pourrait.

Aibileen secoue la tête.

— Sûrement, dit-elle. Mais je veux pas que quelqu'un d'autre vous raconte cette histoire.

— Alors… ce sera vous ?

— Je vais l'écrire. Laissez-moi quelques jours.

LE jeudi soir, je me rends à la réunion de la Ligue. C'est lamentable, mais je suis contente d'avoir gardé la *Lettre*. Une fois par semaine, j'ai l'impression de participer à quelque chose.

Mais à la seconde où je pénètre dans la salle les dos se tournent. Mon exclusion est tangible, c'est un mur de béton dressé autour de moi. Hilly m'adresse un sourire narquois et tourne la tête pour parler à quelqu'un.

Elle monte sur l'estrade.

— Nous devons débattre d'un sujet passionnant. Le comité a décidé que notre *Lettre* devait se moderniser.

Ne serait-ce pas à moi d'en décider ?

— Pour commencer, la *Lettre* ne sera plus hebdomadaire mais mensuelle. Et nous ajoutons une chronique de mode pour parler des plus belles toilettes portées par nos membres, ainsi qu'une chronique sur le maquillage avec les dernières tendances. Bien. Il nous faut maintenant choisir une rédactrice en chef pour notre nouveau mensuel. Y a-t-il des candidates ?

Quelques mains se lèvent. Je ne bronche pas.

— Jeanie Price, une suggestion ?

— Je propose Hilly. Je vote pour Hilly Holbrook.

— Comme c'est gentil ! Des volontaires pour assister…

Hilly baisse les yeux comme si elle ne savait plus très bien qui vient d'être proposée.

— … Hilly Holbrook à la rédaction ?

— D'accord pour être numéro deux !

— Moi pour être numéro trois !

Bang-bang. Le marteau retombe et je ne suis plus rédactrice en chef. Je file directement vers la sortie dès la fin de la réunion. Personne ne m'adresse la parole, personne ne me regarde en face. Je garde la tête haute.

JE ne rentre pas directement chez moi après la réunion de la Ligue. Je m'engage sur la route et je roule…

— Si seulement je pouvais partir d'ici, dis-je.

Deux heures plus tard, je m'arrête devant la maison et aperçois Stuart assis sur les marches de la véranda. Papa est dans un rocking-chair. Ils se lèvent au moment où je coupe le contact.

— Bonsoir, papa. (Je ne regarde pas Stuart.) Où est maman ?

— Elle dort, je viens d'aller la voir. N'oubliez pas d'éteindre quand vous aurez fini.

Papa rentre dans la maison et nous voici seuls, Stuart et moi.

Je m'assieds sur la plus haute marche, la tête entre les bras. Il se rapproche, mais pas assez pour que nous nous touchions.

— Je suis venu te dire que je l'ai revue. Je suis allé à San Francisco. Je lui ai dit que mentir de cette façon, c'était ce qu'on pouvait faire de pire à quelqu'un. Elle a complètement changé d'allure. Elle avait une robe longue à l'ancienne avec le symbole de la paix, les cheveux longs et pas le moindre rouge à lèvres. Et elle m'a traité de putain. Elle, elle qui s'est déshabillée pour cet autre type, m'a dit que j'étais une putain pour mon père, une putain pour le Mississippi !

— Pourquoi me racontes-tu cela ?

— C'est pour toi que je suis allé là-bas. Je savais que je devais m'enlever cette fille de la tête. Et c'est ce que j'ai fait, Skeeter. J'ai fait deux mille kilomètres, et encore deux mille au retour, et je viens te le dire. Voilà. C'est fini.

— C'est bien, Stuart. Tant mieux pour toi.

J'ai le cœur au bord des lèvres, littéralement, car son haleine empeste le bourbon. Et pourtant, je meurs d'envie de me lover tout entière entre ses bras. Je l'aime et le déteste à la fois.

— Rentre chez toi, dis-je. Il n'y a plus de place dans mon cœur pour toi.

— Je ne le crois pas.

— Tu viens trop tard, Stuart.

— Je peux revenir samedi ? Pour qu'on discute encore ?

Je hausse les épaules, les yeux pleins de larmes. Je ne le laisserai pas me rejeter une deuxième fois.

— Ce que tu fais ne m'intéresse pas.

Je me réveille à cinq heures du matin et me mets au travail sur les témoignages. Je m'aperçois qu'il ne me reste pas dix-sept jours mais dix. Comment ai-je pu être assez stupide pour oublier le temps que mettra mon courrier à atteindre New York ?

Le soir, je parle à Aibileen du délai ramené à dix jours, et elle semble au bord des larmes.

— Il faut trouver un titre, dis-je. On pourrait prendre *Les Domestiques noires et les familles du Sud qui les emploient*.

Minny est attablée avec nous et boit un Coca en regardant par la fenêtre.

Aibileen se gratte le bout du nez.

— Et si on l'appelait tout simplement *Les Bonnes*?

— *Les Bonnes*... répète Minny, comme si elle n'avait jamais entendu ce mot.

— *Les Bonnes*, ça me plaît bien, dis-je.

Et c'est vrai.

À J – 6, Aibileen me tend une lettre.

— Avant que je vous donne ça... Je crois que je dois vous dire certaines choses. Pour vous aider à comprendre.

» Vous vous rappelez, je vous ai dit que Constantine avait une fille. Elle s'appelait Lulabelle. Elle était née blanche comme neige. Avec des cheveux blonds comme paille. Pas bouclés comme les nôtres. Tout raides. »

— Elle était vraiment blanche?

Aibileen hoche la tête.

— Quand Lulabelle a eu quatre ans, Constantine... (Elle change de position sur sa chaise.) Elle l'a amenée dans un... orphelinat. À Chicago.

— Un *orphelinat*? Vous voulez dire... qu'elle a abandonné sa petite fille?

Aibileen me regarde bien en face. Il y a dans ses yeux quelque chose que je vois rarement – de la colère, de l'antipathie.

— Beaucoup de Noires sont obligées d'abandonner leurs enfants, Miss Skeeter. Elles s'en séparent parce qu'elles doivent travailler chez des Blancs. Mais le plus souvent, elles les confient à des parents. L'orphelinat... c'est autre chose.

— Pourquoi n'a-t-elle pas envoyé la petite chez sa sœur?

— Sa sœur... elle ne pouvait pas la prendre. Quand vous êtes noire et que vous avez la peau blanche... dans le Mississippi, c'est comme si vous étiez de nulle part.

— Elle travaillait déjà pour ma mère, à cette époque?

— Oui, depuis quelques années. C'est là qu'elle avait connu Connor, le père. Il était employé sur votre ferme, et il habitait à Hotstack.

— C'était un orphelinat noir ou un orphelinat blanc?

Je me demande si Constantine n'a pas voulu tout simplement une vie meilleure pour sa fille. Elle pensait peut-être qu'elle serait adoptée par une famille blanche.

— Noir. Les orphelinats blancs ne l'auraient pas prise, on m'a dit. Quelques années plus tard, Constantine a écrit à l'orphelinat, elle leur a dit qu'elle avait fait une bêtise, qu'elle voulait la reprendre. Mais Lula était déjà adoptée. Elle était plus là.

Aibileen s'appuie contre le dossier de sa chaise.

— Constantine disait que si Lula revenait un jour, elle la laisserait plus jamais s'en aller.

Je me tais. J'ai le cœur qui saigne pour Constantine. Je commence à me demander avec anxiété le rapport avec ma mère.

— Il doit y avoir deux ans, Constantine reçoit une lettre de Lulabelle. Je crois qu'elle avait vingt-cinq ans à l'époque, et elle disait que ses parents adoptifs lui avaient donné l'adresse. Lulabelle lui dit qu'elle veut venir et rester un moment avec elle.

Il y a deux ans. J'étais à la fac. Pourquoi Constantine ne m'a-t-elle rien dit dans les lettres qu'elle m'écrivait ?

— Elle a pris toutes ses économies pour acheter des nouveaux habits à Lulabelle. À la prière, elle nous a dit : « Et si elle me déteste d'avoir fait ça ? »

Je me souviens de la dernière lettre de Constantine. Elle écrivait qu'elle avait une surprise pour moi. Je comprends maintenant qu'elle voulait me présenter sa fille. Je ravale les sanglots qui me montent à la gorge.

— Que s'est-il passé quand Lulabelle est venue la voir ?

Aibileen fait glisser l'enveloppe vers moi sur la table.

— Lisez ça quand vous serez chez vous, je crois que c'est mieux.

SITÔT arrivée, je monte dans ma chambre. Je n'attends même pas d'être assise pour ouvrir l'enveloppe qu'Aibileen m'a remise. Elle a écrit au crayon, recto verso, sur des feuilles arrachées à un cahier.

Ensuite, je pose les mains sur le clavier. Je n'ai plus de temps à perdre. J'écris que Constantine avait une fille et a été obligée de s'en séparer afin de pouvoir travailler chez nous – je nous ai baptisés les Miller. Je ne dis pas que la fille de Constantine était née blanche comme neige ; je veux seulement montrer que l'amour que Constantine me portait est né du manque de cette enfant. C'est peut-être à cela qu'il devait d'être si unique, si profond. Elle voulait que sa fille lui soit rendue, je voulais que maman ne soit pas déçue par moi.

Je continue à écrire pendant deux jours pour raconter mon enfance, mes années de fac, pendant lesquelles nous nous écrivions chaque semaine. Puis je m'arrête. J'entends maman qui tousse au rez-de-chaussée. J'entends les pas de papa qui va auprès d'elle. J'allume une cigarette et la fume jusqu'au bout. Je ne peux pas écrire ce qui se trouve dans la lettre d'Aibileen.

Dans l'après-midi, je l'appelle chez elle.

— Je ne peux pas mettre ça dans le livre, lui dis-je. Ce qui concerne maman et Constantine… Je vais arrêter au moment où j'entre à la fac. Je…

— Miss Skeeter…

— Je sais que je le devrais. Je sais que je devrais m'exposer comme vous avez accepté de le faire, vous et Minny et toutes les autres, mais je ne peux pas faire ça à ma mère.

— C'est pas ce qu'on attend de vous, Miss Skeeter. En fait, j'aurais pas beaucoup de respect pour vous si vous le faisiez pas.

Le lendemain soir, je descends à la cuisine pour me faire du thé.

— Eugenia ? C'est toi ?

J'entre dans la chambre de maman. Papa est dans le salon.

— Me voici, maman.

Je m'assieds dans le fauteuil en rotin à côté du lit.

— Je veux parler de Constantine, dis-je.

— Oh ! Eugenia… dit ma mère, d'un ton de reproche, et elle me tapote la main. Il y a bientôt deux ans…

— Maman. Que s'est-il passé ? Qu'est-il arrivé à sa fille ?

Sa mâchoire se crispe, elle est surprise, je le vois bien, que je connaisse l'existence de cette fille.

— Écoute. J'ai été bonne avec Constantine. Oh ! il arrivait souvent qu'elle se rebiffe, qu'elle me réponde, je m'y étais faite. Mais cette fois-là, Skeeter, elle ne m'a pas laissé le choix. Cette fille… (Elle pointe un doigt décharné dans ma direction.) Cette fille est venue ici. Ce jour-là, j'avais tout le comité des Filles de la Révolution à la maison. Elles étaient toutes dans le salon en train de manger des gâteaux, *quatre-vingt-quinze personnes* dans la maison et cette fille qui va prendre le café avec elles ! Elle se balade d'une pièce à l'autre comme une invitée, et la voilà qui remplit un questionnaire pour devenir *membre !*

Je hoche la tête. J'ignorais peut-être ces détails, mais ils ne changent rien à l'essentiel.

— Elle avait l'air aussi blanche que n'importe qui, et elle le savait. Elle savait très bien ce qu'elle faisait. J'ai dit : « Comment allez-vous ? » Elle s'est mise à rire et elle a dit : « Bien. » Et moi : « Comment vous appelez-vous ? » Et elle : « Vous voulez dire que vous ne le savez pas ? Je suis Lulabelle Bates ! Je suis grande maintenant, et me voilà revenue chez maman. J'y suis depuis hier matin. » Et hop, un autre gâteau ! Dieu merci, personne ne l'a entendue. Alors je la pousse dans la cuisine et je lui dis : « Lulabelle, vous ne pouvez pas rester ici. » Elle le prend de haut et elle me répond : « Quoi, vous ne voulez pas de Noirs dans votre salon sauf pour faire le ménage ? » À ce moment, Constantine entre dans la cuisine et elle a l'air aussi choquée que moi. Je dis : « Faites immédiatement sortir votre fille de ma maison. »

Maman a les yeux profondément enfoncés dans leurs orbites.

— Alors, Constantine ordonne à Lulabelle de l'attendre derrière la maison et Lulabelle répond : « Très bien, j'allais partir de toute façon. » Mais elle va dans le salon et je l'arrête, évidemment. « Ah, non, je dis, passez par l'arrière, pas par-devant avec les invités blancs ! » Et sais-tu ce qu'elle a fait ? Elle m'a craché à la figure. Une négresse, dans ma maison ! Essayant de tout faire comme les Blancs !

Je frémis. Qui a jamais eu le culot de cracher à la figure de ma mère ?

— J'ai dit à Constantine que cette fille ferait bien de ne plus se montrer ici. Et que je ne tolérerais pas qu'elle reste en contact avec Lulabelle tant que ton père paierait le loyer de sa maison.

— Mais c'était Lulabelle qui s'était mal conduite. Pas Constantine.

— Et si elle était restée ? Il n'était pas question que cette fille se promène dans tout Jackson en se faisant passer pour une Blanche alors qu'elle était noire.

— Mais Constantine… Elle était restée vingt ans sans voir sa fille. On ne peut pas… interdire à quelqu'un de voir son enfant.

Mais maman est tout à son histoire.

— Constantine croyait qu'elle pourrait me faire changer d'avis. « Miss Phelan, je vous en prie, laissez-la rester, elle ne viendra plus de ce côté, ça fait si longtemps que je l'avais plus vue… » Et cette Lulabelle, les mains sur les hanches, disant : « Ouais, mon père est mort et ma mère était trop malade pour s'occuper de moi quand j'étais bébé. Elle a été obligée de m'abandonner. Vous ne pouvez pas nous séparer. » Il est temps que tu voies les choses telles qu'elles sont réellement, Eugenia. Tu idolâtres trop Constantine. Depuis toujours. (Son doigt se tend à nouveau vers moi.) Ce ne sont pas des gens *comme nous.*

Je ne peux pas la regarder. Je ferme les yeux.

— Et ensuite, que s'est-il passé, maman ?

— J'ai carrément demandé à Constantine : « C'est cela que vous lui avez dit ? C'est comme cela que vous couvrez vos propres erreurs ? »

Cette partie-là, j'espérais qu'elle n'était pas vraie. Qu'Aibileen s'était trompée.

— J'ai dit la vérité à Lulabelle. Je lui ai dit : « Votre père n'est pas *mort.* Il est parti le lendemain de votre naissance. Et votre maman n'a jamais été malade de sa vie. Elle vous a abandonnée parce que vous étiez trop blanche. Elle ne vous voulait pas. »

Je me prends la tête à deux mains. Il n'y a pas le plus petit motif de rédemption dans cette histoire. Un enfant ne devrait jamais entendre de telles choses sur sa mère.

— Je n'aurais jamais cru que Constantine partirait dans l'Illinois avec elle, Eugenia. Très franchement, j'ai été… navrée de la voir s'en aller.

— Pas du tout, dis-je.

J'imagine Constantine à Chicago, confinée dans un minuscule appartement après avoir vécu cinquante ans ici. Comme elle a dû se sentir seule ! Et ses genoux, dans ce froid, comme ils devaient la faire souffrir !

— Oui, j'étais navrée, Eugenia. Et bien que je lui aie demandé de ne pas t'écrire, elle l'aurait certainement fait si elle en avait eu le temps.

— Le temps ?

— Constantine est morte, Skeeter. Je lui ai envoyé un chèque pour son anniversaire. Mais Lulabelle… l'a renvoyé. Avec un certificat de décès.

Je pleure. *Constantine.* Si seulement j'avais su !

— Pourquoi ne m'as-tu rien dit, maman ?

Maman renifle en regardant droit devant elle.

— Parce que je savais que tu m'en voudrais alors que… ce n'était pas de ma faute.

— Quand est-elle morte ? Depuis quand était-elle à Chicago ?

— Trois semaines.

AIBILEEN m'ouvre la porte de sa cuisine. Minny est attablée devant son café. Elle marmonne un bonjour et replonge le nez dans sa tasse.

Je pose le manuscrit complet sur la table.

— Et si on apprend que c'est nous ? demande calmement Aibileen. Si les gens s'aperçoivent que Niceville, c'est Jackson, ou s'ils apprennent qui…

— Ils trouveront jamais, dit Minny. Des villes comme Jackson, il y en a des centaines.

J'ai la chair de poule. Ce n'est pas pour moi que je crains, mais je tremble maintenant à l'idée de ce que j'ai fait à Aibileen, à Minny, à Louvenia, à Faye Belle et aux huit autres. Le livre est devant nous sur la table. J'ai envie de le fourrer dans ma sacoche pour le cacher.

Je me tourne vers Minny parce que, sans trop savoir pourquoi, je crois qu'elle est la seule parmi nous qui comprenne vraiment ce qui pourrait arriver. Mais elle ne me rend pas mon regard.

— Minny ? Qu'en pensez-vous ?

— Je crois qu'il nous faudrait une *assurance*.

— Ça, il y en a pas, dit Aibileen. Pas pour nous.

— Et si on mettait la Chose Abominable Épouvantable dans le livre ? demande Minny. Miss Hilly pourra plus laisser personne dire que le livre se passe à Jackson. *Personne* doit savoir ce qui lui est arrivé. Et si quelqu'un commence à s'en douter, elle fera tout pour l'embrouiller. Personne connaît l'histoire à part Miss Hilly et sa mère. Et Miss Celia, mais elle a pas d'amis avec qui en parler.

— Que s'est-il passé ? C'était vraiment *si* abominable ?

Aibileen me regarde. Je hausse les sourcils.

— Si on met la Chose Abominable Épouvantable dans le livre et que les gens *apprennent* que ça s'est passé entre toi et Miss Hilly, alors c'est toi qui auras des ennuis pour de bon. (Aibileen frissonne.) Et quand je dis des ennuis…

— Il y a un risque et il va falloir que je le prenne.

Finalement, Aibileen pousse un soupir.

— Très bien. Je crois qu'il vaut mieux lui raconter, alors.

Je passe la nuit à écrire, et la journée suivante, en grimaçant aux détails de l'histoire de Minny. À quatre heures de l'après-midi, je fonce jusqu'à la poste.

En rentrant à la maison, je vois la voiture du Dr Neal dans l'allée. De l'entrée, je vois au fond du couloir que la porte de la chambre de maman est fermée.

Au bout d'un moment, le Dr Neal me rejoint.

— Je lui ai donné quelque chose contre la douleur, dit-il.

— La… douleur ? Maman a encore vomi ce matin ?

Le vieux Dr Neal me fixe de ses yeux bleu délavé.

— Ta mère a un cancer, Eugenia. Sur la paroi de l'estomac. Elle ne voulait pas t'en parler. Mais comme elle refuse d'aller à l'hôpital, il faut bien que tu le saches. Les prochains mois vont être… difficiles. (Il hausse les sourcils.) Pour elle et pour toi.

— Quelques mois ? C'est… tout ?

Je porte la main à ma bouche et m'entends gémir.

— Peut-être plus, peut-être moins, mon petit.

Il secoue la tête.

J'entre dans la chambre de maman. Papa est sur le canapé à côté du lit, le regard dans le vide. Maman est assise, bien droite. Elle lève les yeux au ciel en me voyant.

— Eh bien, je suppose qu'il t'a mise au courant.

Les larmes me coulent sur le menton. Je lui prends les mains.

— Depuis quand le sais-tu ?

— Depuis deux mois environ.

— Oh ! *maman*…

— Arrête ça, Eugenia. On n'y peut rien.

Je me laisse tomber sur le canapé et papa m'entoure de son bras. Je m'appuie contre lui et je pleure.

Noël est sinistre, chaud et pluvieux. Papa sort toutes les demi-heures de la chambre de maman, regarde par la fenêtre et demande :

— Il n'est pas là ?

Carlton, mon frère, arrive ce soir en voiture de la fac de droit et nous serons tous deux soulagés. Maman a souffert toute la journée de vomissements et de haut-le-cœur.

— Charlotte, c'est l'hôpital qu'il vous faut, a dit le Dr Neal cet après-midi. Laissez-moi au moins vous envoyer une infirmière qui restera avec vous.

— Charles Neal, a répondu maman sans même lever la tête de son oreiller, je ne passerai pas mes derniers jours dans un hôpital, et je ne ferai pas non plus de ma maison un hôpital.

À six heures du soir, mon frère arrive enfin.

— Salut, Skeeter !

Il me serre contre lui. Il est tout chiffonné après le long trajet en voiture, mais beau dans son pull torsadé aux couleurs de l'université.

Je l'accompagne au fond du couloir. Maman s'assoit quand elle le voit. Il se penche pour la prendre dans ses bras, avec douceur. Il se retourne le temps d'un regard, et je vois le choc sur son visage. Je me détourne. Je mets la main sur ma bouche pour ne pas pleurer car si je commence je ne pourrai plus arrêter. Le regard de Carlton m'en dit plus que je ne voudrais savoir.

En voyant débarquer Stuart le jour de Noël, je le laisse m'embrasser, mais je lui dis :

— C'est seulement parce que ma mère est mourante.

Je suis sans nouvelles de Mrs Stein. À la réouverture du club, la première semaine de janvier, je mets ma jupe et je prends ma raquette. Je traverse le snack-bar en ignorant Patsy Joiner, mon ex-partenaire qui m'a laissée tomber, et trois autres filles qui fument toutes, assises aux tables en fer forgé. Je vais sécher la réunion de la Ligue ce soir, et je n'irai plus jamais, d'ailleurs. J'ai laissé tomber il y a trois jours en envoyant une lettre de démission.

Je fais claquer la balle contre le mur et m'efforce de ne penser à rien. Je me suis surprise à prier ces derniers temps, moi qui n'ai jamais été quelqu'un de très religieux. J'adresse d'interminables prières à Dieu en le suppliant d'apporter un peu de soulagement à maman, à moi des nouvelles de mon livre, et lui demandant même parfois que faire avec Stuart.

En revenant du club, je vois le Dr Neal qui s'arrête derrière moi avec sa voiture. Je l'accompagne à la chambre de maman, où papa attend, et ils referment la porte sur eux. Voilà quatre jours que maman n'a plus rejeté cette bile verdâtre. Elle mange tous les jours ses céréales et en a même redemandé.

— J'ai déjà vu cela, Eugenia, me dit le Dr Neal. Les gens bénéficient parfois d'une rémission. C'est un cadeau du Ciel, je crois. Ainsi, ils peuvent régler leurs affaires. Mais c'est tout, mon petit. N'espérez pas plus.

Ce premier vendredi de 1964, je n'y tiens plus. Je tire le téléphone dans la réserve.

— Bureau d'Elaine Stein.

— Bonjour. C'est Eugenia Phelan. Puis-je lui parler ?

— Je regrette, Miss Phelan, mais Mrs Stein ne prend aucun appel concernant sa sélection de manuscrits.

— Ah. Mais… pouvez-vous me dire si elle a bien reçu le mien ?

— Un instant, je vous prie.

Le silence. Elle revient après une minute.

— Je vous confirme que nous avons reçu votre envoi pendant les vacances. Quelqu'un de notre bureau vous fera part de la décision de Mrs Stein quand elle l'aura prise. Merci d'avoir appelé.

STUART et moi, nous nous voyons maintenant une fois par semaine. Nous sommes allés une fois au cinéma après Noël, et une autre fois dîner en ville. Mais le plus souvent il vient à la maison parce que je ne veux pas laisser maman. Avec moi, il se montre hésitant et respectueux, pour ne pas dire timide.

— Écoute, dit un jour Stuart. Je n'ai pas voulu en parler jusqu'ici mais… je sais ce qu'on raconte en ville. À ton sujet. Et je m'en fiche. Je voulais seulement que tu le saches.

Je pense aussitôt « le livre ». Mon corps tout entier se contracte.

— Qu'as-tu entendu ?

— Tu le sais bien. Ce canular que tu as monté pour Hilly.

Je me détends un peu.

— Et je comprends très bien comment les gens ont pris ça. Ils te voient comme une cinglée de libérale et te croient mêlée à toute cette agitation.

— Comment sais-tu, lui dis-je, à quoi je suis ou ne suis pas mêlée ?

— Je te connais, Skeeter, dit-il d'une voix douce. Tu es trop intelligente pour te laisser entraîner dans ce genre de chose. C'est ce que j'ai répondu.

Le samedi soir, Stuart m'emmène dîner au Robert E. Lee.

— À un nouveau départ, dit-il en levant son verre.

J'acquiesce, avec l'envie de lui répondre que tous les départs sont nouveaux. Mais je me contente de sourire et d'accompagner son toast avec mon deuxième verre de vin. Je n'ai jamais beaucoup aimé l'alcool, jusqu'à ce jour.

Il est onze heures quand nous arrivons à Longleaf. Comme la lumière est éteinte dans la chambre de mes parents, nous nous asseyons sur le canapé.

Je bâille et je me frotte les yeux. Quand je les rouvre, il tient une bague entre ses doigts.

— Oh… mon Dieu.

— Je voulais te l'offrir au restaurant mais… (Il sourit.) C'est mieux ici.

Je touche la bague. Elle est froide et magnifique. Trois rubis enchâssés autour d'un diamant. Je souris et retiens mes larmes en même temps.

— J'ai quelque chose à te dire, Stuart. Tu me promets de ne le répéter à personne ?

Il me regarde en riant.

— Minute ! Tu as dit oui ?

— Oui, mais… Tu me donnes ta parole ?

Il soupire, semble déçu de me voir gâcher ce moment.

— Bien sûr. Tu as ma parole.

J'essaye d'expliquer de mon mieux. Je lui donne tous les détails que je peux lui confier en toute sécurité sur le livre et sur ce que j'ai fait depuis un an. Je ne donne aucun nom. Il a beau m'avoir demandé ma main, je ne le connais pas assez pour lui faire totalement confiance.

Je lui apprends ensuite que le manuscrit a été envoyé à New York. Et que s'ils décident de le publier il sortira, d'après mes prévisions, dans huit mois ou peut-être plus tôt. Juste au moment, me dis-je in petto, où des fiançailles se transforment en mariage.

— Il a été écrit anonymement. Mais avec Hilly dans les parages, il y a de fortes chances pour qu'on sache que j'y suis pour quelque chose.

Son regard ne croise même pas le mien.

— Pourquoi créer des problèmes ?

— Je ne crée pas de problèmes, Stuart. Les problèmes sont déjà là.

Mais visiblement, ce n'est pas la réponse qu'il espérait.

— Je ne sais pas qui tu es.

Je baisse les yeux. Je me rappelle avoir pensé la même chose de lui.

— Je ne crois pas… que je peux épouser quelqu'un que je ne connais pas.

Il me faut un moment avant d'articuler, pour moi plus que pour lui :

— Il fallait que je te le dise. Il fallait que tu saches.

Il me regarde longuement en silence.

— Tu as ma parole. Je n'en parlerai à personne, dit-il.

Je le crois. Il se lève. Me lance un dernier regard perdu. Ramasse la bague et sort.

Ce soir-là, après son départ, j'erre de pièce en pièce, la bouche sèche, froide. À minuit, j'entends la voix de maman qui m'appelle de sa chambre.

— Eugenia ? C'est toi ?

Je longe le couloir. La porte est entrebâillée et maman est en train de s'asseoir dans sa chemise de nuit blanche empesée. Ses cheveux lui tombent sur les épaules. Je suis frappée par sa beauté.

— Maman, j'ai quelque chose à te dire. Stuart m'a demandée en mariage, dis-je avec un sourire de circonstance.

Puis je panique en pensant qu'elle va demander à voir la bague.

— Je le sais, dit-elle. Il est venu il y a quinze jours nous demander ta main.

Il y a deux semaines ? Évidemment, maman a été la première informée d'une chose aussi importante. Je suis contente qu'elle ait déjà eu tout ce temps pour s'en réjouir.

NOUS sommes le 18 janvier 1964.

— Harper & Row veut le publier, dis-je.

— C'est une blague ? dit Minny.

Aibileen pousse un *whhhooo* d'une puissance dont je ne l'aurais jamais crue capable.

— Seigneur, j'arrive pas à y croire ! crie-t-elle.

Et nous tombons dans les bras l'une de l'autre, puis c'est au tour de Minny et d'Aibileen. Minny lance un regard dans ma direction.

— Écoutez, elle m'a dit de ne pas trop m'exciter. Qu'ils allaient en faire un très, *très* petit tirage. Elle a dit aussi que l'avance était la plus petite qu'ils aient jamais versée... Huit cents dollars, dis-je. À diviser en treize.

Aibileen éclate carrément de rire. Je ne peux m'empêcher de rire avec elle. Mais c'est absurde. Quelques milliers d'exemplaires et soixante et un dollars cinquante par personne ?

Les larmes ruissellent sur le visage d'Aibileen et elle pose finalement son front sur la table.

— Je sais pas pourquoi je ris. Ça paraît tellement comique, tout d'un coup !

Minny nous regarde, lève les yeux au ciel.

— Je *savais* que vous étiez cinglées. Toutes les deux !

— Elle m'a prévenue que ça ne sortirait pas avant six mois. Vers août.

— Donc, dans six mois, on saura enfin ce qui va se passer, dit Minny. Du bon, du mauvais, ou rien du tout.

Aibileen

La chaleur est partout. Ça fait une semaine qu'on a trente-sept degrés et quatre-vingt-dix-neuf pour cent d'humidité.

On a toutes vécu dans l'attente. Moi, Minny, Miss Skeeter et toutes les bonnes qui sont dans le livre.

— Tu veux manger quelque chose, Baby Girl ? je demande, jeudi, quand elle rentre de l'école.

Ah, c'est une grande fille ! Quatre ans, déjà. Et grande pour son âge – les gens lui donnent souvent cinq ou six ans. Avec cette maman si maigre, Mae Mobley est boulotte. Et question cheveux, c'est pas ça.

Je lui donne un petit truc sans calories, c'est tout ce que Miss Leefolt m'autorise à lui faire manger. Des biscuits salés et du thon, ou de la gelée sans chantilly.

— Qu'est-ce que t'as appris aujourd'hui ? je demande.

— Rien.

— Tu l'aimes, ta maîtresse ?

— Elle est jolie.

— Bien. Toi aussi t'es jolie, Mae Mobley.

— Pourquoi t'es noire, Aibileen ?

J'ai déjà entendu quelques fois cette question dans la bouche de mes autres petits Blancs. Je me contentais de rire, mais aujourd'hui je décide de répondre.

— Parce que Dieu m'a faite noire, je dis. Et il y a pas d'autre raison au monde.

— Miss Taylor dit toujours que les enfants noirs peuvent pas venir à mon école parce qu'ils sont pas assez intelligents.

Je fais le tour du comptoir. Je lui relève le menton et je lui caresse les cheveux.

— Tu me trouves bête ?

— Non.

Elle chuchote comme pour montrer qu'elle y croit très fort.

— Qu'est-ce que ça t'apprend sur Miss Taylor, alors ?

Elle cligne des yeux pour montrer qu'elle écoute bien.

— Ça veut dire que Miss Taylor a pas toujours raison, je dis.

Elle me prend par le cou.

— Toi, t'as plus raison que Miss Taylor, Aibi.

Je fonds. C'est nouveau pour moi d'entendre ça.

À QUATRE heures, cet après-midi-là, je marche aussi vite que je peux de l'arrêt du bus à l'église. J'attends à l'intérieur, en guettant par la fenêtre. Au bout de dix minutes à essayer de reprendre mon souffle, je vois la voiture qui s'arrête. Miss Skeeter sort un grand carton qu'elle avait à l'arrière et le dépose à la porte de l'église, comme si elle venait donner des vieux habits. Elle s'arrête une seconde et elle regarde la porte, puis elle remonte dans sa voiture et elle s'en va.

Dès qu'elle est partie, je me dépêche de rentrer le carton, je sors un livre et je le regarde. Je me retiens même pas de pleurer. C'est le plus joli livre que j'aie jamais vu. La couverture est bleu pâle, couleur du ciel, avec un grand oiseau blanc – la colombe de la paix – qui va d'un bord à l'autre. Le titre, *Les Bonnes,* est écrit au milieu en lettres noires.

Demain, je porterai des exemplaires à toutes les femmes qui nous ont donné leur témoignage. Miss Skeeter en portera un pour Yule May au pénitencier d'État. C'est beaucoup à cause d'elle que les autres bonnes ont accepté de participer. J'emporte le gros carton chez moi, je sors un livre et je pousse le carton sous mon lit. Puis je cours chez Minny.

Le livre sera demain dans les librairies. Deux mille cinq cents exemplaires pour le Mississippi et l'autre moitié dans tous les États-Unis. C'est bien plus que ce que Mrs Stein avait annoncé, mais maintenant que les marches pour la liberté ont commencé, et depuis que des militants des droits civiques ont disparu ici, dans le Mississippi, elle dit que les gens s'intéressent de plus en plus à ce qui se passe dans notre État.

— Il y aura combien d'exemplaires à la bibliothèque des Blancs de Jackson ? demande Minny. Zéro ?

— Trois exemplaires. Miss Skeeter me l'a dit au téléphone ce matin.

Même Minny a l'air de pas en revenir. Ça fait à peine deux mois que la bibliothèque blanche laisse entrer les Noirs. J'y suis déjà allée deux fois.

Minny ouvre le livre et se met à lire. Je m'assois un moment avec elle. Elle sourit de temps en temps. Elle rit un peu. Mais surtout, elle grogne. Je lui demande pas pourquoi. Je la laisse avec son livre et je rentre chez moi. Ensuite j'écris toutes mes prières. Je me couche avec le livre sur l'oreiller à côté de ma tête.

Le mercredi, pas une seule personne pour acheter un exemplaire à la librairie blanche. À celle de Farish Street ils disent qu'ils en ont vendu une douzaine, ce qui est bien. Mais c'est peut-être les autres bonnes qui les achètent pour leurs amis.

Le jeudi, septième jour, avant que je parte pour aller au travail mon téléphone sonne.

— J'ai des nouvelles, chuchote Miss Skeeter. Mrs Stein m'a appelée pour me dire qu'on va passer à l'émission de Dennis James.

— L'émission *People Will Talk*[1] ? À la télé ?

— Oui, sur Channel 3 jeudi prochain à une heure.

Le vendredi soir, une semaine après la sortie du livre, je me prépare pour aller à l'église. Le diacre Thomas m'a appelée dans la matinée. Il voulait savoir si je pouvais venir à la réunion spéciale qu'ils organisent, mais quand je lui ai demandé à quel sujet il a répondu qu'il était pressé et devait raccrocher.

Dès qu'on a passé l'entrée, Minny et moi, un des frères Brown se précipite pour fermer à clé derrière nous. Et les trente et quelques

1. Littéralement : Les gens vont (en) parler.

paroissiens qui sont dans la salle se mettent à applaudir. Minny et moi, on applaudit avec eux. On se dit que quelqu'un a été reçu à la fac ou un truc comme ça.

— Qui on applaudit ? je demande à Rachel Johnson, la femme du révérend.

Elle éclate de rire, puis elle se penche vers moi.

— C'est toi qu'on applaudit, ma chérie.

Elle plonge dans son sac et sort le livre. Je regarde tout autour et ils ont tous un livre à la main. Tous les responsables et les diacres de l'église sont là.

Le révérend Johnson vient vers moi.

— Aibileen, c'est un moment important pour vous et pour l'église. Sachez que, pour votre sécurité, ce sera ce soir la seule fois où l'église vous dira sa reconnaissance pour ce que vous avez fait. Je sais que de nombreuses personnes vous ont aidée pour ce livre, mais on m'a dit que sans vous il n'aurait jamais vu le jour.

Je souris à Minny, et je comprends qu'elle est derrière tout ça.

Il me tend le livre.

— Sachant que vous ne pouviez pas le signer de votre nom, nous l'avons tous signé pour vous.

Je l'ouvre et je vois non pas trente ou quarante noms mais des centaines, peut-être cinq cents, sur la première page après la couverture et sur la suivante, et encore la suivante, et sur celles de la fin, et à l'intérieur dans les marges. Il y a tous ceux de mon église et aussi des gens d'autres églises. Alors, je craque. Deux années de travail, d'efforts et d'espoir me reviennent d'un coup.

— Il risque d'y avoir des moments difficiles, me dit le révérend Johnson. Si c'est le cas, l'église vous apportera toute l'aide possible.

Le révérend me tend une boîte emballée dans du papier blanc avec du ruban bleu autour, les couleurs du livre. Il pose la main dessus comme pour une bénédiction.

— Celui-là, c'est pour la dame blanche. Dites-lui que nous l'aimons comme quelqu'un de notre famille.

Le jeudi, je me réveille avec le soleil et je pars au travail de bonne heure. C'est un grand jour. Je me dépêche de faire ce que j'ai à faire dans la cuisine. À une heure, j'installe mon repassage devant la télé de Miss Leefolt et je la mets sur Channel 3.

Enfin, c'est l'heure. Dennis James arrive. Il commence par nous dire de quoi il va parler aujourd'hui. Ce type a l'accent du Sud et j'ai jamais entendu personne parler aussi vite. Et à une heure vingt-deux une femme vient s'asseoir à côté de lui. Elle s'appelle Joline French et c'est une critique littéraire.

À cette seconde, Miss Leefolt rentre. Elle s'est habillée pour la Ligue et elle fonce tout droit dans le salon.

— Que je suis contente que cette vague de chaleur soit passée, j'en sauterais de joie !

Je veux faire celle qui est d'accord avec elle mais je sens bien que j'ai la figure raide tout d'un coup.

— Je... attendez, je vais éteindre ça.

— Non, laissez ! s'exclame Miss Leefolt. C'est Joline French qui passe ! Je vais prévenir Hilly.

Elle file à la cuisine, elle prend le téléphone et elle tombe sur Ernestine, la troisième bonne de Miss Hilly en un mois. Elle a plus qu'un bras, Ernestine. Question recrutement, ça devient de plus en plus dur pour Miss Hilly.

— Ernestine, c'est Miss Elizabeth... Ah, elle n'est pas là ? Eh bien, dès qu'elle rentre dites-lui que notre copine de la fac passe à la télé...

Miss Leefolt revient ventre à terre dans le salon et se met sur le canapé, mais ils passent de la publicité. J'ai du mal à respirer. Qu'est-ce qui lui prend ? On a jamais regardé la télé ensemble.

La publicité finit d'un coup. Et voilà Mister Dennis avec mon livre à la main ! Il brandit le livre et il met son doigt sur le mot « Anonyme ». J'ai plus de fierté que de peur pendant deux secondes. J'ai envie de crier « C'est mon livre à la télé ! »

— ... intitulé *Les Bonnes*, avec d'authentiques témoignages de domestiques du Mississippi...

— Ah ! je voudrais que Hilly soit chez elle ! Qui pourrais-je appeler ? Regardez les adorables chaussures qu'elle a ! Je suis sûre qu'elle les a achetées chez Papagallo.

« S'il te plaît, ferme-la ! » Je monte un peu le son, puis je regrette d'avoir fait ça. Et s'ils se mettaient à parler d'elle ? Elle reconnaîtrait sa propre vie, Miss Leefolt ?

— ... lu hier soir et c'est maintenant ma femme qui le lit...

Mister Dennis parle comme un commissaire-priseur, en riant,

avec les sourcils qui montent et qui descendent, et en montrant notre livre...

— C'est réellement touchant. Éclairant, dirais-je. Les auteurs l'ont situé dans la cité fictive de Niceville, mais qui sait ? Ce pourrait être Jackson !

Pardon ?

Je suis paralysée, je sens un picotement dans ma nuque. Je vois Mister Dennis qui rit et qui cause alors que la Miss Joline se congestionne et tourne au rouge vif. Elle en bafouille presque.

— ... une honte pour le Sud ! Une honte pour les femmes du Sud qui ont passé leur vie à prendre soin de leurs bonnes !

Miss Leefolt pousse un gémissement.

— Pourquoi elle fronce les sourcils comme ça, à la télé ? Joline !

Elle se penche en avant pour tapoter l'écran sur le front de Miss Joline.

— Joline ! Ne fronce pas les sourcils ! Ça t'enlaidit !

— Joline, avez-vous lu la fin ? Cette histoire de tarte ? Si Bessie Mae, ma bonne, écoute... Bessie Mae, j'ai du respect pour le travail que vous accomplissez jour après jour. Mais je me passerai désormais de tarte au chocolat !

Mais Miss Joline brandit le livre comme si elle voulait le brûler.

— N'achetez pas ce livre ! Habitantes de Jackson, n'encouragez pas ces calomnies avec l'argent durement gagné par vos époux...

Et puis *paf*, une autre page de publicité.

Miss Leefolt se tourne vers moi.

— De quoi parlaient-ils ?

Je réponds pas. J'ai le cœur qui galope.

— Mon amie Joline avait un livre à la main, n'est-ce pas ?

— Oui, ma'am.

— C'était quoi, le titre ? *Les Bonnes*, quelque chose comme ça ?

J'appuie sur un col de chemise à Mister Raleigh avec la pointe de mon fer. Il faut que j'appelle Minny, et Miss Skeeter, pour savoir si elles ont entendu. Mais Miss Leefolt reste plantée devant moi en attendant que je réponde et je sais qu'elle laissera pas tomber.

— Ils n'ont pas dit que ça parlait de Jackson ?

Je lève pas le nez de mon repassage.

— Il me semble qu'ils ont dit Jackson. Mais pourquoi ne veulent-ils pas qu'on l'achète ?

Une seconde après c'est la fin de la publicité et revoilà Mister Dennis James avec le livre et Miss Joline toujours aussi rouge.

— C'est tout pour aujourd'hui, il dit, mais n'oubliez pas d'acheter ou de commander vos exemplaires des *Bonnes* à notre sponsor, la librairie de State Street. Et voyez par vous-même si on y parle ou non de Jackson !

Puis la musique arrive et il crie :

— Au revoir, le Mississippi !

Miss Leefolt se tourne vers moi et elle dit :

— Vous voyez ? Je vous ai bien dit qu'il avait parlé de Jackson !

Et cinq minutes plus tard elle est déjà dehors pour s'acheter le livre que j'ai écrit sur elle.

Minny

J'AI envie d'appeler ce Dennis James au téléphone et de lui dire, « Qu'est-ce que vous avez, à répandre des mensonges comme ça ? Vous pouvez pas dire à tout le monde que notre livre est sur Jackson ! »

Je fonce à la cuisine pour appeler Aibileen, mais après deux essais c'est toujours occupé. Je me demande pour la millionième fois ce qui va se passer quand Miss Hilly lira le dernier chapitre. Elle a intérêt à se mettre au travail tout de suite pour dire à tout le monde que ça se passe pas chez nous.

Le téléphone sonne et je me précipite pour décrocher. C'est Aibileen.

— Ah ! Minny ! Ils ont deviné pour la ville, en un rien de temps ils auront deviné pour les personnes.

— C'est un crétin, ce type, voilà ce que c'est !

— Je viens d'avoir Louvenia, dit Aibileen tout doucement. Miss Lou Anne est rentrée chez elle avec un exemplaire pour elle et un autre pour sa meilleure amie, Hilly Holbrook.

Nous y voilà.

LE lendemain matin, je me gare devant la maison. La première chose que je vois, c'est la camionnette de Mister Johnny. J'attends un peu dans ma voiture. Il est jamais là quand j'arrive.

Je rentre, je me plante au milieu de la cuisine et je regarde. Quelqu'un a déjà fait du café. J'entends une voix d'homme dans la salle à manger. Il se passe quelque chose.

Je m'approche de la porte. C'est bien Mister Johnny qui est encore chez lui à huit heures trente du matin un jour de semaine, et une voix dans ma tête me dit : « Repasse vite cette porte. » Miss Hilly l'a appelé pour lui dire que j'étais une voleuse. Et il sait, pour le livre.

— Minny ?

C'est Miss Celia qui appelle.

Je pousse la porte battante, tout doucement, et je jette un œil. Miss Celia est assise au bout de la table et Mister Johnny à côté d'elle. Ils lèvent la tête quand j'arrive.

— Je lui ai dit, pour le bébé, dit Miss Celia. Pour tous les bébés.

— Minny, sans vous je la perdais, dit Mister Johnny en me prenant les mains. Dieu merci, vous étiez là !

Je regarde Miss Celia et elle a des yeux morts. Je sais déjà ce que le docteur lui a dit. Il y aura plus de bébés. Mister Johnny me presse les mains, puis il va vers elle. Il se laisse glisser au pied de sa chaise et il met la tête sur ses genoux. Elle lui caresse les cheveux.

— Ne me quitte pas. Ne me quitte jamais, Celia.

Il pleure.

— Dis-le-lui, Johnny. Répète à Minny ce que tu m'as dit.

Mister Johnny relève la tête. Il a les cheveux tout ébouriffés.

— Vous aurez toujours du travail ici, Minny. Pour le reste de votre vie si vous le désirez.

Je tends la main vers la porte, mais Miss Celia dit, d'une voix douce comme tout :

— Restez un peu ici, Minny. Vous voulez bien ?

Je m'appuie à la porte. Il pleure. Elle pleure. On est trois imbéciles à pleurer dans cette salle à manger.

J'ARRÊTE pas de laisser tomber des choses ce soir, j'ai cassé mon dernier verre doseur et Leroy m'a lancé un de ces regards… Pour le moment, les gosses sont tous dans la cuisine en train de faire leurs devoirs.

Je fais un bond en voyant Aibileen derrière la porte moustiquaire. Elle met un doigt sur ses lèvres et elle me fait signe de la tête. Puis elle disparaît. Je file derrière la porte moustiquaire.

Aibileen attend sur le côté de la maison dans son uniforme blanc.

— Qu'est-ce qui se passe ?

— Ernestine la manchote a appelé et elle a dit que Miss Hilly parle à toute la ville de celles qui ont écrit le livre. Elle dit aux patronnes blanches de renvoyer leurs bonnes et elle sait même pas de qui elle parle !

Aibileen a l'air complètement tourneboulée, elle en tremble.

— Miss Hilly a dit à Miss Lou Anne : « Ta Louvenia, elle est dans le coup. Je le sais et il faut que tu la renvoies. Tu devrais la faire mettre en prison, cette négresse. »

— Mais elle a jamais rien dit de mal sur Miss Lou Anne, Louvenia ! Et elle a Robert à s'occuper ! Qu'est-ce qu'elle a répondu, Miss Lou Anne ?

Aibileen se mord la lèvre. Elle secoue la tête et je vois les larmes qui coulent sur sa figure.

— Elle a répondu… qu'elle allait réfléchir.

— À quoi ? Au renvoi ou à la prison ?

Aibileen hausse les épaules.

— Aux deux, je pense.

— Jésus-Christ !

J'ai envie de donner des coups de pied dans quelque chose. Dans *quelqu'un*. Aibileen regarde vers la porte et je vois Leroy qui nous espionne derrière la moustiquaire. Il reste là sans rien dire jusqu'à ce qu'Aibileen s'en aille.

— C'est quoi le grand secret, Minny ?

Je bronche pas.

— Tu sais bien que je le saurai. Je finis toujours par savoir.

Les gens pensent sûrement que ça m'est égal s'il le sait – ah, je me doute bien de ce qu'ils pensent, les gens ! Ils pensent que la terrible Minny, elle est assez forte pour se défendre toute seule. Mais ils savent pas comme je suis lamentable dès que Leroy commence à taper. J'ose pas rendre les coups. J'ai peur qu'il me laisse si je fais ça. Comment je peux aimer un homme qui me bat comme plâtre ? Un jour, je lui ai demandé :

— Pourquoi ? Pourquoi tu me frappes ?

Il s'est penché et il m'a regardée bien en face.

— Si je te frappais pas, Minny, qui *sait* ce que tu deviendrais ?

Qui *sait* ce que je deviendrais si Leroy arrêtait de me battre.

Miss Skeeter

J'OUVRE les yeux. Je halète. Je suis en nage. Qu'est-ce qui m'a réveillée ? Ce n'était pas ma mère. Ce n'était pas un cri aigu. C'était un cri semblable au bruit d'une pièce de tissu que l'on déchire en deux.

Je m'assieds sur mon lit, la main pressée sur le cœur. Rien ne se passe comme nous l'avions prévu. Les gens savent que le livre parle de Jackson. Une bonne, Annabelle, a été renvoyée, des Blanches échangent des rumeurs sur Aibileen et Louvenia, et Dieu sait sur qui d'autre encore. Et si ce livre était une épouvantable erreur ?

Je me recouche et regarde les premiers rayons du soleil poindre à la fenêtre. Ce cri déchirant, je m'en rends compte maintenant, c'était *moi*.

J'ATTENDS au drugstore Brent, tandis que Mr Roberts se penche sur l'ordonnance. Maman dit qu'elle n'a plus besoin de médicaments. S'il a fallu que je renoue une énième fois avec Stuart pour lui rendre le goût de vivre, le fait de me voir à nouveau seule l'a encore plus stimulée. Elle était visiblement déçue de notre rupture, mais a superbement rebondi.

La clochette retentit à l'entrée du magasin. J'aperçois Elizabeth et Lou Anne Templeton et je recule vers les crèmes de beauté en espérant qu'elles ne me verront pas. Elles se dirigent vers le coin déjeuner, serrées l'une contre l'autre comme des écolières. Lou Anne arbore son habituelle tenue d'été à manches longues et son éternel sourire. Je me demande si elle sait qu'elle est dans le livre, elle aussi.

Elizabeth a les cheveux bouffants sur le front et le reste du crâne caché sous un foulard, le foulard jaune que je lui ai offert pour ses vingt-trois ans. Elle a lu hier soir jusqu'au chapitre dix, m'a dit Aibileen, et ne se doute toujours pas une seconde que ce qu'elle lit parle d'elle et de ses amies.

— Skeeter ? appelle Mrs Roberts. La prescription de votre maman est prête !

Pour sortir, je dois passer derrière Elizabeth et Lou Anne. Elles me tournent le dos mais je vois leurs regards qui me suivent dans le miroir. Je paie pour les médicaments et repars à travers les rayons. Au moment où je tente de fuir par le fond du magasin, Lou Anne Templeton surgit derrière les brosses à cheveux.

— Skeeter, dit-elle, tu as une minute ?

La surprise me cloue sur place.

— Euh, bien sûr…

Lou Anne jette un coup d'œil au-delà de la vitrine et j'aperçois Elizabeth qui rejoint sa voiture, un milk-shake à la main.

— Ça fait longtemps que nous ne nous sommes pas parlé, mais j'ai pensé qu'il fallait que tu saches ce que Hilly dit partout. Elle dit que c'est toi qui as écrit le livre… sur les bonnes.

— Il paraît que c'est un ouvrage anonyme.

Les librairies ont été dévalisées et il y a une liste d'attente de deux mois à la bibliothèque.

— Je ne veux pas savoir si c'est vrai, mais, Hilly… Hilly m'a appelée l'autre jour pour me dire de renvoyer Louvenia, ma bonne. (Elle serre les mâchoires, fait non de la tête.) Tu sais Skeeter, Louvenia… c'est grâce à elle que j'arrive encore à me lever certains jours.

Je ne réponds pas. C'est peut-être un piège ourdi par Hilly.

— Je sais ce que tu penses. Que je suis idiote… que j'approuve tout ce que dit Hilly. (Ses yeux s'emplissent de larmes, sa lèvre tremble.) Les médecins veulent que j'aille à Memphis pour… un *traitement de choc*… Pour la dépression et à cause de… des tentatives, dit-elle d'une voix à peine audible.

Je regarde les manches longues et je me demande si c'est cela qu'elle cache. J'espère me tromper, mais je frissonne.

— Skeeter, Louvenia est la femme la plus courageuse que je connaisse. Malgré ses propres malheurs, elle prend le temps de me parler. Elle m'aide jour après jour à tenir le coup. J'ai lu ce qu'elle a écrit sur moi, sur ce que j'ai fait pour son petit-fils, et je ne m'étais jamais sentie aussi reconnaissante. Je veux simplement que tu saches que je ne renverrai jamais Louvenia. Si Hilly Holbrook insiste, je lui dirai en face qu'elle a bien mérité cette tarte, et plus encore.

— Comment… qu'est-ce qui te fait penser qu'il s'agit de Hilly ?

Notre protection, notre assurance n'existe plus si le secret de la tarte est éventé.

— C'était peut-être elle, ou peut-être pas. Mais c'est ce qui se raconte. (Lou Anne secoue la tête.) Ce matin, pourtant, je l'ai entendue dire que ce livre ne parlait pas de Jackson. Va savoir pourquoi.

Je reprends mon souffle et murmure :

— Dieu merci !

Elle pivote en direction de la porte, mais se retourne vers moi en l'ouvrant.

— Et je vais te dire autre chose, Skeeter. Hilly Holbrook n'aura pas ma voix à l'élection de la présidente de la Ligue en janvier prochain. Ni jamais, d'ailleurs.

Sur ce, elle s'en va, saluée par un tintement de clochette.

Je regarde Lou Anne qui se hâte sur le parking et je pense : « Il y a chez un être tant des choses que nous ignorons… » Je me demande si je n'aurais pas pu l'aider un tant soit peu à passer ses journées, si j'avais essayé. Si j'avais essayé d'être un peu plus gentille avec elle. N'était-ce pas le sujet du livre ? Amener les femmes à comprendre. *Nous sommes simplement deux personnes. Il n'y a pas tant de choses qui nous séparent. Pas autant que je l'aurais cru.*

Mais Lou Anne avait compris le sujet du livre avant même de l'avoir lu. Celle qui ne comprenait pas, en l'occurrence, c'était moi.

C'EST mercredi. Demain j'apporte au journal ma chronique de Miss Myrna, rédigée il y a six semaines. Comme je n'avais rien à faire, je me suis mise à les préparer d'avance et j'en ai deux douzaines toutes prêtes. Après cela, il n'est rien resté pour m'occuper l'esprit.

Parfois, quand je m'ennuie, je ne peux m'empêcher de penser à ce que serait ma vie si je n'avais pas écrit ce livre.

J'enfile mes sandales et vais marcher dans la nuit tiède. La lune est pleine et il y a juste assez de lumière. J'ai oublié de regarder dans la boîte aux lettres ce matin alors que je suis la seule à le faire chaque jour. Je l'ouvre. Il n'y a qu'une seule lettre. Elle vient de Harper & Row, c'est certainement Mrs Stein. Je suis étonnée qu'elle m'écrive ici alors que tout ce qui concerne le livre et les contrats arrive dans une boîte postale. Comme il fait trop sombre pour lire, je glisse l'enveloppe dans la poche de mon jean.

Je coupe à travers le verger en foulant l'herbe tendre et en évitant les premières poires qui sont déjà tombées. C'est à nouveau septembre et je suis ici. Encore. Même Stuart est parti. Il a transféré sa compagnie pétrolière à La Nouvelle-Orléans.

J'entends rouler sur le gravier. Une voiture arrive dans l'allée mais, je ne sais pourquoi, elle avance tous feux éteints.

Je regarde Hilly arrêter l'Oldsmobile devant la maison et couper le contact. Elle reste à l'intérieur. Appuyée au volant, elle semble chercher à savoir qui est là. Que veut-elle, bon Dieu ?

Je m'avance lentement à travers le jardin. Elle allume une cigarette, jette l'allumette dans notre allée par la vitre baissée.

— Tu attends quelqu'un ?

Hilly sursaute et lâche sa cigarette sur le gravier. Elle s'extrait de la voiture, claque la portière et recule face à moi.

— Ne t'approche pas d'un centimètre, dit-elle.

Je reste donc où je suis et me contente de la regarder. Qui ne la regarderait pas ? Elle est complètement décoiffée. Son chemisier est à moitié ouvert, ses bourrelets tirant dangereusement sur les boutonnières. Et elle a un vilain bouton de fièvre à la commissure des lèvres. Enflammé sous la croûte. Je ne lui en avais pas vu de semblable depuis la fac, après que Johnny avait rompu avec elle.

— Hilly, pourquoi es-tu ici ?

— Pour te dire que j'ai pris contact avec mon avocate, qui est aussi la spécialiste numéro un en matière de diffamation dans le Mississippi, et que tu es dans de sales draps, miss. Tu sais que tu vas aller en prison ?

— Tu ne peux rien prouver, Hilly.

J'ai déjà discuté de cette question avec le service juridique de Harper & Row.

— Je sais que c'est toi, parce que tu es la personne la plus vulgaire de cette ville. Tu t'acoquines avec des nègres…

Comment avons-nous pu être amies ? C'est sidérant. Je songe à rentrer et à fermer la porte à clé. Mais elle tient une enveloppe, ce qui m'inquiète.

— Je sais qu'il y a eu beaucoup de bavardages en ville, Hilly, et toute sorte de rumeurs…

— Oh, ce ne sont pas les bavardages qui me gênent ! Tout le monde sait qu'il ne s'agit pas de Jackson.

Elle agite l'enveloppe dans ma direction.

— Je suis ici pour informer ta mère de ce que tu as *fait*.

— Tu veux parler de moi à ma *mère* ?

Je ris mais à vrai dire, maman ne sait rien de tout cela. Et je ne veux pas que ça change. Si ça la faisait rechuter ?

— J'en ai bien l'intention.

Hilly monte les marches, la tête haute.

Je la suis de près jusqu'à la porte d'entrée. Hilly l'ouvre et entre dans la maison comme chez elle.

Maman apparaît à l'angle du mur.

— Tiens, Hilly !

Elle a son peignoir de bain et sa canne tremble quand elle marche.

— Il y avait si longtemps, ma chère !

Hilly cille à plusieurs reprises. Je ne sais si elle est plus choquée par l'apparence de ma mère que ma mère par la sienne. Les beaux cheveux bruns de maman sont désormais blancs et clairsemés. La main qui tremble sur sa canne paraît sans doute squelettique à quelqu'un qui ne l'a pas vue depuis longtemps. Pire, elle n'a pas toutes ses dents, seulement celles de devant, ce qui lui fait des joues creuses, affreuses à voir.

— Mrs Phelan, je suis venue pour…

— Hilly, vous êtes malade ? Vous avez une sale mine !

Hilly se passe la langue sur les lèvres.

— Ma foi, je… je n'ai pas eu le temps de m'arranger avant de…

— Hilly, *ma chérie !* Aucun jeune mari n'a envie de voir *ça*. Regardez vos cheveux… Et ceci… (Maman fronce les sourcils en scrutant l'affreux bouton de plus près.) Ce n'est pas très seyant, ma chérie.

Maman pointe le doigt vers moi.

— Demain j'appelle Fanny Mae et je prends rendez-vous pour vous deux.

— Mrs Phelan, ce n'est pas…

— Ne me remerciez pas, dit maman. Sur ce, je vais me coucher.

Et maman de repartir cahin-caha vers sa chambre.

— Ne traînez pas trop, les filles !

Hilly reste plantée une seconde, bouche bée. Puis elle repart vers la porte, l'ouvre à la volée et sort. La lettre n'a pas quitté sa main.

— Tu es dans de sales draps, Skeeter, et pour la vie, me dit-elle d'une voix sifflante, la bouche serrée comme un poing. Et tes négresses !

— Mais de qui veux-tu parler, Hilly ? dis-je. Tu ne sais rien.

— Ah bon ? Je ne sais rien ? Cette Louvenia, par exemple ? Je me suis occupée d'elle. Celle-là, Lou Anne est prête à lui régler son compte. Et dis à cette Aibileen que la prochaine fois qu'elle veut écrire quelque chose sur ma chère amie Elizabeth, elle s'abstienne de…

Elle s'interrompt avec un sourire cruel. J'ai envie de la frapper en entendant le nom d'Aibileen. Mais elle continue.

— Disons simplement qu'Aibileen aurait pu être plus maligne et ne pas parler de la fente en forme de L dans la table d'Elizabeth.

Comment ai-je pu être assez bête pour laisser passer ça ?

— Et ne crois pas que j'oublie Minny Jackson. J'ai de *magnifiques* projets pour cette négresse.

— Fais attention, Hilly, dis-je entre mes dents. Ce n'est pas le moment de te trahir si tu ne veux pas mourir de ridicule.

Elle me fixe avec des yeux exorbités.

— Ce n'est pas moi qui ai mangé cette tarte !

Puis elle tourne les talons et part vers sa voiture.

— Dis à ces négresses qu'elles ont intérêt à regarder derrière elles. Elles verront ce qui va leur arriver !

Je compose le numéro d'Aibileen d'une main tremblante. J'emporte l'appareil dans la réserve et ferme la porte. De l'autre main, je tiens la lettre de Harper & Row. On croirait qu'il est minuit mais il n'est que huit heures et demie.

Aibileen décroche et je lâche tout à trac :

— Hilly est venue ici ce soir et elle *sait*.

— Minny est ici, dit Aibileen.

— Eh bien, je crois qu'il faut qu'elle sache, elle aussi.

Mais j'aurais préféré qu'Aibileen la mette au courant plus tard, sans moi. Je raconte la descente de Hilly ici, puis j'attends qu'elle ait tout répété à Minny. C'est encore pire de l'entendre par sa voix.

— C'est cette fente dans la table d'Elizabeth, dis-je. C'est à cause de ça que Hilly a compris.

— Seigneur, cette fente ! Et c'est moi qui en ai parlé ? J'arrive pas à le croire.

— C'est moi qui n'aurais jamais dû laisser passer ce détail. Si vous saviez comme je m'en veux, Aibileen !

— Vous croyez que Miss Hilly va dire à Miss Leefolt que j'ai écrit sur elle ?

— Elle peut pas ! hurle Minny. Si elle fait ça, elle reconnaît qu'on parle bien de Jackson !

Je comprends à quel point le plan de Minny pour faire taire Hilly était bon.

— Elle a raison, dis-je. Je crois que Hilly est terrifiée, Aibileen. Elle ne sait plus quoi faire. Elle est allée jusqu'à menacer de me dénoncer à ma *mère*.

— Je crois que tout ce qu'on peut faire, c'est attendre.

Mais je sens Aibileen inquiète.

Ce n'est peut-être pas le meilleur moment pour lui donner l'autre nouvelle, mais je ne peux pas la garder pour moi.

— J'ai reçu… une lettre aujourd'hui. De chez Harper & Row. J'ai cru que c'était de Mrs Stein, mais c'est une offre de travail au *Harper's Magazine*, à New York. Comme… assistante d'édition. Je suis pratiquement sûre que c'est Mrs Stein qui m'a trouvé ça.

— C'est formidable ! s'exclame Aibileen. Minny, Miss Skeeter a reçu une offre d'emploi à New York !

— Aibileen, je ne peux pas l'accepter. Je voulais seulement que vous le sachiez. Je…

— Comment ça, vous pouvez pas accepter ? C'était votre rêve !

— Je ne peux pas m'en aller maintenant, alors que les choses se passent de plus en plus mal. Je ne vous laisserai pas.

Je l'entends qui chuchote pour Minny :

— Elle dit qu'elle va refuser.

— Miss Skeeter, reprend Aibileen, je veux pas vous retourner le couteau dans la plaie, mais…

J'entends qu'on parle à voix basse et c'est soudain la voix de Minny qui retentit dans l'appareil.

— Écoutez-moi, Miss Skeeter. Moi je vais m'occuper d'Aibileen, et elle s'occupera de moi. Mais vous, vous avez plus rien que des ennemis à la Ligue et une maman qui va finir par vous rendre alcoolique. Vous avez coupé tous les ponts, comme on dit. Et vous trouverez *jamais* un autre fiancé dans cette ville et tout le monde le sait. Alors traînez pas pour filer à New York, *courez-y* !

Et Minny de me raccrocher au nez. Je contemple le récepteur muet que je tiens dans une main, la lettre que je tiens dans l'autre. *Vraiment ?* C'est la première fois que je l'envisage pour de bon. *En seraije capable ?*

Minny a raison. Je n'ai plus rien ici, que ma mère et mon père, et nos rapports ne peuvent que se dégrader si je reste avec eux, mais…

Adossée aux étagères, je ferme les yeux. Je pars. Je pars pour New York.

Aibileen

Il y a des drôles de taches aujourd'hui sur les couverts en argent de Miss Leefolt. Ça doit être à cause de l'humidité dans l'air. Je fais le tour de la table de bridge et je frotte encore une fois chaque couvert, et je vérifie qu'ils sont tous bien là. Tit'homme, le frère de Mac Mobley, s'est mis à chiper des choses, des cuillères, des dessous-de-bouteille et des épingles à cheveux. Il les planque dans sa couche. Un changement de couche, des fois, ça tourne à la chasse au trésor.

Le téléphone sonne et je vais dans la cuisine pour répondre.

— J'ai attrapé un petit truc au passage, aujourd'hui, dit Minny. Miss Renfroe dit qu'elle *sait* que c'est Miss Hilly qui a mangé de cette tarte.

Minny glousse mais mon cœur bat déjà dix fois plus vite.

— Mon Dieu, dans dix minutes elle est ici, Miss Hilly. Elle a intérêt à éteindre le feu vite fait.

Ça me fait drôle de penser qu'on est dans son camp pour cette fois. Ça m'embrouille.

— Et Miss Clara, elle sait pour Fanny Amos.

— Elle l'a virée ?

Miss Clara a envoyé le fils de Fanny Amos à la fac, ça fait partie des belles histoires.

— Non, non ! Elle est restée la bouche ouverte et le livre à la main.

— Dieu merci ! Rappelle-moi si tu entends encore des choses.

Quelques minutes plus tard, c'est la sonnette de l'entrée. Je fais celle qui a rien entendu. J'ai trop peur de voir la tête de Miss Hilly après ce qu'elle a dit à Miss Skeeter. J'en reviens pas d'avoir parlé de cette fente. Je vais dans mes toilettes et je m'assois.

En revenant, j'entends toutes ces dames qui parlent à la table de bridge. C'est la voix de Miss Hilly la plus forte. Je colle mon oreille à la porte de la cuisine. J'ai peur d'y aller.

— … Niceville n'est *pas* Jackson ! Ce livre, c'est de la saleté, et rien d'autre ! Je suis sûre que c'est une négresse qui a fait ça !

J'entends un raclement de chaise et je comprends que Miss Leefolt vient me chercher. Faut y aller.

J'ouvre la porte. J'ai le pichet de thé glacé à la main. Je fais le tour de la table. Je regarde la pointe de mes souliers.

— Il paraît que celle qui s'appelle Betty pourrait bien être Charlene, dit Miss Jeanie en ouvrant ses grands yeux.

À côté d'elle, Miss Lou Anne regarde comme si tout ça lui était égal. Miss Leefolt, je sais pas ce qu'elle pense, à part qu'elle a son air renfrogné comme d'habitude. Mais Miss Hilly, elle est pas rouge, elle est carrément violette comme une prune.

— Et la bonne du chapitre quatre ? continue Miss Jeanie. J'ai entendu dire par Sissy Tucker que…

— Ce livre *ne parle pas de Jackson* ! hurle Miss Hilly.

Je suis obligée de rester tard chez Miss Leefolt. Pendant que Mae Mobley dort, je sors mon cahier de prières et j'écris ma liste. Je suis rudement contente pour Miss Skeeter. Elle a appelé ce matin pour dire qu'elle avait accepté cette place. Elle déménage à New York dans une semaine ! Mais Seigneur, je peux pas m'empêcher de sursauter chaque fois que j'entends un bruit en pensant que c'est Miss Leefolt qui rentre et qui va me dire qu'elle connaît la vérité.

Une fois chez moi, je suis trop nerveuse pour me mettre au lit. Je vais jusque chez Minny en marchant dans le noir. Elle est assise à sa table avec le journal.

Je tire une chaise pour m'asseoir.

— Je voudrais savoir ce qui va se passer, c'est tout, je dis. D'accord, je devrais être contente que ça m'ait pas encore explosé à la figure, mais c'est d'attendre qui me rend folle.

— Ça va arriver. Bientôt, dit Minny comme si on parlait du café qu'on boit.

— Minny, comment tu fais pour être aussi calme ?

Elle me regarde.

— Miss Chotard, chez qui Willie Mae est placée, tu la connais ? Hier, elle a demandé à Willie Mae si elle la traitait aussi mal que cette affreuse patronne du livre. Alors Willie Mae lui a dit tout ce que les autres patronnes blanches lui avaient déjà fait, le bien comme le mal, et Miss Chotard l'a écoutée. Willie May dit que depuis trente-sept ans qu'elle travaille là, c'était la première fois qu'elles étaient assises ensemble à la même table.

À part Louvenia et Miss Lou Anne, c'est la première chose positive que j'entends dire. J'essaye de m'en réjouir. Mais je reviens vite au moment présent.

— Et Miss Hilly ?

Minny pose son journal.

— Écoute, Aibileen, je vais pas te mentir. J'ai peur que Leroy me tue s'il apprend ce que j'ai fait. J'ai peur que Miss Hilly vienne mettre le feu à ma maison. Mais… (Elle secoue la tête.) Je peux pas expliquer ça. C'est quelque chose que je sens. Peut-être que tout se passe comme ça doit se passer. Mon Dieu, je commence à parler comme toi, c'est ça ? Je dois me faire vieille.

Minny replonge dans son journal mais au bout d'un moment je comprends qu'elle lit pas. Elle regarde les mots mais elle pense à autre chose. On entend une portière qui claque dehors et elle sursaute. Et je vois bien l'inquiétude qu'elle essaye de cacher. Mais pourquoi ? je me demande. Pourquoi *me* la cacher ?

Plus je la regarde, plus je comprends ce qui se passe ici, ce que Minny a fait. Je sais pas pourquoi c'est seulement maintenant que j'y pense : Minny a sorti cette histoire de tarte pour nous protéger. Pas pour se protéger elle, mais moi et les autres bonnes. Elle savait que ça serait encore pire entre Miss Hilly et elle. Mais elle l'a fait quand même, pour toutes les autres. Et personne doit savoir qu'elle a peur.

Je lui prends la main.

— T'es quelqu'un de bien, Minny.

Elle lève les yeux au ciel.

— Je savais bien que tu devenais gaga, elle dit.

Le lundi matin, je m'occupe de l'argenterie de Miss Hilly. Miss Leefolt a emprunté huit séries de couverts en argent à Miss Hilly pour un dîner. Je passe une heure à frotter pour que ça brille.

En rentrant, Miss Leefolt pose son sac sur la table.

— Ah ! Je voulais rapporter cette argenterie mais je suis en retard pour mon rendez-vous chez le coiffeur. Quand vous aurez fini de nettoyer ces couverts, rapportez-les chez Miss Hilly de ma part. Je serai de retour après le déjeuner.

Quand j'ai fini, je mets tous les couverts de Miss Hilly dans un torchon bleu. Puis je vais lever Tit'homme qui fait sa sieste. Il me regarde en clignant des yeux et il sourit.

— Viens, Tit'homme, que je te change.

J'enlève la couche mouillée et j'y trouve trois petits jouets en plastique et une épingle à cheveux de Miss Leefolt.

— Eh ben dis donc, je fais, c'est Fort Knox, chez toi !

Il fronce le nez et il rigole. Il montre le berceau du doigt, j'y vais, je fouille dans les couvertures et je trouve un bigoudi, une cuillère à mesurer et une serviette de table. Seigneur, va falloir faire quelque chose pour ça. Mais pas tout de suite. Je dois aller chez Miss Hilly.

J'attache Tit'homme dans la poussette et je descends la rue jusqu'à la maison de Miss Hilly. Le soleil tape, il fait chaud et on entend pas un bruit. On remonte son allée et Ernestine vient ouvrir. Elle a un drôle de petit bout de bras maigre et tout brun qui sort de la manche gauche. Je la connais pas beaucoup. Elle va à l'église méthodiste.

— Hé, Aibileen, elle fait.

— Hé, Ernestine, tu m'as vue arriver ?

Je lui donne le gros paquet plein de couverts. C'est lourd. Elle le prend avec sa bonne main et, je crois que c'est automatique, elle tend aussi le moignon pour l'attraper.

Ce soir-là, on a un orage terrible. Je transpire. Et je tremble en essayant d'écrire mes prières. C'est pas possible de pas savoir et de se miner comme ça et...

Bang bang bang. On frappe à la porte d'entrée.

— Qui... qui est là ?

Je vérifie que le verrou est mis.

— C'est moi.

— Mon Dieu.

Je respire et j'ouvre. Miss Skeeter. Elle est trempée. Elle a la grande sacoche rouge sous son imperméable.

— Je n'ai pas pu passer par-derrière. Il fait si sombre et il y a tellement de boue que je ne voyais pas où je marchais.

Elle est pieds nus et elle a ses souliers pleins de boue à la main. Je referme vite la porte derrière elle.

— Personne vous a vue ?

— On ne voit rien ni personne dehors. Je vous aurais appelée, mais le téléphone est coupé à cause de l'orage.

Je me doute qu'il a dû se passer quelque chose mais je suis trop contente de la voir encore une fois avant qu'elle s'en aille à New York. Ça faisait six mois. Je la serre très fort contre moi.

— Les librairies réclament des livres, Aibileen. Mrs Stein a appelé cet après-midi. (Elle me prend les mains.) On va refaire un tirage. Encore *cinq mille* exemplaires ! Il y aura de l'argent en plus. Au moins cent dollars pour chacune d'entre vous. Et ce n'est pas tout.

Miss Skeeter se penche pour prendre le sac.

— Je suis allée au journal, vendredi, les prévenir que je cessais de travailler pour eux. (Elle respire un grand coup.) Et j'ai dit à Mr Golden que la prochaine Miss Myrna devrait être vous.

Elle sort un cahier bleu de son sac et elle me le tend.

— Il est d'accord pour vous payer comme moi, dix dollars par semaine.

Moi ? Moi, travailler pour le journal blanc ? Je vais sur le canapé, j'ouvre le cahier et je vois toutes les lettres et tous les articles déjà publiés. Miss Skeeter s'assoit à côté de moi.

— Merci, Miss Skeeter. Pour ça et pour *tout*.

Elle sourit, elle respire à fond comme pour pas pleurer.

— J'arrive pas à y croire que demain vous partez à New York, je dis.

— Je vais d'abord à Chicago. Pour une soirée. Je veux voir Constantine, enfin, sa tombe. Je partirai pour New York le lendemain.

— Dites à Constantine qu'Aibileen lui passe le bonjour.

On reste un moment sans rien dire. Je pense à la première fois que Miss Skeeter est venue chez moi, et comme elle était mal à l'aise. Maintenant, j'ai l'impression qu'on est de la même famille.

— Avez-vous peur, Aibileen ? De ce qui pourrait arriver ?

Je me tourne pour pas qu'elle voie mes yeux.

— Ça va.

— S'il vous arrivait quelque chose… comment vivre avec cela, après, en sachant que c'était de ma faute ?

Je vais dans ma chambre et je prends le paquet du révérend Johnson. Elle enlève le papier et elle regarde le livre avec toutes les signatures.

— Je voulais vous l'envoyer à New York, mais c'est mieux si vous l'avez maintenant.

— Je ne… je ne comprends pas. C'est pour moi ?

— Oui, ma'am.

Puis je lui répète le message du révérend, comme quoi elle fait partie de notre famille.

— Rappelez-le-vous, Miss Skeeter, chacune de ces signatures veut dire que ça valait la peine.

Elle lit les remerciements, les petits mots que chacun a écrits, elle passe le doigt sur l'encre. Elle a des larmes plein les yeux.

— Je crois que Constantine serait fière de vous.

Miss Skeeter sourit et je vois comme elle est *jeune*. Après tout ce qu'on a écrit, les heures qu'on a passées à travailler, la fatigue, l'inquiétude, j'avais plus vu depuis longtemps la jeune fille qu'elle est.

— Vous croyez que c'est bien ? Que je vous laisse au moment où tout est si…

— Allez à New York, Miss Skeeter, allez vivre votre vie.

Ce soir-là je réfléchis dans mon lit. Je suis tellement contente pour Miss Skeeter. Il y a une partie de moi qui voudrait bien repartir de zéro elle aussi. La chronique sur le nettoyage, ça c'est nouveau. Mais je suis plus toute jeune, moi. Ma vie est presque faite.

J'arrive à dormir quelques heures avant le lever du jour. Je mets mon uniforme bien propre que j'ai lavé hier soir dans le bac à douche. Dans la cuisine, je bois un grand verre d'eau fraîche du robinet et au moment où je vais pour sortir, mon téléphone sonne.

Je décroche et j'entends qu'on gémit.

— Minny ? C'est toi ? Qu'est-ce… ?

— Ils ont viré Leroy hier soir ! Leroy a voulu savoir pourquoi et le patron lui a répondu que c'était Mister William *Holbrook* qui lui avait demandé. Holbrook lui a dit que c'était à cause de sa *négresse* de femme, et Leroy a essayé de me tuer de ses propres mains ! (Minny arrive à peine à parler tellement elle s'étouffe.) Il a fait sortir les gosses et il m'a enfermée dans la salle de bains et il disait qu'il allait foutre le feu à la baraque avec moi dedans !

Ça y est ! Je mets la main sur ma bouche pour pas crier, je sens que je tombe dans ce trou noir qu'on a creusé pour nous-mêmes. Minny avait l'air si sûre d'elle ces dernières semaines, et maintenant…

— Où t'es maintenant, Minny ? Et les enfants ?

— À la station-service. Je me suis sauvée pieds nus. Les gosses ont couru chez les voisins… (Elle halète, elle a des hoquets, elle gronde.) Ma sœur Octavia va venir nous chercher. Elle a dit qu'elle arrivait en voiture le plus vite possible. Raccroche pas, s'il te plaît. Reste avec moi en attendant qu'elle arrive.

— Et toi, t'as rien ? T'es pas blessée ?
— J'en peux plus, Aibileen. Je peux plus…
Elle se met à pleurer au téléphone.
C'est la première fois que j'entends Minny dire ça. Je respire un grand coup, je sais ce que je dois faire. J'entends exactement les mots dans ma tête, et c'est *maintenant* qu'elle pourra m'écouter, pieds nus et désespérée dans la cabine de la station-service.
— Minny, écoute-moi. Tu risques pas de perdre ta place chez Miss Celia. C'est Mister Johnny lui-même qui te l'a dit. Et on va encore avoir de l'argent du livre. Minny, écoute ce que je te dis. *Il faut plus te laisser frapper par Leroy.*
Elle respire par à-coups. Mais elle dit :
— J'entends ce que tu es en train de me dire, Aibileen. On va aller chez Octavia en attendant de trouver un endroit où habiter.
Je respire à nouveau.
— La voilà, elle dit. Je t'appelle ce soir.

QUAND j'arrive chez Miss Leefolt, c'est le silence dans la maison. Je pense que Tit'homme dort encore. Mae Mobley est déjà partie à l'école. Je mets le café en route et je récite une prière pour Minny.
Je prépare un biberon pour Tit'homme. C'est à peine huit heures du matin et il me semble que ma journée est déjà finie.
Je pousse la porte de la salle à manger, et qui je vois ? Miss Leefolt et Miss Hilly assises à la table toutes les deux du même côté, et qui me regardent. Je reste plantée là une seconde, mon biberon à la main.
— Bonjour, je dis.
Je me retourne pour sortir.
— Ross dort encore, dit Miss Hilly. C'est inutile d'y aller.
Je m'arrête et je regarde Miss Leefolt, mais elle a les yeux sur la drôle de fente en forme de L de sa table de salle à manger.
— Aibileen, dit Miss Hilly, et elle se passe la langue sur les lèvres. Quand vous avez rapporté mes couverts hier, il en manquait trois. Une fourchette et deux cuillères en argent.
Je retiens ma respiration.
— Attendez que… que j'aille voir dans la cuisine si j'en aurais pas laissé.
Je regarde Miss Leefolt pour savoir ce qu'elle veut que je fasse, mais elle quitte pas cette fente des yeux.

— Vous savez aussi bien que moi que l'argenterie n'est pas dans la cuisine, Aibileen, dit Miss Hilly.

— Miss Leefolt, vous avez regardé dans le lit de Ross ? Il arrête pas de chiper des choses pour les cacher…

Miss Hilly rit très fort.

— Tu entends, Elizabeth ? Elle cherche à faire accuser un bébé !

Je réfléchis à toute allure. J'essaye de me rappeler si j'ai bien compté les couverts avant de les emballer. Il me semble. *Seigneur, dis-moi qu'elle veut pas dire ce que j'ai entendu…*

— Miss Leefolt, vous avez déjà regardé dans la cuisine ? Dans le placard à argenterie ? Miss Leefolt ?

Mais elle me regarde toujours pas. Je me doute pas encore à quel point c'est grave. C'est peut-être pas le problème des couverts, c'est peut-être que Miss Leefolt a fini par lire le *chapitre deux…*

— Aibileen, dit Miss Hilly, vous pouvez encore me rapporter ces couverts aujourd'hui, sinon Elizabeth déposera plainte.

Miss Leefolt regarde Miss Hilly et elle a l'air étonnée. Je me demande si elles s'y sont mises à deux ou si c'est Miss Hilly qui a eu cette idée toute seule.

— J'ai pas volé de couverts, Miss Leefolt.

Rien que d'entendre ce que je dis, j'ai envie de partir en courant.

Miss Leefolt murmure :

— Elle dit qu'elle ne les a pas, Hilly.

Miss Hilly a même pas l'air d'entendre. Elle me regarde en levant les sourcils et elle dit :

— C'est donc à moi de vous informer que vous êtes renvoyée, Aibileen. (Elle renifle.) Et je vais appeler la police.

— *Mamaaaan !* crie Tit'homme de son lit au fond du couloir.

Miss Leefolt regarde derrière elle, puis Miss Hilly, comme si elle savait pas quoi faire.

— *Aaaaibiiii !* crie Tit'homme, et il se met à pleurer.

— *Aibi !* crie une autre petite voix.

Je comprends que Mae Mobley est là. Elle a pas dû aller à l'école aujourd'hui. « Seigneur, je t'en prie, ne la laisse pas entendre ce que Miss Hilly dit de moi ! » La porte s'ouvre dans le couloir et Mae Mobley entre.

— Aibi, j'ai mal à la gorge !

— Je… je viens tout de suite, Baby.

Mae Mobley se remet à tousser. Ça fait un vilain bruit, comme un chien qui aboie, et je sors dans le couloir mais Miss Hilly dit :

— Aibileen, restez où vous êtes. Elizabeth peut s'occuper de ses enfants.

Miss Leefolt la regarde comme pour dire : « Je suis obligée ? » mais elle se lève et elle va dans le couloir. Elle emmène Mae Mobley dans la chambre et referme la porte. Et nous voilà toutes les deux seules, Miss Hilly et moi.

Miss Hilly s'appuie contre le dossier de sa chaise et elle dit :

— Je ne supporte pas les menteurs.

— J'ai pas volé de couverts, Miss Hilly.

— Je ne parle pas des couverts, elle dit en se penchant en avant. (Elle chuchote, d'ailleurs, pour pas que Miss Leefolt l'entende.) Il s'agit de ce que vous avez écrit au sujet d'Elizabeth. Elle ne se doute pas qu'on parle d'elle au chapitre deux et je suis une trop bonne amie pour le lui dire. Et votre amie Minny ? Elle a une jolie surprise qui l'attend. Je vais appeler Johnny Foote pour lui dire de la renvoyer immédiatement.

Je commence à y voir trouble. Je secoue la tête et je serre les poings.

— Miss Hilly ! je crie bien fort et bien clair. Je sais quelque chose sur vous, ne l'oubliez pas.

Elle me regarde en plissant les yeux. Mais elle répond pas. Puis elle baisse les yeux. Avant qu'elle ait dit autre chose, la porte du couloir s'ouvre et Mae Mobley se précipite vers moi en chemise de nuit. Elle sanglote et son petit bout de nez est rouge comme une rose. Sa maman a dû lui dire que je partais.

Baby Girl attrape la jupe de mon uniforme et elle veut plus la lâcher. Je pose la main sur son front. Elle est toute chaude de fièvre.

— Baby, il faut retourner te coucher.

— *Nooonnn !* T'en va pas, Aibi !

Miss Leefolt sort de la chambre avec Tit'homme dans les bras. Il sourit et il crie :

— Aibi !

— Hé, Tit'homme…

Je suis tellement contente qu'il comprenne rien à ce qui se passe !

— Miss Leefolt, laissez-moi emmener Mae Mobley dans la cuisine et lui donner un médicament. Elle a beaucoup de fièvre.

Miss Leefolt jette un coup d'œil à Miss Hilly, mais Miss Hilly reste les bras croisés, sans bouger.

— D'accord, allez-y, dit Miss Leefolt.

Je prends la petite main brûlante de Baby Girl et je l'emmène dans la cuisine. Elle se remet à tousser avec ce bruit affreux. Je lui donne une aspirine pour bébé et du sirop contre la toux. Rien que d'être là avec moi, elle se calme un peu, mais les larmes continuent à couler sur sa frimousse. Je l'installe sur le plan de travail pendant que j'écrase la petite pilule rose, je mélange avec un peu de compote de pomme et je lui en donne une cuillerée. Elle l'avale et je vois que ça lui fait mal en passant. Elle se remet à pleurer.

— S'il te plaît, Aibi, t'en va pas !

— Il le faut, Baby. Je suis désolée.

Et c'est moi qui me mets à pleurer. Je voulais pas, ça va être encore plus dur pour elle, mais je peux plus m'arrêter.

— Pourquoi ? Pourquoi tu veux plus me voir ? Tu vas t'occuper d'une autre petite fille ?

Je prends sa petite figure entre mes mains et je sens que la mauvaise chaleur diminue sur ses joues.

— Non, Baby, c'est pas pour ça. C'est pas parce que je veux te quitter, mais…

Comment lui expliquer ? Je peux pas lui dire qu'on me renvoie, je veux pas qu'elle en veuille à sa maman, ça rendrait les choses encore plus difficiles entre elles deux.

— Il est temps que je m'arrête. Tu es ma dernière petite fille. (Je prends ses mains pour les mettre sur ma figure.) Baby Girl, je veux que tu te rappelles tout ce que je t'ai dit. Tu te rappelles ?

Je plonge dans ses beaux yeux bruns et elle regarde dans les miens. Alors elle le dit, juste comme il faut :

— Tu es gentille, tu es intelligente. Tu es importante.

Je serre son petit corps contre moi. J'ai l'impression qu'elle vient de me faire un cadeau.

— Merci, Baby Girl.

— De rien, elle répond comme je lui ai appris.

Puis elle appuie sa tête sur mon épaule et on reste comme ça un moment, à pleurer, jusqu'à ce que Miss Leefolt entre dans la cuisine.

— Aibileen, elle fait, très calme.

— Miss Leefolt, vous êtes… sûre que c'est bien ce que vous…

Miss Hilly arrive derrière elle et elle me fusille du regard. Miss Leefolt fait oui de la tête et elle a vraiment l'air coupable.

— Je suis désolée, Aibileen. Hilly, si tu veux… porter plainte, c'est à toi de décider.

Miss Hilly renifle et elle dit :

— Je ne perdrai pas de temps à ça.

Miss Leefolt soupire comme si elle était soulagée. Nos regards se croisent pendant une seconde et je vois que Miss Hilly avait raison. Miss Leefolt se doute pas du tout que le chapitre deux est sur elle.

Je repousse gentiment Mae Mobley et elle me regarde, puis elle regarde sa maman avec ses yeux brillants de fièvre. On dirait qu'elle a peur des quinze années qu'elle a à vivre maintenant. Mais elle soupire, comme si elle était trop fatiguée pour y penser. Je la remets par terre, je l'embrasse sur le front, mais elle tend encore les bras vers moi. Je suis obligée de m'écarter.

Je vais dans la buanderie prendre mon sac et mon manteau.

Je sors par-derrière, au son affreux des sanglots de Mae Mobley. Mais en même temps je sens que je suis libre. Comme Minny. Je marche sur le trottoir déjà brûlant à huit heures et demie du matin en me demandant ce que je vais faire du reste de ma journée. Du reste de ma vie.

Le journal va me payer dix dollars par semaine, et il y a l'argent du livre, et un peu plus à venir. Mais ça me suffira pas pour vivre jusqu'à la fin. Et je pourrai pas trouver une autre place comme bonne, pas avec Miss Hilly et Miss Leefolt qui me traitent de voleuse. Mae Mobley aura été ma dernière petite Blanche.

Le soleil brille mais j'ai les yeux grands ouverts. J'attends à l'arrêt du bus comme je l'ai fait pendant quarante et quelques années. En une demi-heure ma vie… s'est terminée. Peut-être que je devrais continuer à écrire, pas seulement pour le journal, mais sur les gens que je connais et tout ce que j'ai vu et tout ce que j'ai fait. Je suis peut-être pas trop vieille pour m'y mettre. Je pense et je ris et je pleure en même temps. Parce que je me disais qu'il y aurait plus jamais rien de nouveau pour moi.

« Pour moi, la difficulté était de parler avec la voix de ces domestiques. Je craignais l'imposture. Je me suis inspirée de Demetrie, la bonne de ma grand-mère. Elle était merveilleuse. »

Kathryn Stockett

Après avoir, comme son héroïne Skeeter, passé son enfance à Jackson, Kathryn Stockett a déménagé à New York, où elle a travaillé dans le journalisme et le marketing. Elle vit aujourd'hui en Alabama avec son mari et sa fille. L'incroyable succès d'édition que représente la publication de son premier roman *La Couleur des sentiments*, best-seller mondial adapté au cinéma, lauréat en France du grand prix des Lectrices de *Elle*, l'a naturellement poussée à entamer l'écriture d'un deuxième livre. Une histoire qui se déroulera aussi dans le Mississippi, mais dans les années 1920-1930. « J'aime le style de cette époque, qui est celle de la libération des femmes et, bien sûr, de la prohibition. » *La Couleur des sentiments* a une tonalité plus autobiographique : « Dans le Mississippi de mon enfance, chaque famille blanche ou presque avait une bonne noire qui s'occupait de la cuisine, du ménage et des enfants. J'étais jeune alors, et je pensais que c'était comme ça dans tout le pays. C'est en vivant à New York que j'ai compris que ce n'était pas le cas. [...] Demetrie a commencé à travailler pour mes grands-parents en 1955, à vingt-huit ans, quand mon père et mon oncle étaient encore enfants. Lorsqu'ils sont devenus parents à leur tour, elle s'est occupée de nous, les petits-enfants. Je l'aimais de tout mon cœur, et je sentais que c'était réciproque. [...] C'était une belle personne, comme il n'y en a que trop peu. » Pour écrire son livre, la jeune femme a recueilli de très nombreux témoignages, de femmes noires mais aussi de femmes blanches qui l'ont beaucoup étonnée : « Certaines, les cinquantenaires surtout, fondaient en larmes avant même d'avoir ouvert la bouche. Elles se souvenaient des moindres détails [...]. Leur bonne leur manquait terriblement. Elles auraient aimé pouvoir lui dire une dernière fois : "Merci pour tout." Elles avaient le sentiment de ne pas le lui avoir assez dit. »

PETER
MAYLE

Château-l'Arnaque

Voici un polar qui sort franchement de l'ordinaire ! Bien sûr, on y trouve des voleurs et leurs commanditaires, des magouilles ingénieuses et un fin limier. Mais quand Peter Mayle écrit un roman policier, il ne renonce pas pour autant à célébrer les trésors qui font le sel de la vie : la couleur et les arômes d'un pétrus 1970, le parfum des rognons de veau, le rire cristallin d'une jeune femme élégante, la palette somptueuse d'un coucher de soleil sur le Vieux-Port de Marseille. En cuisinier émérite, le plus francophile des écrivains anglais réussit à marier le suspense et l'érudition œnologique, le récit d'aventure et l'évocation des mille et une façons de flatter les cinq sens.

1

DANNY ROTH prit une dernière noisette de crème hydratante et, après l'avoir soigneusement fait pénétrer dans la peau de son crâne déjà luisant. Lorsque la peau avait commencé à l'emporter sur la chevelure, il avait songé aux possibilités qu'offrirait une queue-de-cheval, souvent le premier refuge contre une calvitie naissante. « N'oublie pas, Danny, lui avait alors opposé sa femme, Michelle, que sous chaque queue, c'est le cul d'un cheval qu'on découvre. » Il avait donc adopté le style boule de billard, se retrouvant du même coup en compagnie de stars diverses, de leurs gardes du corps et de leur cortège habituel de parasites.

Il s'examina dans la glace, étudiant plus particulièrement le lobe de son oreille gauche : il avait envie d'une boucle d'oreille et hésitait encore entre le symbole du dollar en or et une dent de requin en platine. Les deux conviendraient à la profession qu'il exerçait, mais seraient-ils assez virils ? Cette décision, difficile à prendre, attendrait.

Il passa dans son dressing pour choisir la tenue qui lui permettrait de rencontrer ses clients de la matinée, puis de déjeuner à l'Ivy, et enfin d'assister dans la soirée à une projection privée. Une tenue classique (après tout, il était avocat), mais avec une touche de décontraction : ses clients appartenaient au monde du spectacle.

Quelques minutes plus tard, vêtu d'un costume de fine flanelle gris anthracite sur une chemise de soie blanche à col ouvert et des chaussettes jaune bouton-d'or dans des mocassins Gucci, il prit son BlackBerry sur sa table de chevet et descendit dans le somptueux décor de granit et d'acier inoxydable de la cuisine. Une cafetière pleine préparée par la femme de chambre l'attendait sur un plan de travail ainsi que *Variety*, *The Hollywood Reporter* et le *Los Angeles Times.* Le soleil matinal annonçait une journée magnifique. Bref, le monde tournait tel qu'il le devait pour un membre de l'élite hollywoodienne.

Roth n'avait guère de raisons de se plaindre du sort que la vie lui avait réservé. Une épouse jeune, blonde, élégante ; un cabinet prospère ; un pied-à-terre à New York ; un chalet à Aspen et sa maison, un édifice de trois étages de verre et d'acier dans le quartier protégé et étroitement surveillé de Hollywood Heights.

À l'instar de nombre de ses contemporains, il avait amassé quantité d'accessoires socialement impressionnants. Des diamants et des toilettes de luxe pour sa femme ; trois Warhol et un Basquiat pour les murs de son salon ; un Giacometti, *L'Homme qui marche*, pour sa terrasse ; une Mercedes à portes papillons pour son garage. Mais son péché mignon, c'était sa collection de vins.

Bien des années et beaucoup d'argent lui avaient été nécessaires pour constituer sa cave, une des plus belles caves privées de la ville selon Jean-Luc, son consultant en vins. Peut-être même *la* plus belle. On y trouvait les meilleurs rouges de Californie et une abondante sélection des plus remarquables blancs de Bourgogne. Il y avait même trois pleines caisses du superbe yquem 75. Mais les joyaux de sa collection, c'étaient ses quelque cinq cents bouteilles de bordeaux premier cru, lafite-rothschild 53, latour 61, margaux 83, figeac 82, pétrus 70 : celles-là étaient rangées dans une cave aménagée sous la maison, dont on maintenait en permanence la température entre 13,4 °C et 14,4 °C et le degré d'hygrométrie à 80 %. Roth remontait rarement une de ces prestigieuses bouteilles pour les boire. Il lui suffisait de les *posséder.*

Depuis plusieurs semaines, le plaisir qu'éprouvait Roth à contempler les trésors de sa cave s'était quelque peu émoussé. En effet, à part de très rares privilégiés, personne ne voyait jamais les bouteilles, et ceux qui en méritaient le privilège ne se montraient pas assez impressionnés. La veille au soir, par exemple, un couple de Malibu en visite avait eu droit au grand tour de la cave et ils n'avaient même pas pris la peine d'ôter leurs lunettes de soleil. Pis, ils avaient refusé l'opus one servi avec le dîner et réclamé du thé glacé. Pour un collectionneur de vins, une soirée à pleurer.

Secouant la tête à ce souvenir, Roth s'arrêta pour admirer le panorama : à l'ouest, Beverly Hills ; à l'est, le quartier de Thai Town et la Petite Arménie ; au sud, les avions grands comme des jouets qui atterrissaient sur l'aéroport de Los Angeles. Peut-être pas la plus jolie vue dont on puisse rêver, mais c'était une vue qui coûtait cher et, surtout, c'était *sa* vue.

Il se coula dans l'habitacle douillet de sa Mercedes et inhala le parfum du cuir bien entretenu et de la ronce de noyer soigneusement astiquée. Rafael, le gardien mexicain, bichonnait le modèle comme une pièce de musée. Roth partit vers son bureau sur Wilshire Boulevard, son esprit revenant sans cesse à sa cave et à ce couple stupide de Malibu, que d'ailleurs il n'avait jamais aimé.

Penser à eux l'amena à considérer de façon plus philosophique les joies de la possession. Et là, Roth devait bien admettre que l'appréciation – voire l'envie – des autres constituait un élément indispensable à son plaisir. « Quelle satisfaction, s'interrogea-t-il, peut-on trouver à posséder de belles choses que les autres ne voient pratiquement jamais ? » Ce serait comme garder à l'abri des regards sa jeune et blonde épouse, ou condamner la Mercedes à rester confinée au garage. Et pourtant, ne conservait-il pas pour des millions de dollars les meilleurs vins du monde au fond d'une cave qui n'accueillait guère plus d'une demi-douzaine de visiteurs par an ? Le temps d'atteindre son cabinet, Roth était parvenu à la conclusion que sa collection de vins méritait un public plus étendu.

Il sortit de l'ascenseur et se dirigea vers son bureau, s'apprêtant déjà au *mano a mano* quotidien avec sa secrétaire, Cecilia Volpé. À proprement parler, elle n'était pas tout à fait à la hauteur : orthographe déplorable, mémoire défaillante et dédain patricien envers nombre des clients de son patron. Tout cela n'empêchait pas des consolations : ses jambes spectaculaires, halées en permanence, rendues encore plus interminables par un stock apparemment inépuisable de talons de dix centimètres. Et puis elle était la fille unique de Myron Volpé, l'actuel chef de la dynastie des Volpé qui, voilà deux générations, s'était abattue sur l'industrie cinématographique et y conservait encore en coulisse une influence considérable. Ainsi qu'on l'avait entendu dire à Cecilia, les Volpé étaient ce qui, à Hollywood, ressemblait le plus à une famille royale.

Roth la tolérait donc pour ses relations. Quant aux obligations de Cecilia, elles étaient essentiellement d'ordre décoratif et mondain. Le bureau de Roth lui apportait une base socialement acceptable, des tâches peu accablantes (elle disposait de sa propre secrétaire qui se chargeait de tous les détails assommants mais essentiels) et le plaisir de rencontrer de temps en temps les personnes à la célébrité plus ou moins justifiée qui constituaient la liste des clients du cabinet.

Les frictions entre Roth et Cecilia se limitaient généralement à un échange un peu vif concernant le programme au début de chaque journée de travail. Ainsi ce matin-là.

— Je sais, attaqua Roth alors qu'ils pointaient le premier nom sur son agenda – celui d'un acteur de cinéma qui connaissait une seconde carrière à la télévision –, qu'il ne figure pas parmi vos préférés, mais cela ne vous tuerait pas d'être aimable avec lui. Un sourire, c'est tout. Que lui reprochez-vous, d'ailleurs ?

— De m'appeler « poupée » et de toujours essayer de me pincer les fesses.

Roth ne pouvait pas tenir rigueur à son client de cette idée qui, à vrai dire, lui traversait fréquemment l'esprit.

— Enthousiasme juvénile, minimisa-t-il.

— Danny, riposta-t-elle, il *avoue* soixante-deux ans.

— D'accord, d'accord. Je me contenterai donc d'une politesse glaciale. Maintenant, écoutez… J'aimerais que vous m'aidiez dans un projet personnel, un genre de reportage people. Vous savez que je possède une fabuleuse collection de vins ? (Il chercha un changement dans l'expression de Cecilia ; en vain.) Eh bien, je suis disposé à accorder une interview exclusive, dans ma cave, à un journaliste compétent. Voici l'angle : je ne suis pas simplement une machine à travailler. Je suis également un connaisseur, un homme de goût qui apprécie les belles choses de la vie : les grands crus, les millésimes, toutes ces foutaises poussiéreuses à la française. Qu'en pensez-vous ?

— Il y en a cent comme vous, lâcha Cecilia en haussant les épaules. Los Angeles regorge de fanas du vin.

— Vous ne comprenez pas, insista Roth. Cela représente plus de trois millions de dollars.

Trois millions de dollars, voilà un concept que Cecilia était capable d'appréhender.

— Cool, fit-elle. Maintenant, je vois.

— Je pense à une exclusivité pour le *L.A. Times*. Vous y connaissez quelqu'un ?

Cecilia examina ses ongles un moment.

— Oui, papa connaît les propriétaires.

Roth sourit, se renversa dans son fauteuil et admira ses chevilles bouton-d'or.

— Formidable, se réjouit-il. Alors, ça roule.

L'INTERVIEW avait été fixée un samedi matin et toute la maisonnée Roth, dûment briefée, se tenait sur le pied de guerre. On avait donné à Michelle un rôle de figuration au début de l'opération, celui de la charmante hôtesse, délaissée parfois, à l'en croire, par un mari passionné de grands crus. Rafael avait reçu pour consigne de tailler et retailler les bougainvillées pourpres qui tombaient en cascade le long du mur de la terrasse. Quant à la Mercedes, étincelante de son récent lustrage, on l'avait négligemment laissée traîner dans l'allée. Dans la cave, des enceintes dissimulées dans des renfoncements obscurs distillaient un concerto pour piano de Mozart.

Un coup de téléphone du vigile chargé de la sécurité à la grille annonça l'arrivée du *L.A. Times*. Danny et Michelle prirent position en haut de l'escalier auquel menait l'allée et attendirent que les journalistes sortent de leur voiture pour entamer leur majestueuse descente des marches.

— Mr Roth ? Mrs Roth ? Enchanté de vous rencontrer. (Un homme costaud en veste de toile froissée s'avança vers eux, la main tendue.) Je suis Philip Evans, et ce magasin de photos ambulant, ajouta-t-il en désignant de la tête un jeune homme bardé d'équipement, est David Griffin. Les photos, c'est lui, les mots, c'est moi. Waouh ! Quelle vue !

Roth balaya le panorama d'un geste de propriétaire.

— Attendez d'avoir vu la cave.

— Danny, intervint alors Michelle en regardant sa montre, j'ai beaucoup de coups de fil à donner. Je vous laisse ici, les garçons, si vous promettez de me garder une coupe de champagne.

Et, avec un sourire, elle retourna dans la maison.

Roth les fit entrer dans la cave et, pendant que le photographe réglait les problèmes d'éclairage, on commença l'interview.

Evans consacra une heure à l'histoire de Roth. En fond sonore, ponctuant la musique de Mozart, on entendait les déclics et le ronronnement de l'appareil photo tandis que le photographe mitraillait la cave sous tous les angles.

Roth, dont la vie professionnelle consistait à parler au nom de ses clients, découvrait le bonheur de se raconter à un auditeur attentif. À tel point qu'il fallut une question d'Evans sur le champagne millésimé pour lui rappeler d'ouvrir le krug. Ce qui donna bientôt à l'interview un ton moins réservé.

— Mr Roth, poursuivit Evans, je sais que c'est par plaisir que vous collectionnez ces vins merveilleux, mais n'êtes-vous jamais tenté d'en vendre ? Vous avez certainement investi ici une somme considérable.

— Voyons, répondit Roth en parcourant du regard les casiers de bouteilles et les caisses soigneusement empilées. Le pétrus 70 – ma foi, le pétrus atteint toujours des chiffres impressionnants. Je dirais qu'il vaut environ 30 000 dollars, si vous arrivez à en trouver. Chaque fois qu'on boit une bouteille de ce millésime, sa rareté en fait monter le prix autant que sa qualité. Mais, pour répondre à votre question : non, je ne suis pas tenté de vendre. Pour moi, c'est comme une collection d'art. De l'art liquide.

— À vue de nez, à combien estimez-vous votre collection ?

— À l'heure actuelle ? Le bordeaux vaut environ trois millions.

— C'est l'heure du portrait, Mr Roth, annonça le photographe. Puis-je vous prendre devant la porte, une bouteille à la main ?

Roth réfléchit un instant puis, avec d'infinies précautions, tira de son berceau un magnum de pétrus 1970.

— Parfait. Maintenant, un peu plus à gauche, de façon que la lumière éclaire votre visage, et essayez de remonter un peu la bouteille vers votre épaule. (*Clic clic clic.*)

Cela dura encore cinq minutes, ce qui permit à Roth de varier son expression du connaisseur heureux à l'investisseur sérieux.

Puis Roth et Evans laissèrent le photographe ranger son matériel et allèrent l'attendre dehors.

— Vous avez tout ce que vous voulez ? interrogea Roth.

— Absolument, dit le journaliste. De quoi faire un très beau reportage.

Et ce le fut. Une pleine page de la section week-end (qui titrait, comme on pouvait s'y attendre, « Les vignes d'un seigneur ») avec une photographie grand format de Roth berçant son magnum dans ses bras ainsi que plusieurs vues plus petites de la cave, accompagnées d'un texte regorgeant de précisions : du nombre de bouteilles produites pour chaque millésime aux notes de dégustation données par des experts ; des variétés de raisin à des détails plus ésotériques tels que les dates du début des vendanges, les périodes de fermentation, la nature des sols et le contenu en tanin. Et, parsemant le texte comme des truffes dans du foie gras, les prix. Exprimés généralement par caisse ou par bouteille, mais aussi parfois en utilisant des mesures plus petites et donc plus abordables, comme, pour l'yquem, soixante-quinze dollars la gorgée.

Roth lut et relut l'article qui le satisfaisait largement. Aucun côté tape-à-l'œil ou nouveau riche, à condition, bien sûr, que le lecteur ne s'attarde pas sur les mentions faites en passant du chalet à Aspen ou du goût de Roth pour les jets privés. Mais même ces allusions étaient parfaitement acceptables, voire normales, dans les couches supérieures de la société californienne du XXIe siècle. Tout bien pesé, Roth était convaincu que le reportage avait atteint son but. *Son* monde savait désormais qu'il n'était pas seulement un brillant homme d'affaires, mais aussi un véritable mécène de la vigne.

Il en eut d'ailleurs la confirmation dans les jours qui suivirent la parution de l'article. Les maîtres d'hôtel et les sommeliers de ses restaurants préférés le traitaient avec un rien de déférence supplémentaire et saluaient d'un hochement approbateur ses choix sur la carte des vins. Des relations d'affaires l'appelaient pour lui demander son avis sur leurs propres caves, certes moins distinguées. Des magazines sollicitaient des interviews. Du jour au lendemain, Danny Roth était devenu l'homme du vin.

CETTE veille de Noël à Los Angeles, tous les accessoires ad hoc étaient de sortie : des pères Noël – avec lunettes de soleil et, pour certains, en short rouge à cause de la chaleur – agitaient leur cloche. À Beverly Hills, des pelouses parmi les plus décorées avaient été saupoudrées de neige artificielle *made in China*. Rodeo Drive scintillait du chatoiement platine des cartes American Express. Et des membres de la police de L.A. distribuaient avec une générosité inhabituelle des contraventions pour stationnement illicite ou conduite en état d'ivresse.

À la tombée de la nuit, une ambulance stoppa devant la barrière de sécurité à l'entrée de Hollywood Heights. Le vigile émergea de sa guérite climatisée.

— C'est pour quoi ? fit-il.

Le chauffeur, vêtu d'une impeccable tenue blanche d'hôpital, se pencha par la vitre ouverte.

— Ça a l'air sérieux. Un appel de la résidence Roth.

Le vigile regagna sa forteresse miniature pour appeler la propriété des Roth. Le chauffeur le vit hocher la tête avant de raccrocher le téléphone et de lever la barrière. En consultant sa montre pour enregistrer le passage dans son journal, le vigile constata que son service se terminait dix minutes plus tard.

Un Rafael manifestement agité (c'était lui qui avait donné le feu vert au vigile) accueillit l'ambulance devant le Château Roth. Les propriétaires, qui passaient Noël à Aspen, lui avaient confié la responsabilité du domaine en leur absence, et seule la perspective de franchir discrètement la frontière mexicaine avec cinquante mille dollars en espèces avait pu le convaincre d'abandonner cet emploi confortable quoique non déclaré. Il guida les deux ambulanciers jusqu'à la cave et les fit entrer.

Méthodiquement, sans se presser, ils enfilèrent des gants en caoutchouc pour décharger des cartons vides marqués au nom d'un établissement vinicole de Napa Valley. Procédant d'après une liste, ils commencèrent à ranger les bouteilles dans les cartons, cochant au fur et à mesure les noms et les millésimes.

Quand ils eurent terminé, quarante-cinq cartons avaient été remplis et chargés. Ils éteignirent les lumières de la cave et refermèrent la porte. À présent, il fallait qu'ils réaménagent l'intérieur de l'ambulance.

Les cartons, soigneusement entassés de chaque côté du brancard, furent dissimulés sous des couvertures d'hôpital. On installa Rafael sur la civière, et on le brancha à un faux goutte-à-goutte de morphine censé apaiser les douleurs de sa prétendue crise d'appendicite. Ainsi apprêtée, l'ambulance redescendit jusqu'à la loge, ne s'arrêtant que le temps de souhaiter un joyeux Noël au nouveau vigile, puis disparut dans la nuit, ses gyrophares clignotant.

— Bon, Rafael, il est temps de te lever, on te dépose avant d'entrer sur l'autoroute. (Le chauffeur tira une enveloppe de sa poche et la lui passa par-dessus son épaule.) Tu ferais mieux de compter. C'est tout en billets de cent.

Cinq minutes plus tard, l'ambulance s'arrêtait dans une petite rue sombre pour laisser descendre Rafael. La halte suivante fut pour une remise située dans une rue encore plus sombre d'un quartier misérable de L.A. Ouest où les cartons de vin furent transférés de l'ambulance dans une camionnette anonyme.

2

ROTH était enchanté de son séjour à Aspen. Il avait disserté devant des auditoires, réduits mais passionnés, de personnages que leur notoriété aurait normalement laissés hors de son cercle habituel de relations, ce qui sous-entendait des possibilités d'ordre professionnel dont il était bien conscient. Durant toute cette semaine de Noël, les skis de Roth ne virent même pas la neige.

Sa bonne humeur dura jusqu'à leur arrivée à Hollywood Heights, lorsqu'ils constatèrent que Rafael n'était pas là pour les accueillir. Voilà qui était inhabituel et contrariant. Mais, en passant de pièce en pièce, ils commencèrent à se détendre : les Warhol étaient aux murs, le Giacometti arpentait la terrasse ; dans le petit appartement en sous-sol de Rafael, ses vêtements étaient toujours accrochés dans la penderie et son lit soigneusement fait.

Le lendemain matin, Roth descendit à la cave.

— Nom de Dieu !

Ce rugissement de douleur faillit faire tomber Michelle de son tapis de course. Elle se précipita dans la cave où elle trouva Roth contemplant, comme hypnotisé, un mur de casiers à bouteilles complètement vide.

— Mes bordeaux ! Absolument toutes les bouteilles. Il n'en reste pas une seule. (Il se mit à marcher de long en large, les poings crispés de fureur). Si jamais j'attrape cet enfant de salaud, je le tue.

Marmonnant d'autres menaces toutes plus terribles les unes que les autres, il monta chercher son BlackBerry et appela coup sur coup le vigile à l'entrée, la police et sa compagnie d'assurances.

Le vigile arriva le premier, son registre à la main.

— Bon, je veux savoir qui est entré dans ma maison et pourquoi on ne les a pas arrêtés à la grille, rugit Roth en enfonçant son doigt dans la poitrine du vigile.

— Je vais vous le dire, Mr Roth. Le soir du réveillon de Noël, il y a eu une urgence médicale. Une ambulance est entrée à 20 h 20 et ressortie à 22 h 50. C'est Tom qui était de garde. Votre gardien a donné le feu vert.

— Je pense bien, le salopard. C'est tout ? Pas de nom d'hôpital ? de médecin ? Seigneur !

— Nous avons le numéro d'immatriculation.

Roth secoua la tête et rendit le cahier au vigile qui s'éclipsa avec déférence. Il arriva à la grille juste en même temps que la police : deux inspecteurs à l'air las, dépêchés sur une affaire dont ils sentaient déjà qu'elle leur ferait perdre leur temps.

À peine eurent-ils franchi la porte de la cave que Roth démarra.

— Vous voyez ça ? lança-t-il en désignant les casiers vides. Trois millions de dollars de vins que j'ai mis dix ans à rassembler. Et ces salauds savaient ce qu'ils faisaient. Ils n'ont pris que les bordeaux.

— Mr Roth. Laissez-moi noter quelques détails. Quand…

— Vous voulez des détails ? Le soir du réveillon de Noël, nous étions absents, et une ambulance se pointe à la grille avec cette histoire d'urgence à dormir debout. Le vigile appelle la maison et notre gardien lui donne le feu vert.

— Le nom du gardien ?

— Torres. Rafael Torres.

— Mexicain ?

— Ça vous paraît un nom juif ?

L'inspecteur soupira.

— Mr Roth, je dois vous demander si votre gardien possédait une *green card*. Un numéro de Sécurité sociale ? Autrement dit, était-il en situation légale ?

— Eh bien, pas exactement, répondit Roth, hésitant. Mais qu'est-ce que cela change ? (Il se tourna vers les casiers vides en ouvrant les mains.) Trois millions de dollars !

L'inspecteur leva les yeux de son carnet en secouant la tête.

— L'ennui, Mr Roth, c'est que le cambriolage remonte à sept jours. Nous allons chercher d'éventuelles empreintes, mais c'est du travail de professionnels. (Le policier s'arrêta d'écrire et remit son carnet dans sa poche.) Nous enverrons les techniciens de l'identité judiciaire dans le courant de la journée et nous interrogerons le vigile en poste à la grille. En attendant, je vous conseille de ne toucher à rien dans la cave.

Roth passa le reste de la matinée au téléphone. Chaque fois qu'il pensait à sa cave, le vide béant lui paraissait plus grand.

Au début de l'après-midi, il devait rencontrer la représentante de la compagnie d'assurances. Elena Morales, la vice-présidente de Knox Worldwide, responsable des sinistres des clients privés, arriva à 15 heures précises. Elena avait des yeux chocolat foncé, des cheveux d'un noir de jais et une silhouette tout à fait à la hauteur des standards les plus exigeants de Hollywood. Mais aujourd'hui, tout cela laissait Roth de marbre.

Elena eut à peine le temps de lui tendre sa carte de visite qu'il avait déjà donné le ton de l'entretien :

— J'espère que vous n'allez pas me débiter les foutaises habituelles des assurances.

Elena avait l'habitude de ce genre de réaction et des colères de ses clients fortunés. Confrontés à n'importe quelle perte, les riches avaient tendance à se comporter en enfants gâtés.

— De quel genre de foutaises s'agirait-il, Mr Roth ?

— Vous voyez fort bien ce que je veux dire. Toutes ces conneries en caractères minuscules sur les termes et les conditions, la responsabilité limitée, les exceptions aux risques couverts, les cas de force majeure, les clauses échappatoires...

Elena gardait le silence. Tôt ou tard, les clients se trouvaient à bout de souffle et d'invectives.

— Alors ? reprit-il. Il ne s'agit pas ici de clopinettes. Nous parlons de trois millions de dollars.

Elena jeta un coup d'œil à l'exemplaire de la police d'assurance de Roth qu'elle avait apportée.

— En fait, Mr Roth, la somme qui figure au contrat est de deux millions trois cent mille dollars. Mais nous pourrons en discuter plus tard. J'ai déjà contacté la police de Los Angeles, je connais donc la plupart des détails, mais naturellement nous devrons de notre côté mener notre propre enquête.

— Le vin a disparu. Il était assuré. Que vous faut-il de plus ?

— Nous ne pouvons verser de chèque substantiel avant d'avoir pleine connaissance des circonstances du cambriolage, Mr Roth. Je suis navrée, mais c'est la pratique normale. Ce cas est un peu plus compliqué car le vol a manifestement été rendu possible par un membre de votre domesticité. Nous devons donc nous montrer d'autant plus vigilants, voilà tout.

— Insinueriez-vous que j'ai quelque chose à voir là-dedans ? C'est cela ?

Elena se leva et glissa dans son porte-documents la police d'assurance de Roth.

— Je n'insinue rien du tout, Mr Roth, dit-elle en faisant claquer le fermoir. Bien, quand vous serez moins énervé, peut-être aurez-vous l'occasion d'envisager…

— Je vais vous dire ce que j'ai eu l'occasion d'envisager. Je veux qu'on me rende mon vin ou bien je veux un chèque certifié de trois millions de dollars. Est-ce clair ?

Elena se dirigea vers la porte.

— Tout à fait clair, Mr Roth. Notre enquêteur va prendre contact avec vous. Bonne et heureuse année.

« Je n'aurais pas dû dire cela, songeait Elena en roulant vers son bureau. En cet instant même, il est sans doute au bord de la crise cardiaque. » La sonnerie de son portable interrompit ses réflexions : c'était son patron.

— Je viens d'avoir Roth au téléphone. Parlons-en un peu quand vous reviendrez au bureau.

Le président de Knox Worldwide, un homme d'un certain âge dont l'apparente bienveillance masquait un esprit vif et une répugnance professionnelle à verser de l'argent, se leva lorsque Elena entra dans son bureau. C'était une des choses qu'elle aimait chez Frank Knox, cette note de courtoisie dans un monde de plus en plus grossier. Ils s'installèrent dans deux fauteuils en cuir fatigués près de la fenêtre. Knox éprouvait une certaine fierté à avoir conservé le décor dans lequel il travaillait depuis trente-cinq ans. Le vieux bureau massif, les lourdes bibliothèques en noyer, tout cela, comme Knox lui-même, était élégant, patiné et confortable.

— Encore une journée pleine de distractions à Hollywood, commença-t-il en souriant. Racontez-moi.

Elena lui rapporta ce qu'elle avait appris de l'inspecteur chargé de l'affaire et donna à Frank un bref aperçu du comportement de Roth, y compris de sa tentative de gonfler la valeur assurée du vin.

— Bon, résumons-nous. Le vol date de sept jours, largement le temps pour n'importe qui de disparaître. La police estime que c'est du travail de pro. Un coup monté par quelqu'un de la maison, rendu possible par un immigré illégal. Je dirais qu'il n'y a pas la moindre chance de retrouver sa trace. Et notre ami Mr Roth saute comme un cabri en réclamant un chèque certifié. Malheureusement pour lui, il n'a assuré ses bordeaux que pour deux millions trois cent mille. Une pareille somme a tout de même une incontestable valeur sentimentale et je serais navré de m'en séparer. Combien de bouteilles m'avez-vous dit qu'on lui avait volées ?

— Entre cinq cents et six cents – enfin, selon Roth.

— Les boire prendra un certain temps. Voici peut-être ce que nous devrions rechercher : non pas les voleurs, mais le vin. Il nous faut un fin limier. Vous avez une idée ?

Assise à son bureau, Elena considérait les options qui s'offraient à elle. Pour l'aider dans d'autres affaires, elle avait jadis fait appel à des enquêteurs spécialisés dans divers types de crimes et de catastrophes. Mais le vin ? Elle n'avait jamais eu auparavant à s'occuper de vin. Il s'agissait probablement d'un vol commandité par un autre collectionneur. Si c'était le cas, tout ce qu'elle avait à faire, c'était de trouver un connaisseur en vins avec des tendances criminelles, un limier avec de l'imagination et des contacts peu conventionnels.

Tout en réfléchissant, Elena consultait son Rolodex. Elle s'arrêta à la lettre L, regarda le nom sur la carte et poussa un soupir. Avait-elle vraiment envie de reprendre contact avec lui ? « Cette fois, se dit-elle en appelant sa secrétaire, il faudra le tenir à distance pour que nos relations restent strictement professionnelles. »

— Voyez si vous pouvez me trouver Sam Levitt, s'il vous plaît. Il est au Château Marmont.

Le CV de Sam Levitt, s'il avait commis la folie d'en rédiger un, aurait donné quelque chose de tout à fait inhabituel.

À l'époque où, étudiant à la faculté de droit, il se demandait comment il allait rembourser le prêt qu'on lui avait accordé pour terminer ses études, il s'était intéressé à l'activité criminelle comme moyen de se procurer de grosses sommes d'argent. Mais ce qui le séduisait, c'était l'emploi de l'intelligence comme arme du crime. Le cerveau, pas le flingue.

Comme il avait choisi de faire carrière en renonçant au crime de sang, il se lança dans le monde du droit des affaires. Il travailla avec acharnement et gagna de l'argent. Et, grâce à l'obligation de recevoir dignement les clients, il acquit le goût de la bonne chère et du bon vin. Un problème pourtant se posait. C'était l'ennui provoqué par ces mêmes clients. Des dépeceurs de sociétés, des maîtres de l'OPA – tous prosternés devant l'autel du cours de la Bourse. Levitt avait de plus en plus de mal à dissimuler la répugnance que lui inspirait leur monde.

Sur un coup de tête, il donna sa démission et se mit à chercher une activité criminelle plus directe et, dans une certaine mesure, plus honnête, à condition qu'il ne s'agisse ni d'armes, ni de bombes, ni de drogue.

Il passa quelque temps en Russie et acquit une sérieuse connaissance de plusieurs pays d'Amérique du Sud et d'Afrique. Par la suite, il appellerait cela sa période d'import-export. Elle se termina par un séjour bref mais mémorable dans une geôle congolaise qui lui valut trois côtes fêlées, un nez cassé, et qui lui coûta un pot-de-vin substantiel pour sortir de là. Cette expérience l'incita à considérer que le moment était venu de procéder à un nouvel ajustement de carrière. Il alla s'installer à Paris.

Il ne lui fallut pas longtemps pour que Paris lui fasse comprendre à quel point il connaissait mal cette chose qu'il aimait tant : le vin. Alors, comme il avait tout à la fois du temps et de l'argent, il décida de s'offrir une formation de six mois à l'université du vin de Suze-la-Rousse, un établissement d'enseignement supérieur situé dans la région des côtes-du-rhône.

Les excursions sur le terrain à Tain-l'Hermitage (berceau des vins les plus « virils » du monde), sur la Côte Rôtie, à Cornas et Châteauneuf-du-Pape étaient à la fois délicieuses et instructives. Il commença à apprendre un peu de français et envisagea même brièvement d'acheter un vignoble. Mais il avait la nostalgie de l'Amérique. Son pays avait-il changé pendant son absence ? Et lui, avait-il changé ?

Sur un point, absolument pas. Il gardait cette fascination pour le crime ingénieux et sans effusion de sang et songeait de plus en plus fréquemment à se remettre à travailler, mais d'une façon différente. Cette fois, il opérerait dans la légitimité comme enquêteur et consultant en affaires criminelles.

Pour un homme qui aimait la vie au soleil, le choix de Los Angeles était presque inévitable. L.A. avait tout : l'argent et l'extravagance, une forte proportion de multimillionnaires impliqués dans des affaires peu claires, les pitoyables excès de l'industrie cinématographique, une abondance de jolies filles et de célébrités.

Le Château Marmont, niché dans West Hollywood, en retrait de Sunset Boulevard, avait été conçu pour être le premier immeuble antisismique de L.A. Hélas ! on l'inaugura en 1929, à l'époque où les secousses financières que subissait Wall Street rendaient impossible la vente d'appartements. Il était plus facile de vendre des chambres, et le château devint un hôtel aux suites somptueuses.

C'était pour Sam un de ses principaux attraits, mais il y en avait bien d'autres : l'absence de responsabilités domestiques, un personnel efficace et charmant, une entrée discrète, une situation commode et une atmosphère détendue. On y trouvait des suites disponibles pour les hôtes permanents. Après un séjour d'essai, Sam devint l'un d'eux. Il s'installa dans une petite suite au cinquième étage et se mit en quête de clients, ce qui n'était pas trop difficile à L.A. : quand on est riche, on a toujours des ennuis.

Le fait que l'argent ne fût pas un problème lui permit de choisir uniquement les affaires qui l'intéressaient. Très vite, il se fit dans certains milieux la réputation d'un homme qui obtenait des résultats et qui savait se taire.

ELENA l'appela alors qu'il se remettait d'une vigoureuse demi-heure au gymnase de l'hôtel.

— Sam, c'est Elena. Je te dérange ? Tu es tout essoufflé.

— C'est le son de ta voix, Elena. Ça me fait toujours cet effet. Comment vas-tu ?

— Débordée. C'est pourquoi je t'appelle. Il faut que je te parle. Tu es libre pour déjeuner demain ?

— Bien sûr. Tu veux venir à l'appartement ? Comme au bon vieux temps ?

— Non, Sam. Je ne viens pas chez toi et cela ne va pas être comme au bon vieux temps. Il s'agit de travail.

— Tu as un cœur de pierre. Bon, je retiens une table en bas pour 12 h 30. Ce sera bon de te revoir.

Quand ils raccrochèrent, ils souriaient tous les deux.

SAM avait réservé sa table habituelle, à l'écart et dissimulée aux regards par le foisonnement de plantes vertes qui faisaient de la cour un endroit si plaisant. Il regarda Elena arriver vers lui et vit les têtes se retourner sur son passage. Il l'embrassa sur les deux joues et recula d'un pas, en inspirant à fond.

— Hmmm... Chanel N° 19, toujours ?

Elena le regarda en penchant la tête de côté.

— Tu ne t'es toujours pas fait arranger le nez.

Pendant qu'ils déjeunaient (salade César et eau d'Évian pour Elena, saumon et meursault pour Sam), Elena lui raconta ce qu'elle savait du cambriolage. Au café, elle lui donna des photocopies de l'article du *L.A. Times* ainsi qu'une liste détaillée des vins que lui avait fournie Roth. En regardant Sam parcourir tout cela, force lui fut de reconnaître qu'il valait probablement mieux qu'il reste avec son nez cassé. Cela lui évitait d'être trop bel homme.

Sam releva les yeux de la liste.

— C'est curieux qu'ils n'aient volé aucun cru de Californie. En tout cas, je tire mon chapeau à celui qui a organisé l'opération. Du beau travail : tout à fait mon style.

Elena le regarda par-dessus la monture de ses lunettes de soleil.

— Cela veut dire que tu vas t'en occuper ?

— Pour toi, Elena, je ferais n'importe quoi. Oh, cinq pour cent de la valeur de ce que je récupérerai, plus les frais.

— Deux et demi.

— Trois.

APRÈS avoir raccompagné Elena jusqu'à sa voiture, Sam regagna sa table et réfléchit en buvant un autre expresso. Cela faisait six mois qu'il ne l'avait pas vue ; six mois depuis la soirée qui s'était terminée sur un échange de propos aigres-doux. Il ne se souvenait même plus aujourd'hui des raisons de leur dispute. Quoi qu'il en soit, cela s'était mal terminé. Et ç'avait été encore pire quand il avait découvert qu'elle sortait avec un de ces acteurs jolis garçons, si nombreux à Hollywood, qui font carrière sans être jamais vraiment célèbres.

Tout en roulant vers son bureau, Elena pensait justement à ce même jeune comédien. Cela n'avait pas été une de ses meilleures décisions, elle devait en convenir. Combien cela avait-il duré ? Trois semaines ? Un mois ? Trop longtemps en tout cas.

Elena haussa les épaules en essayant de penser à autre chose. Le son des premières mesures de « La Vie en rose » vint l'arracher à ses réflexions. C'était la sonnerie que Sam lui avait installée sur son portable au retour d'un voyage à Paris et elle n'avait jamais trouvé le temps de la changer.

— Alors ? Pas de progrès ?

Elena reconnut le grognement à peine masqué qu'utilisait Danny Roth quand il s'adressait aux sous-fifres.

— Je crois que si, Mr Roth. Nous venons d'engager un enquêteur spécialisé pour travailler exclusivement sur votre affaire.

— Bon. Dites-lui de m'appeler.

Le coup de téléphone de Sam trouva Cecilia Volpé d'une exceptionnelle bonne humeur, conséquence du dernier cadeau que venait de lui offrir son amour de père, une Porsche gris perle. Mr Roth n'était pas disponible pour l'instant : il était en rendez-vous. (À Hollywood, on prend un rendez-vous comme on prend un somnifère, et souvent avec des effets similaires.) Lorsque Sam expliqua qui il était et pourquoi il appelait, il perçut une note de sympathie dans la réponse de Cecilia.

— Il est vraiment… *anéanti*. Trois millions de dollars de vin, et se voir *trahi* par ce petit salopard de Mexicain.

Elle aurait pu continuer dans cette veine si Roth lui-même n'était pas sorti de son bureau.

— J'ai un Mr Levitt en ligne. C'est l'enquêteur de la compagnie d'assurances.

Roth passa dans son cabinet pour prendre la communication.

— Nous venons seulement de débuter nos investigations, Mr Roth, commença Sam. Cela nous aiderait si vous et moi pouvions nous rencontrer, et j'aurais besoin également de voir la cave. À l'heure qui vous conviendra.

— Tout de suite me convient très bien.

Sam prit une profonde inspiration. Cela n'allait pas être une partie de plaisir.

— Tout de suite, c'est parfait, Mr Roth.

Sam attendait à la grille quand Roth arriva trois quarts d'heure plus tard pour le gratifier d'une poignée de main machinale et sans un mot d'excuse. Au premier regard, l'antipathie fut mutuelle.

Au cours de la demi-heure suivante, les tentatives de Sam pour recueillir des renseignements furent sans cesse contrariées par les appels du BlackBerry de Roth, ce qui lui laissa tout loisir d'inspecter la cave et le vin que les voleurs n'avaient pas emporté : les chardonnays, les cabernets et les pinots de Californie. Après quoi, il examina longuement la lourde porte de style espagnol qui séparait la cave du reste de la maison. Puis, n'ayant plus rien à inspecter, il finit par se planter devant Roth.

— Je suis désolé de vous interrompre, dit Sam, mais j'ai pratiquement terminé.

Roth s'arracha à regret à la contemplation du minuscule écran pour lever vers Sam un regard irrité.

— Alors ? Qu'en pensez-vous ?

— Tout d'abord, vos dispositifs de sécurité ne valent pas un clou. Je pourrais forcer la serrure de cette porte avec une lime à ongles. Pourquoi n'avez-vous pas une alarme séparée pour la cave ? Nous savons que le coup a été monté par quelqu'un de la maison. Nous savons que Rafael Torres a disparu. Et nous savons que vous étiez à Aspen quand le vol a été commis. Voilà les faits, Mr Roth, et un esprit soupçonneux pourrait en tirer des conclusions évidentes.

Roth remit enfin son BlackBerry dans sa poche.

— Qui sont ?

— Que vous auriez pu utiliser Aspen comme alibi et monter toute l'opération : voler votre propre vin, soudoyer votre gardien, faire jouer l'assurance et passer vos vieux jours à siroter les preuves. (Sam sourit en haussant les épaules.) Ridicule, je sais. Mais c'est mon métier d'envisager toutes les possibilités. Voici ma carte. Je vous tiendrai au courant de l'enquête. Oh ! au fait. Si j'étais vous, je boirais sans tarder ces bouteilles de cabernet sauvignon. Le 84 commence à faire son âge.

En sortant, Sam plaignait presque Roth. Mais pas complètement.

PEU après son arrivée à Los Angeles, on avait fait appel à Sam pour enquêter sur le prétendu réseau postimpressionniste, un groupe de marchands d'art bien introduits dans la haute société qui faisaient commerce de remarquables faux signés Monet, Cézanne et Renoir. Ce fut à cette occasion, une de ses premières situations totalement légitimes, que Sam fut amené à travailler avec la police de Los Angeles, en la personne imposante du lieutenant Bob Bookman. Comme il était grand, il supportait bien son poids, aidé en cela par le code vestimentaire qu'il s'était imposé et qui ne variait jamais : costume noir de coupe généreuse, cravate en tricot de soie noire et chemise blanche. Il appelait ça le chic croque-mort.

Ses rapports avec Sam démarrèrent sous les meilleurs auspices lorsqu'ils découvrirent leur passion commune pour le vin ; une fois l'affaire des galeries d'art réglée, ils prirent l'habitude de dîner régulièrement ensemble, chacun choisissant à tour de rôle le restaurant et le vin. Ils échangeaient inévitablement quelques potins sur la pègre, joignant l'utile à l'agréable. Bookman répondit à l'appel de Sam par son habituel grognement ennuyé.

— Booky, dit Sam, j'ai besoin de tes lumières. Je débouche ce soir une bouteille de bâtard-montrachet, et j'ai horreur de boire seul.

— Ça pourrait m'intéresser. Quelle année ?

— 2003. 18 heures au Château ?

— Ne le sers pas trop frais.

Quelques minutes après 18 heures, Bookman se présenta à la porte de la suite de Sam. Il frappa :

— Je sais que tu es là. Sors, les mains en l'air et le froc baissé !

Une jeune femme qui traversait le couloir jeta un regard inquiet à cette large silhouette vêtue de noir et se précipita vers l'ascenseur.

Sam ouvrit la porte et s'effaça pour laisser le passage à la masse volumineuse de Bookman. Ils allèrent jusqu'à la petite cuisine, dont un mur entier était occupé par des armoires climatisées où Sam gardait les vins à boire sans attendre. La bouteille de bâtard-montrachet débouchée trônait dans un seau à glace sur le comptoir, auprès de deux verres. Bookman prit le bouchon et le huma tandis que Sam servait le vin.

Sans un mot, ils levèrent leurs verres à la lumière du soir qui filtrait par la fenêtre. Puis, faisant doucement tourner le vin, ils penchèrent le nez vers les grisants effluves avant de déguster leur première gorgée. Bookman émit un soupir de plaisir.

Sam sourit. Il emporta le seau à glace dans le living-room et les deux hommes s'installèrent dans de gros fauteuils, le vin posé sur une table basse entre eux.

— J'ai accepté d'enquêter sur l'affaire Roth.

— C'est ce qu'on m'a dit. Tu avances ?

— Ma seule découverte pour le moment est que Mr Roth est un vrai casse-pieds. En outre, il est malhonnête… Le vin est assuré pour deux millions trois cent mille dollars, et il prétend qu'il en vaut trois. À part ça, je sais que c'était un travail de pro. Je parie que c'est pour un collectionneur privé.

Bookman acquiesça.

— On ne voit pas tous les jours des bouteilles pareilles. Elles seraient trop faciles à repérer. Tu ne crois pas que Roth a fait le coup pour toucher l'argent de l'assurance ?

— Non. Tu as lu ce reportage dans le *L.A. Times* ? Roth est le genre de type qui a besoin d'étaler ce qu'il a. Voir sa cave pillée le fait apparaître comme un perdant. Voilà donc où j'en suis. Et toi ?

— Tu veux que je t'annonce une bonne nouvelle ? Nous avons retrouvé l'ambulance.

— Et la mauvaise ?

— Pas de plaques, pas d'empreintes. Nettoyée à fond. Pour le moment, c'est une impasse. En attendant, le gouverneur reçoit Tony Blair pour le thé. Opération alerte rouge. Nous avons aussi sur les bras un suicide de célébrité qui commence à ressembler à un meurtre de célébrité. Et puis il y a un abruti avec un fusil qui prend pour cibles des voitures sur l'autoroute de Santa Monica. Le train-train, quoi. Alors, quelques bouteilles de vin qui disparaissent, ça n'arrive pas en tête de liste. On va faire de notre mieux pour te donner un coup de main, mais tu es vraiment un peu seul dans cette affaire.

3

SAM commença par vérifier les noms les plus connus : Sotheby's et Christie's ; The Henry Wine Group ; Sokolin ; Acker Merrall & Condit, etc. Aucun ne s'était vu proposer quoi que ce soit qui figurât sur la liste des vins volés. Il essaya les firmes de commissaires-priseurs moins importantes. Il tenta sa chance auprès de Robert Chadderdon et d'autres importateurs spécialisés. Malgré tous ses efforts, il ne trouva rien.

Les jours passèrent, puis les semaines. Il était de plus en plus souvent interrompu dans ses recherches par les appels furieux de Danny Roth exigeant de savoir où en était l'enquête. Revanche de l'envieux, la *Schadenfreude*, cette joie mauvaise provoquée par le malheur d'autrui, se déchaînait. Il semblait à Roth qu'il ne s'écoulait pratiquement pas un jour sans que l'une ou l'autre de ses relations mentionne le cambriolage avec une satisfaction à peine dissimulée. Les salauds.

Après avoir subi une tirade matinale particulièrement venimeuse de Roth, Sam décida d'aller nager pour se changer les idées. Alors que, de retour de la piscine de l'hôtel, il traversait le jardin, une fort séduisante paire de jambes attira son attention. La propriétaire des jambes se retourna et Sam reconnut Kate Simmons, désormais mariée à un banquier, au désespoir de bien des célibataires de Los Angeles.

Souriante, elle le toisa de la tête aux pieds – drapé dans un vieux peignoir de bain du Ritz qui datait de son séjour à Paris.

— Eh bien, Sam. Toujours aussi impeccable, à ce que je vois. Comment ça va ?

— Kate, qu'est-ce que vous faites ici ? Vous avez le temps de prendre un café ? Ou une coupe de champagne ? Je suis ravi de vous voir.

Sans lui laisser le temps de parler, Sam lui prit le bras et l'entraîna vers une table à l'ombre.

— Justement, dit-il en lui approchant un fauteuil, je pensais à vous, je me demandais comment vous alliez.

— Sam, vous n'avez vraiment pas changé. Toujours prêt.

Mais elle se mit à rire et s'assit quand même. Tout en buvant son café, elle lui parla de son travail : attachée de presse pour le cinéma, ce qui l'avait amenée au Château pour un rendez-vous avec une vedette incroyablement bien conservée qui préparait la promotion de son dernier film. Lorsque ce fut au tour de Sam de donner de ses nouvelles, il raconta à Kate le vol chez Roth et fut étonné de découvrir qu'elle en connaissait déjà fort bien certains détails. Son mari, Richard, lui-même modeste collectionneur de vin, avait suivi l'affaire.

— La plupart des dingues de vin d'Amérique ont dû lire l'article du *L.A. Times*, expliqua Kate. L'un d'eux aurait pu monter le coup. Ou peut-être que c'est Roth lui-même. On a déjà vu des choses plus étranges à L.A. Avez-vous cherché ailleurs ?

— Où, par exemple ?

— Je ne sais pas. En Europe ? À Hong Kong ? En Russie ? L'Amérique n'est pas le seul pays où l'on trouve des escrocs qui apprécient une bonne bouteille de vin. Mais il faut que j'y aille. (Elle se pencha et embrassa Sam sur la joue.) Venez donc dîner avec nous un de ces soirs. Vous n'avez jamais rencontré Richard. Il vous plaira.

— Ce serait trop pénible. Je passerais la soirée à me demander pourquoi vous ne m'avez pas épousé.

Kate ne put s'empêcher de sourire. Secouant la tête, elle le regarda longuement avant de remettre ses lunettes de soleil.

— Pauvre cloche. Vous ne me l'avez jamais demandé.

Elle partit sur ces mots et se retourna sur le seuil du jardin pour lui adresser un geste d'adieu.

De retour dans sa suite, Sam songea à la chance qu'il avait d'être resté en bons termes avec presque toutes les femmes de sa vie. Sans doute, conclut-il, parce qu'elles avaient eu le bon sens de ne jamais le prendre trop au sérieux.

Assis à son bureau, où il consultait une fois de plus la liste des vins volés, il repensa à la remarque de Kate. Il se leva, traversa la pièce jusqu'à sa bibliothèque, une longue rangée de rayonnages du sol au plafond, et s'arrêta devant la section où étaient classés les ouvrages sur le vin. Là, à divers stades d'usure, se trouvaient *Les Vins de Bordeaux*, de Penning-Roswell ; l'*Encyclopédie des vins et des alcools*, de Lichine ; *Monseigneur le vin*, de Forest ; le *Guide Hachette des vins* de l'année ; *Wine Tasting*, de Broadbent ; l'*Atlas mondial du vin*, de Johnson ; *Yquem*, d'Olney ; ainsi qu'une douzaine d'autres titres collectionnés au long des années. Passant les doigts sur le dos des livres, Sam tomba sur un exemplaire fatigué du *Great Wine Châteaux of Bordeaux*, de Duijker, et l'emporta sur son bureau.

Le texte était d'une écriture simple et fondé sur une documentation soigneuse. Et il y avait en prime des photographies en couleurs de plus de quatre-vingts châteaux, avec leurs caves, leurs vignes, leurs maîtres de chais et, parfois, leurs propriétaires élégamment vêtus de tweed. Pour un amateur de grands bordeaux, il était difficile de trouver un ouvrage plus évocateur.

Se fondant sur la liste des vins volés, Sam feuilleta les pages : lafite, latour, figeac, pétrus, margaux – des noms fameux, des vins légendaires, des châteaux magnifiques. Il avait toujours voulu explorer les vignobles impeccablement taillés du Bordelais. À son grand regret, il n'avait jamais pris le temps de faire le voyage. Et ce fut ce regret, tout autant que les exigences de l'enquête, qui l'aida à prendre sa décision. Il referma le livre et appela Elena Morales.

Lorsqu'elle répondit, ce fut d'une voix légèrement étouffée, un signe que Sam reconnut aussitôt.

— Ô femme barbare… tu déjeunes encore à ton bureau. Tu vas avoir une terrible indigestion.

— Merci, Sam. Tu sais vraiment comment réconforter une pauvre esclave. Et toi ? Tu arrives à quelque chose ?

— C'est pour ça que je t'appelle. J'ai fait à peu près toutes les recherches que je peux faire de mon bureau. Je t'envoie un rapport détaillé, mais je ne suis arrivé à rien. J'ai décidé d'aller sur le terrain.

— Sur quel terrain ?

— Dans notre affaire, le point de départ, c'est le Bordelais. Je vais y aller en passant par Paris. Il y a là un type que j'ai besoin de voir.

— Superbe idée, Sam, à une réserve près : les frais. Je sais comment tu voyages. Tu t'attends que nous réglions les billets d'avion en première classe, les hôtels de luxe, les grands restaurants…

— Je vais te faire une proposition raisonnable. Si je retrouve le vin, vous me les remboursez. Si je ne le retrouve pas, vous ne me devez pas un centime. Marché conclu ?

Elena ne répondit pas.

— Je vais prendre cela pour un oui enthousiaste, dit Sam. Oh ! encore une chose. Il va me falloir quelqu'un de débrouillard à Bordeaux, quelqu'un qui ait des contacts sur place et qui parle anglais. Je pense que votre bureau de Paris peut me trouver cela. Tu es sûre que tu ne veux pas venir avec moi ?

« Oh ! si, rien ne me plairait davantage », songea Elena en regardant l'assiette de salade et de fromage de chèvre sur son bureau.

— Bon voyage, Sam. Envoie-moi une carte postale.

CELA faisait près de deux ans que Sam n'était pas allé à Paris ; il effectua ses préparatifs avec une fiévreuse impatience. Il prit rendez-vous avec un vieux partenaire, Axel Schroeder ; réserva une table pour 13 heures à la Cigale Récamier ; et prévint de sa visite Joseph, le vendeur qui s'occupait de lui chez Charvet.

Un e-mail d'Elena lui transmit quelques informations fournies par le bureau de Knox à Paris. Ils recommandaient un agent de Bordeaux spécialisé dans l'assurance des vins, une certaine Mme Costes. À en croire le bureau de Paris, elle était *très sérieuse.* Sam connaissait suffisamment les Français pour comprendre qu'une personne qu'on décrivait comme sérieuse serait compétente, fiable et ennuyeuse. Il envoya à Mme Costes les détails de son vol et elle lui confirma qu'elle l'attendrait à l'aéroport de Bordeaux-Mérignac.

RETROUVER Paris procurait toujours autant de bonheur à Sam. Tout concourait à faire de Paris une des villes du monde où l'on aime à se promener. Et, pour une grande métropole, Paris était propre. Pas d'entassements de sacs-poubelle, pas de caniveaux engorgés par les emballages, le plastique ou les paquets de cigarettes écrasés.

Bien que deux années se fussent écoulées depuis sa dernière visite – un long et délicieux week-end avec Elena Morales –, Sam retrouva, intact, le charme du Montalembert. Niché dans un renfoncement proche de la rue du Bac, l'hôtel est petit, chic et chaleureux. Tous les ans, à l'époque des collections, les reines du monde de la mode, plus jeunes dorénavant qu'autrefois, y prennent leurs quartiers. Auteurs, agents et éditeurs hantent le bar. Les antiquaires et les galeristes du quartier passent célébrer une vente avec une coupe de champagne. On se trouve ici chez soi.

Cela tient pour beaucoup au personnel, mais aussi à l'aménagement informel du rez-de-chaussée qui, dans un espace relativement réduit, propose un bar, un petit restaurant et une minuscule bibliothèque avec un feu de bois dans la cheminée. Autant d'endroits non pas séparés par des cloisons mais différenciés par les niveaux d'éclairage. Près de l'entrée, les déjeuners d'affaires ; au fond, les rendez-vous romantiques.

Sam remplit sa fiche, se doucha et se rasa rapidement, puis descendit prendre son petit déjeuner ; là, il examina comment se présentaient ses projets pour la matinée et l'après-midi. Il s'était octroyé un jour de congé et il songeait avec satisfaction qu'il gagnerait aisément à pied les destinations qu'il s'était choisies.

Le temps hésitait entre la fin de l'hiver et le début du printemps, et Sam, tout en descendant le boulevard Saint-Germain, remarqua que les femmes non plus ne savaient pas trop comment s'habiller.

Mais, quelle que fût leur toilette, toutes semblaient avoir adopté la même façon de marcher. Sam en était venu à y voir la marque de l'authentique Parisienne : le pas vif, la tête haute, le sac accroché à une épaule et – point crucial – les bras croisés de telle façon que la poitrine n'était pas seulement soutenue mais aussi soulignée. Absorbé dans ces plaisantes préoccupations, Sam faillit oublier de tourner dans la rue qui menait au fleuve et au musée d'Orsay.

Sam avait décidé de se cantonner à l'étage supérieur où se côtoyaient impressionnistes et néo-impressionnistes. Plus de deux heures passèrent avant qu'il songeât à regarder sa montre. Il quitta le musée et franchit le fleuve, direction le Louvre.

Les Français ont un don pour les restaurants en général et un génie particulier pour les grands espaces. Le Café Marly, énorme pour un restaurant, a été dessiné de façon à ménager des coins calmes et des niches intimes. Surtout, il y a sa longue terrasse couverte avec vue sur la pyramide de verre ; ce fut là, à une petite table, que Sam s'installa.

Se souvenant du dîner à venir, Sam se contenta d'une modeste portion de caviar sévruga et d'un peu de vodka glacée tout en regardant le ballet des passants.

En buvant son café, il accomplit son devoir de touriste et rédigea sa ration de cartes postales : une destinée à Elena pour lui dire qu'il cherchait des indices, une à Bookman et une à Alice, la gouvernante de son étage au Château Marmont, qui voyageait par procuration grâce à Sam chaque fois qu'il abandonnait l'hôtel.

Un timide soleil perçait la couche de nuages lorsque Sam quitta le Louvre pour les allées bien ordonnées des Tuileries. Les plaisirs de la journée avaient parfaitement répondu à ses attentes et, lorsqu'il arriva place Vendôme, il était d'une humeur radieuse – dangereusement radieuse quand on va faire des courses chez Charvet.

Chemisier pour l'aristocratie depuis plus de cent cinquante ans, Charvet répondait au penchant de Sam pour la discrète extravagance de ses chemises sur mesure. Les locaux de Charvet – on ne pouvait guère parler de boutique – occupent plusieurs étages d'une des adresses les plus distinguées de Paris : le 28, place Vendôme. À peine Sam avait-il franchi la porte qu'une silhouette postée au milieu des cravates, des foulards et des mouchoirs s'avança pour l'accueillir : c'était Joseph qui, quelques années auparavant, l'avait initié aux délicieux mystères des coutures à une seule aiguille et des boutons en nacre véritable. Ils prirent ensemble le petit ascenseur jusqu'à l'atelier du premier étage et c'est là, parmi des milliers de rouleaux de popeline, de coton de Sea Island, de lin, de flanelle, de batiste et de soie, que Sam passa le reste de l'après-midi. Chacune des douzaines de chemises qu'il commanda serait, comme du vin, marquée de son millésime, une minuscule étiquette piquée sur la couture intérieure qui identifiait l'année où elle avait été coupée.

Durant le trajet de retour à son hôtel, les pensées de Sam s'orientèrent vers l'homme qu'il allait voir. Axel Schroeder avait été, pendant des années, l'un des cambrioleurs les plus brillants du monde. Schroeder et Sam avaient fait connaissance lorsqu'ils avaient travaillé sur les aspects contradictoires d'une même affaire. Il en avait résulté un certain respect mutuel, et une parfaite courtoisie professionnelle leur avait depuis lors évité de s'intéresser aux projets de l'autre.

Schroeder attendait Sam au bar du Montalembert, une coupe de champagne posée sur la table devant lui. Il était mince, avec un teint de moniteur de ski, un costume gris pâle à rayures, et des cheveux argent qui commençaient à se clairsemer impeccablement coiffés. Il fit signe au serveur.

— La même chose pour mon ami, je vous prie. Et n'oubliez pas de la mettre sur sa note.

Schroeder n'ignorait pas que Sam évoluait maintenant du bon côté de la loi. Comme on pouvait s'y attendre, cela avait tendance à entraver quelque peu leur conversation. Durant plusieurs minutes, les deux hommes parurent disputer une invisible partie de poker ; ils échangèrent des plaisanteries tandis que Schroeder attendait que Sam découvre sa main.

— Voilà qui ne vous ressemble pas, Axel, observa Sam. Nous bavardons depuis dix minutes et vous ne m'avez même pas demandé ce qui m'amène ici.

Schroeder but une gorgée de champagne avant de répondre.

— Vous me connaissez, Sam. Je n'aime pas poser de questions indiscrètes. La curiosité peut être très malsaine. Mais puisque vous en parlez… qu'est-ce qui vous amène à Paris ?

Sam fit à Schroeder un compte rendu du cambriolage, guettant sur ses traits le moindre changement d'expression, mais rien. Le vieil homme gardait le silence, hochant de temps en temps la tête, le visage impénétrable. Une frustrante demi-heure s'écoula avant que Sam décide que cela suffisait. Ils se levaient pour partir quand il fit une ultime tentative.

— Axel, nous nous connaissons depuis longtemps. Vous pouvez me faire confiance, je garderai le secret. Qui vous a engagé ?

Le visage de Schroeder respirait la perplexité de l'innocence.

— Mon cher ami, je ne sais pas de quoi vous parlez. Mais, en souvenir du bon vieux temps, je vais tâcher de me renseigner. Si je trouve quelque chose, je vous préviendrai.

Sam regarda par la fenêtre Schroeder s'engouffrer dans une Mercedes qui attendait. Alors que la voiture démarrait, il put le voir téléphoner sur son portable. Le vieux coquin faisait-il semblant de ne rien savoir ? Ou bien d'en savoir plus qu'il n'était disposé à révéler ? Sam se dit qu'il aurait tout le temps d'y penser pendant le dîner.

Pour finir son jour de congé en beauté, il allait dîner à la Cigale Récamier, et il allait dîner seul. Dans le monde grégaire d'aujourd'hui, le dîneur solitaire est un personnage méconnu. Voire l'objet d'une certaine pitié, l'opinion populaire ayant du mal à accepter l'idée que l'on choisisse de s'attabler seul dans un restaurant bondé. Cependant, pour ceux qui supportent sans mal leur propre compagnie, une table pour une personne présente bien des avantages. Lorsque l'on n'est pas distrait par un autre, on peut accorder aux mets et au vin l'attention qu'ils méritent. De plus, en tendant l'oreille, on est souvent récompensé par de fascinantes indiscrétions en provenance des tables voisines.

La Cigale Récamier, à cinq minutes à pied de l'hôtel, constituait l'une des étapes préférées de Sam. Caché au fond d'une impasse partant de la rue de Sèvres, l'endroit avait toutes les qualités qu'il appréciait dans un restaurant. C'était un établissement simple, sans prétention et d'une grande qualité professionnelle. Sam y avait vu parmi les habitués des ministres, des joueurs de tennis de renommée internationale et des vedettes de cinéma. Et que dire des soufflés, aériens et délicats, savoureux et fondants ?

On conduisit Sam à une petite table devant le gros pilier situé au centre de la salle. Assis le dos à la colonne, il faisait face à une rangée de tables disposées contre un mur dont la plus grande partie était occupée par une glace. Il pouvait ainsi suivre les allées et venues derrière lui tout en regardant les dîneurs de l'autre côté : l'endroit idéal pour un voyeur.

Son serveur lui apporta un verre de chablis et lui désigna les plats du jour crayonnés sur l'ardoise. Sam choisit des côtes d'agneau – roses et cuites à la perfection. Il laissa le choix du vin au serveur.

Les tables autour de Sam commençaient à être occupées et son regard fut attiré par le couple assis en face de lui. L'homme, entre deux âges, élégamment habillé, semblait bien connu des garçons. Il avait pour compagne une ravissante jeune fille de dix-huit ans peut-être. Elle écoutait avec attention ce que disait l'homme. Assis très près l'un de l'autre, ils partageaient le même menu. Sam se rendit compte qu'il était en train de les dévisager.

— Elle est mignonne, hein ? lui glissa le serveur en même temps qu'il apportait les côtes d'agneau. Monsieur est un de nos vieux clients et elle, c'est sa fille. Il lui apprend comment dîner avec un homme.

« Il n'y a qu'en France qu'on peut voir cela, se dit Sam. Vraiment qu'en France. »

Plus tard, en regagnant son hôtel par les petites rues, Sam réfléchit à la journée qui s'achevait. De Manet à Monet jusqu'aux côtes d'agneau et au mémorable soufflé au caramel, elle avait été un voyage de redécouvertes. La musique du français qu'on parlait autour de lui, le doux parfum du pain fraîchement cuit sortant tout juste de la boulangerie, les reflets gris acier de la Seine : tout se présentait comme dans son souvenir. Et pourtant, par on ne sait quelle magie, tout semblait nouveau. C'est l'effet que vous fait Paris.

Cela avait été une journée bien remplie. Envahi d'une plaisante lassitude, il laissa un bain bien chaud dissiper la fatigue du décalage horaire et dormit comme une souche.

Le lendemain matin, pendant le court trajet jusqu'à Bordeaux, Sam s'occupa à considérer ce qui différenciait un avion plein de Français d'un avion plein d'Américains. Bien calé sur son siège, il constata tout d'abord un niveau sonore moins élevé. Puis les livres, qui l'emportaient sur les iPod. Personne ne grignotait. Les Français avaient les cheveux plus longs et on respirait nettement des effluves de lotion après-rasage, mais aucun n'arborait de boucles d'oreilles ni de casquette de base-ball ; dans l'ensemble les tenues étaient plus habillées.

Il existait toutefois une surprenante ressemblance entre le Français et son cousin d'Amérique. À peine franchie la porte des arrivées, apparurent comme par enchantement deux cents téléphones portables. Sam, plutôt enclin à valider la théorie de l'inutilité de 90 % des appels depuis un portable, se contenta d'attendre son sac de voyage en silence, un muet parmi les bavards.

Il inspecta la foule massée aux arrivées, jusqu'à ce que son regard s'arrête sur une femme qui attendait, seule ; elle tenait devant elle un carton sur lequel était inscrit son nom. Il s'avança pour se présenter.

Mme Costes était une agréable surprise. La trentaine, elle était mince, vêtue avec simplicité d'un pantalon et d'un chandail, un foulard de soie négligemment noué autour du cou. Ses lunettes de soleil étaient repoussées sur des cheveux blonds aux reflets fauves. Elle avait un visage comme on en voit dans les magazines de mode : long et étroit avec un air bien élevé. Bref, l'exemple type du bon chic bon genre. Sam avait souvent entendu cette formule, BCBG, pour décrire des gens chics, plutôt conservateurs et attachés à tout ce qui vient de chez Hermès.

Il sourit en lui tendant la main.

— Merci d'être venue m'accueillir. J'espère que cela n'a pas bouleversé votre après-midi.

— Mais pas du tout. Ça fait du bien de sortir du bureau. Bienvenue à Bordeaux, Mr Levitt.

— Appelez-moi Sam, je vous en prie.

Elle pencha la tête en haussant les sourcils, comme si une telle familiarité la prenait au dépourvu. Mais, c'est vrai, il était américain.

— Moi, c'est Sophie. Venez… la voiture est garée juste dehors.

Elle le guida vers la sortie du terminal tout en fouillant à la recherche de ses clés dans les profondeurs d'un grand sac en cuir qui avait la couleur et la texture d'une selle bien patinée. Sam s'attendait à une voiture bien française. Mais ils s'arrêtèrent devant un Range Rover vert foncé maculé de boue.

— Il faut me pardonner l'état de la voiture, fit Sophie avec un petit claquement de langue désapprobateur. Je suis allée à la campagne hier.

Sam s'installa sur son siège tandis que Sophie, qui avait un style de conduite rapide et décidé, traversait les allées de l'aéroport. Ses mains sur le volant étaient aussi BCBG que le reste de sa personne : des ongles polis mais sans vernis, au petit doigt une chevalière si ancienne qu'on y distinguait à peine le blason de la famille, et une Cartier Tank d'époque avec un bracelet en crocodile noir.

— Je vous ai réservé une chambre au Splendide, annonça Sophie, dans le vieux quartier de la ville, près de la Maison du vin. J'espère que cela vous conviendra. Il m'est difficile de me rendre compte car, habitant à Bordeaux, je ne descends jamais à l'hôtel.

— Vous êtes là depuis longtemps ?

— Je suis née à Pauillac, à une cinquantaine de kilomètres de Bordeaux. Il y a des années, j'ai passé quelque temps à Londres. Maintenant, plus de questions. Il faut que je me concentre.

Sophie se faufila dans un dédale de rues à sens unique et s'arrêta devant l'hôtel, un bâtiment du XVIIIe siècle à la façade pompeuse.

— Voilà, dit-elle. Je dois retourner au bureau mais nous pouvons nous retrouver pour dîner si vous voulez bien.

— Je veux bien, acquiesça Sam en souriant.

En l'attendant dans le hall de l'hôtel, Sam se sentait tout à la fois soulagé et encouragé par cette première rencontre avec Sophie Costes. Il préférait infiniment travailler avec de jolies femmes. Et il était encouragé dans ce sens par le fait que Sophie était bordelaise de naissance et d'éducation. D'après tout ce qu'il avait lu, la société bordelaise constituait un labyrinthe de liens familiaux et de séparations, de brouilles et d'alliances qui s'étaient développés depuis quelque deux siècles. Une guide qui en faisait partie serait précieuse.

De hauts talons claquant sur le sol annoncèrent l'arrivée de Sophie. Elle s'était changée pour dîner : une petite robe noire, naturellement, deux rangs de perles, une large écharpe en cachemire noire. Un intéressant effluve de parfum. Sam rajusta son nœud de cravate.

— Je suis content d'avoir mis un costume, observa-t-il.

— Que portent normalement les hommes pour un dîner à Los Angeles ? demanda Sophie en riant.

— Oh ! un jean à cinq cents dollars, des bottes de cow-boy en peau de serpent, un tee-shirt Armani, une veste en soie, une casquette de base-ball Louis Vuitton, des vêtements un peu rustiques, quoi. Mais pas de perles. Les vrais hommes ne portent pas de perles.

— Vous n'êtes pas quelqu'un de sérieux.

— J'essaie de ne pas l'être, avoua Sam, sauf quand il s'agit de dîner. Où m'emmenez-vous ? Faut-il que je commande un taxi ?

— Nous pouvons y aller à pied. C'est juste au coin : un petit restaurant, mais la cuisine est bonne et la carte des vins aussi. Vous buvez du vin, n'est-ce pas ?

— Et comment ! Qu'attendiez-vous que je boive ? Du Coca Light ?

— Avec les Américains, on ne sait jamais.

Le restaurant plut tout de suite à Sam. L'endroit était confortable, avec un minuscule bar à un bout, des glaces et des portraits en noir et blanc encadrés aux murs, et d'épaisses nappes blanches. Une brune souriante vint les accueillir, qu'on présenta à Sam comme Delphine, l'épouse du chef. Les deux femmes s'embrassèrent, Sophie semblait donc être une habituée. Delphine leur désigna une table d'angle, suggéra une coupe de champagne pendant qu'ils étudieraient le menu et repartit dans la cuisine.

— Exactement le genre d'établissement que j'aime, approuva Sam en regardant autour de lui. Excellent choix. (Il désigna de la tête le mur en face d'eux.) Dites-moi, qui sont ces types sur les photos ?

— Des vignerons, des amis d'Olivier, le chef. Vous verrez leurs vins sur la carte. Ne soyez pas déçu mais vous n'y trouverez aucun cru de Californie.

Delphine apporta le champagne et les menus. Sam leva son verre.

— Merci d'accepter de m'aider. Cela rend mon travail bien plus agréable.

Sophie inclina la tête.

— D'abord, faisons notre choix.

Elle sourit en voyant Sam se plonger immédiatement dans la carte des vins.

— Vous agissez comme mon grand-père. Il choisissait toujours le vin d'abord et ensuite les plats.

— Il avait raison, répondit Sam sans lever le nez. Eh bien, ce doit être mon jour de chance. Regardez ce que j'ai trouvé : un lynch-bages 85. Comment ne pas le choisir ? Un vin de votre ville natale ! ajouta-t-il en souriant à Sophie. Maintenant, qu'aurait commandé votre grand-père pour l'accompagner ?

Sophie referma le menu.

— Un magret de canard mi-cuit rosé. Et peut-être quelques huîtres pour commencer, avec une autre coupe de champagne ?

Sam la regarda, se souvenant de dîners à L.A. avec des filles qui tenaient pour un défi gastronomique tout ce qui était plus substantiel que deux crevettes et une feuille de laitue. Quel plaisir de partager son repas avec une femme qui aimait la cuisine !

Delphine prit leur commande et revint presque aussitôt avec le vin et une carafe. Elle présenta la bouteille à Sam qui l'approuva de la tête ; elle ôta le haut de la capsule, retira le bouchon – très long, sombre et humide –, le huma, essuya le col de la bouteille et mit le vin à décanter dans la carafe.

— Que pense-t-on à Bordeaux des bouchons qui se vissent ?

Sophie ne put retenir un petit frisson.

— Je sais. Certains, ici, les utilisent. Mais la plupart d'entre nous sommes très traditionnels. À mon avis, il faudra attendre longtemps avant qu'on mette notre vin dans des bouteilles de limonade.

— Heureux de l'entendre. Je crois que j'ai le snobisme du bouchon. (Sam fouilla dans sa poche et en tira un carnet sur lequel il avait pris quelques notes.) Voulez-vous que nous travaillions un peu avant les huîtres ?

Sophie l'écouta attentivement tandis qu'il lui racontait le cambriolage, ses vaines investigations et sa décision de venir à Bordeaux. Il s'apprêtait à suggérer un plan d'action quand les huîtres arrivèrent : deux douzaines, dégageant un parfum d'air marin, accompagnées de fines tranches de pain bis et de la seconde tournée de champagne.

Sophie demanda à Sam où il avait appris à dénicher la perle sur une carte des vins. À partir de là, la conversation s'anima et, lorsque arriva le magret, ils étaient parfaitement à l'aise l'un avec l'autre.

Sam s'attaqua alors au rituel du goûter du vin, conscient qu'un œil expert le surveillait. Il leva d'abord son verre à la lumière pour en examiner la couleur, puis fit doucement tourner le liquide. Ensuite il le huma à trois reprises. Il prit une petite gorgée et s'accorda quelques secondes de réflexion avant d'avaler. Il regarda alors Sophie en donnant une légère tape sur le bord de son verre.

— De la poésie en bouteille, déclara-t-il d'une voix théâtrale. Robuste mais élégant. Un rien de copeaux de crayon… et, qu'est-ce donc ? Ne détecterais-je pas un soupçon de tabac ? Magnifiquement charpenté, long en bouche. Comment trouvez-vous que je m'en tire jusque-là ?

— Pas mal, estima Sophie.

Ils poursuivirent leur repas sans se presser.

— Eh bien, que diriez-vous d'un peu de fromage ?

Sophie se pencha en avant en souriant.

— Je n'ai qu'un mot pour vous, répondit-elle en pointant un doigt vers lui. Camembert.

Et ce fut donc du camembert, délicat et légèrement salé, dont ils convinrent que c'était la seule façon de terminer ce repas.

Lorsqu'ils se séparèrent, Sam se surprit en train de la regarder s'éloigner. « Une jolie femme », songea-t-il.

Sophie était contente de sa première rencontre avec Sam. Il était de bonne compagnie, semblait s'y connaître en vins et son air un peu cabossé ne manquait pas de charme. Et puis, il y avait ces merveilleuses dents des Américains. Après tout, cette mission dont on l'avait chargée ne serait peut-être pas si ennuyeuse.

4

Pour Sam, les deux jours suivants furent agréables et instructifs, mais de plus en plus frustrants. Grâce à Sophie, ils avaient accès à tous les châteaux, y compris ceux où, normalement, on n'accueillait pas les visiteurs. C'était également grâce à Sophie que gérants de propriétés et maîtres de chais se donnaient beaucoup de mal pour les aider. Domaine après domaine – du somptueux Lafite-Rothschild au minuscule Pétrus –, les deux enquêteurs furent reçus avec la plus grande courtoisie. On écouta patiemment leurs questions et on y répondit. On leur offrit même parfois un verre du précieux nectar. Mais Sam devait le reconnaître : ces visites, si elles ajoutaient à son éducation œnologique, ne faisaient en rien progresser ses recherches. Six châteaux, six impasses.

Au soir du deuxième jour, fatigués et démoralisés, Sam et Sophie allèrent se consoler au bar de l'hôtel où ils commandèrent du champagne, ce remontant infaillible.

— Ma foi, résuma Sam en levant sa coupe, je crois que nous avons fait le tour. Je suis désolé de vous avoir fait perdre votre temps. Merci de votre assistance. Vous avez été formidable.

— En tout cas, fit Sophie en haussant les épaules, vous pourrez leur dire en rentrant à Los Angeles que vous avez visité quelques grands châteaux. Notre version miniature de Napa Valley. (Son portable sonna. Elle regarda l'écran.) Mon avocat. Excusez-moi.

Elle se leva et s'éloigna pour prendre l'appel. Sam avait déjà remarqué cette habitude en France sans parvenir à trancher : bonne éducation ou crainte qu'on ne surprenne l'entretien ? En tout cas, les Français s'efforçaient de ne pas infliger à autrui leurs conversations téléphoniques.

En attendant que Sophie revienne, il relut les notes qu'il avait prises lors de ses visites. Chaque fois, ils avaient demandé qui étaient leurs clients réguliers, les gros acheteurs qui avaient des caves sérieuses à approvisionner. Dans la plupart des cas, les réponses ne les avaient pas surpris : Ducasse, Bocuse, Taillevent, l'Élysée Palace, la Tour d'Argent, une ou deux banques privées, une demi-douzaine de milliardaires (dont, bien entendu, on taisait les noms). Une autre question germa, une question qu'ils n'avaient pas pensé à poser. Il s'en mordait encore les poings quand Sophie vint le rejoindre.

Il se pencha en avant, avec l'air satisfait du chien qui vient de déterrer un os oublié.

— Je viens de me rendre compte que nous n'avons pas posé les bonnes questions. Nous devrions demander si quelqu'un a *cherché* à acheter ces millésimes en particulier et a été déçu d'apprendre qu'ils avaient tous été vendus. Peut-être existe-t-il un amateur obsessionnel quelque part, quelqu'un déterminé à combler à n'importe quel prix les vides de sa collection. Ça, c'est un mobile, non ? conclut-il, levant vers Sophie un visage plein d'espoir.

— C'est possible, admit-elle, et, de toute façon, nous n'avons rien d'autre à tenter. Bon, que voulez-vous faire ?

— On refait le tour des châteaux. Demain matin de bonne heure.

Sophie regarda sa montre, fronça les sourcils et reprit son sac.

— Je vais être en retard et mon avocat se fait payer à la minute. Alors, à demain… Je passe vous prendre à 10 heures ?

— C'est ce que vous appelez de bonne heure ?

— Sam, on est en France.

Sam se réveilla tôt. Il décida d'aller prendre son petit déjeuner dehors, trouva un café en face du Grand Théâtre et s'y installa devant un café crème et le *Herald Tribune*.

Son portable sonna : Sophie lui annonçait qu'il n'était pas encore 10 heures et qu'elle était déjà à la réception.

Il s'empressa de regagner l'hôtel et la retrouva dans le hall. Souriante, elle tapotait sa montre. Elle était habillée comme si elle descendait de cheval : jodhpurs moulants rentrés dans de souples bottes en cuir, foulard de soie au subtil motif de fer à cheval (un Hermès) noué autour du cou. Le summum du chic équestre. Sam promena sur elle un regard approbateur.

— Magnifique tenue, apprécia-t-il. Dommage que vous ayez oublié les éperons. Pardon de vous avoir fait attendre. Vous sentez-vous chanceuse aujourd'hui ?

— Bien sûr, répondit-elle. Très optimiste. Aujourd'hui, nous allons trouver quelque chose. Vous verrez. Voulez-vous que nous commencions par Lafite ?

Pendant le trajet, Sophie lui expliqua la raison de sa bonne humeur. La veille, son avocat lui avait annoncé que la querelle qui l'opposait à son ex-mari était réglée et qu'elle serait bientôt libre de se remarier. Son ex conserverait le bateau qu'il louait à des touristes à Saint-Barth ; Sophie garderait l'appartement de Bordeaux. Il avait posé des problèmes dès le début de leur mariage, toujours parti sur son bateau en compagnie de filles peu recommandables.

— Hmm, fit Sam. Il m'a l'air d'un homme selon mon cœur.

Sophie se mit à rire.

— Vous aimez les bateaux ?

— Je préfère les filles. Avec elles, je n'ai pas le mal de mer.

La route choisie par Sophie traversait une campagne impeccablement soignée, où des vignes plantées au cordeau s'allongeaient jusqu'à l'horizon. Des châteaux sur leur droite, des châteaux sur leur gauche : Léoville-Barton, Latour, Pichon-Lalande, Lynch-Bages, Pontet-Canet.

— Vous n'êtes jamais allée dans la région viticole de Californie ? s'enquit Sam.

— Napa et Sonoma ? Non, jamais. Peut-être un jour. Cela ressemble à ça ?

Sam songea aux collines sèches et brunes, aux établissements vinicoles vastes et modernes avec leurs boutiques de souvenirs et les cars de touristes.

— Pas exactement. Mais certains vins sont assez bons.

— Vous savez pourquoi ? Parce que beaucoup de Français font du vin là-bas. (Elle eut un grand sourire.) Je suis très chauvine, vous savez. Pour moi, les vins français sont les meilleurs.

— Essayez donc de dire cela à un Italien.

— Les Italiens font des vêtements et des chaussures. Et un seul bon fromage. Leurs vins…

Elle fit la grimace et eut un petit geste dédaigneux de la main.

Ils apercevaient maintenant le château Lafite qui se dressait sur une petite colline à bonne distance de la route. Sophie arrêta le Range Rover et se tourna vers Sam.

— L'unique question à poser est bien celle-ci : « Quelqu'un au cours de l'année dernière a-t-il été déçu de ne pas pouvoir acheter le lafite 53 ? » C'est bien ça ?

— Exactement, dit Sam. Croisons les doigts.

LEUR chance tourna au troisième arrêt. Le gérant du domaine, ami de la famille de Sophie, se rappelait un visiteur de l'automne dernier qui était très précis sur le millésime qu'il recherchait ; un monsieur plutôt entêté, en fait, qui avait laissé sa carte pour qu'on puisse le contacter si jamais se présentaient des bouteilles de ce millésime-là. Le gérant fouilla dans une vieille boîte à cigares dans laquelle il conservait les cartes. Il les renversa sur le bureau et les étala, impressionnant déploiement d'écriture moulée et de luxueux bristols blancs.

Ses doigts voletèrent au-dessus des cartes avant de se poser sur l'une d'elles.

— La voici, déclara-t-il en faisant glisser un bristol à l'écart des autres, un monsieur très insistant.

Sophie et Sam se penchèrent dessus :

Florian Vial
Caviste
Groupe Reboul, palais du Pharo 13007 Marseille

PENDANT qu'ils roulaient vers le château suivant – le quatrième de la journée –, Sam demanda à Sophie si elle connaissait le groupe Reboul. En avait-elle entendu parler ? Était-ce un négociant en vins ?

— Tout le monde en France connaît le groupe Reboul, s'esclaffa

Sophie. Ces gens sont partout, s'occupent de tout. Sauf de vin. Je vous parlerai de lui plus tard, mais ne vous excitez pas trop. Il s'agit sans doute d'un hasard.

Ou peut-être pas car, à Figeac puis à Margaux, ils découvrirent que M. Vial était passé avant eux, cherchant le 82 d'un cru et le 83 de l'autre, laissant sa carte dans les deux châteaux.

— Deux fois, ce pourrait être une coïncidence, déclara Sam, mais pas trois. Je vous invite à dîner si vous me racontez tout sur Reboul.

Sophie avait insisté pour retourner dîner au restaurant de Delphine : tous les jeudis, le chef préparait de sublimes rognons de veau cuits dans du porto et servis avec une purée de pommes de terre si légère et si mousseuse qu'elle flottait presque de l'assiette jusque dans votre bouche. C'était sans doute le plat que Sophie aimait le plus au monde. Elle commençait à vanter les mérites de la sauce quand elle remarqua un manque d'enthousiasme dans la réaction de Sam.

— Ah ! dit-elle, j'oubliais. Les Américains ne mangent pas de rognons, n'est-ce pas ?

— Nous n'en sommes pas fanas. Je crois que nous avons un problème avec les viscères. Je n'ai jamais essayé.

— Les viscères ?

— Vous savez, les organes. Les estomacs, les foies, les poumons, les ris, les abats…

— … et les rognons. (Elle lui enfonça un index impérieux dans l'épaule.) Je vous propose un marché. Essayez. Si vous n'aimez pas, vous aurez un steak frites et c'est moi qui paierai le dîner.

Ils s'installèrent à leur table. Sam tendait la main vers la carte des vins quand le doigt de Sophie intervint de nouveau, s'agitant cette fois d'avant en arrière comme un métronome emballé.

— Mais non, Sam. Comment pouvez-vous choisir un vin pour accompagner quelque chose que vous n'avez jamais goûté ?

Il reposa la carte et attendit pendant que Sophie étudiait les pages en se mordillant la lèvre inférieure d'un air concentré. Il se demandait si elle faisait la cuisine et, si oui, ce qu'elle portait alors. Hermès fabriquait-il des tabliers de cuisine ? Il fut interrompu dans ses réflexions par Delphine qui leur apportait des coupes de champagne ; les deux femmes tinrent à voix basse une conférence qui s'acheva dans un échange de hochements de tête et de sourires.

— Bon, dit Sophie. Pour commencer, blinis et caviar. Puis les rognons avec un pomerol exceptionnel, un château-l'évangile 2002. Cela vous paraît bien ?

— Je ne discute jamais avec une jolie femme qui s'y connaît en rognons.

Ils trinquèrent et Sophie entreprit de raconter à Sam ce qu'elle savait du groupe Reboul.

— Les Anglais ont Branson, commença-t-elle, les Italiens ont Berlusconi, et les Français ont Francis Reboul – Sissou pour ses amis et pour les journalistes qui, depuis quarante ans, rapportent fidèlement ses exploits dans le monde des affaires. Un enfant de Marseille qui a fait carrière et qui savoure chaque seconde de sa réussite. Ses détracteurs prétendent qu'il est incapable de s'habiller le matin sans publier un communiqué sur la couleur de sa cravate. Cela fait de lui le chouchou des médias : un événement incarné, qui vaut toujours un article. L'empire qu'il a édifié au long des années englobe des entreprises de travaux publics, des titres de la presse régionale et des stations de radio, une équipe de football, des usines de traitement de l'eau, des entreprises de transport ; il semble avoir des intérêts partout.

Elle s'interrompit car les blinis arrivaient.

— Et le vin ? demanda Sam. Est-il propriétaire d'un château ?

— Pas ici en tout cas. (Elle prit une bouchée de blini et ferma les yeux un moment.) Hmm, c'est bon. J'espère que vous aimez le caviar, Sam.

— Disons que j'aime les abats de poisson. Parlez-moi encore de Reboul.

Il vivait à Marseille dans une sorte de palais. Sa passion, proclamait-il fréquemment et publiquement, c'était la France et tout ce qui était français (à l'exception de Paris dont, comme tout bon Marseillais, il se méfiait). Il consentait même au suprême sacrifice de payer ses impôts en France et, chaque mois d'avril, il donnait une conférence de presse pour annoncer au monde l'importante contribution qu'il apportait année après année à l'économie nationale. Il aimait bien les jeunes femmes. Il entretenait deux yachts : l'un pour l'été, à Saint-Tropez, l'autre pour l'hiver, aux Seychelles. Et, bien sûr, il possédait un jet privé.

— C'est tout ce que je sais, conclut Sophie. (Elle jeta un coup d'œil par-dessus l'épaule de Sam.) Fermez les yeux, Sam.

Sam ferma les yeux, mais son nez le prévint : on avait posé les rognons devant lui. Il baissa la tête et huma le lourd parfum un peu faisandé, chaleureux et riche, et infiniment appétissant. Peut-être s'était-il trompé à propos des abats. Il rouvrit les yeux. Au milieu de l'assiette, un filet de vapeur montait d'un volcan de purée de pommes de terre, son cratère retenant une petite flaque de sauce. Entourant la purée, quatre rognons dodus d'un brun foncé, chacun à peu près de la taille d'une balle de golf.

Sophie se pencha à travers la table pour déposer sur son assiette une cuillerée de moutarde.

— N'en mettez pas trop, sinon cela va tuer le vin. Bon appétit.

Elle se redressa et le regarda prendre sa première bouchée.

Il mastiqua. Avala. Réfléchit. Sourit.

— Vous savez, je dis depuis toujours qu'à la fin d'une dure journée il n'y a rien de tel pour vous ragaillardir que des rognons au porto. (Il déposa un baiser sur le bout de ses doigts.) Merveilleux.

Les rognons et l'excellent pomerol eurent sur eux un effet magique : ils étaient un peu gris et pleins d'optimisme.

— D'après ce que vous me racontez, résuma Sam, Reboul a de l'argent à ne savoir qu'en faire, il est un peu excentrique et il adore tout ce qui est français. Son intérêt pour le vin est-il sérieux ? Je pense que oui puisqu'il a un caviste. A-t-il des contacts aux États-Unis ? J'aimerais en apprendre davantage sur lui.

— Dans ce cas, vous devriez rencontrer mon cousin, suggéra Sophie. Mon cousin Philippe habite Marseille et il est grand reporter pour *La Provence*, le grand quotidien de la région. Il saura des choses sur Reboul et ce qu'il ne sait pas, il peut le trouver. Il vous plaira : il est un peu fou. Ils le sont tous là-bas.

— Exactement ce qu'il nous faut. Quand partons-nous ?

— Nous ?

Sam se pencha sur la table, la voix grave, l'air sérieux.

— Vous ne pouvez pas me laisser partir seul. Marseille est une grande ville, je serais perdu. Et les gens de Knox comptent sur vous pour suivre la moindre piste, même si cela implique de descendre dans le sud de la France.

Sophie secouait la tête mais ne pouvait s'empêcher de rire.

— Vous arrivez toujours à persuader les femmes de faire ce que vous voulez ?

— Pas aussi souvent que je le souhaiterais. Mais je persévère.

Le temps de finir le vin, le café et le calvados que Delphine leur proposait, c'était d'accord pour Marseille.

SAM avait bouclé ses bagages et s'apprêtait à s'endormir avec une dose de CNN quand son portable sonna.

— Bonjour, Mr Levitt. Comment allez-vous ? (La voix, féminine, était résolument californienne.) Je vous passe Elena Morales.

Sam étouffa un bâillement.

— Elena, as-tu une idée de l'heure ?

— Ne m'en veux pas, Sam. La journée a été… tu ne peux pas imaginer. J'ai eu Roth sur le dos. Il a débarqué au bureau et m'a fait une scène qui a duré une heure : des avocats, les médias, son copain le gouverneur. S'il était resté plus longtemps, je crois que j'aurais eu droit à la Cour suprême. Autrement dit, il veut savoir ce qui se passe et il veut son argent. Il m'a demandé ton numéro, mais je lui ai dit que tu étais injoignable.

— Bien joué, mon ange !

— Mais il va revenir à la charge. Qu'est-ce que je vais lui dire ? Tu n'as toujours rien ?

Sam savait reconnaître l'accent du désespoir. Le moment était venu de lancer un mensonge qu'il espérait plausible.

— Écoute, dis à Roth que je mène des négociations avec les autorités de Bordeaux et que j'espère obtenir des résultats dans les prochains jours. Mais il y va de la réputation de Bordeaux. La moindre fuite, où que ce soit, compromettrait tout. Alors, pas d'avocats, pas de médias et pas de gouverneur. OK ?

— Qu'est-ce qui se passe vraiment, Sam ?

— Il est arrivé quelque chose qui pourrait, ou pas, être important, alors nous allons à Marseille demain pour vérifier.

— Nous ?

— Mme Costes m'accompagne. Elle a là-bas un contact qui pourrait être utile.

— Comment est-elle ?

— Mme Costes ? Oh ! blonde, grosse, la cinquantaine. Tu vois ?

— Oui, très bien. Ravissante.

— Bonsoir, Elena.

— Bonsoir, Sam.

5

SAM n'était jamais allé à Marseille, mais il avait vu *The French Connection* et lu un ou deux articles enthousiastes d'écrivains voyageurs. Il pensait donc savoir à quoi s'attendre : des personnages douteux – à coup sûr, de futurs parrains de la Mafia – rôdant à chaque coin de rue ; le marché aux poissons du quai des Belges où se procurer loups de mer bourrés d'héroïne ou mérous garnis à la cocaïne.

Comparée à la respectabilité ordonnée de Bordeaux, Marseille, dans le souvenir de Sophie, était un labyrinthe délabré, grouillant d'hommes et de femmes bruyants et à l'aspect souvent inquiétant. « Louche » fut le terme qu'elle employa pour décrire et la ville et ses habitants, et elle se demandait comment son cousin Philippe pouvait vivre heureux dans un endroit pareil. Il est vrai qu'elle lui trouvait un côté un peu louche, justement.

Lorsqu'ils arrivèrent à l'aéroport de Marignane, ces sombres pensées se dissipèrent aussitôt devant la clarté aveuglante de la lumière, le bleu Gauloises du ciel et le caractère jovial du chauffeur de taxi qui les conduisait à leur hôtel. À l'entendre, Marseille était le centre de l'univers, et Paris un malheureux petit point sur la carte. C'était pour les restaurants de Marseille que Dieu avait créé les poissons. Et les Marseillais étaient les gens les plus chaleureux qu'on puisse rencontrer.

Sophie profita de ce que le chauffeur s'interrompait afin de reprendre son souffle pour lui demander ce qu'il pensait de Reboul.

— Ah ! Sissou, le roi de Marseille ! fit le chauffeur d'un ton soudain respectueux. Il devrait diriger le pays. Un homme du peuple, malgré ses milliards. Imaginez un peu, quelqu'un qui joue aux boules avec son chauffeur ! Quelqu'un qui aurait les moyens d'habiter n'importe où, et où choisit-il de vivre ? Ici même, à Marseille, au palais du Pharo, et… *Merde !*

Le chauffeur freina brutalement et, déclenchant un concert de coups de klaxon, se mit à zigzaguer en marche arrière jusqu'à une petite allée qui menait à l'hôtel. Non sans s'excuser d'avoir raté la bonne rue, il les déposa à bon port, donna sa carte à Sophie, accueillit avec un grand sourire le pourboire de Sam et leur souhaita un séjour mémorable.

Sur le conseil de son cousin Philippe, Sophie avait réservé au Sofitel Vieux-Port, un établissement moderne avec vue sur le fort Saint-Jean bâti au XIIe siècle, un des trois ouvrages édifiés pour protéger la ville des pirates. Une fois dans sa chambre, Sam fit glisser la baie vitrée et sortit sur la terrasse pour respirer une grande goulée d'air salé. Le printemps était en avance à Marseille et les reflets du soleil sur l'eau semblaient avoir nettoyé l'air de façon à le rendre étincelant. Au large se découpait, nette et précise, la silhouette du château d'If. Sam se demanda si Reboul bénéficiait d'une vue plus belle.

Il descendit rejoindre Sophie dans le hall.

— Philippe propose que nous nous retrouvions pour prendre un verre dans une demi-heure. Il veut nous montrer un de ces petits bars que ne fréquentent jamais les touristes. Dans le Panier. Depuis l'hôtel, une jolie promenade, typiquement marseillaise.

Suivant le plan qu'ils avaient pris à la réception, ils descendirent la colline en direction du Vieux-Port. Tout en marchant, Sophie lui raconta le peu qu'elle savait du Panier. Ce quartier, le plus vieux de Marseille, habité jadis par des pêcheurs, des Corses et des Italiens, était devenu pendant la guerre une cachette pour les réfugiés juifs et tous ceux qui tentaient d'échapper aux nazis. En 1943, à titre de représailles, les Allemands avaient fait évacuer le secteur puis en avaient fait sauter la plus grande partie.

— Philippe connaît plein d'histoires sur cette période, poursuivit Sophie. Après la guerre, on a rebâti le quartier et aujourd'hui il est essentiellement habité par des Arabes.

Ils traversèrent le quai à l'extrémité du Vieux-Port, parmi les cohortes de touristes et d'étudiants qui attendaient le ferry pour le château d'If. Des vieillards juchés sur un muret, clignant des yeux comme des lézards au soleil, lorgnaient les filles. Des bébés dans leurs poussettes prenaient l'air tandis que leurs mères bavardaient. Une scène paisible qui provoqua chez Sam une légère déception.

— Tout cela ne m'a pas l'air bien dangereux, constata-t-il. Où sont les voyous ? Ils ne travaillent pas le vendredi ?

— Ne vous inquiétez pas, le réconforta Sophie en lui tapotant le bras. Nous demanderons à Philippe. Il vous indiquera les endroits où vous pourrez faire de mauvaises rencontres ! Il faut trouver la montée des Accoules, juste avant la cathédrale. Et regardez comme c'est intéressant : notre plus proche voisin est Reboul.

Elle lui montra le plan et, en effet, le palais du Pharo n'était qu'à quelques centaines de mètres de leur hôtel.

Sitôt quittés les espaces découverts qui bordaient le port, l'atmosphère changeait radicalement. Des bâtiments délabrés qui, au soleil, auraient pu avoir un certain charme avaient simplement l'air sinistres. Seuls signes de vie, les odeurs de cuisine épicée et le gémissement de la musique pop nord-africaine qui s'échappaient des fenêtres. Ils tournèrent dans une ruelle.

— Je crois que le bar est au bout, annonça Sophie, sur une placette qui n'a même pas de nom.

— Les types un peu louches connaissent toujours les meilleures adresses.

Au bout de la ruelle, ils débouchèrent sur un petit square. Et, dans un coin, ses vitres couvertes de slogans tracés à la peinture blanche et rédigés par des amateurs de football – ALLEZ L'OM ! DROIT AU BUT ! –, le bar. Des lettres défraîchies au-dessus de l'entrée annonçaient qu'il s'agissait du Sporting. Garé devant, un scooter Peugeot noir et poussiéreux.

Sam poussa la porte, et le courant d'air frais fit frémir l'épais brouillard de fumée de tabac. Les conversations s'arrêtèrent. Des joueurs interrompirent leur partie de cartes pour lever vers lui leurs visages ravagés. Deux clients, accoudés au bar, se retournèrent pour le regarder. Le seul de cette assemblée à sourire, un costaud aux cheveux bruns, une sorte de gros ours assis à une table dans un coin, se leva, ouvrit grands les bras et se précipita sur Sophie.

— Ma petite cousine ! s'exclama-t-il en l'embrassant fougueusement sur les deux joues. Bienvenue, bienvenue. (Se tournant vers Sam, il changea de langue.) Vous devez être Sam, l'Américain, dit-il en lui saisissant la main. Bienvenue à Marseille. Qu'est-ce que vous buvez ? Entre nous, j'éviterais le vin de la maison. Un pastis, peut-être ? Sinon il y a un excellent whisky corse. Asseyez-vous.

Sam regarda autour de lui. Le décor avait connu des jours meilleurs. La plupart des carreaux qui recouvraient le sol en damier étaient usés jusqu'au ciment.

— Charmant endroit, constata-t-il. On y organise des mariages ?

— Seulement des enterrements, rétorqua Philippe avec un sourire. Mais c'est tranquille, discret. Je l'utilise pour rencontrer les politiciens locaux qui ne veulent pas être vus discutant avec la presse.

— Ils n'ont pas de téléphone ?

— Les téléphones, ça se met sur écoute, expliqua Philippe. Vous qui vivez en Amérique, vous devriez le savoir. (Il se tourna vers le bar.) Mimine, s'il te plaît, on est presque morts de soif !

— J'arrive, j'arrive.

La voix de Mimine leur parvint à travers un rideau de perles en bois accroché derrière le bar, aussitôt suivie de sa propriétaire : plus d'un mètre quatre-vingts juché sur des talons hauts, une tignasse crépue de cette rousseur qui semble briller dans le noir, d'énormes anneaux d'or aux oreilles et une poitrine monumentale, en grande partie visible. Elle se planta devant la table, les poings sur les hanches, les yeux fixés sur Sam. Le saluant de la tête, elle s'adressa à Philippe : un torrent de mots déversés à une vitesse folle, le tout conclu sur un gloussement un peu rauque. Philippe éclata de rire ; Sophie rougit ; quant à Sam, il n'avait absolument rien compris.

— Mimine trouve que vous êtes beau gosse, traduisit Philippe qui riait encore. Je ne vous dirai pas ce qu'elle a proposé mais ne vous inquiétez pas. Tant que vous restez avec moi, vous ne risquez rien.

— Allons, Philippe, l'exhorta Sophie, assez de bêtises. Sam va t'expliquer pourquoi nous sommes venus à Marseille.

Sam raconta tout ce qu'il estimait que Philippe avait besoin de savoir. Le gaillard écouta avec attention, posant de temps à autre une question, prenant des notes. Quand Sam eut terminé, Philippe garda le silence quelques instants.

— Bon. Eh bien, je peux vous procurer tout ce que nous avons sur Reboul, ce qui n'est pas mal. Mais ça ne suffit pas, n'est-ce pas ?

— Nous avons besoin de le voir, confirma Sam en secouant la tête. Et aussi de voir sa cave.

— Dans ce cas, il vous faut une *très* bonne histoire. Il pourrait y avoir quelque chose pour moi là-dedans. On ne sait jamais, fit-il en haussant les épaules.

— Comment cela ?

— Un scoop, mon cher Sam. Supposons que votre enquête débouche sur quelque chose d'intéressant. Ça ferait la une du journal, et je ne voudrais pas la partager avec un autre journaliste.

— Ne vous inquiétez pas, Philippe. Ça ne sortira pas de la famille. Vous nous aidez et en retour vous avez l'exclusivité. Marché conclu, dit Sam.

Les deux hommes échangèrent une poignée de main et tous trois se levèrent.

En sortant du bar, Philippe s'installa sur la selle de son scooter.

— La seule façon de circuler dans Marseille, expliqua-t-il en emballant le moteur. À bientôt, les enfants.

Et, avec un geste d'adieu, il dévala la ruelle en pétaradant, sa lourde masse en équilibre précaire sur les deux petites roues.

— NOUS cherchons donc, récapitula Sam, à faire un reportage détaillé, un prétexte qui nous permette d'accéder à la cave de Reboul, et d'y rester assez longtemps pour savoir exactement ce qu'il y a entreposé : deux bonnes heures certainement, étant donné tous les vins qu'il possède, peut-être plus. Il nous faudra prendre des notes ainsi que des photos. Par ailleurs, il faudra que le contenu de cet article ne puisse pas se vérifier rapidement.

Ils avaient décidé de dîner au restaurant de l'hôtel qui proposait le poisson local, le vin blanc de Cassis et une vue imprenable du coucher de soleil sur le Vieux-Port. Il était encore tôt et ils avaient le restaurant pour eux.

— Je sais ! s'exclama Sophie. Vous êtes un riche Américain qui veut se constituer une superbe cave et je suis votre consultante. Nous nous adressons à Reboul car nous avons entendu dire qu'il possède une des plus belles caves de France.

Sam fronçait les sourcils.

— Mais pourquoi accepterait-il d'aider deux inconnus ?

— Parce qu'il est sensible à la flatterie. Et nous savons qu'il adore la publicité.

Sam s'apprêtait à servir Sophie quand il s'arrêta net, la bouteille à mi-chemin entre le seau à glace et le verre de Sophie.

— Vous dites « la plus belle cave » et je pense aussitôt à un livre. Supposons que nous préparions un livre, un gros livre, magnifique, cher, un livre qui raconte tout sur les plus belles caves de France – non, les plus belles caves du monde –, et que nous voulions y faire figurer celle de Reboul. Pourquoi ? Parce qu'elle a tout : une remarquable collection de vins, un cadre extraordinaire, un propriétaire fascinant à la réussite exceptionnelle. Le livre, bien sûr, serait illustré par un des meilleurs photographes du monde. Reboul aurait donc sa ration de flatterie, une flatterie *publique*. Et nous tiendrions là une raison de passer tout le temps nécessaire dans sa cave, pour prendre des notes et des photos. Qu'en pensez-vous ?

— Pas mal, apprécia Sophie. Mais pour quelle maison d'édition travaillons-nous ?

Sam, imitant Sophie, braqua sur elle un index réprobateur.

— Nous ne sommes pas des éditeurs, mais des packageurs indépendants. Nous avons l'idée d'un livre que nous intitulerons *Les Plus Belles Caves du monde*. Nous engageons auteurs et photographes, fabriquons une maquette et vendons ensuite les droits d'édition au plus offrant des grands éditeurs internationaux : Bertelsmann, Hachette, Taschen, Phaidon, par exemple.

— Comment avez-vous appris toutes ces choses ?

— Il y a deux ans, expliqua Sam, je me trouvais pour affaires à Francfort au moment de la Foire du livre. Les éditeurs du monde entier s'y rendent pour acheter et vendre. J'ai fait la connaissance de quelques-uns d'entre eux qui se retrouvaient chaque soir au bar de l'hôtel. Mon Dieu, ce que ces gens-là peuvent boire ! J'ai appris un tas de choses. C'était très intéressant.

Tout en savourant lentement un bar au fenouil, un fromage de chèvre frais avec de la tapenade et un sorbet au romarin, Sophie et Sam fignolèrent leur idée. Au moment du café, ils avaient le sentiment d'avoir bâti une histoire qui tenait la route. Sophie se procurerait auprès de Philippe le numéro de téléphone du bureau de Reboul et obtiendrait un rendez-vous. Sam achèterait un appareil photo et mettrait la dernière main à leur numéro.

— Je viens juste de penser à la façon idéale de terminer la soirée, déclara-t-il en signant l'addition. Une discrète reconnaissance au clair de lune.

— Pardon ? demanda Sophie, méfiante.

— Aller jeter un coup d'œil à la maison de notre voisin pourrait s'avérer intéressant. Vous m'accompagnez ?

— Pourquoi pas ?

Ils sortirent de l'hôtel et, après avoir gravi la colline, suivirent le boulevard Charles-Livon jusqu'à des grilles monumentales qui avaient été laissées ouvertes. Au loin, au bout d'une allée obscure, on distinguait de la lumière, venant sans doute de la maison.

Sam s'engagea dans l'allée, suivi d'une Sophie légèrement nerveuse.

— Sam, protesta-t-elle en le tirant par la manche, que dirons-nous si quelqu'un nous arrête ?

— D'abord, cessons de chuchoter. Et nous dirons… oh ! je ne sais pas, que nous sommes deux innocents touristes américains et que nous avons cru qu'il s'agissait d'un jardin public. Mais, rappelez-vous, nous ne parlons pas français. Souriez. Tout ira bien.

Au bout de deux cents mètres, ils atteignirent l'extrémité d'une pelouse soigneusement tondue, de la taille d'un terrain de football, au-delà de laquelle, flamboyante de lumières, se dressait la demeure de Francis Reboul.

Ils s'arrêtèrent pour contempler le bâtiment, un édifice colossal dont les deux ailes entouraient une avant-cour de gravier. Presque perdues dans un coin, une demi-douzaine de limousines noires étaient garées dans un alignement parfait et, grâce à la lumière qui ruisselait par les fenêtres du rez-de-chaussée, on distinguait des chauffeurs en livrée qui, tout en bavardant et en fumant, attendaient dans la fraîcheur de la nuit.

— Une réception, dit Sam. Nous ferions mieux de ne pas nous attarder. Les invités risquent de commencer à s'en aller.

Ils entamaient leur demi-tour quand le faisceau d'une puissante torche électrique les frappa en pleine figure. Un garde et un berger allemand jaillirent de l'obscurité et s'avancèrent vers eux. Ni l'un ni l'autre ne semblait d'humeur accueillante.

Sam sentit Sophie se pétrifier auprès de lui. Il prit une profonde inspiration, leva les mains et sourit dans la lumière éblouissante.

— Bonsoir. Nous sommes un peu perdus. Vous parlez anglais ?

— Que faites-vous ici ? rétorqua l'homme en français.

— Non, je pense que vous ne parlez pas anglais, constata Sam. Nous cherchons le Sofitel. Hôtel Sofitel ?

Le garde approcha, l'air tout aussi menaçant que son chien. Sam se demanda s'ils mordaient à tour de rôle. Avec un geste de la tête, le garde braqua le faisceau de sa torche vers l'allée.

— Au bout du chemin, puis à gauche, dit-il, toujours en français.

— « Gauche… » ça veut dire *left*. C'est bien ça ? *Gracias*… non, attendez… merci. (Sam se tourna vers Sophie.) J'en ai assez de ces foutues langues étrangères. L'année prochaine nous irons à Cape Cod.

Le garde se renfrogna et fit de nouveau un geste avec sa torche. Les crocs du chien luisaient à la lumière. Sophie prit le bras de Sam qui marmonnait toujours et l'entraîna vers l'allée.

En retrouvant la sécurité du boulevard, Sophie poussa un soupir de soulagement et éclata de rire.

— C'est ce que vous appelez une discrète reconnaissance ? Il n'était pas gentil du tout, cet homme.

— Pauvre diable, dit Sam. Quel sale boulot : marcher toute la nuit en compagnie d'un chien, il y a de quoi vous rendre grincheux. Je me demande s'il est là seulement quand il y a des invités.

Ils regagnèrent l'hôtel et prirent leurs clés à la réception.

— Fin prête pour demain ? s'enquit Sam. Pour votre premier jour de packageuse.

— Je n'ai jamais rencontré de packageuse. Que portent-elles ?

— Du persuasif. Dormez bien.

Tout en se douchant, Sam passa leur journée en revue. Philippe promettait d'être d'un grand secours. Il y avait chez lui un côté aventurier, un peu louche, et Sam y voyait la base d'une collaboration fructueuse. Et puis il y avait Sophie, une personnalité beaucoup plus compliquée. Sam avait le sentiment qu'elle se trouvait dans une certaine mesure prisonnière de ce milieu bourgeois profondément français, avec ses règles de comportement social, ses manières à table qu'on observait strictement, son code vestimentaire et sa répugnance à adopter quiconque n'était pas conforme. Sophie pourrait un jour changer : elle était intelligente, séduisante et pas peureuse, comme elle l'avait montré en l'accompagnant au palais du Pharo. Mais Sophie, Sam en convenait avec un soupir, n'était pas Elena Morales.

Il sortit de la douche et passa dans la chambre. Son portable était posé sur la table de chevet à côté de sa montre. Il regarda l'heure. C'était la mi-journée à L.A. et Sam fut tenté d'appeler Elena. Mais que lui dirait-il ? La vérité ? Qu'il avait envie d'entendre sa voix ? Il décida d'attendre le lendemain, quand il aurait quelque chose de concret à lui annoncer.

Sam sortit dans la fraîcheur matinale et étudia le petit déjeuner qu'on lui proposait. Soigneusement disposé sur la nappe blanche aux plis impeccables qui recouvrait la table de sa terrasse se trouvait tout ce qu'un homme raisonnable pouvait attendre pour commencer la journée : une cafetière aux puissants effluves, et un petit pot, empli de lait chaud, deux croissants magnifiquement dorés et un exemplaire du *Herald Tribune.* Il chaussa ses lunettes de soleil, s'assura que la vue était aussi belle que la veille, et allait s'asseoir avec une plaisante sensation de bien-être quand son portable se mit à sonner.

Avant de répondre, il regarda sa montre : Sophie prenait des habitudes américaines.

— Bonjour, dit-il. Vous êtes bien matinale.

— Les vieillards ne dorment guère, Sam, fit une voix douce au léger accent.

Axel Schroeder.

Surpris, Sam mit un moment avant de répondre.

— Quel plaisir de vous entendre, Axel. Quoi de neuf ?

— Oh ! des choses par-ci, par-là, Sam. Des choses. Si nous prenions un verre, ce soir ? (Un temps.) Si vous êtes encore à Paris.

« Il va à la pêche, se dit Sam. Il a appris que j'étais parti. »

— Rien ne me plairait davantage, Axel. Mais ce soir, ce n'est pas possible.

— Quel dommage, déplora Axel, parce que je déteste annoncer de mauvaises nouvelles par téléphone. D'après ce qu'on m'a dit, c'est Roth qui a monté l'affaire du vin. À mon avis, vous devriez rentrer en Californie.

— Merci, Axel. Je vous tiendrai au courant, soyez en certain.

Sam se versa une première tasse de café. Il aimait bien Axel qui, à certains moments, pouvait surprendre – et probablement se surprendre lui-même – en disant la vérité. Mais pas cette fois, Sam le sentait : un signe encourageant, donc.

À 11 HEURES, Sophie, Sam et Philippe étaient installés à une table dans un coin tranquille du hall de l'hôtel. Sophie avait enfin réussi à contacter la secrétaire particulière de Reboul : malheureusement, il était avec son professeur de yoga et on ne pouvait pas le déranger ; la secrétaire avait malgré tout promis de rappeler Sophie.

Sophie débita l'histoire qu'elle lui avait servie.

— Ça peut marcher, approuva Philippe lorsqu'elle eut terminé. (Il tira alors un épais classeur de sa sacoche en Nylon tachée par les intempéries.) Voici le dossier Reboul. Je vous ai imprimé les parties intéressantes. Vous constaterez à quel point il adore qu'on lui prête attention et davantage encore si, en plus, il y a un photographe dans le coup. Tenez, regardez.

Il ouvrit le classeur, en étala le contenu sur la table et ils découvrirent Reboul, le bâtisseur, casque sur la tête au milieu d'un de ses chantiers de construction ; Reboul, le magnat de la presse, manches retroussées, probablement dans une salle de rédaction ; Reboul, en maillot de footballeur, bavardant avec des membres de l'Olympique de Marseille ; Reboul, coiffé d'un chapeau de paille effrangé, communiant avec une grappe de raisin ; Reboul, l'aviateur, s'apprêtant à embarquer dans son jet privé ; Reboul, le loup de mer, à la barre de son yacht ; ainsi que dans toutes sortes de tenues, du costume trois pièces au short et tee-shirt. Un cliché particulièrement intéressant montrait Reboul, le connaisseur, levant à la lumière un verre de vin devant des rangées de bouteilles qui s'alignaient à perte de vue.

— Un type vraiment occupé, résuma Sam. Y a-t-il une Mme Reboul ?

— Il y en avait une. Elle est morte voilà des années et il ne s'est jamais remarié. Ce qui ne veut pas dire qu'il n'a pas une ou deux petites amies.

Le téléphone de Sophie sonna. Les deux hommes la regardèrent se lever et s'éloigner pour prendre l'appel. Bref mais positif. En revenant, elle arborait un grand sourire.

— Ce soir à 18 h 30, annonça-t-elle. Il faut que ce soit aujourd'hui parce que, demain, il emmène son bateau en Corse ; il sera absent quelques jours.

— Formidable, applaudit Sam. Bien joué. Vous avez un bel avenir comme packageuse. Maintenant, de quoi avons-nous besoin ? Je ferais mieux d'acheter un appareil photo.

— Il faut que je trouve quelque chose à me mettre, dit Sophie. Du genre sérieux.

Philippe consulta sa montre.

— OK, mais d'abord, on déjeune, je meurs de faim, lança-t-il. Je connais un endroit typiquement marseillais. Nous discuterons pendant le repas.

Un taxi les déposa au coin de la rue du Village et de la rue de Rome, et Philippe les entraîna vers ce qui avait l'apparence d'une boucherie ordinaire, avec une vitrine décorée d'un assortiment de viandes de bœuf, d'agneau et de veau. Il s'arrêta net au moment d'entrer et se tourna vers Sam.

— Ici, on propose la meilleure viande de la ville.

À peine la porte franchie, Sam entendit un brouhaha de conversations provenant du fond de la boutique. Un jeune homme vint les accueillir, survécut à une vigoureuse accolade de Philippe, et les conduisit dans une petite salle bondée où des taches de lumière filtraient entre les feuilles de la bougainvillée géante qui se déployait au-dessus de la verrière. Philippe salua çà et là quelques clients.

— Ici, les gens sont tous de Marseille, expliqua-t-il à Sam. Vous êtes probablement leur premier Américain.

Partout, sur les tableaux, les sets de table, les salières, les poivriers et les menus, des représentations d'une imposante vache noir et blanc – la Belle.

Philippe referma la carte.

— De la *bresaola* pour commencer, avec des cœurs d'artichaut, des tomates séchées et du parmesan. Ensuite les joues de bœuf qu'ils préparent ici avec une tranche de foie gras par-dessus. Et enfin un fondant au chocolat. Cela devrait nous permettre de tenir jusqu'au dîner. Faites-moi confiance.

Après une ou deux questions innocentes sur le travail de Sophie et sur Bordeaux, Philippe but une gorgée de vin, s'essuya les lèvres avec sa serviette et passa à des sujets plus délicats.

— Comment vont tes amours ? Je suis sûr que tu n'es plus mariée à ce… quoi déjà ? dessinateur de yachts ? Je lui ai toujours trouvé un côté un peu louche.

— Le divorce vient d'être prononcé, acquiesça Sophie. Je fréquente quelqu'un d'autre depuis bientôt dix-huit mois. (Elle regarda Sam en secouant la tête.) Voilà ce qui arrive quand on a un journaliste dans sa famille. Il s'appelle Arnaud Rolland, il a un petit château près de Cissac, une charmante vieille mère, pas d'enfants et deux labradors. Maintenant, laisse-moi terminer mon déjeuner.

— Oh ! je te demandais ça comme ça, répondit Philippe en faisant un clin d'œil à Sam.

Au café, la conversation revint sur les événements de la soirée.

— Avant que j'oublie, lança Philippe en fouillant dans son sac à dos. Vos devoirs… de la lecture pour vous avant ce soir, ajouta-t-il en glissant à Sam un petit livre. L'histoire du palais du Pharo. Reboul est très fier de sa demeure. Vous l'impressionnerez si vous lui montrez que vous en connaissez un peu le passé.

— Philippe ? demanda Sophie qui étudiait un plan de Marseille. Où irais-tu pour acheter des vêtements ? Pour moi.

Philippe leva vers le plafond un regard songeur.

— Je suggérerais le secteur des rues Paradis et de Breteuil. Je vais te noter ça.

En sortant du restaurant, ils s'arrêtèrent un instant pour que Philippe leur indique où aller : Sophie pour trouver des boutiques, Sam pour acheter un appareil photo.

Une fois ses emplettes terminées, Sam retrouva sa terrasse, s'y installa et ouvrit le livre que lui avait donné Philippe : l'histoire bilingue de la splendide demeure aujourd'hui occupée par Reboul.

L'idée du palais du Pharo germa en 1852, quand Louis Napoléon Bonaparte, alors prince-président avant de devenir empereur, laissa entendre aux dignitaires locaux qu'une résidence dominant la mer serait tout à fait à son goût. Une telle allusion équivalait presque à un ordre impérial, et le bon peuple de Marseille ne tarda pas à réagir : « Laissez-nous vous bâtir une maison. » Louis Napoléon, jugeant leur générosité un peu excessive, déclina l'offre. Mais, dit-il, il accepterait avec plaisir un coin de terre approprié sur lequel il ferait construire une demeure qui lui conviendrait.

Le chantier fut officiellement ouvert en 1856, mais la première pierre ne fut posée qu'en 1858, le 15 août – heureuse coïncidence, justement le jour anniversaire de la naissance de Napoléon Ier. Les travaux s'éternisèrent : 1868 arriva, se termina, et le palais de Napoléon III était toujours inhabitable.

Deux ans plus tard, à la suite de quelques aventures militaires peu judicieuses, Napoléon III fut déposé. Il s'exila en Angleterre, où il mourut en 1873. Sa veuve, Eugénie, rendit à Marseille ce qui leur avait été donné, laissant la ville propriétaire du plus spectaculaire éléphant blanc de la côte.

Au cours des cent vingt années qui suivirent, les édiles découvrirent que l'entretien de ces énormes maisons, exposées de surcroît aux ravages de l'air salin, coûtait extrêmement cher. Finalement, ce fut avec un immense sentiment de soulagement que la municipalité accepta l'offre de Reboul de louer le palais du Pharo pour son usage personnel. On signa les papiers le 15 août 1993 et Reboul emménagea.

La brise du soir soufflait de la mer, apportant un air frisquet, et Sam rentra s'habiller pour le rendez-vous. Il vérifia son appareil photo tout neuf et fourra dans sa poche une douzaine de cartes de visite ; elles ne comportaient aucun détail sur ses occupations, ce qui lui permettait de passer d'une profession à une autre. Il rajusta une dernière fois sa cravate – achetée aux soldes du Harvard Club – et descendit retrouver Sophie dans le hall.

En sortant de l'ascenseur, il la vit en grande discussion avec le concierge qui, de toute évidence, appréciait la toilette qu'elle portait : une jupe juste au-dessus du genou et, sous une veste ajustée, un décolleté de dentelle.

Sophie, apercevant Sam, se tourna vers lui, une main sur la hanche, et le regard interrogateur.

— Alors ? Ça ira ?

Sam acquiesça en souriant.

— À vrai dire, vous feriez sensation dans l'édition.

— Je demandais au concierge de nous appeler un taxi, dit-elle. Je suis incapable de parcourir plus de vingt mètres.

Sam regarda les chaussures.

— Je comprends parfaitement, dit-il en offrant son bras à Sophie. Allons-y. C'est le soir de chance de Reboul.

Les lourdes grilles s'ouvrirent à l'arrivée du taxi. À une cinquantaine de mètres, au bord de l'allée, se dressait la statue plus grande que nature d'une femme vêtue de la tunique flottante portée dans la Grèce antique ; le regard aveugle de ses yeux de marbre fixait l'énorme bâtiment visible au loin.

— L'impératrice Eugénie, expliqua le chauffeur. La pauvre, elle ne s'est jamais approchée davantage de son palais.

Sur les marches du perron, la tête inclinée dans un salut respectueux, attendait un jeune homme en costume noir. Il fit entrer les visiteurs et les guida le long d'un couloir au parquet à chevrons soigneusement astiqué jusqu'aux deux battants d'une porte imposante, qu'il poussa d'un geste large. Les rayons du soleil déclinant qui ruisselaient à travers de hautes fenêtres frappèrent Sophie et Sam en plein visage, les aveuglant presque. Ils distinguèrent à contre-jour la silhouette de Reboul, de dos, un portable à l'oreille.

— Il ne sait pas que nous sommes là, chuchota Sophie.

— Bien sûr que si, rétorqua Sam. Il veut juste nous montrer combien il est occupé. Ça se pratique beaucoup à L.A.

Il acheva sa phrase en se retournant pour refermer bruyamment la double porte. Reboul, toujours à contre-jour, posa son portable et s'approcha d'eux.

Petit, mince, impeccable, son épaisse chevelure blanche magnifiquement coupée en brosse, il portait une chemise d'un bleu extrêmement pâle, une cravate sur laquelle Sam, toujours sensible à ces signaux secrets, reconnut aussitôt les couleurs du Guards Club de Londres, ainsi qu'un costume de soie bleu foncé. Son visage avait la couleur du teck bien huilé et, à la vue de Sophie, ses grands yeux bruns brillèrent d'un éclat plus vif encore.

— Bienvenue, madame, dit-il en s'inclinant pour lui baiser la main. Et vous êtes monsieur…

— Levitt. Sam Levitt. Enchanté de faire votre connaissance. Merci infiniment de nous recevoir, fit Sam en serrant la main de Reboul et en lui tendant sa carte de visite.

— Ah ! Vous préféreriez peut-être que nous parlions anglais, proposa Reboul.

— C'est bien aimable à vous, remercia Sam. Mon français n'est pas aussi bon qu'il devrait l'être.

— Pas de problème, assura Reboul. Aujourd'hui, dans les affaires, tout le monde doit savoir l'anglais. Et bientôt, je suppose, nous devrons apprendre le chinois. (Il regarda la carte de Sam et haussa un sourcil.) Un château à Los Angeles ? C'est très chic.

— Bien modeste, rectifia Sam, mais c'est chez moi.

Reboul tendit la main vers la rangée de fenêtres.

— Venez. Laissez-moi vous montrer mon coucher de soleil. On m'assure que c'est le plus beau de Marseille.

« *Son* coucher de soleil », songea Sam. Admirable, cette manie des milliardaires de s'approprier les merveilles de la nature. Le ciel flamboyait : une grande traînée cramoisie frangée de rose et de bleu lavande, la lumière déployant un tapis de reflets d'or à la surface de la mer. On distinguait vaguement, à quelques kilomètres du rivage, un groupe de petites îles. Sophie désigna du doigt la plus proche.

— C'est le château d'If, n'est-ce pas ?

— Tout à fait exact, ma chère. Vous n'avez pas oublié votre Alexandre Dumas. C'est là qu'était emprisonné le comte de Monte-Cristo.

Vous savez, bien des visiteurs croient qu'il a vraiment existé. On reconnaît là le pouvoir d'un bon livre. (Se détournant des fenêtres, il prit le bras de Sophie.) Ce qui me rappelle l'objet de votre visite. Asseyons-nous et vous allez pouvoir m'en parler.

Reboul leur désigna, disposés autour d'une table basse dégoulinante de dorures, des fauteuils et des sofas XIXe. Avant de s'asseoir, il prit son portable et appuya sur une touche : le jeune homme en costume noir qui devait rôder derrière la porte apparut pour déposer un plateau sur la table ; il sortit du seau à glace une bouteille de champagne qu'il présenta à Reboul afin d'obtenir son approbation avant de l'ouvrir. Le bouchon jaillit avec un doux soupir. Le jeune homme emplit leurs coupes puis s'éclipsa.

— J'espère que vous aimez le krug, s'inquiéta Reboul. (Il leva sa coupe vers Sophie et sourit.) À la littérature.

Pendant la préparation de leur numéro, Sam et Sophie étaient convenus que les antécédents bordelais de Sophie la désignaient tout naturellement pour le poste de directrice éditoriale chargée de sélectionner les caves qui figureraient dans le livre. Après une goutte de champagne pour humecter sa gorge soudain sèche, elle commença par donner à Reboul un aperçu général du projet, émaillant son exposé des noms de caves éminentes envisagées : les grands restaurants, les grands hôtels et, bien entendu, le palais de l'Élysée. Reboul écoutait avec une attention polie, son regard se détournant parfois du visage de Sophie pour apprécier discrètement ses jambes.

Mais quand elle en arriva à ce qu'elle appelait la partie principale de l'ouvrage, à savoir les plus belles caves privées du monde, l'intérêt de Reboul se manifesta : qui, à part lui, serait contacté ? s'informa-t-il. Sans la moindre hésitation, Sophie se mit à débiter des noms : une poignée d'aristocrates anglais, quelques industriels américains renommés, l'homme le plus riche de Hong Kong, une veuve écossaise qui vivait en recluse dans son château sur un domaine de douze mille hectares au milieu des Highlands, ainsi que deux ou trois des familles parmi les plus connues du Bordelais et de Bourgogne.

Les candidats à une place dans le livre, expliqua-t-elle, devaient satisfaire à trois exigences : d'abord, avoir assez de goût et d'argent pour réunir une collection de vins vraiment remarquable ; deuxièmement, être intéressants pour des raisons autres que leur amour du vin, donc, selon les termes mêmes de Sophie, avoir une vie au-delà de leur cave ; et, troisièmement, les caves elles-mêmes devaient, d'une façon ou d'une autre, sortir de l'ordinaire. Pour se faire comprendre elle cita un exemple : celui du comte anglais qui, au fond de son parc, gardait ses vins dans une énorme folie victorienne avec ascenseur à contrôle du degré d'hygrométrie. Certes, elle n'avait pas vu les caves du palais du Pharo ; pourtant, assura-t-elle, elle ne les imaginait pas autrement que sortant de l'ordinaire.

— C'est vrai, elles ne sont pas ordinaires, confirma Reboul. Et tellement grandes que M. Vial, mon maître de chais, utilise un Solex pour les parcourir dans toute leur longueur. Votre projet est intéressant et présenté de la plus charmante façon, déclara-t-il en inclinant la tête vers Sophie. Mais parlez-moi un peu de… comment dire ?… du côté pratique.

Au tour de Sam.

— On fera appel aux meilleurs spécialistes, commença-t-il. On confiera la rédaction du texte à un auteur d'ouvrages sur le vin internationalement respecté et la préface peut-être à Robert Parker ; les photographies seront prises par Halliwell ou Duchamps, tous deux unanimement considérés comme des maîtres. La conception du livre sera supervisée par Ettore Pozzuolo, maquettiste de génie et légende de l'édition. En d'autres termes, on ne regardera pas à la dépense. Ce sera tout simplement *la* bible des amoureux du vin, et il y en a des millions à travers le monde.

Naturellement, précisa Sam, Reboul aurait à approuver le texte et les photographies qu'on retiendrait, Mme Costes assurant la liaison entre l'auteur, le photographe et le palais du Pharo. Elle serait à tout moment disponible pour une consultation.

Reboul se rendait compte qu'on le flattait, mais cela ne le gênait jamais. L'idée n'était pas mauvaise, songea-t-il, pas mauvaise du tout. Le genre de livre que lui-même trouverait intéressant. Ce serait un autre testament de sa réussite : le magnat des affaires au palais d'or. Attrait supplémentaire : la perspective de nombreuses réunions éditoriales en tête à tête avec la ravissante Mme Costes qui fixait sur lui un regard plein d'espoir.

Sa décision était prise.

— Très bien, je suis d'accord. Parce que je recherche toujours les occasions de mettre en avant la France et tout ce qui est français. Je dois être un patriote à l'ancienne mode. Maintenant, comme vous l'a dit ma secrétaire, je pars de bonne heure demain matin passer quelques jours en Corse. Mais, à ce stade, vous n'avez pas besoin de moi : c'est M. Vial, responsable de ma cave depuis près de trente ans, que vous devez rencontrer ; je me dis parfois qu'il connaît personnellement chaque bouteille de ma cave. Personne n'est mieux placé que lui pour vous organiser une visite guidée. Oui, Vial est l'homme que vous devez voir.

Plus il avançait dans son discours, plus l'expression de Sophie se précisait, passant de l'espoir au ravissement.

— Merci, dit-elle en se penchant pour poser sa main sur le bras de Reboul. Vous ne le regretterez pas, je vous le promets.

Reboul lui tapota la main.

— J'en suis convaincu, ma chère. (Il regarda le jeune homme en noir toujours dans les parages.) Dominique va prendre toutes les dispositions pour que vous rencontriez Vial dès demain. Et maintenant, si vous voulez bien m'excuser, j'ai un autre rendez-vous. Dominique va vous raccompagner à votre hôtel.

En sortant, ils croisèrent le rendez-vous suivant de Reboul, une femme grande et mince portant de grosses lunettes de soleil et laissant sur son passage une bouffée de parfum capiteux.

Sur le perron, pendant qu'ils attendaient la voiture, Sam passa un bras autour des épaules de Sophie et la serra affectueusement.

— Vous avez été sensationnelle, la félicita-t-il. J'ai cru un moment que vous alliez vous asseoir sur ses genoux.

— Je pense qu'il l'a cru aussi, fit Sophie en riant. C'est vraiment un homme à femmes. Un peu petit, hélas !

— Ce n'est pas un problème, croyez-moi. S'il se juchait sur son portefeuille, il serait plus grand que nous deux réunis.

Une longue Peugeot noire s'arrêta au bas des marches et Dominique en descendit pour ouvrir les portières arrière.

— Juste en bas de la route, je vous prie, dit Sam. Au Sofitel.

La voiture stoppa au bout de l'allée, près de la statue de l'impératrice Eugénie. Dominique abaissa sa vitre, tendit la main et pressa un bouton dissimulé dans un pli de la tunique de marbre d'Eugénie. Les grilles électriques s'ouvrirent. Après avoir murmuré un « Merci, madame », Dominique s'engagea sur le boulevard et, quelques minutes plus tard, ils avaient regagné leur hôtel.

— Je ne sais pas ce que vous en pensez, dit Sam à Sophie tandis que la voiture s'éloignait, mais je crois que nous avons mérité un autre verre. Je cours au bar.

Ils traversaient le hall quand une grande silhouette échevelée se précipita à leur rencontre, les sourcils levés d'un air interrogateur.

— Alors ? Alors ? Comment ça s'est passé ?

Sam leva les deux pouces.

— Sophie a été fantastique. Nous avons rendez-vous pour visiter la cave demain matin.

En buvant un verre, ils mirent Philippe au courant. Un début prometteur, ils en convinrent tous trois, mais d'après la description de Reboul, sa cave était gigantesque : ils auraient donc à chercher cinq cents malheureuses bouteilles parmi des milliers.

Sam termina son verre et se leva.

— Il faut que je donne quelques coups de téléphone parce qu'à L.A. on doit vouloir savoir ce qui se passe, et mieux vaut les appeler avant le déjeuner. Mais je suis sûr que vous avez tous les deux un tas de cancans familiaux à vous raconter.

Il était 11 heures du matin à Los Angeles et Elena Morales commençait à être persuadée que la place de Sam se trouvait dans la rubrique « Déchets humains » des pages jaunes. Aussi, lorsque sa secrétaire annonça qu'elle avait Mr Levitt en ligne, était-elle prête à lui arracher la tête.

— Oui, Sam, qu'y a-t-il ? lâcha-t-elle d'un ton plus que glacial.

— Parmi tout ce que j'adore chez toi, répondit Sam, il y a le ton que tu prends au téléphone. Maintenant, écoute-moi.

Il lui fallut cinq minutes pour raconter tous les événements qui avaient abouti à la rencontre avec Reboul et à la visite de sa cave prévue pour le lendemain. Elena le laissa terminer, puis parla à son tour.

— Si le dénommé Reboul détient le vin, comment comptes-tu le prouver ?

— Je travaille là-dessus. (Silence à l'autre bout du fil.) Elena, tu ne me sembles guère enthousiaste.

— J'ai demandé au bureau de Paris de m'envoyer le CV de Sophie Costes. Il comporte une photo... qui ne ressemble pas précisément à ta description. (Sam sentait le courant glacé traverser les ondes.) Bonne nuit, Sam.

Elena raccrocha sans lui laisser l'occasion de répondre.

6

SAM se réveilla de bonne heure, encore contrarié par la conversation téléphonique de la veille au soir. Au bon vieux temps, leurs disputes commençaient souvent ainsi. Elle exprimait des soupçons, il s'entêtait. Bref, une relation tumultueuse mais aussi des réconciliations spectaculaires. Il chassa ces souvenirs d'un haussement d'épaules et se mit à consulter le dossier Reboul que Philippe lui avait confié.

Malgré son français approximatif, il parvint à en retenir l'essentiel. Le thème récurrent portait sur la grandeur de la France et de tout ce qui était français. Jusqu'au TGV, même si Reboul reconnaissait ne l'avoir jamais emprunté. Tout faisait l'objet de compliments chaleureux. Et, on ne sait comment, il donnait l'impression d'avoir joué un rôle déterminant dans la création de tout cela.

Le seul point sur lequel Reboul était prêt à admettre que la France n'était peut-être pas tout à fait un paradis terrestre concernait les fonctionnaires. Non content de révéler le montant de l'impôt qu'il payait, il le traduisait en équivalent de salaires de fonctionnaires. Cela lui fournissait le point de départ approprié pour fulminer, année après année, sur la fainéantise, l'incompétence et le gaspillage de la bureaucratie, ce qui faisait les délices de la presse populaire.

Sam ne pouvait se défendre d'une certaine sympathie à l'égard d'un homme prêt à payer le prix pour vivre dans un pays qu'il chérissait. Il referma le dossier avec un hochement de tête approbateur et descendit retrouver Sophie dans le hall.

FLORIAN VIAL les attendait devant l'entrée principale du palais du Pharo. S'ils n'avaient pas su qu'il était le responsable de la cave de Reboul, ils l'auraient pris pour un poète né sous une bonne étoile. Malgré la température printanière, Vial portait, pour affronter la fraîcheur des caves, un costume coupé dans un épais velours vert bouteille ; une longue écharpe noire s'enroulait plusieurs fois autour de son cou, à la française ; un coin de chemise prune pointait sous sa veste. Ses cheveux, longs et brossés en arrière, avaient les mêmes tons poivre et sel que sa barbe impeccablement taillée en triangle. Ses yeux d'un bleu pâle les regardaient derrière des lunettes rondes sans monture. Il ne lui manquait qu'un grand feutre et une cape pour ressembler à un personnage de Toulouse-Lautrec.

Il s'inclina pour baiser la main de Sophie, lui effleurant les doigts de sa moustache.

— Enchanté, madame. Enchanté. (Puis il se tourna vers Sam et lui serra la main d'une poigne vigoureuse.) Très heureux, monsieur, dit-il. Pardonnez-moi, j'oubliais : M. Reboul m'a signalé que vous étiez plus à l'aise en anglais. Ce n'est pas un problème pour moi : je le parle couramment. Nous commençons ?

Précédés de Vial, Sophie et Sam traversèrent une enfilade de pièces à la décoration un peu chargée – des salons, expliqua Vial – pour arriver dans une vaste cuisine. Contrairement aux salons, celle-ci était d'un modernisme total : acier inoxydable, granit poli et éclairage encastré. Seul vestige des traditions culinaires d'autrefois, la longue barre en fer forgé fixée en haut d'un mur à laquelle étaient accrochées une quarantaine de casseroles en cuivre soigneusement astiquées. Vial désigna l'énorme cuisinière La Cornue et déclara avec satisfaction :

— Le chef du Petit Nice, Passédat, vient souvent ici. Il serait capable de tuer pour disposer d'une cuisine pareille.

Ils traversèrent ensuite une seconde cuisine où s'alignaient des placards et des lave-vaisselle. Dans un coin, deux portes. Vial ouvrit la plus grande et se retourna pour les prévenir :

— Attention ! L'escalier est très étroit.

L'escalier dessinait une spirale serrée qui s'interrompait devant une porte métallique peinte en vert. Vial pressa un certain nombre de chiffres sur le clavier électronique inséré dans le mur et ouvrit la porte. Il alluma la lumière et s'écarta pour guetter avec un sourire l'expression de ses hôtes.

Sophie et Sam restèrent abasourdis. Sur quelque deux cents mètres s'étendait un large passage pavé qui descendait de façon à peine perceptible. Le plafond était constitué d'une succession d'élégantes voûtes de brique. De chaque côté s'ouvraient des passages plus étroits. À gauche de la porte, appuyée contre un tonneau, le deux-roues de Vial, un vieux Solex. L'air sentait comme il se doit dans une cave : un peu d'humidité, des relents de moisi.

Vial fut le premier à rompre le silence.

— Qu'en pensez-vous ? Cela vous conviendra pour votre livre ?

Il souriait en caressant sa moustache du bout de l'index.

— Très, très impressionnant, déclara Sophie. Même à Bordeaux, il n'y a pas de cave aussi grande, pas chez un particulier en tout cas. C'est magnifique, Sam, vous ne trouvez pas ?

— Parfait, acquiesça Sam. Formidable pour le livre. Le seul problème est que, sans plan, on doit se perdre.

Vial exultait.

— Mais j'ai un plan ! Eh oui ! Quand vous passerez à mon bureau, je vous montrerai comment vous repérer. (Ils s'engagèrent dans l'allée pavée.) Ici, nous sommes dans la grand-rue. (Il désigna une petite plaque d'émail bleu et blanc fixée sur la première colonne ; elle indiquait BOULEVARD DU PALAIS.) Et de chaque côté il y a d'autres rues, petites ou grandes. Le nom de chacune indique qui habite là. Je parle de bouteilles, naturellement.

Il leur fit signe de s'engager dans un des passages. Un autre panneau bleu et blanc annonçait la rue de Champagne.

Et, du champagne, il y en avait à perte de vue dans les casiers qui bordaient de chaque côté l'étroite allée de gravier : krug, roederer, bollinger, perrier-jouët, veuve-clicquot, dom-pérignon, taittinger, ruinart – en bouteilles, en magnums, en jéroboams, en réhoboams, en mathusalems et même en nabuchodonosors. Vial contempla cet alignement avec adoration avant de les faire revenir sur leurs pas pour descendre la rue de Meursault, puis celles de Montrachet, de Corton-Charlemagne, l'avenue de Chablis, l'allée de Pouilly-Fuissé, l'impasse d'Yquem... Ce côté du boulevard principal, expliqua Vial, était consacré aux vins blancs, l'autre aux rouges.

Parcourir la cave leur prit près d'une heure, avec des arrêts pour rendre hommage à tel ou tel : par exemple au légendaire trio de latour, lafite et margaux dans la rue des Merveilles... Quand ils arrivèrent au bureau de Vial, ils se sentaient un peu étourdis.

— Laissez-moi vous poser une question, dit Sam. Je n'ai pas vu de rue de Chianti. Vous n'avez pas de vins italiens ?

Vial le regarda comme s'il venait d'insulter sa mère.

— Non, non, non, absolument pas. Chaque bouteille ici est française, M. Reboul insiste bien là-dessus. Uniquement ce qu'il y a de mieux. Quoique... entre nous – pas pour le livre, hein –, vous verrez là-bas quelques caisses de votre vin de Californie. M. Reboul possède une *winery*, comme vous dites, un établissement vinicole dans la vallée de Napa. Pour s'amuser.

Tout au fond de la cave, un chariot de golf très patriotique, peint en bleu, blanc, rouge, était garé dans un coin à côté d'une énorme porte à deux battants ; elle s'ouvrit sur la pression d'un bouton, révélant la longue allée qui, passant au pied de la mélancolique statue d'Eugénie, menait aux grilles de la propriété.

— Vous voyez ? fit Vial. La cave est creusée sous la grande pelouse devant la maison. (Il désigna de la tête la partie pavée de l'autre côté de la porte.) La zone des livraisons : les camions déchargent ici, devant mon chariot de golf, et je conduis les bouteilles à leur adresse.

Sophie contempla le chariot de golf d'un air perplexe.

— Mais, monsieur Vial, quand vous êtes prêt à boire le vin, comment l'apportez-vous dans la maison ?

— Ah ! dit Vial en se tapotant le nez. On peut toujours compter sur une femme pour repérer l'aspect pratique. Je vous montrerai avant de partir. Maintenant, venez admirer mon repaire.

Il était manifeste que Vial pensait qu'il jouerait dans le livre un second rôle important, aussi tenait-il à exhiber les objets intéressants qui encombraient son bureau. Un bureau de connaisseur, précisa Vial. À part le plateau de verre, il était entièrement fabriqué à partir de caisses en bois des grands domaines, chaque caisse utilisée comme tiroir, chacun portant le nom et le poinçon d'un château illustre imprimés dans le bois. Les discrètes poignées de tiroir étaient des bondes de bois circulaires teintées pour ressembler à du liège.

Sam sortit son appareil photo.

— Je peux ? Juste comme référence.

— Mais bien sûr !

Vial se déplaça pour être sur la photo, posa une main sur le plateau du bureau, leva la tête et prit un air altier.

— Vous avez déjà fait cela, dit Sam en souriant.

Vial lissa sa moustache et prit une autre pose, perché cette fois sur le bord du bureau, les bras croisés.

— Pour les photographes de revues de vin, oui. Ils aiment bien ce qu'ils appellent l'aspect humain.

Pendant que Sam le mitraillait, Sophie examina des photos de Vial avec des vedettes de cinéma, des footballeurs, des grands couturiers, des mannequins et autres distingués visiteurs. Elles partageaient la surface du mur avec des diplômes de la Jurade de Saint-Émilion et des Chevaliers du Tastevin, ainsi qu'une lettre de remerciements signée du président de la République en personne. Tout comme son patron, Vial n'était pas hostile à un peu d'autopromotion.

En s'éloignant de la galerie de portraits, Sophie s'arrêta devant une longue étagère qui accueillait des alcools anciens. Une bouteille attira son regard : un bordeaux blanc, un gradignan 1896, où le reste de liquide reposait sur une couche de dépôt de dix centimètres. Vial s'arracha à l'objectif et entraîna Sam vers Sophie.

— Mon coin sentimental, expliqua-t-il. J'ai découvert ces bouteilles dans des marchés aux puces et je n'ai pas pu résister. Imbuvables, naturellement, mais très pittoresques, n'est-ce pas ?

— Fascinant, observa Sophie. Cela aussi ? ajouta-t-elle en montrant un petit alambic en cuivre.

— Il fonctionne encore ? demanda Sam.

Vial fit semblant d'être choqué à cette idée.

— Ai-je l'air d'un délinquant, monsieur ? Depuis… voyons… 1916, on n'autorise plus les particuliers à distiller de l'alcool, le *moonshine* comme vous dites. Et maintenant, laissez-moi vous montrer comment cheminer dans ma petite ville.

Reculant d'un pas, il désigna, encadré d'une simple baguette dorée, le plan accroché au mur derrière son bureau.

Haut d'une quarantaine de centimètres sur quelque dix de large, celui-ci représentait une vue aérienne de la cave avec les noms des rues soigneusement calligraphiés et, tout autour, d'amusants tire-bouchons miniatures. Le plan, signé dans un angle, portait une date en chiffres romains.

— Superbe, apprécia Sam. Cela ferait de magnifiques pages de garde.

Sam expliqua à Vial, étonné, ce qu'il voulait dire.

— Votre plan, avec tous ces noms et ces tire-bouchons, conviendrait tout à fait pour un ouvrage sur le vin, dit-il. Vous n'en auriez pas d'autres exemplaires, par hasard ?

Avec un nouveau clin d'œil, Vial se précipita sur son bureau, ouvrit un des tiroirs du bas et en tira un rouleau.

— Ces tirages ont été imprimés avant que nous encadrions l'original. Nous les offrons en souvenir aux amis de M. Reboul qui viennent pour des dégustations. Charmant, non ? fit-il en roulant le plan pour le remettre à Sophie. (Mais Vial coupa court à leurs remerciements en jetant un coup d'œil à sa montre.) Peuchère ! Je n'ai pas vu le temps passer. J'ai un rendez-vous. Il faudra que vous reveniez après le déjeuner.

Il grimpa sur son chariot de golf en faisant signe à Sophie et à Sam de le rejoindre.

— Imaginez que vous êtes une caisse de vin, dit-il.

Il démarra et le chariot remonta le boulevard du Palais.

— C'est amusant, dit Sam. Je suis une caisse de rouge ou une caisse de blanc ?

— L'une ou l'autre, répondit Vial, ou les deux. Vous vous demandiez comment monter jusqu'à la salle à manger. Comme vous voyez, il y a une autre porte juste ici. Voilà ! L'ascenseur pour les bouteilles : il dessert l'arrière-cuisine. Aucune turbulence. Pas de vertige en grimpant l'escalier. Le vin arrive calme, détendu.

— Ce que vous appelez un monte-plats, résuma Sam.

— Parfaitement, dit Vial. Voulez-vous que nous disions 15 heures ? Je vous attendrai à la porte des livraisons.

Ils prirent un sandwich à la terrasse ensoleillée de la Samaritaine, de l'autre côté du port. Quand arrivèrent la carafe de rosé et leurs deux saumons fumés beurre, ils commençaient à récupérer de leur fraîche matinée souterraine parmi les bouteilles.

La visite avait été intéressante. Mais identifier cinq cents bouteilles de vin parmi plusieurs milliers nécessiterait des heures et beaucoup de concentration. Et l'omniprésence de Vial n'arrangerait pas les choses.

— Je me demande si nous ne devrions pas nous séparer cet après-midi. L'un se consacrerait au côté des blancs, l'autre à celui des rouges. Qu'en pensez-vous ? demanda Sam.

Sophie réfléchit un moment puis acquiesça.

— Laissez-moi prendre les blancs. La plupart des vins que vous recherchez sont des rouges. Vous ne tenez pas à ce que Vial vous regarde en train de prendre des notes ou de faire des photos. Et puis, étant bordelaise, je m'y connais en rouges. En revanche, pas tellement en champagnes et en bourgognes. Il apparaîtra normal que je demande des explications à Vial. Or il adore étaler ses connaissances. Il me fera un cours tout l'après-midi. Faites-moi confiance.

— Tout cela vous amuse, n'est-ce pas ?

— Bien plus que les assurances. Ça ressemble à un jeu. Pourtant je ne suis pas sûre de désirer que nous gagnions. Vous comprenez ce que je veux dire ?

— Oui, je vois ce que vous voulez dire. Reboul et Vial m'ont l'air de braves types. Il est vrai que de braves types peuvent être des escrocs. Par exemple, moi, j'en étais un.

Sophie enregistra cet aveu sans plus de surprise qu'elle n'en aurait manifesté si Sam venait de lui apprendre qu'il avait jadis été footballeur professionnel. Après tout, il était américain ; tout était possible.

— Cela vous manque… de ne plus être escroc ?

— Quelquefois. Quand vous êtes sur un coup, vous avez vraiment conscience d'être vivant. Intensément vivant. À cause, je crois, du risque et de l'adrénaline. Et puis j'aimais bien les préparatifs : monter une affaire organisée à la seconde près, et exécutée dans les règles. Pas d'arme, pas de violence, pas de blessé.

— Sauf la pauvre compagnie d'assurances.

— Montrez-moi une compagnie d'assurances pauvre et je prouverai que le père Noël existe et qu'il mène une vie très agréable en Floride. Mais je comprends ce que vous entendez par là. Il y a toujours une victime.

Sophie appela Philippe pour le tenir au courant, puis ils vidèrent tranquillement la carafe avant de boire un café à réveiller les morts. Il était l'heure de retourner au palais du Pharo.

— Je me suis ménagé un après-midi entier de liberté.

Vial pencha la tête de côté comme s'il attendait leur réaction et Sophie sauta sur l'occasion.

– Il y a tellement à voir, dit-elle, que nous avons pensé que le mieux serait de nous consacrer chacun à une moitié de la cave. J'ai choisi les blancs, mais à une condition. (Elle dévisagea longuement Vial et Sam crut un moment qu'elle allait battre des cils.) Comme je suis de Bordeaux, je m'y retrouve assez bien dans les grands rouges. En revanche, les grands champagnes, les grands vins de Bourgogne et les sauternes représentent, comment dirais-je, une lacune dans mon éducation. Alors, j'espérais que vous voudriez bien…

Elle ne termina pas sa phrase, les yeux fixés sur Vial qui, instinctivement, redressa les épaules et porta une main à ses lèvres pour lisser sa moustache.

— Ma chère madame, rien ne saurait me donner un plus grand

plaisir que de partager les quelques bribes de mon savoir avec une fervente amoureuse du vin. Je propose que nous commencions par le champagne et que nous terminions avec l'yquem, comme on le ferait dans un dîner civilisé. Mais j'oublie mon autre hôte. Vous n'allez pas vous perdre ? Vous êtes sûr ?

— J'ai votre excellent plan, j'aurai d'assez bonnes bouteilles pour me tenir compagnie et cela ne me dérange pas de travailler seul. Ne vous inquiétez pas, ça ira très bien.

Vial se garda bien d'insister.

— Bon. Maintenant, chère madame, si vous voulez bien me suivre, nous allons tout de suite plonger dans le champagne. Vous devez savoir, j'en suis sûr, que le champagne a été inventé par le moine dom Pérignon, qui disait lorsqu'il dégustait sa divine invention : « Je bois des étoiles. » On ne saurait en donner une meilleure description.

Il entraînait Sophie, sa voix montant et descendant au gré de leurs pérégrinations. Elle ne s'était pas trompée : Vial adorait parler et il adorait tout autant qu'un joli public l'écoute.

Au bout du compte, les recherches de Sam s'avérèrent bien moins longues et difficiles qu'il ne l'avait prévu. Le plan de la cave le conduisit tout d'abord rue des Merveilles : lafite 53, latour 61, margaux 83. Tous ces millésimes étaient présents en quantités impressionnantes, leur année inscrite à la craie sur la petite ardoise qui identifiait chaque bouteille ou chaque casier. Sam prit une bouteille de lafite et la posa avec précaution sur le gravier du sol, l'étiquette sur le dessus. Il s'accroupit pour la photographier, puis remit la bouteille à sa place. Il fit de même pour le latour et ensuite pour le margaux. Jusqu'ici, tout allait bien.

Il consulta le plan, cherchant la rue Saint-Émilion. Il la trouva à côté de la rue Pomerol, ce qui reflétait la géographie des vignobles. Il y avait beaucoup de figeac 82. À vrai dire, où qu'il portât son regard, il y avait beaucoup de tout. Il avança jusqu'aux pomerols. Un des casiers du bas était réservé aux magnums de pétrus 1970. Prenant un magnum à deux mains, une sur la capsule et l'autre sur le culot, Sam le déposa sur le gravier, admirant au passage le motif de la partie supérieure de l'étiquette : parmi les vrilles de vigne, l'artiste avait niché un portrait de saint Pierre avec sa clé – la clé du paradis – ou, comme d'aucuns aiment à dire, la clé de la cave du château.

Sam prit une photo puis remit le magnum dans son casier, avec un léger regret toutefois mêlé de satisfaction : il avait retrouvé tous les rouges de sa liste. À l'exception de l'yquem 75.

Il traversa jusqu'à l'impasse d'Yquem. On n'en produit chaque année qu'à peine quatre-vingt mille bouteilles, c'est-à-dire une gouttelette par rapport à la production annuelle de bordeaux. Et c'est un vin qui se garde bien. Une bouteille du millésime 1784 a été ouverte, dégustée et déclarée parfaite par un groupe d'heureux connaisseurs deux cents ans plus tard.

La collection d'yquems de Reboul constituait peut-être la partie la plus impressionnante de cette cave éblouissante. On y trouvait quelques-unes des grandes années, à commencer par le 1937 pour continuer par le 45, le 49, le 55 et le 67, avant de terminer avec le plus jeune, le 75. Sam choisit une bouteille et la photographia. Soudain, il se figea sur place : la voix de Vial semblait dangereusement proche.

— Le chablis, évidemment, est l'un des vins blancs les plus connus du monde. Mais il y a chablis et chablis.

— Ah bon ? s'étonna Sophie, qui réussit à prononcer ces deux syllabes sur un ton de surprise fascinée.

Retenant son souffle, Sam sortit sur la pointe des pieds de l'impasse d'Yquem et regagna la sécurité des rouges, où Vial et Sophie le découvrirent un quart d'heure plus tard plongé dans les casiers de pomerol, appareil photo dans sa poche et carnet en main.

— Tiens ! s'exclama Vial, voici votre collègue en plein travail.

Fabuleux, déclara Sam. Absolument fabuleux. C'est vraiment une collection extraordinaire.

— Mais vous devriez voir les blancs, intervint Sophie. Les bourgognes ! Les yquems ! M. Vial vient de faire mon éducation.

Vial se rengorgeait.

— J'ai hâte de les voir, reconnut Sam, mais j'ai le sentiment que, pour aujourd'hui, nous avons déjà beaucoup trop accaparé M. Vial. Puis-je vous demander une grande faveur ? Pourrons-nous revenir ?

— Naturellement, dit Vial. Voici mon numéro de portable.

Après avoir échangé moult remerciements chaleureux d'un côté, protestations de modestie de l'autre, ils quittèrent la pénombre de la cave pour émerger sous le soleil de fin d'après-midi.

— Philippe doit nous retrouver ici, annonça Sophie alors qu'ils s'engageaient dans l'allée de l'hôtel. Il a hâte d'entendre ce que nous avons découvert. Il dit qu'on se croirait dans un roman policier.

Sam s'arrêta brusquement.

— A-t-il des contacts avec la police locale ? Des contacts suivis ?

— Sûrement. Tous les journalistes en ont. Tiens, il est déjà là, fit-elle en désignant le scooter noir de son cousin. Pourquoi me parlez-vous de la police ?

— C'est juste une idée, mais je commence à avoir l'impression que nous allons peut-être avoir besoin d'elle.

PHILIPPE, téléphone à l'oreille, arpentait le hall ; sa main libre s'agitait de haut en bas et de gauche à droite, comme s'il dirigeait un orchestre symphonique invisible. Le clou de sa tenue du jour était une veste de treillis dont le dos affichait en majuscules peintes au pochoir dans un rouge sang légèrement dégoulinant la mention LA MORT EN MARCHE. Apercevant Sophie et Sam, il coupa sa conversation.

— Alors ? demanda-t-il. Qu'avez-vous trouvé ?

— Un tas de choses, répondit Sam. Je vous expliquerai tout mais il faut d'abord que j'aille chercher des papiers dans ma chambre. Pouvez-vous nous trouver une table au bar ?

Il les rejoignit cinq minutes plus tard avec une brassée de papiers.

Philippe s'était occupé des rafraîchissements.

— D'après Sophie, vous aimez le rosé, dit-il en prenant une bouteille de tavel dans un seau à glace. Voilà. Domaine de la Mordorée. Mais que cela ne vous empêche pas de parler.

— Merci. Commençons par les bonnes nouvelles : nous recherchions six vins de millésimes précis, et nous les avons vus. Ils sont tous là et, grâce à Sophie, j'ai pu les photographier, déclara Sam en tapotant son appareil. Mais ne vous excitez pas trop. C'est en effet une bonne nouvelle, mais ce n'est qu'un début. Le problème, c'est que, chaque année, on produit plus de cent mille bouteilles de chacun de ces crus, à l'exception d'yquem, dont la production tourne quand même autour de quatre-vingt mille. Les bouteilles de Reboul peuvent très bien avoir été achetées de façon tout à fait légitime au long des années. D'accord ? Maintenant, si Vial tient ses comptes aussi bien que la cave, il doit exister des reçus pour chaque bouteille. Nouveau problème : si Reboul est notre homme, vous pouvez parier qu'il aura dressé toute une paperasserie derrière laquelle se dissimuler, un montage lui permettant d'affirmer qu'il a acheté le vin de bonne foi. Le

Liechtenstein, Nassau, Hong Kong, les îles Caïmans : il n'a que l'embarras du choix. Il existe à travers le monde des milliers de ces curieuses petites sociétés capables, moyennant finance, de vous fournir tous les documents nécessaires. Ensuite elles disparaissent, et retrouver leur trace peut prendre des années. Demandez au fisc.

Sam s'interrompit pour goûter son vin.

— C'est donc la fin, soupira Philippe, visiblement déçu. Pas d'article, par conséquent.

— Mais non, reprit Sam qui souriait à présent. Quelque chose me tracassait et j'ai enfin compris quoi. (Il tira une photocopie de la pile de papiers étalés devant lui.) Cet article du *L.A. Times* sur la collection de Roth a été repris par le *Herald Tribune* qui, lui, a une diffusion internationale. Tous les passionnés de vin – y compris notre ami Reboul – ont donc pu le lire. Voici Roth. Vous voyez ce qu'il tient ?

Philippe examina le cliché.

— Du pétrus. Un magnum, semble-t-il.

— Exact. Réussissez-vous à lire la date sur l'étiquette ?

— 1970 ? suggéra Philippe après avoir regardé de plus près.

— Exact encore. Elle fait partie des bouteilles volées, et Roth la tient à deux mains comme un trésor ; elle est donc certainement couverte de ses empreintes. Or, il faut savoir que c'est dans les environnements humides que les empreintes digitales se conservent le mieux. Le degré d'humidité dans une cave de professionnel comme celle de Reboul doit être d'environ quatre-vingts pour cent. Dans ces conditions, les empreintes laissées sur le verre peuvent tenir des années. Supposons que nous ayons de la chance et que personne n'ait pensé à essuyer chaque bouteille. Si les empreintes de Roth se trouvent sur certains des magnums de la cave de Reboul, je serai en mesure de soutenir qu'elles constituent la preuve du vol.

Le silence se fit autour de la table, tandis que chacun digérait cette information.

— Sam, il y a autre chose. (Sophie tira du dossier une photo qui montrait Reboul posant devant son jet privé.) En regardant toutes ces bouteilles avec Vial, je me suis dit : quoi de plus commode que de disposer de son propre avion si on veut acheminer une grande quantité de vin depuis la Californie jusqu'à Marseille ?

Sam regarda Sophie en souriant.

— Vous commencez à devenir pas mal du tout. Vous arrivez à lire le numéro d'immatriculation ?

Ils scrutèrent tous les trois la photo. À dessein ou involontairement, la silhouette de Reboul dissimulait entièrement l'immatriculation de l'avion.

— Cela n'a guère d'importance, minimisa Sam, le nom de la compagnie devrait suffire.

— Suffire à quoi ? demanda Philippe.

— Tout avion utilisant l'espace aérien des États-Unis est tenu de déposer un plan de vol : heure de départ, destination, heure d'arrivée prévue. Le tout enregistré sur ordinateur. Je suis pratiquement sûr que le nom de la compagnie y figurera aussi. Je connais quelqu'un là-bas qui devrait pouvoir nous aider. Je vais voir s'il est là. (Sam se leva, cherchant des yeux un coin tranquille pour passer son appel.) Philippe, pendant ce temps, voulez-vous recenser les policiers amis que vous connaissez à Marseille ? Nous allons avoir besoin de l'un d'entre eux.

Le lieutenant Bookman décrocha son téléphone en grommelant – un grognement de mauvaise humeur, un ronchonnement dû à l'excès de café, de travail et au manque de sommeil.

— Tu as une bonne voix, Booky. Comment vas-tu ?

— Ça s'entend, non ? Où diable es-tu ?

— À Marseille. Écoute, Booky, j'ai deux grands services à te demander.

Soupir résigné de son interlocuteur.

— Bon, qu'est-ce que tu veux ?

— D'abord un jeu complet des empreintes de Danny Roth. J'ai peut-être retrouvé son vin, mais j'ai besoin d'une preuve.

— Ensuite ?

— C'est assez délicat : j'ai besoin de savoir si un jet privé appartenant au groupe Reboul a quitté le secteur de Los Angeles entre Noël et le jour de l'An. Je ne connais ni l'immatriculation ni l'aéroport d'où il aurait pu décoller. Mais, à mon avis, ce ne doit pas être loin de L.A.

— Formidable. La dernière fois que je me suis penché sur cette question, j'ai dénombré neuf cent soixante-quatorze aéroports de tailles diverses en Californie.

— Booky, tu adores les défis. Et à mon retour, je t'emmène dîner à Yountville, à la French Laundry. Foie gras au torchon, mon ami, côtelettes de chevreuil et n'importe quel vin de la carte : je t'invite.

Suivit un silence méditatif durant lequel Sam entendit presque le frémissement des pastilles gustatives de Bookman.

— Bon, donne-moi tous les détails possibles concernant l'appareil ainsi que l'adresse où tu es descendu. Je t'enverrai par FedEx les empreintes et tout ce que j'aurai trouvé d'autre. Je suppose que c'est urgent ? Question stupide. Tout est urgent.

En regagnant la table, Sam fit signe que tout allait bien.

— Avec un peu de chance, nous devrions recevoir demain matin les empreintes de Roth et peut-être aussi des éléments concernant l'avion de Reboul. C'est ici que vous intervenez, Philippe, et donc que vous méritez votre scoop. Ensuite, nous aurons à rechercher les empreintes sur les magnums de pétrus. Cela ne nous prendra pas longtemps, pas plus d'une heure, mais je ne peux pas le faire moi-même car, s'agissant d'une preuve, il faut l'intervention d'un professionnel, de la police donc. Nous devrons faire entrer dans la cave l'expert en empreintes et l'en faire sortir sans éveiller les soupçons de Vial.

Philippe s'agitait sur son siège, impatient de prendre la parole.

— Nous aurons peut-être de la chance avec la police, annonça-t-il. J'y ai un contact depuis plusieurs années. Cela remonte à l'époque où je m'intéressais à certaines activités de l'Union corse, une sorte de version locale de la Mafia – le journal aime bien vérifier de temps en temps où ils en sont. En ce temps-là, il existait une boîte où un certain nombre d'entre eux venaient claquer leur argent pour impressionner les filles. Et ils ne balançaient pas seulement de l'argent, ils distribuaient aussi pas mal de coke et d'héroïne. Une des filles – très charmante, très innocente – est tombée sur le mauvais numéro : il l'a rendue accro à l'héroïne. (Philippe secoua la tête avec une grimace.) Je m'apprêtais à aller trouver la police et à faire un grand article quand j'ai découvert un détail qui m'a fait réfléchir : le père de la fille était un flic, un inspecteur de police de Marseille. Vous pouvez imaginer le reportage que ça aurait donné. J'ai décidé de m'abstenir. J'ai persuadé la fille de me laisser l'emmener dans une clinique dirigée par un de mes amis et ensuite je suis allé voir son père. Il s'appelle Andreis.

Un brave homme. Il nous arrive encore de déjeuner ensemble deux ou trois fois par an. J'ai un certain crédit auprès de lui.

Sophie découvrait son cousin sous un autre jour.

— Chapeau, Philippe, apprécia-t-elle. Qu'est-il advenu de la fille ?

— Ça s'est bien terminé. Elle a épousé un médecin qu'elle a rencontré à la clinique et je suis le parrain de leur petite fille.

— Croyez-vous, demanda Sam, qu'il nous prêtera un de ses gars du laboratoire scientifique pour une heure ou deux ?

— Je peux le lui demander. Mais il voudra connaître le contexte et je devrai le lui expliquer.

— Bien sûr, répondit Sam. Nous ne projetons rien de vraiment illégal. Parlez-lui d'une vérification normale, d'une procédure de routine menée par une compagnie d'assurances consciencieuse et discrète qui ne cherche à causer ni ennuis ni embarras à qui que ce soit. Vous pouvez lui promettre qu'il n'y aura ni effraction ni vol dans la mesure où nous pourrons éloigner Vial pour une heure ou deux. Ce point reste à régler.

Puis ils se séparèrent pour la soirée. Sam devait, non sans quelque appréhension, appeler L.A. et faire son rapport à Elena Morales.

Elena lui réserva un accueil glacial, ne répondant à son exposé que par monosyllabes. Il respira un bon coup.

— Elena, écoute-moi, s'il te plaît. D'abord, je ne veux pas que tu te fasses une fausse idée de Sophie Costes. Elle m'a été d'un grand secours et elle a fait quelques très bonnes suggestions. De plus – et ça, tu ne le trouveras pas sur son CV –, elle a l'intention de se marier à l'automne ; il s'appelle Arnaud, il est bordelais, charmant, a la quarantaine, une vieille mère, deux labradors – Lafite et Latour – et aussi apparemment un château, un très grand.

— C'est pour me dire ça que tu appelais ?

Sam décela un léger changement de climat à l'autre bout de la ligne.

— En partie, oui. Pour mettre les choses au point.

Elena le laissa mariner quelques instants avant de répondre.

— D'accord, Sam, j'ai compris. (Son ton était presque amical.) Alors, comment ça se passe là-bas ?

— Ça ne s'annonce pas trop mal.

Sam raconta à Elena ce qui s'était passé depuis la première rencontre avec Reboul : la journée avec Vial, les découvertes dans la cave, le coup de fil à l'inspecteur Bookman et les efforts de Philippe pour aider à résoudre le problème des empreintes.

— Autrement dit, conclut-il, du progrès, mais rien encore qui puisse donner à Roth des raisons de s'exciter.

En entendant mentionner le nom de son client, Elena lâcha quelque chose de bref et de cinglant en espagnol.

— Je suis sûr que tu as raison, approuva Sam. Tu sais, tu devrais le lâcher un peu, prendre quelques jours pour souffler. Pense à toi. Paris au printemps, paraît-il, n'est pas mal du tout.

— Tiens-moi au courant pour les empreintes. Et merci d'avoir appelé, ajouta-t-elle d'une voix nettement plus douce.

Elle raccrocha. Relations diplomatiques renouées.

7

Le bar Chez Félix est situé dans une petite artère des plus banales, à deux minutes à pied de l'hôtel de police de Marseille, rue de l'Évêché. Ce voisinage commode et, avantage supplémentaire, le fait qu'il appartient à un gendarme retraité en font le refuge préféré des officiers de police. Autre attrait de cet établissement, les trois petites niches aménagées dans le fond de la salle où peuvent se discuter en privé les affaires délicates : Philippe s'était arrangé pour y rencontrer l'inspecteur Andreis.

Ce dernier, mince, grisonnant, le regard vigilant, arriva juste au moment où Philippe prenait livraison de deux verres de pastis, d'un pot ventru rempli d'eau et de glaçons ainsi que d'une petite soucoupe d'olives vertes.

— J'ai commandé pour vous, dit-il en serrant la main du policier. Buvons à la vie de retraité ! Dans combien de temps maintenant ?

— Encore huit mois, deux semaines et quatre jours, répondit Andreis en consultant sa montre. Sans oublier les heures supplémentaires. Et ensuite, Dieu merci, en route pour la Corse. (Il tira de sa poche une photo un peu froissée qu'il posa sur la table.) Trois cent soixante-quatre arbres, soit, les bonnes années, environ cinq cents litres d'huile. Je cultiverai mes olives et je gâterai ma petite-fille. Je mangerai des *figatelli* et du fromage de brebis en buvant du vin de Patrimonio. Et j'aurai le chien dont j'ai toujours désiré la compagnie. Mais j'ai comme l'impression que vous ne vouliez pas me voir juste pour m'entendre rêver sur mes vieux jours.

Il pencha la tête de côté et Philippe commença son récit.

Le temps de raconter l'histoire, les verres étaient vides. Le garçon les resservit en pastis et en eau glacée, et Andreis, grignotant une olive, attendit pour prendre la parole qu'il fût reparti.

— Inutile de vous préciser, commença-t-il d'une voix basse et prudente, combien Reboul est puissant dans cette ville. On n'a pas envie d'être mal vu de lui. Et puis, ce n'est pas un mauvais bougre. De plus, d'après ce que vous me dites, on n'est pas sûr qu'il ait mal agi. Je sais, je sais. Examiner ces empreintes permettrait de s'en assurer. S'il s'avère qu'elles correspondent aux siennes, ma foi…

— Ce serait un indice de culpabilité, n'est-ce pas ?

— Je suppose que oui.

Andreis hocha la tête en soupirant : il n'avait guère envie d'être impliqué. D'un autre côté, comment ignorer un coup pareil, un coup qui avait manifestement toutes les apparences d'une grosse affaire ? En tout cas, le journaliste assis en face de lui ne la laisserait pas passer. Andreis soupira une nouvelle fois.

— Bon, reprit-il. Voici ce que je peux faire : je peux vous confier un spécialiste des empreintes pendant deux ou trois heures, mais à condition que vous me garantissiez que Reboul et ses gens n'en sauront rien, du moins jusqu'à la vérification des empreintes. Pouvez-vous me le promettre ?

— Je crois. Oui.

— Je ne veux surtout pas que Reboul appelle son vieux copain, le préfet de police, pour se plaindre de l'utilisation illicite de moyens officiels. Alors, pas de gaffe. (Andreis tira un stylo de sa poche pour griffonner un nom et un numéro de téléphone sur un dessous de chope qu'il poussa vers Philippe.) Grosso. Cela fait vingt ans que nous travaillons ensemble. Il est fiable, rapide et discret. Je lui en toucherai un mot ce soir et vous pourrez l'appeler demain matin.

— Ça pourrait marcher, dit Sam. S'il s'agissait de Reboul, j'en serais certain. En revanche, avec Vial, je ne sais pas.

Ils dînaient dans un restaurant de poissons près du port, et le grand sujet de conversation de la soirée portait sur Florian Vial : comment le faire sortir de la cave le temps de relever les empreintes sur les bouteilles ?

Sophie proposa alors une solution toute simple : pour le remercier de son aide, elle l'inviterait à déjeuner. On laisserait Sam dans la cave, officiellement pour voir les vins blancs qu'il n'avait pas vus lors de la première visite mais, en réalité, pour désigner à celui qui relèverait les empreintes les bouteilles qu'on soupçonnait avoir été volées.

L'idée ne reposait que sur le goût supposé de Vial pour les jolies femmes, mais sur ce point Sophie se montrait optimiste. Vial était français. Et, expliqua-t-elle, les Français du genre et de l'âge de Vial avaient été élevés à apprécier le sexe opposé, à en rechercher la compagnie et à se montrer galants avec ses représentantes.

Sophie observait Sam d'un air amusé. Il se débattait avec ses calamars à l'encre, et les taches sombres qui maculaient la serviette nouée autour de son cou prouvaient que les mollusques n'avaient pas capitulé sans résistance.

— Le problème, Sam, c'est que vous ne comprenez pas les Français. Laissez-moi appeler Philippe pour lui demander s'il connaît un bon restaurant proche du palais. (Elle prit sa serviette, en humecta un coin avec l'eau du seau à glace et la lui tendit.) Tenez. On dirait que vous vous êtes barbouillé de rouge à lèvres noir.

Le lendemain matin, ils trouvèrent un Vial exultant de joie : un collègue de Beaune venait de l'appeler pour lui annoncer sa sélection en tant qu'invité d'honneur à un dîner donné par les Chevaliers du Tastevin. Le dîner – une réception intime où n'étaient conviés que deux cents éminents Bourguignons – aurait lieu au Clos de Vougeot, le quartier général des Chevaliers du Tastevin qui arboreraient leurs longues robes rouges. L'accompagnement musical serait assuré par les Joyeux Bourguignons, maîtres de la chanson à boire. Et les vins exquis, inutile de le préciser, couleraient en abondance.

Seule la perspective d'avoir à prononcer un discours modérait quelque peu l'enthousiasme de Vial, mais Sophie le rassura.

— Vous entendre parler de vin, affirma-t-elle, c'est comme entendre de la poésie. Je pourrais vous écouter toute la journée. Mais, Florian – si je puis me permettre –, voilà qui tombe très bien. Je m'apprêtais à vous inviter à déjeuner aujourd'hui pour vous remercier de votre aide ; nous en profiterions pour fêter cela en même temps. Avec ce temps magnifique, je pensais à une table en terrasse au Peron. Vous allez dire oui, n'est-ce pas ?

Cette fois, elle avait bel et bien battu des cils, Sam en était certain.

Vial consulta son agenda pour la forme, mais il était manifestement ravi ; il n'opposa donc qu'un semblant de regret lorsque Sophie lui annonça que Sam devrait rester pour terminer leur travail.

Les deux heures suivantes s'écoulèrent lentement. Vial entraîna Sophie pour lui présenter les gloires des vins rouges de Reboul, insistant particulièrement sur les bourgognes – il y puiserait quelque inspiration pour son futur discours. Sam en profita pour trouver un coin éloigné d'où il pourrait utiliser son portable.

— Philippe ? Sophie me dit que vous avez trouvé un type pour relever les empreintes. En civil, j'espère.

— Bien sûr, s'esclaffa Philippe. Il se tient à notre disposition.

— Eh bien, aujourd'hui serait le bon jour. À l'heure du déjeuner, vers une heure moins le quart, mais pas avant. Ça ira ?

— Comment entrerons-nous ?

— Dans la journée, on laisse les grilles ouvertes. Allez directement au plateau de livraison devant la cave. Il est indiqué sur la gauche de l'allée. Je vous ferai entrer.

DIFFICILE d'imaginer endroit plus agréable pour déjeuner par une belle journée ensoleillée que la terrasse du Peron. Situé tout en haut de la corniche Kennedy, le restaurant offre un mélange irrésistible : du poisson frais, un air pur et un panorama éblouissant sur les îles du Frioul et le château d'If. Écartant le serveur, Vial insista pour tirer le fauteuil de Sophie et s'assura qu'elle était confortablement installée avant de s'asseoir lui-même.

Il se frotta les mains et prit une grande goulée d'air marin.

— Délicieux, délicieux. Excellent choix, chère madame. C'est un véritable enchantement.

— Je vous en prie, appelez-moi Sophie, suggéra la jeune femme. J'ai pensé que nous pourrions peut-être commencer par une coupe de champagne. Mais ensuite, c'est vous qui choisirez le vin. Je suis certaine que vous avez vos petites préférences locales.

Voilà, comme l'avait prévu Sophie, qui suffit à lancer Vial dans un voyage verbal parmi les vignobles de Provence.

— L'existence de nos vignes remonte à six cents ans avant Jésus-Christ, date de la fondation de Marseille par les Phocéens.

À partir de là, interrompu seulement par l'arrivée du champagne et des menus, Vial entraîna Sophie de Cassis à Bandol et plus loin encore, à l'est jusqu'à Palette et à l'ouest jusqu'à Bellet, avec un long détour pour visiter les vins méconnus du Languedoc. L'homme, songea Sophie, était une véritable encyclopédie ambulante, et il parlait de son sujet avec un enthousiasme contagieux et assez attachant.

Ils passèrent leur commande et Vial choisit un blanc bien sec de Cassis pour accompagner le loup de mer. Sophie profita de cette pause pour le questionner sur lui-même.

Une histoire heureuse avec un début tragique, résuma Vial. Trente-cinq ans auparavant, Reboul, qui montait ses premières affaires, avait engagé le père de Vial comme directeur financier de ce qui n'était encore qu'une bien modeste société. Les deux hommes devinrent amis. L'entreprise se développa. Le jeune Florian, fils unique, obtenait de bons résultats à l'université. L'avenir s'annonçait donc sous de riantes couleurs. Il fut anéanti de façon brutale par une nuit d'hiver ; phénomène rare à Marseille, une neige glaciale s'était abattue sur la ville. Les routes étaient verglacées. Les parents de Vial rentraient du cinéma quand un camion dérapa et emboutit leur voiture, l'écrasant contre un mur de béton ; ses occupants furent tués sur le coup.

Reboul encouragea l'intérêt que le jeune homme portait au vin et lui paya une formation de viticulture de six mois à l'Institut coopératif du vin de Carpentras, suivie d'une année d'apprentissage chez des négociants de bourgognes et de bordeaux. Au cours de cette année, il apparut clairement que l'étudiant jouissait d'un palais exceptionnel. Ce que confirma un stage de six mois à Paris sous la houlette du légendaire Hervé Bouchon, à l'époque le meilleur sommelier de France. Sur la recommandation de ce dernier, Reboul décida de prendre le jeune Vial comme caviste de son entreprise avec pour mission d'en faire la meilleure cave privée de France.

— C'était il y a longtemps, dit Vial, près de trente ans. Sans lui, je ne sais pas où je serais aujourd'hui. (Son air songeur s'éclaira quand le serveur vint prendre leur commande du dessert.) Si vous permettez, nous pourrions essayer ce que la Provence offre de plus proche d'un de ces sauternes que vous autres Bordelais réussissez si bien : un muscat de Beaumes-de-Venise. Vous laissez-vous tenter ?

L'histoire de Vial avait légèrement déconcerté Sophie qui, peu à peu, se prenait à espérer que Reboul ne fût pas coupable. Elle jeta un coup d'œil furtif à sa montre et se demanda comment Sam se débrouillait.

PHILIPPE et Grosso, petit homme frêle à la mise soignée chargé d'un porte-documents noir qu'il décrivait comme sa boîte magique, étaient arrivés au volant d'une voiture banalisée à une heure moins dix. Sam les attendait à la porte. C'était la première fois que Philippe visitait la cave, et le spectacle de ces rangées de bouteilles s'étendant à perte de vue sous les voûtes de brique rose le laissa muet.

— Merde, lâcha-t-il enfin avec un petit sifflement.

Sam les conduisit jusqu'au casier des magnums de pétrus. Grosso les examina tout en ouvrant son attaché-case pour en tirer une torche à halogène, une sélection de pinceaux, un coffret noir et plat ainsi qu'une petite boîte en plastique. Il siffla entre ses dents.

— On fait toutes les bouteilles ? Toutes ? Et il vous faut l'ADN ?

Sam acquiesça.

Philippe prenait fébrilement des notes : il voyait son scoop prendre forme et, à ce stade crucial de l'histoire, plus il réussirait à glaner de détails, mieux cela serait. Il s'approcha de Grosso pour voir comment l'expert s'y prenait.

— Monsieur Grosso, dit-il, pourriez-vous m'expliquer succinctement votre méthode ?

Sans regarder Philippe, Grosso lui fit signe d'avancer. Il avait posé sur le sol le premier magnum et braquait sur lui sa torche électrique.

— D'abord, dit-il, je procède à l'examen visuel pour repérer la surface des empreintes. Certaines ne se distinguent que sous un éclairage rasant. (Il éteignit la torche et dévissa le couvercle de la boîte en l'inclinant de côté pour que Philippe puisse en voir le contenu.) C'est de la poudre métallique : des paillettes d'aluminium. Ce sont les plus sensibles et elles réagissent admirablement. (Il prit un des pinceaux et se mit à étaler soigneusement la poudre d'un mouvement circulaire.) C'est ce qu'on appelle un pinceau Zéphyr : en fibre de carbone avec une tête qui fait éponge pour éviter au maximum de perturber le dépôt de l'empreinte. (Laissant là le pinceau, il ouvrit son coffret noir dont il retira des lamelles de ruban adhésif transparent.) Je vais maintenant utiliser cela pour relever les empreintes. (Il appliqua les bandes de ruban sur les diverses empreintes, puis les détacha pour les déposer sur une feuille d'acétate transparent.) Vous voyez ? Avec cette technique, pas besoin de prendre de photographies.

Grosso remit en place le premier magnum et passa au deuxième.

Sam, qui suivait le rituel et le trouvait d'une lenteur exaspérante, jugea que sa présence ralentirait encore la progression de Grosso et choisit de s'éloigner. Son regard fut alors attiré par des cartons entassés dans un coin. Sur les cartons, en caractères calligraphiés : DOMAINE REBOUL, ST HELENA, CALIFORNIA. Il se rappelait avoir entendu Vial mentionner une propriété dans la vallée de Napa. Il ouvrit un des cartons pour voir le genre d'étiquette que le magnat utilisait pour son vin américain. Mais le carton était vide. Tout comme celui d'à côté, et comme le suivant.

Lorsque Sam regarda de nouveau sa montre, il n'était pas encore tout à fait 14 heures. Il retourna voir où en était Grosso avec les magnums. Plus que quatre à examiner.

Sophie avait dit qu'elle irait se repoudrer et en profiterait pour les appeler lorsque Vial et elle s'apprêteraient à quitter le restaurant.

Grosso continuait : calmement, méthodiquement.

— MAIS c'est tout à fait délicieux, apprécia Sophie après avoir dégusté sa première gorgée de beaumes-de-venise. À mi-chemin entre doux et sec. Exquis.

Elle leva son verre d'un air reconnaissant vers Vial, lequel lui retourna un sourire en hochant la tête.

— Selon les historiens, le nom de ce raisin vient de l'italien *moscato*, qui signifie « musc ». Or le musc est très apprécié des cerfs. C'est la sécrétion avec laquelle, comment dirais-je ? ils lancent une invitation à la biche. D'ailleurs, on fait aussi usage du musc dans la composition de parfums qui, portés par nous, les humains, sont censés produire un effet similaire. (Il prit son verre, l'approcha de son nez et le huma longuement.) Délicat, très féminin – et, oui, avec un soupçon de musc. On fortifie de nombreux vins doux, mais pas le beaumes-de-venise. Cela lui donne un goût plus suave, plus subtil que, par exemple, le muscat de Frontignan. (Avec un haussement d'épaules navré, il consulta sa montre.) Je ne saurais vous dire à quel point j'ai pris plaisir à ce déjeuner, déclara-t-il. Mais je n'avais aucune idée de l'heure. Je crains, hélas ! que nous ne devions rentrer.

— Juste un café avant de partir, répondit Sophie. Je vais le commander en allant me repoudrer.

ELLE referma la porte de la cabine derrière elle et vérifia l'heure en attendant que Sam décroche : un peu plus de 14 h 15.

— Il a fini ?

— Il remballe son matériel. Encore cinq minutes et ils seront dehors. Prenez un cognac, ou quelque chose.

— Cinq minutes, Sam. Pas davantage.

En vérité, terminer le beaumes-de-venise, boire le café et régler l'addition leur prirent presque dix minutes. Lorsqu'ils regagnèrent la cave, elle était telle qu'ils l'avaient laissée : déserte, à l'exception de Sam. En franchissant la porte, ils purent l'entendre siffloter « La Vie en rose ».

SOPHIE et Sam repartirent à pied vers leur hôtel ; derrière eux, Vial, dont la silhouette s'encadrait dans l'entrée de la cave, les salua de la main à l'instant où ils franchissaient les grilles.

— Alors, ce déjeuner ? s'enquit Sam.

— Il était content : on ne m'a jamais autant remerciée. Mais tout ça me gêne un peu. Vous comprenez ? Il est gentil, cet homme, et ce déjeuner n'était qu'un piège.

— Vous réagiriez autrement si Vial et Reboul étaient une paire de salopards ?

— Bien sûr. Ce n'est pas logique, je sais. Un crime est un crime, peu importe qui l'a commis.

Ils poursuivirent leur chemin dans un silence songeur. Une fois à l'hôtel, Sam se dirigea vers la réception, puis revint en brandissant devant Sophie une enveloppe de FedEx.

— La réponse à toutes nos questions. Ou peut-être pas, ajouta-t-il avec un sourire désabusé.

Il ouvrit l'enveloppe et en retira le contenu. Agrafé à une feuille officielle d'empreintes digitales de la police de Los Angeles, un mot griffonné par Bookman :

> Sam,
> Voici les empreintes. Un Falcon Dassault immatriculé au nom du groupe Reboul a décollé de l'aéroport de Santa Barbara

le 27 décembre pour JFK. Destination finale Marseille. Détails du plan de vol disponibles si nécessaire.

Bonne chance.

P.-S. J'ai jeté un coup d'œil à la carte des vins de la French Laundry. Commence à faire des économies.

Hochant la tête, Sam passa le billet à Sophie.

— Félicitations : vous venez d'être promue inspecteur. Il se pourrait que vous ayez raison à propos de l'avion. Ce n'est qu'une preuve indirecte, certes, mais la date correspond. Nous ferions mieux de montrer cela à Philippe.

Grosso reposa sa loupe et leva les yeux du jeu d'empreintes de Roth qu'il venait d'examiner.

— Impeccable, pas de problème en principe. Je vous tiens au courant, conclut-il à l'adresse de Philippe tout en se dirigeant vers la porte de son bureau. Vous cherchez une concordance sans équivoque, n'est-ce pas ? Le moindre doute, et la preuve ne tient plus. Il me faut la *certitude*, et pas seulement l'*impression*, que les empreintes concordent bien. Vous comprenez ? Or cette opération prend du temps. (Il signifia la fin de la conversation en ouvrant la porte.) Je vous appellerai dès que je serai sûr, dans un sens ou dans l'autre.

Philippe se faufila dans le flot de la circulation des alentours du Vieux-Port et remonta la colline en direction du Sofitel tout en réfléchissant. Ils en étaient arrivés à la dernière pièce du puzzle : si les empreintes concordaient, l'article s'écrirait presque tout seul. Cela devenait franchement prometteur. Il s'arrêta devant l'hôtel de fort bonne humeur et tendit au portier, stupéfait, un billet de cinq euros en lui demandant de garer son scooter.

Pour passer le temps, Sophie et Sam avaient décidé de jouer les touristes : ils avaient donc pris un taxi jusqu'à Notre-Dame-de-la-Garde, la basilique qui domine Marseille. La Bonne Mère, couronnée d'une statue de la Vierge et de l'Enfant drapés de feuilles d'or, haute de dix mètres, abrite une étonnante collection d'ex-voto. Offerts au long des siècles par des marins et des pêcheurs ayant réchappé de la mort en mer, ils se présentent sous de multiples formes – plaques de marbre, mosaïques, collages, modèles réduits, tableaux, ceintures de sauvetage, pavillons, figurines – et couvrent les murs intérieurs de l'église. Après avoir contemplé le tableau, particulièrement évocateur, d'un trois-mâts sur le point de chavirer en haute mer, Sam s'approcha de Sophie et lui murmura :

— Vous ne trouvez pas que la terre ferme, c'est merveilleux ? Je vais vous attendre dehors. Si je m'attarde ici, je crains d'avoir le mal de mer.

Même s'il avait déjà eu l'occasion d'amasser une belle collection de vues de la ville, ce qu'il découvrit de l'esplanade au pied de la Bonne Mère lui coupa le souffle : au nord, le Vieux-Port et le quartier du Panier ; à l'ouest, les élégantes villas XIXe siècle du Roucas Blanc et les plages du Prado ; au sud, une cascade de toits de tuiles descendant jusqu'à la mer. Il était en train de se demander si Reboul montait de temps à autre jusqu'ici pour comparer cette vue avec celle qu'il avait de chez lui lorsque son portable sonna.

— Sam ? Où êtes-vous ? murmura Philippe d'un ton pressant.

— Sur le toit du monde.

— Rentrez plutôt à l'hôtel. Il faut qu'on parle. Grosso vient d'appeler. Sur trois magnums, les empreintes correspondent à celles de Roth. Sans la moindre équivoque.

À l'hôtel, Sam et Sophie retrouvèrent Philippe. Il s'était installé devant une table où attendaient trois flûtes et une bouteille de champagne dans un seau à glace. Il se leva avec un sourire presque aussi large que ses bras grands ouverts.

— Alors, chers collègues, nous avons éclairci l'affaire, non ?

Il se pencha pour servir le champagne, emplissant les flûtes avec le plus grand soin avant de les leur tendre. Levant la sienne devant Sophie et Sam, il déclara :

— Félicitations à nous trois. Ça va être une surprise de taille pour Reboul, hein ? Oh ! j'oubliais : j'ai à l'aéroport un bon contact capable de découvrir ce que renfermait la cargaison transportée de Californie par l'avion de Reboul en décembre dernier. C'est drôle, vous savez. Une chose mène à une autre et puis... pouf, toutes sortes de secrets sortent au grand jour.

Sam, songeur, but une gorgée de champagne avant de répondre :

— Un détail me tracasse dans cette affaire : le mobile. Pourquoi Reboul a-t-il fait ça ? Pourquoi prendre ce risque ?

— Une fois de plus, Sam, rétorqua Philippe en secouant la tête, vous ne comprenez pas les Français. C'est nous qui avons inventé le chauvinisme, que certains pourraient même qualifier d'arrogance. La passion nous emporte quand il s'agit de notre culture, de notre cuisine, de notre patrimoine. Et personne n'est plus passionné que notre ami Reboul. Apprendre par les journaux qu'autant de premiers crus de bordeaux étaient entreposés dans une cave de Hollywood – Hollywood, par-dessus le marché ! – a probablement constitué à ses yeux un affront, un scandale qu'il a été incapable d'admettre. Et puis il y a un autre facteur que nous ne devons pas oublier, un facteur de la plus haute importance : le défi sportif.

Sophie et Sam paraissaient dubitatifs.

— Soit, dit Sam, admettons que vous ayez raison, bien que j'accepte difficilement l'idée du vol pour des raisons patriotiques. Que vient faire le sport là-dedans ?

Philippe se carra dans son fauteuil, tel un professeur s'apprêtant à faire bénéficier de ses lumières un étudiant prometteur.

— Cela tient plus au fait d'être riche que d'être français. Il s'agit de ce sentiment de pouvoir tout posséder qu'acquiert un homme après des années de richesse et de puissance. Autrement dit, la folie des grandeurs. Il cédera à tous ses caprices et prendra des risques, certain que son argent le protégera si les choses tournent mal. Venons-en maintenant au cas particulier de Reboul. Il a bâti son empire avec beaucoup de compétence. Ses différentes entreprises sont dirigées par des hommes avec qui il travaille depuis longtemps, auxquels il fait confiance et qu'il paie bien. En retour, année après année, ceux-là font des bénéfices, et le groupe Reboul marche comme sur des roulettes : un véritable mouvement d'horlogerie, il est connu pour cela. Quant à Reboul lui-même, que fait-il de son temps ? Il siège dans quelques conseils d'administration, histoire de se tenir au courant ; il cultive ses contacts ; il accorde des interviews ; il reçoit à dîner de hauts personnages. Et, pour s'amuser, il a son équipe de football et ses yachts. (Philippe baissa la voix.) Nous avons donc un homme qui dispose d'une fortune sans limites, qui a du temps et qui voue un culte à la France et à tout ce qui est français. Quoi de plus amusant dans ces conditions que de préparer puis d'exécuter le vol parfait qui ramènera dans son pays d'origine un trésor national ? Et peut-être ensuite d'inviter son ami le chef de la police à un dîner arrosé de vin volé ? Voilà le côté sportif. Voilà le défi.

Philippe tendit le bras vers le champagne.

— Sophie ? dit Sam. Qu'en pensez-vous ?

Sophie regardait son cousin d'un air songeur.

— Mais oui, ce qu'il avance est possible. (Elle examina les bulles minuscules qui montaient du fond de sa flûte.) Alors, mes deux Sherlock Holmes, que faisons-nous maintenant ?

— Laissons la nuit nous porter conseil. Mais, avant cela, je ferais mieux d'appeler L.A. pour les mettre au courant.

On percevait dans la voix d'Elena une certaine froideur et un rien d'hostilité quand elle prit l'appel de Sam.

— Elena, ne mords pas, la prévint-il. C'est moi. Ton agent sur place.

Sam l'entendit expirer lentement.

— Sam, je suis désolée, mais je viens d'avoir droit au savon quotidien de Danny Roth. Je croyais que c'était lui qui rappelait. Il agit toujours ainsi. Il sait que ça me rend folle. Bon, raconte-moi ce qui se passe.

— La bonne nouvelle, c'est que je suis pratiquement certain que nous avons retrouvé le vin. On a relevé les empreintes de Roth sur certaines des bouteilles de la cave de Reboul ; le type qui les a identifiées travaille pour la police d'ici, c'est donc une preuve solide.

— Merveilleux, Sam. Beau travail. Félicitations. Mais j'ai l'impression qu'il y a aussi de mauvaises nouvelles.

— Ça se pourrait. C'est peut-être Reboul qui a fait le coup, mais selon toute probabilité, il aura dissimulé ses traces sous toutes sortes de paperasseries. Si nous découvrons qu'il est le coupable, nous devrons engager un bataillon d'avocats ; inutile de te dire ce que ça représente : un million de dollars de frais de justice et une affaire qui traînera des mois, voire des années.

— Sans parler d'un procès pour décider qui devra payer les dépens.

— Exactement. Le problème est que nous ne saurons pas comment il s'est couvert sans entamer une action contre lui, et alors plus moyen de faire machine arrière. Je commence donc à envisager la perspective d'un plan B. Écoute, il y a une chose que je dois savoir. Dans une affaire comme celle-là, de quoi as-tu absolument besoin pour éviter de régler le sinistre ?

— De trois éléments : découverte, identification et état de la marchandise. Nous devons savoir où se trouvent exactement les biens volés. Ensuite il nous faut une confirmation en béton qu'il s'agit bien des bouteilles volées. Enfin, nous devons nous assurer qu'elles sont toujours en bon état. Si ces trois conditions essentielles sont remplies, nous sommes tirés d'affaire.

— Et qui se charge de ces vérifications ?

— C'est nous – en l'occurrence, moi et deux ou trois experts –, après quoi nous obtenons la signature de Roth ; et je le pousse du haut de la falaise.

— Merci, Mrs Morales. Ce sera tout. Je vous recontacterai.

— C'est quoi, le plan B ?

— Fais-moi confiance. Tu n'as pas besoin de le savoir. Bonne nuit, Elena.

— Bonne nuit, Sam.

8

La nuit n'en finissait pas, comme si le temps s'était arrêté, et Sam, l'esprit en ébullition, était incapable de trouver le sommeil. Il enfila un chandail pour sortir sur sa terrasse dans l'espoir que l'air vif de la nuit agirait là où whisky et télévision avaient échoué. Il contempla la lune brillant au-dessus du Vieux-Port ; elle était presque pleine. Il regarda sa montre et se demanda où il se trouverait le lendemain à cette même heure – près de 3 heures du matin –, si tout marcherait, s'il avait bien pensé à tout. Et surtout si les autres approuveraient.

L'aube le trouva sur la terrasse, engourdi et frigorifié mais absolument pas fatigué. En fait, il avait l'impression que sa nuit d'insomnie lui avait fait l'effet d'une piqûre d'adrénaline et il avait hâte d'attaquer la journée. Il appela le room service pour commander le petit déjeuner et prit une douche brûlante.

Il lambina autant qu'il put devant son café et son exemplaire du *Herald Tribune* mais, comme il était encore trop tôt pour appeler Sophie et Philippe, il décida d'aller faire un tour. En quittant l'hôtel, il descendit jusqu'au quai des Belges pour observer le début de la journée au marché aux poissons.

Les bateaux de pêche arrivent généralement entre 8 heures et

8 h 30, mais les dames du marché avaient déjà installé leur étal qui, vide et briqué de frais, attendait la marchandise. Les bateaux commencèrent à s'amarrer au quai. Le badinage de ces dames prit de l'ampleur en même temps que le clapotement des poissons qu'on disposait sur les étals, les yeux brillants et les écailles étincelantes. Les clients arrivaient peu à peu et passaient, l'air soupçonneux, d'un étal à l'autre, scrutant les yeux d'une rascasse, humant les ouïes d'une galinette, comparant les attraits d'une daurade grillée aux délices d'une bouillabaisse.

Sans s'en rendre compte, Sam s'était approché d'un des étals, suffisamment pour éveiller l'instinct de vendeuse de sa propriétaire, une imposante matrone au visage hâlé, coiffée d'une casquette de baseball délavée et portant de gros gants en caoutchouc.

— Hé, monsieur, rugit-elle dans sa direction, regardez comme il est beau ce loup !

Un sourire fendant son visage rougeaud, elle saisit un bar magnifique et le brandit devant Sam qui commit l'erreur de lui rendre son sourire en hochant la tête. Elle empoigna un couteau, éventra le loup avec une précision et une rapidité terrifiantes, puis commença à l'envelopper dans un papier. Ce n'était manifestement pas le genre de femme avec qui on discute ; Sam acheta le poisson.

En repartant vers l'hôtel, son paquet humide sous le bras, il récapitula la recette que la femme lui avait donnée. Faites deux profondes entailles de chaque côté de votre loup et mettez-y deux ou trois petites branches de fenouil ; badigeonnez d'huile d'olive et faites griller chaque face six ou sept minutes ; puis posez votre poisson sur un lit de branches de fenouil séchées dans un plat allant au feu ; faites chauffer une louche d'armagnac, enflammez-le et versez sur le plat ; le fenouil flambe et son arôme parfume le poisson.

— Une merveille, avait-elle assuré.

Il atteignait le hall de l'hôtel quand son portable se mit à sonner.

— Où êtes-vous passé ? Ah ! vous voilà… je vous vois, ajouta Philippe en faisant de grands signes à Sam depuis la table où il était installé devant un café et une pile de journaux.

— Je reviens tout de suite, il faut d'abord que je me débarrasse de ce poisson, expliqua Sam.

— Bien sûr, répondit Philippe sans manifester aucune surprise. Sophie descend.

Tenant à deux mains sa prise devant lui, Sam se dirigea vers le bureau du concierge.

— Mes compliments au chef, dit-il en déposant le poisson sur le comptoir. J'aimerais qu'il prenne ce loup que je viens d'acheter au marché.

Le concierge inclina la tête en souriant.

— Certainement, monsieur. Comme c'est aimable à vous. Je vais veiller à ce qu'on le lui remette immédiatement.

Sam alla rejoindre les autres, saluant mentalement le concierge pour son sang-froid.

— J'ai une idée, annonça-t-il sans ambages. Mais, auparavant, permettez-moi de revenir sur les circonstances. Nous avons maintenant la certitude que le vin volé se trouve dans la cave. Nous pourrions donc dénoncer Reboul ct rcntrcr chcz nous. Que se passerait-il alors ? La police lui tomberait dessus, et sur Vial, puis les avocats interviendraient. Si Reboul a brouillé les pistes, nous pouvons être sûrs que cette histoire ne sera pas élucidée avant des mois, des années peut-être. En attendant, le vin – c'est-à-dire la preuve – sera mis sous scellés. De plus, on agira probablement sur la presse afin d'empêcher Philippe de parler d'une affaire délicate impliquant la réputation d'un notable. On peut compter sur les avocats de Reboul pour y veiller. Aucun de nous ne semble avoir prévu que Reboul et Vial pouvaient être plutôt des braves types, et que nous ne voudrions pas qu'ils aient des ennuis. Je n'ai pas raison, Sophic ?

— Ce serait une honte, en effet, opina Sophie.

— Je le pense aussi. (Sam se frotta les yeux. Il commençait à ressentir le manque de sommeil.) Bon. J'ai passé une bonne partie de la nuit à y réfléchir et je crois que mon idée pourrait marcher. (Il se mit à compter sur ses doigts.) Un, elle tire d'affaire Reboul et Vial. Deux, elle fournit à Philippe la matière d'un autre article, peut-être meilleur – une énigme. Trois, elle signifie que Sophie et moi aurons accompli notre travail pour les assurances Knox puisque nous aurons retrouvé la trace du vin. Jusqu'à maintenant, nous n'avons commis aucun délit sérieux. En revanche, ce à quoi je pense est parfaitement illégal.

Philippe avait pris sa posture préférée : perché au bord de son siège, ses pieds battant la mesure.

— Illégal en quoi ?

— Je songe à voler le vin.

— Mais c'est fou, cette idée! s'esclaffa Sophie en secouant la tête.

— Une minute, fit Philippe en levant la main. Vous avez trouvé comment vous y prendre?

— Absolument.

— Mais, Sam, protesta Sophie qui ne riait plus, nous ferions des suspects évidents et ce n'est plus Reboul qui se retrouverait en prison, mais nous! Non?

— Dans ce cas, nous soutiendrons que nous ne faisions que récupérer des biens volés pour le compte d'une compagnie d'assurances internationale hautement respectable. Avec des méthodes pas très orthodoxes, voilà tout. Reboul proclamera-t-il : « On m'a volé du vin que j'ai moi-même volé »? Je ne le crois pas. Il ne tiendra pas à avoir Interpol sur le dos.

Philippe cessa de se mordiller la lèvre pour reprendre du café.

— Sam, dit-il, vous avez parlé d'un article plus sensationnel.

— En effet. Tout commencerait par le vieux truc de la dénonciation anonyme. Vous avez déjà dû en recevoir des tas : le mobile est tantôt la vengeance, tantôt le remords, tantôt simplement la malveillance. Bref, vous recevez un appel d'un inconnu qui refuse de s'identifier; il vous parle d'une cachette extraordinaire dans un endroit perdu où est entreposé du vin, du vin volé, vous affirme-t-il. Peut-être volé par lui et dont il n'arrive pas à se débarrasser, mais il n'entre pas dans les détails et vous livre juste les indications qui vous permettront de trouver la cachette. Vous vous y rendez, bien que vous ne croyiez pas vraiment à son histoire. Et, surprise, vous découvrez bien le vin là où votre interlocuteur anonyme vous a envoyé. Voilà le premier chapitre de votre récit.

Philippe hocha lentement la tête.

— Pas mal comme début. Et je crois deviner où cela nous mène.

— Je n'en doute pas. Vous enquêtez, vous alertez tous vos contacts et, peu à peu, d'un article à l'autre, vous remontez une piste qui vous conduit à Los Angeles où vous interviewez Danny Roth sur les circonstances du vol de son vin : le réveillon de Noël, le gardien complice, l'ambulance, toute l'histoire. Cette partie-là est claire. L'autre partie – qui concerne l'auteur du vol – demeure une énigme; Reboul et Vial n'y joueraient aucun rôle. Qu'en pensez-vous? demanda Sam en regardant tour à tour Sophie puis Philippe.

— J'aime bien, dit Philippe. Ça pourrait faire une grande série, comme un feuilleton télévisé.

Les deux hommes se tournèrent vers Sophie.

Elle tenta de soutenir que chacun pourrait simplement oublier tout cela et rentrer chez soi, mais Sam lui rappela qu'il avait prévenu Elena Morales. Les assurances Knox savaient déjà qu'on avait retrouvé le vin et ne s'arrêteraient pas là, avec ou sans Sam. Ils finirent par se mettre d'accord : ils allaient voler le vin.

Philippe résolut le problème de la cachette. Sa grand-mère possédait autrefois une ferme et quelques arpents de terre dans les Claparèdes, une région isolée du Luberon. Elle n'avait malheureusement pas laissé de testament, ce qui avait provoqué une âpre querelle au sein de la famille dont chaque membre croyait détenir des droits sur la propriété. Les chamailleries duraient depuis maintenant treize ans sans qu'on en vît poindre la fin et, pendant ce temps, la ferme, inhabitée, était dans un triste état. Aucun des héritiers présomptifs n'était disposé à payer pour entretenir un bien qui pourrait revenir en fin de compte à un autre. Outre sa situation extrêmement éloignée, expliqua Philippe, la propriété avait l'avantage de posséder une cave de bonne taille où le vin ne risquerait pas de s'abîmer.

— Cela me paraît idéal, approuva Sam. Pouvez-vous y entrer ?

— La clé est cachée sous une dalle derrière le puits, et le volet de la fenêtre de la cuisine n'a jamais fermé.

— Parfait. Problème suivant, celui du transport. Vous êtes d'accord pour conduire une camionnette ?

— Tous les Français sont capables de conduire n'importe quoi, s'indigna Philippe en se redressant.

— C'est bien ce que je pensais. Donc, dès cet après-midi, nous en louerons une. (Sam se tourna vers Sophie.) C'est ici que je vais avoir besoin de votre aide. Il faut que je pénètre dans la maison avant qu'elle soit bouclée pour la nuit. J'invoquerai comme excuse pour traîner dans les parages la nécessité de prendre des photos de référence et le fait que le meilleur moment, c'est le soir, quand la lumière est vraiment bonne. Dès que l'occasion se présentera, je disparaîtrai. Si Vial ou qui que ce soit d'autre s'inquiète de moi, vous direz que j'avais un rendez-vous en ville. Vous continuerez à prendre des photos jusqu'à ce que le personnel commence à partir, puis vous rentrerez à l'hôtel.

— Et ensuite ? interrogea Sophie en fronçant les sourcils.

— Allons déjeuner. Je vous expliquerai.

À cette évocation, Philippe se leva en se frottant les mains.

— Juste une question, s'enquit-il. Quand ?

— Dans six heures environ, répondit Sam après avoir consulté sa montre.

Après le déjeuner, ils se consacrèrent à la mise au point du plan de la soirée : Philippe loua une camionnette blanche parfaitement anonyme, assez grande pour contenir une cinquantaine de caisses de vin ; Sophie prévint Vial que Sam et elle allaient venir faire des photos des jardins pendant une heure ou deux en fin de journée, après quoi ils pourraient prendre un verre ensemble, ce que Vial n'eut pas besoin de s'entendre dire deux fois.

Quant à Sam, il se doucha pour la seconde fois de la journée et passa une tenue plus adaptée à un cambriolage nocturne : pantalon, tee-shirt et caban, le tout de la même couleur bleu foncé. Il fourra le reste dans sa valise, vérifia et revérifia les piles de son appareil photo ainsi que celles de sa torche miniature et rechargea son portable. Il relut une énième fois la liste des vins volés, la remit dans sa poche, arpenta sa terrasse. Il était plus que prêt à se lancer.

Le soleil amorça son plongeon quotidien vers l'horizon. Lorsque Sophie et Sam gravirent les marches du perron qui menait au palais du Pharo, les rayons obliques de la lumière dorée baignaient les lieux d'un éclairage de rêve pour un photographe. La porte d'entrée s'ouvrit et la gouvernante, une femme élégante aux cheveux gris vêtue d'une robe en toile aux plis impeccables, sortit pour les accueillir.

— N'hésitez surtout pas si vous avez besoin de quoi que ce soit.

— Nous serons presque tout le temps dehors, la remercia Sophie. Nous aimerions simplement prendre une dernière photo par la grande fenêtre du salon – vous savez, juste avant que le soleil disparaisse dans la mer. M. Reboul nous avait reçus à ce moment-là, et c'était vraiment magnifique.

— Je laisserai la porte de la terrasse ouverte, acquiesça la gouvernante. Vous n'aurez pas l'occasion de voir M. Reboul ce soir, j'en suis navrée, mais il sera de retour demain et je suis sûre qu'il sera ravi que vous lui montriez les photographies, ajouta-t-elle avec un grand sourire avant de rentrer dans la maison.

— Quelle chance, dit Sam en contournant les bâtiments pour se diriger vers les jardins surplombant la mer. Demain, ç'aurait été trop tard : j'imagine en effet qu'il y a toujours un comité d'accueil quand Reboul revient de voyage.

Sophie s'arrêta et posa une main sur le bras de Sam.

— Sam, je suis nerveuse.

Il lui prit la main en souriant.

— Moi aussi, mais c'est nécessaire car, quand on n'est pas nerveux, on devient négligent. Écoutez, vous avez été formidable depuis le début et c'est presque fini. Encore un effort, le dernier. À vous maintenant de prendre les choses en main. Dites-moi par où commencer et n'oubliez pas de me rappeler ce que vous voulez que je photographie. Agitez les bras, tapez du pied, arrachez-vous les cheveux, en un mot jouez les réalisatrices en pleine création. Vous aurez un public, rassurez-vous. Je suis bien sûr que, de l'intérieur, nos amis ne vous quitteront pas des yeux pour s'assurer que vous ne dérangez pas les massifs de lavande.

Ils photographièrent la terrasse, les jardins à l'élégance un peu guindée, la vue à cent quatre-vingts degrés, sans cesser de suivre la lente descente du soleil vers la mer. Juste avant de terminer, Sam s'interrompit ; son téléphone à l'oreille, il fit semblant de prendre un appel puis remit son portable dans sa poche.

— Mon prétexte pour partir, expliqua-t-il à Sophie tout en lui tendant l'appareil photo. Entrons pour la vue par la grande baie. C'est à ce moment que je disparais.

Ils pénétrèrent dans la maison par la terrasse et traversèrent un hall jusqu'à la porte ouverte du grand salon. Ils firent quelques pas dans la pièce avant de se rendre compte qu'ils n'étaient pas seuls.

— Je suis certaine que vous avez pris de superbes photographies. La soirée est particulièrement magnifique.

La gouvernante se leva de derrière un petit bureau en bois sculpté sur lequel elle prenait des notes et s'avança vers eux, gracieuse et souriante – la dernière personne pourtant que Sam souhaitait voir.

— Oh ! vous êtes là, j'en suis ravi, se réjouit-il en réussissant à arborer un sourire tout aussi gracieux. On vient de me téléphoner pour me rappeler un rendez-vous, mais je tenais à vous remercier avant de partir. Sophie se chargera des deux ou trois derniers clichés.

La gouvernante afficha une expression polie qui parvenait à évoquer à la fois la déception et la compréhension.

— Quel dommage que vous soyez pressé. Laissez-moi vous raccompagner.

— Non, non, non, fit Sam avec un geste de protestation. Je vous en prie, ne vous donnez pas cette peine. Encore merci.

Il s'empressa de sortir en refermant la porte derrière lui.

Il traversa le grand hall d'entrée, se glissa dans la salle à manger, et, contournant la desserte, atteignit la porte battante qui donnait sur la cuisine. Il passa devant l'étincelant déploiement d'ustensiles de cuivre et d'acier inoxydable, puis se coula dans l'arrière-cuisine. Devant lui, la porte de l'escalier menant à la cave : fermée à clé, comme il s'y attendait. Il regarda sa montre : 18 h 15. Sophie avait rendez-vous avec Vial à 18 h 30 pour l'entraîner au bar de l'hôtel.

Sam, se préparant à une demi-heure inconfortable, ouvrit la porte du monte-charge. En fait, l'ascenseur des bouteilles n'était guère plus qu'une longue caisse qu'on faisait fonctionner à la main grâce à un bon vieux système de cordes et de poulies. Malgré tout, du beau travail assez solide pour supporter le poids d'une demi-douzaine de caisses de vin et assez haut pour permettre de les entasser les unes sur les autres. Un peu en forme de cercueil. Sam s'efforça de ne pas trop y penser quand il s'introduisit, tant bien que mal, dans l'espace étroit ; le bruit de la poulie crissant sous son poids le fit tressaillir. Il referma la porte et prit une profonde inspiration. L'obscurité autour de lui conservait un faible relent de bouchon moisi et de vin éventé, souvenir d'une bouteille qui avait dû fuir durant le trajet. Avec d'infinies précautions, il fit glisser la corde de la poulie entre ses mains pour descendre lentement, jusqu'au moment où il ressentit le léger choc annonçant qu'il était arrivé au niveau de la cave.

Florian Vial lissa une dernière fois les pointes de sa moustache et traversa la cave jusqu'à l'escalier conduisant à la maison ; il passa à moins de deux mètres de la silhouette recroquevillée dans le monte-charge. Il était d'autant plus impatient de revoir Sophie qu'elle l'avait prévenu de l'absence de Sam.

Les pas de Vial résonnèrent sur les dalles de la cave ; dans quelques minutes, il aurait gravi l'escalier et serait entré dans la maison, calcula Sam. Il était convaincu qu'une écharde s'était fichée dans son postérieur. Mais il avait réussi : la cave lui appartiendrait la nuit durant, et les heures d'effort physique qui l'attendaient seraient un soulagement après l'épreuve du monte-charge.

Même si le risque d'être repéré était minime, il avait décidé d'attendre deux bonnes heures avant d'allumer les lumières et de se mettre au travail : le moment où la quasi-totalité des Marseillais observaient le rite sacré du dîner.

En se guidant grâce au mince faisceau de sa torche miniature, il se dirigea vers le fond de la cave qu'il retrouva exactement dans l'état dont il se souvenait : le chariot de golf garé à sa place, près de la porte, et les cartons vides marqués Domaine Reboul entassés dans le coin. Il faudrait les remplacer par des emballages anonymes, mais il disposerait plus tard de tout le temps nécessaire. Il entra dans le bureau de Vial, s'installa dans le fauteuil de Vial, posa les pieds sur le bureau de Vial. Philippe répondit dès la première sonnerie.

— Pour l'instant, déclara Sam, tout baigne. Je suis dans la cave. Dans à peu près deux heures, je commencerai à emballer le vin. Revoyons une dernière fois le plan.

— Bon. Une fois les bouteilles dans les cartons, vous m'appelez. La fourgonnette est garée près du Vieux-Port et, à cette heure, il ne me faudra pas plus de trois minutes pour arriver au palais.

— Parfait. Je m'assurerai que les grilles soient ouvertes. N'oubliez pas d'éteindre vos phares avant de vous engager dans l'allée. Prenez à gauche au bout de l'allée. Je vous ferai signe avec ma torche pour vous guider jusqu'à la zone de chargement. Les cartons seront empilés devant l'entrée de la cave. En cinq minutes, nous les aurons chargés dans la camionnette. Et puis nous filerons. Oh ! encore une chose. Combien de temps pour arriver à destination ?

— Je pense que ce sera l'affaire d'une heure et demie, guère plus.

— OK. Tout est paré. À tout à l'heure.

Sam se sentait plus confiant maintenant que la fin approchait. Il était en effet isolé du monde extérieur : pas de fenêtre dans la cave, donc aucun rai de lumière révélant sa présence ; on ne risquait pas non plus de l'entendre : les murs épais, les plafonds massifs et, au-dessus de tout cela, une couche de plusieurs mètres de terre assuraient une parfaite insonorisation. Atout supplémentaire, le système d'alarme qu'il avait examiné au cours des visites précédentes ne se déclenchait que si quelqu'un essayait d'entrer et non de sortir. C'était la deuxième cave – après celle de Roth – dont la protection électronique ne correspondait pas tout à fait à ce qu'elle aurait dû être.

Elena occupa agréablement ses pensées tandis qu'il attendait, assis dans le noir, puis il se prit à songer à l'avenir. Comment réagirait-elle devant ses méthodes si peu orthodoxes ? Dans les assurances, comme dans la plupart des entreprises où on manie de grosses sommes d'argent, la fin a tendance à justifier les moyens, se rassura-t-il.

Il avait dû s'assoupir ; sa montre indiquait presque 22 heures, l'heure de se mettre au travail. Il se leva, se frotta les yeux et trouva le commutateur près de la porte principale. De nuit, la cave semblait encore plus vaste et plus mystérieuse que dans la journée, lorsque le soleil entrait à flots par les portes ouvertes. À présent, les plafonds voûtés étaient noyés d'ombre et les flaques de lumière projetées par les lampes fixées aux poutres paraissaient se perdre dans le lointain.

Sam chargea un tas de cartons vides dans le chariot et démarra. Premier arrêt, la rue des Merveilles. *Latour 61, quatre-vingt-dix-huit bouteilles.* Estimant le nombre de bouteilles à au moins trois cents, il commença à emplir les cartons vides sans aucun moyen de savoir si les quatre-vingt-dix-huit bouteilles qu'il prenait appartenaient bien à Roth. Mais, se dit-il, Roth ne se plaindrait pas. Il trouva son rythme : sortir deux bouteilles du casier, vérifier pour plus de sûreté le millésime sur l'étiquette, glisser les bouteilles dans leur compartiment individuel, se redresser, retourner au casier, puis déposer chaque carton plein sur le plateau situé derrière les sièges du chariot.

S'interrompant pour consulter sa montre, il calcula qu'il lui avait fallu plus de trente minutes pour emballer moins de cent bouteilles de latour : à ce train-là, il en avait encore pour trois heures, plus les allers et retours jusqu'au chariot ; il aurait donc terminé entre 2 et 3 heures du matin.

Lafite 53, soixante-seize bouteilles. Tout en répétant les manœuvres et les navettes entre les casiers et le chariot, il se remémorait certains commentaires de Florian Vial. Il se souvenait notamment d'un morceau de bravoure qui, après avoir débuté en douceur avec « ferme mais souple, doux mais avec un rien d'agressivité », était passé à « de la finesse, de l'arôme et un parfum pénétrant » avec un mélange « d'élégance, d'autorité et de classe qui s'épanouissait en bouche dans toute sa splendeur » pour s'achever sur cette apothéose : « si grandiose et si sublime qu'il constitue un véritable symposium de tous les autres vins ».

Figeac 82, cent dix bouteilles. Sophie lui avait raconté que le grand-père de l'actuel propriétaire considérait Figeac comme une maison de vacances et laissait le château fermé le reste de l'année. Sam secoua la tête et, s'attaquant à un nouveau carton, pensa soudain qu'emballer des lingots devait ressembler un peu à ce qu'il était en train de faire. Combien de dollars avait-il manipulés jusque-là ? Un million ? Deux millions ?

Pétrus 70, quarante-huit bouteilles, cinq magnums. « Comme dans le reportage du *L.A. Times* », se dit Sam en déposant le premier magnum dans son nid de carton. Était-ce celui que Danny Roth berçait sur la photographie ?

Margaux 83, cent quarante bouteilles. Autre question : qui les avait achetées pour Roth ? Quelqu'un à coup sûr qui connaissait son affaire. La collection ne comportait pas une seule bouteille douteuse. Lors de ses recherches avant de quitter L.A., Sam avait noté avec stupéfaction la hausse spectaculaire des prix des bordeaux premiers crus pour les millésimes des années 1980 : entre 2001 et 2006, par exemple, le lafite avait augmenté de cent vingt-trois pour cent. Pas étonnant que Roth soit dans tous ses états. Dieu sait ce que cela lui coûterait aujourd'hui de reconstituer sa cave.

Les cartons se faisaient de plus en plus lourds, les trajets jusqu'au chariot ne laissaient que peu de répit à son dos endolori.

Yquem 75, trente-six bouteilles. Avec un profond sentiment de volupté, Sam chargea le dernier carton sur le chariot et alla chercher ceux qu'il avait empilés près de la porte de la cave.

Il touchait presque au but. Il éteignit les lumières et entrebâilla la porte. Après l'atmosphère humide de la cave, l'air de la nuit lui parut frais et pur. Les grilles se découpaient dans la lueur du boulevard. Une voiture passa, remontant la colline, puis ce fut le silence. Marseille semblait endormie. Il était 3 h 15 du matin.

PHILIPPE, dans sa camionnette blanche, prit l'appel de Sam qui l'avait tiré d'un demi-sommeil.

— Debout là-dedans ! lança Sam.

Il entendit le moteur qui démarrait et Philippe qui se raclait la gorge.

— Trois minutes, mon général, répondit Philippe d'un ton qui se voulait alerte. J'apporte le tire-bouchon. Terminé.

Sam secoua la tête en souriant. Quand tout serait fini, il chercherait dans une brocante une décoration militaire ancienne pour l'épingler sur la poitrine de Philippe en récompense de ses services exceptionnels ; il l'aurait bien méritée. Et, selon toute probabilité, il la porterait.

Sam traversa l'allée et se posta à l'ombre de la statue de l'impératrice Eugénie. Derrière lui se dressait la masse du palais endormi où seules brillaient les deux lumières du porche. En priant silencieusement l'impératrice de lui pardonner sa conduite scandaleuse, il chercha à tâtons sous les plis de la robe de marbre le bouton qu'avait utilisé le jeune Dominique pour actionner l'ouverture de la grille. Dès qu'il entendit le bruit du moteur qui peinait dans la montée, il le pressa et les grilles s'écartèrent lentement. « Merci, Majesté. »

Philippe, se guidant sur le point lumineux de la torche de Sam, s'arrêta près des cartons empilés devant la porte de la cave. Il s'était vêtu de noir de la tête aux pieds et portait la cagoule de laine élue par les terroristes et les auteurs de hold-up.

— J'ai vérifié, chuchota-t-il. Tout est OK. Je n'ai pas été suivi.

Tandis qu'ils chargeaient les cartons, Sam fit remarquer, avec tout le tact possible, que la cagoule risquait d'attirer l'attention pendant le trajet. Philippe, dissimulant de son mieux son désappointement, la retira avant de s'installer au volant.

— Merde ! La grille est fermée.

— Minuterie automatique, expliqua Sam. Prenez-moi au pied de la statue.

Ils franchirent les grilles sans hâte, Philippe alluma les phares et la fourgonnette descendit les rues désertes, suivant les panneaux qui les feraient sortir de Marseille et gagner l'autoroute.

Sam s'écroula sur son siège, grisé par un irrésistible sentiment de soulagement. La partie sérieuse de l'opération était terminée. Régler les détails suivants serait amusant.

— Avez-vous parlé à Sophie ? Elle va bien ?

— *Très* bien même. Elle m'a appelé tard hier soir. Elle a pris un verre à l'hôtel avec Vial qui l'a ensuite emmenée dîner au Petit Nice, sur la corniche, dont le chef vient de recevoir sa troisième étoile au Michelin : il a la réputation de préparer le poisson comme un magicien. Bref, elle a passé une excellente soirée. Je crois qu'elle aime beaucoup Vial. Je lui ai promis de lui téléphoner pendant la nuit s'il y avait un problème ou demain matin si tout se passait bien.

Philippe prit un ticket au péage ; ils étaient seuls sur le large ruban de l'autoroute qui se déployait vers le nord. Sam, affalé sur son siège, la tête ballante, les bras pendant le long du corps, avait commencé à rattraper deux nuits sans sommeil. Philippe conduisit donc en silence, l'esprit tout occupé par son scoop et par l'agréable perspective d'un voyage à Los Angeles où il interviewerait Danny Roth.

Il quitta l'autoroute à Aix pour prendre la petite route qui, franchissant la Durance avant de s'enfoncer dans le Luberon, menait à Rognes. Il traversa les villages de Cadenet et de Lourmarin, tous deux profondément endormis, et s'engagea sur l'étroite route en lacets qui, par la montagne, les conduirait sur le versant nord du Luberon. Les pentes raides et rocheuses bordaient de si près le côté gauche de la chaussée qu'on avait l'impression de rouler dans un tunnel tortueux aux parois dentelées.

Sam, qui durant tout ce temps n'avait cessé de ronfler, fut brusquement tiré de son sommeil quand la camionnette tourna sur le chemin de terre creusé de profondes ornières qui menait à la vieille maison. Philippe arrêta le moteur mais laissa les phares allumés. Il s'était garé en face d'un puits en ruine. Après quelques tentatives infructueuses ponctuées de jurons, il finit par trouver la pierre dissimulant la vénérable clé longue de quinze centimètres qui ouvrait la porte d'entrée.

À l'intérieur, nouveau festival de jurons : Philippe se débattait au milieu de guirlandes de toiles d'araignée pour atteindre la boîte à fusibles et le compteur électrique. Avec un grognement de triomphe, il abaissa enfin la manette, ce qui produisit un filet de lumière dans l'ampoule de quarante watts suspendue par un fil au plafond.

— Et voilà ! Bienvenue dans le château familial ! Vous avez bien dormi ?

— Comme un bébé.

Sam se sentait étonnamment requinqué après son petit somme ; les idées claires et de bonne humeur, comme toujours quand une affaire s'était bien passée. Il suivit Philippe à travers de petites pièces basses de plafond, tapissées de poussière et vides à l'exception çà et là d'une chaise boiteuse poussée dans un coin.

— Au moins les membres de la famille n'ont pas pu emporter la cave. (Il poussa une petite porte dans un coin et tourna le commutateur, obligeant les créatures qui occupaient les lieux à se réfugier dans leurs trous.) Il faudra mettre de la mort-aux-rats, sinon ils rongeront les étiquettes des bouteilles. Je crois que c'est la vieille colle qu'ils aiment.

Comparé à la cave de Reboul, l'endroit paraissait bien modeste. Un petit escalier menait aux installations de stockage ; elles se bornaient à quelques étagères de vieilles planches reposant sur des barres de fer fichées dans des murs noirs de moisissure. Mais, comme le fit remarquer Philippe, cette cave, humide et fraîche, était le dernier endroit au monde où l'on penserait découvrir pour trois millions de dollars de vin.

Le transport des cartons depuis la fourgonnette fut long et d'autant plus pénible que les embrasures des portes et les plafonds semblaient aux yeux de Sam avoir été conçus pour des nains. Était-on plus petit et plus fluet il y a deux cents ans ? Quand ils eurent rangé le dernier carton, les deux hommes s'étaient écorché les jointures contre le bord rugueux des pierres et ils avaient le dos moulu à force de s'être baissés. Absorbés par leur tâche, ils avaient à peine remarqué qu'entretemps une nouvelle journée avait commencé.

— Que pensez-vous de cet endroit ? demanda Philippe. Bien que je ne sois pas un campagnard, il me paraît spécial, non ?

Debout devant la maison, ils regardaient vers l'est où le premier rayon de soleil pointait au-dessus de l'horizon. Sam pivota lentement sur trois cent soixante degrés. Aucune autre maison en vue. Ils étaient entourés de champs qui, plus tard dans la saison, se teinteraient de violet, leurs buissons de lavande se dressant telles des rangées de hérissons verdoyants. Et, derrière eux, la masse du Luberon, d'un bleu estompé par la lumière du petit matin.

— Vous savez ? dit Sam. Tout cela nous paraîtra bien plus beau quand nous aurons pris un petit déjeuner. Je n'ai rien mangé depuis hier midi.

Ils roulèrent jusqu'à Apt, trouvèrent un café avec une terrasse au soleil et firent une razzia de croissants dans la boulangerie voisine. On déposa devant eux de gros bols de café crème. Sam ferma les yeux et huma la vapeur embaumée. Il n'y avait qu'en France que ça sentait ainsi : cela tenait certainement au lait français.

— N'oublions pas, mon ami, la matinée bien remplie qui nous

attend. (Philippe, très occupé par son croissant, haussa un sourcil.) D'abord, quitter l'hôtel avant que Vial ne découvre qu'il lui manque cinq cents bouteilles, et dénicher un endroit où loger, en dehors de Marseille. Ensuite, trouver des cartons anonymes, revenir à la maison de grand-mère, remballer les bouteilles et nous débarrasser des autres cartons. Alors seulement, nous pourrons fêter cela. À votre avis, Sophie est-elle déjà réveillée ?

Non seulement elle l'était, mais elle avait aussi prévu un départ rapide de l'hôtel ; sa valise était déjà bouclée. Elle monta encore d'un cran dans l'estime de Sam.

Philippe déposa Sam devant le bureau de Hertz à l'aéroport, en lui donnant rendez-vous au parking à l'entrée de l'autoroute, puis il partit à la recherche de cartons de vin.

Au volant de sa Renault de location, Sam se lança dans le flot de la circulation matinale des voitures qui gagnaient Marseille. En arrivant à l'hôtel, il partit à la recherche de Sophie.

Elle finissait son petit déjeuner, remarquablement détendue pour quelqu'un qui venait de se rendre complice d'un crime.

— Alors ? Comment ça s'est passé ?

— Admirablement. Je vous raconterai dans la voiture. Laissez-moi juste le temps de prendre mes bagages et de régler la note, ensuite nous irons faire un tour. Dans un endroit incroyable.

À 8 h 30, bien avant que ne débute la journée de travail de Vial au palais, ils sortaient de Marseille.

9

Tout annonçait une de ces journées de printemps fréquentes en Provence : pas trop chaude, un ciel sans nuages, d'un bleu infini, des champs parsemés de l'écarlate des coquelicots, les squelettes noircis des pieds de vigne adoucis par le timide verdoiement de leurs feuilles naissantes. Dans la Renault de location de Sam qui suivait la camionnette de Philippe à travers la campagne, l'ambiance était aussi plaisante que le temps : le travail était achevé.

— Maintenant, dit Sam, vous allez pouvoir rentrer à Bordeaux, épouser Arnaud et avoir beaucoup d'enfants. Le mariage est prévu pour quand ?

— En août certainement, au château. Vous viendrez ?

— Bien sûr que je viendrai. Je ne suis jamais allé à un mariage français. Des projets pour la lune de miel ? Je pourrais vous préparer tout un programme à L.A.

— Et vous, riposta Sophie en riant, vous avez des projets ?

— Terminer ici, puis retourner à Paris faire mon rapport aux responsables du bureau de Knox.

— Vous êtes sûr ? Que pensez-vous leur dire ?

— Oh ! je ne les noierai certainement pas sous les détails. Je m'en tiendrai probablement à la version de Philippe : celle du coup de fil anonyme et de l'intrépide journaliste remontant une piste qui le ramène à Roth. Les agents de Knox ne poseront pas trop de questions dès l'instant qu'ils seront sûrs de ne pas devoir verser trois millions de dollars.

Devant eux, la fourgonnette de Philippe grimpait poussivement le dernier lacet de la route de montagne menant au plateau et à la vieille maison.

Pour la seconde fois ce matin-là, Philippe les guida jusqu'à la cave, tenant sous un bras une grosse boîte de raticide et, sous l'autre, un tas de cartons pliés. À eux trois ils eurent remballé les bouteilles en une heure à peine. Sam et Sophie quittèrent alors la cave pour permettre à Philippe de répandre sur le sol une généreuse couche de boulettes mortelles, ce qu'il fit en souhaitant bon appétit aux rats avant de refermer la porte derrière lui.

Il rejoignit Sophie et Sam en train de charger dans la camionnette le dernier des cartons Reboul vides, qui finiraient dans une décharge sur la route de Marseille.

— Eh bien, ça y est, conclut Sam. Sophie et moi n'avons plus maintenant qu'à trouver un endroit où passer la nuit. Vous avez une idée, Philippe ?

— Pourquoi ne pas essayer Aix ? On m'a parlé de la Villa Gallici, une bonne adresse, paraît-il.

C'ÉTAIT le cas : ce charmant petit hôtel se trouvait à deux minutes à pied des cafés et autres délices du cours Mirabeau. Mais Sam était sur les genoux. Il présenta donc ses excuses à Sophie, monta dans sa chambre et s'écroula tout habillé sur son lit.

Six heures et une douche plus tard, il se sentit suffisamment ragaillardi pour s'aventurer sur la terrasse ombragée de l'hôtel et y prendre une coupe de champagne afin de se réveiller complètement. Il ouvrit son portable et consulta ses messages : Elena et Axel Schroeder, toujours en quête de renseignements. Il décida de garder Elena pour plus tard et appela Schroeder.

— Axel, c'est Sam.

— Mon cher ami, je commençais à m'inquiéter. J'espère que vous n'avez pas travaillé trop dur.

— Vous savez ce que c'est, Axel. Toujours à bêcher une terre ingrate. Mais j'ai eu un coup de chance. J'ai retrouvé le vin. En totalité.

— Où est-il ?

— En sûreté.

— Sam, répondit Schroeder après un temps de réflexion, il faut que nous parlions. Il se trouve que je connais deux ou trois personnes qui seraient très, très intéressées.

— Je n'en doute pas. Axel, c'est vous qui avez monté le coup, n'est-ce pas ?

— Soixante pour vous, quarante pour moi. Belle opération.

— Peut-être la prochaine fois, vieille canaille.

— Cela valait la peine d'essayer, mon cher ami, céda Schroeder avec un petit rire. Si vous changez d'avis, vous savez où me joindre.

Sam regarda la terrasse. On avait dressé les tables pour le dîner. Il allait appeler Sophie pour lui proposer de le rejoindre. Mais d'abord, Elena.

Après l'avoir félicité, elle voulut connaître tous les détails.

— Elena, je n'ai pas envie d'en parler au téléphone. Dans combien de temps peux-tu être ici ?

— N'y pense pas, Sam. Pourquoi crois-tu que Knox entretient en France un bureau plein de Français ? Mais toi, dans combien de temps peux-tu être à Paris ?

— Je compte être demain en fin de journée au Montalembert. Elena…

— Je vais m'arranger, le coupa-t-elle d'un ton sec et professionnel, pour qu'un agent de chez Knox t'y contacte. Beau travail, Sam. Roth ne le mérite pas, mais mon président va être aux anges. Je cours tout lui raconter immédiatement.

Ce coup de téléphone avait laissé Sam déprimé et une nouvelle coupe de champagne ne réussit guère à lui remonter le moral. Sophie ne répondait pas au téléphone et il passa donc la soirée avec son steak, son vin et ses pensées.

Sophie lui expliqua le lendemain au petit déjeuner que, persuadée que Sam dormirait toute la nuit, elle était allée voir un film.

— Philippe, conclut-elle, suggère un déjeuner d'adieu avant notre départ pour l'aéroport. Il connaît un petit restaurant à Cassis, sur le port, qui sert une bouillabaisse correcte. C'est à moins d'une heure de voiture. Qu'en pensez-vous ?

Du bien. Après une longue nuit de sommeil, Sam se sentait dans les meilleures dispositions et le spectacle de Cassis ne fit que renforcer cette impression. Par une journée ensoleillée, un village au bord de la mer cerné par douze excellents vignobles offre quelque chose de magique.

Philippe était déjà attablé sur la terrasse de Nino, un restaurant dont le propriétaire avait eu la bonne idée d'aménager trois chambres pour le cas où le déjeuner provoquerait une irrépressible envie de faire une petite sieste. Malgré l'heure matinale, la terrasse surplombant le port était presque pleine. En regardant autour de lui, Sam apercevait des serviettes déjà rentrées dans les cols de chemise tandis qu'on étudiait le menu et qu'entre deux gorgées de vin du pays bien frais on comparait les mérites d'un gigot de lotte et ceux d'une daurade grillée.

— Ici, déclara Philippe, on boit un vin de village. (Il prit une bouteille dans le seau à glace posé près de lui et exhiba l'étiquette.) Domaine du Paternel. Un trésor. À nos prochaines retrouvailles, où que ce soit. Aujourd'hui, Cassis. Demain… Los Angeles ?

Le déjeuner fut long et joyeux, et la bouillabaisse superbe ; ils parvinrent à l'aéroport avec assez d'avance pour prendre un dernier café. Ces quelques jours passés ensemble avaient été, selon l'expression de Philippe, vraiment *chouettes*, un moment formidable. Puis, après des embrassades fortement aillées et la promesse de se retrouver à Bordeaux pour le mariage de Sophie, chacun partit de son côté : Sophie pour Bordeaux, Sam pour Paris et Philippe pour son bureau afin de travailler à son article. Il voyait quelques semaines fort distrayantes se profiler devant lui.

COMME l'appareil tournait le dos au soleil et prenait la direction du nord, Sam, par le hublot, eut un dernier regard sur la Méditerranée. Pour une fois, il n'était pas tellement excité à l'idée d'aller à Paris. Marseille ne méritait vraiment pas sa mauvaise réputation.

Un plafond de nuages recouvrait le centre de la France et l'avion atterrit dans un Paris monochrome, des couches de gris se superposant du sol jusqu'au ciel. Quelle étrange impression de songer que la lumière cristalline de Provence brillait à une heure de vol. Tandis que le taxi de Sam dévalait le boulevard Raspail en direction de l'hôtel, il éprouva un bref pincement de nostalgie.

Il posa sa valise sur le lit. Une douche rapide dissiperait cette impression d'être chiffonné que lui laissait toujours un trajet en avion ; il était en train d'enfiler son pantalon quand le téléphone de la chambre sonna. Il sautilla sur une jambe pour aller répondre.

— Alors, dis-moi… comment se débrouille une femme pour avoir un verre dans cet endroit ?

Son cœur accéléra brusquement.

— Elena ? C'est toi ? Tu es ici ?

— Qui d'autre attendais-tu ?

Planté là, son pantalon autour des chevilles, Sam était l'homme le plus heureux de Paris.

10

Les autres clients du Château Marmont étaient soit déjà partis travailler, soit encore au lit. Sam avait la piscine pour lui tout seul. Il s'était acquitté de ses vingt longueurs quotidiennes et profitait à présent du soleil matinal.

Elena et lui avaient fini par renoncer à se chamailler et évoluaient prudemment vers une sorte de relation stable. Il avait hâte de lui faire rencontrer Philippe qui serait là la semaine prochaine pour interviewer l'homme qu'il appelait M. « Rote ». (S'il parlait convenablement anglais, il éprouvait comme nombre de ses compatriotes quelque difficulté à prononcer le *th.*) Il ne lui manquait plus qu'un café pour rendre cette matinée parfaite.

Il enfila son peignoir de bain et traversa la jungle soigneusement taillée qui sépare la piscine du corps de l'hôtel, s'arrêtant à la réception pour prendre le *L.A. Times.*

— Mr Levitt, vous avez un visiteur, le prévint un des affables jeunes gens de faction derrière le comptoir. Nous l'avons installé à votre table dans le coin.

« Bookman », se dit Sam. Il s'avança dans le jardin tout en jetant un coup d'œil aux titres du jour. Quand il leva les yeux de son journal, un sourire s'esquissant déjà sur son visage, il s'arrêta soudain comme s'il venait de rentrer dans un mur.

Impeccable dans un costume de lin mastic, Francis Reboul se leva en lui tendant la main.

— J'espère que vous me pardonnerez de passer ainsi à l'improviste, dit Reboul en s'asseyant et en faisant signe à Sam d'en faire autant. Je me suis permis de commander du café pour nous deux. Il n'y a rien de tel que la première tasse après un bain, vous ne trouvez pas ?

Sam, qui ne se sentait pas à la hauteur sur le plan vestimentaire, fit un effort pour revenir de sa surprise. Son regard parcourut les tables voisines, cherchant des costauds en costume sombre.

Reboul, qui avait deviné ses pensées, secoua la tête.

— Pas de gardes du corps. Je me suis dit que ce serait plus confortable si nous n'étions que tous les deux. (Il s'installa confortablement, parfaitement à l'aise, ses yeux brillant d'une lueur amusée dans son visage couleur d'acajou.) Heureusement que j'ai gardé la carte que vous m'aviez donnée. Si mes souvenirs sont exacts, vous étiez dans l'édition la dernière fois que nous nous sommes rencontrés. (Il trempa un sucre dans son café et le suça d'un air songeur.) Mais je ne serais pas surpris d'apprendre que vous avez changé de carrière. Serait-il indiscret de vous demander ce que vous faites maintenant ?

Sam hésita un instant. Il avait généralement réponse à tout, mais Reboul le prenait complètement au dépourvu.

— L'édition tourne au ralenti en ce moment, répondit-il. J'en profite pour me reposer un peu entre deux projets.

— Excellent, fit Reboul, qui semblait sincèrement ravi. Si vous n'êtes pas trop occupé, j'ai une proposition qui pourrait vous intéresser. Mais il faut d'abord que vous me disiez quelque chose, juste entre nous. (Il se pencha en avant, les deux coudes sur la table, le menton appuyé sur ses mains jointes, le regard intense.) Comment avez-vous fait ?

« Pourquoi être vaguement heureux en Angleterre quand on peut être très heureux en Provence ? C'est toute ma philosophie. »

Peter Mayle

Qu'il soit le plus provençal des Anglais ou le plus anglais des Provençaux, Peter Mayle a durablement lié son nom à la région de son cœur. Après avoir travaillé une quinzaine d'années dans la publicité, à New York et à Londres, il décide de fuir la vie trépidante de ces deux métropoles et de s'installer dans un endroit plus paisible pour se consacrer totalement à l'écriture (il a déjà une première expérience dans ce domaine, ayant publié plusieurs livres pour enfants). En 1988, sa femme et lui achètent en Provence un mas du XVIIIe siècle qu'ils entreprennent de restaurer. Mais les affres de cette installation empêchent Peter Mayle de s'atteler au roman qu'il avait en tête. Finalement, il a l'idée de faire le récit, sur un mode très humoristique, des péripéties de sa nouvelle existence. *Une année en Provence* rencontre un succès phénoménal en France et dans le monde. Dès lors, des bus entiers de touristes américains, japonais, australiens débarquent dans le village des Mayle : adieu la tranquillité ! Le couple trouve un nouveau refuge dans les Hamptons, près de New York. Là, Peter Mayle continue à écrire sur la Provence, aussi bien des essais que des romans, dont *Le Diamant noir* et *Un bon cru* (parus dans Sélection du Livre). Ce dernier ouvrage est adapté au cinéma par Ridley Scott en 2006, sous le titre *Une grande année*, avec Marion Cotillard et Russell Crowe. Décidément amoureux du sud de la France, Peter Mayle n'a pas résisté à la tentation de revenir vivre dans le Luberon. Il ne cache pas son bonheur : « Je suis très content de faire ce que je fais : manger de bonnes choses, vivre dans un pays magnifique et faire la sieste dans un hamac. Que demander de plus à la vie ? »

Le texte intégral des ouvrages
présentés a été publié par
les éditeurs suivants :

ÉDITIONS ALBIN MICHEL

Mary Higgins Clark
Quand reviendras-tu ?

ÉDITIONS GALLIMARD

Marc Dugain
L'Insomnie des étoiles

ÉDITIONS JACQUELINE CHAMBON

Kathryn Stockett
La Couleur des sentiments

NiL ÉDITIONS

Peter Mayle
Château-l'Arnaque

Crédits photographiques :

Couverture :
hg : Illustration montage by Rick Lecoat, Shark Attack Original stock imagery from Shutterstock ; hd : Gettyimages/Sandra Eisner ; bg : Réa/Mario Fourmy ; bd : La Couleur des sentiments *de Tate Taylor 2011 avec Viola Davis - Photo Dale Robinette © DreamWorks II Distribution Co.,* All Rights Reserved.
4e de couverture :
hg : Bernard Vidal ; hd : Agence Opale/Mélanie Avanzato ; bg : Agence Opale/Philippe Matsas ; bd : Gettyimages/Ulf Andersen.
Pages :
5 : Bridgeman Giraudon Bedtime Story *Charles Compton 1828-1884 Gavin Graham Gallery, Londres.*
7 g : Illustration montage by Rick Lecoat, Shark Attack Original stock imagery from Shutterstock ; cg : Gettyimages/Sandra Eisner ; cd : Réa/Mario Fourmy ; d : La Couleur des sentiments *de Tate Taylor 2011 avec Viola Davis - Photo Dale Robinette © DreamWorks II Distribution Co.,* All Rights Reserved *;*
8/9/10 : Illustration montage by Rick Lecoat, Shark Attack Original stock imagery from Shutterstock ; 151 : Bernard Vidal ; 152/153 : Gettyimages/Sandra Eisner ; 154 : Gettyimages/Sandra Eisner ; 261 : Agence Opale/Philippe Matsas ; 262/263/264 : La Couleur des sentiments *de Tate Taylor 2011 avec Viola Davis - Photo Dale Robinette © DreamWorks II Distribution Co.,* All Rights Reserved *; 483 : Agence Opale/Mélanie Avanzato ; 484/485/486 : Réa/Mario Fourmy ; 591 : Gettyimages/Ulf Andersen.*

IMPRESSION ET RELIURE : GGP Media GmbH, Pößneck, Allemagne.